W9-COE-535

BÉRURIER AU SÉRAIL
LAISSEZ TOMBER LA FILLE
LE SECRET DE POLICHINELLE
DES GUEULES D'ENTERREMENT
FAIS GAFFE A TES OS

SAN-ANTONIO

BÉRURIER AU SÉRAIL
LAISSEZ TOMBER LA FILLE
LE SECRET DE POLICHINELLE
DES GUEULES D'ENTERREMENT
FAIS GAFFE A TES OS

FRANCE LOISIRS
123, boulevard de Grenelle, Paris

Édition du Club France Loisirs, Paris,
avec l'autorisation des éditions Fleuve Noir

ISBN : 2-7242-2233-4

BÉRURIER AU SÉRAIL

CHAPITRE PREMIER

— ENTREZ, messieurs, entrez ! qu'il fait, le Vieux, en tirant sur ses manchettes.

Nous entrons dans son P.C.

— Il a l'air vachement joyce, ce morninge, le Tondu, me souffle Béru.

L'Hénorme a autant de psychologie qu'une boîte de sardines vide. Quand on connaît le Dabe comme je le connais, on sait différencier un rictus d'un sourire. M'est avis, mes chéries, que ça carbure vachement mal au contraire et je subodore du pas ordinaire.

Nous nous mettons à bivouaquer dans son antre. Quand je dis nous, j'entends Béru, Pinaud, Mathias, Filoseille, Nabus, Ronchond et moi. Mon regard d'aigle accroche deux éléments insolites. Le premier est une immense carte en couleurs du Moyen-Orient ; le second, un monsieur grave et plus basané qu'un Mexicain. Il a l'air d'être taillé dans une grosse olive, ce pèlerin. Le Vioque nous le présente sans tarder.

— M. Oscar Avane, chargé des affaires arabes.

On incline la calbombe de part et d'autre.

— Il a la jaunisse, murmure Bérurier le Sagace.

Mon Béru est loqué façon Oxford depuis quelques jours. Une lubie ! Il porte un imper mastic avec boutons de cuir et épaulettes. La ceinture nouée à la diable pend sous sa bedaine. Il a, de plus, ce petit prévoyant, un pébroque made in Piccadilly, soigneusement roulé. Cette protection contre les larmes du ciel est d'autant plus insolite que nous tenons un beau temps coriace. Mais il serait vain de vouloir parcourir les méandres de sa pensée. Il s'exprime par proverbes dans les cas embarrassants, Béru. « La pluie du matin n'arrête pas le pèlerin, m'a-t-il rétorqué, mais munissez-vous d'un pépin, vu qu'en mars et en avril faut pas se découvrir d'un fil. » Comprenne qui peut !

— Messieurs, fait le Big Boss après s'être ramoné les muqueuses, je vous ai réunis pour vous faire part d'une affaire extrêmement grave.

Il s'empare d'une règle en platine pur sucre et s'approche de la carte fixée au mur.

— Voici, fait-il, une carte du Moyen-Orient.

La règle tournique un instant au-dessus de la carte et délimite un territoire tracé en pointillé et ayant la forme d'un crabe.

— Ici, dit-il, l'imanat du Kelsaltan.

— Ce truc en jaune ? demande Bérurier en s'approchant.

— Oui.

— On dirait une omelette aux œufs, assure ce fin observateur.

— C'est possible, s'impatiente le Dabuche. Il y a quinze jours, un avion de la compagnie Trans-Lucide assurant la liaison Pékin-Londres survolait ce territoire, ayant à son bord, parmi les quelque quatre-vingts passagers, un agent des Services secrets français flanqué d'un garde du corps.

Il toussote dans sa main en cornet.

— L'agent en question rapportait des documents d'une extrême importance...

— Et on les y a secoués facile ? se croit obligé de deviner le Mahousse.

— Je vous en prie, Bérurier ! fulmine le Vieux.

Il toise pendant quarante secondes l'interrupteur, ce qui fait pâlir, puis verdir et enfin baver le Gravos. On dirait un gros boxer fouetté, mon Béru ! Pinaud, pas mécontent, libère une petite toux crachoteuse. Ça rompt la tension et le patron reprend :

— Tandis qu'il survolait le Kelsaltan, le commandant de bord a câblé un message pour signaler que son fouinozoff de véracité donnait de la bande et qu'il était obligé de se poser dans le désert. L'atterrissage s'effectua dans de bonnes conditions et, tandis que le personnel navigant s'employait à réparer l'avarie, les passagers en profitèrent pour se dégourdir les jambes. Cette halte forcée dura deux petites heures environ. Lorsque l'avion fut prêt à reprendre son vol, on constata que notre agent et son compagnon faisaient défaut. De hâtives recherches furent organisées, qui ne donnèrent aucun résultat. Le radio signala leur disparition aux autorités de Kelsalmecque, la capitale du Kelsaltan, et comme l'appareil devait coûte que coûte reprendre sa route, il décolla avec deux passagers de moins.

Quand je vous le disais, les gars, que c'était du pas ordinaire qui se préparait.

— Dites, patron, interviens-je, a-t-on eu des précisions sur la nature de cette panne ?

Le Vioque fait comme la Jouvence de M. l'abbé : il me sourit.

— Votre question n'est pas faite pour m'étonner, mon cher ami.

Son cher ami ! Oh ! Oh ! ça laisse présager des choses, cette démonstration de sympathie !

— Les services compétents, reprend le Boss, ont fait une petite enquête à ce sujet. Ça leur a permis de découvrir que le fouinozoff de véracité de l'appareil avait été saboté. Scotland Yard a pris l'affaire en main et a commencé par convoquer le commandant de bord. Ce dernier ne s'est pas rendu à ladite convocation pour la bonne raison qu'un mauvais plaisant lui avait tiré deux balles de 9 mm en plein cœur alors qu'il se trouvait dans sa salle de bains !

— Oh ! quel vilain temps ! s'exclame Béru.

— Premières conclusions qui s'imposent, fait le Boss, on a obligé l'avion à se poser au Kelsaltan et le commandant de l'appareil était complice. Fin du premier chapitre, termine-t-il.

Il nous regarde pour jouir de nos réactions. Je lui dédie une grimace éloquente.

— Et depuis on n'a pas eu de nouvelles de notre agent ? fais-je doucement.

— Non, déclare le Dabe. Les autorités de Kelsalmecque ont, paraît-il, fait des recherches qui n'ont donné aucun résultat. A croire que les deux hommes se sont désintégrés. Lors, les Services secrets français ont dépêché un homme à eux dans la région de l'atterrissage forcé. L'enquêteur a été assassiné d'un coup de couteau dans le dos le lendemain de son arrivée. Aussitôt, deux autres agents sont allés là-bas. Tous deux ont été retrouvés empoisonnés dans leur chambre d'hôtel.

Nous nous exclamons comme il sied.

— C'est pas là-bas que j'irais passer mes vacances ! affirme énergiquement Béru.

Le Big Dabe lui coule un regard bleu indéfinissable.

— Vos vacances, peut-être pas, fait-il, mais c'est là-bas que j'aimerais pourtant vous envoyer.

Il manque en avaler son râtelier à impériale, Béru, et il a sa glotte qui fait le grand écart.

— Car, lance énergiquement le Vieux, la France ne saurait rester sur cette série d'échecs. M. le ministre m'a pressenti pour me demander si j'avais des hommes capables de réussir là où les gens des Services secrets ont échoué. Alors, messieurs, j'ai répondu par l'affirmative !

Un silence. Il retoussote.

— Bien entendu, continue le Tondu, je ne force personne. Libre à vous de refuser pareille mission. Mais l'honneur de mes services est en cause. Je vous ai réunis parce que vous êtes les meilleurs éléments de cette maison...

Y a du rengorgement plein la pièce. On se gratte le bout du noze, modestes.

— San-Antonio, fait le Dabe, vous déclarez-vous prêt à partir ?

— En avez-vous douté, m'sieur le directeur ? bêle cette buse de San-A., toujours prête à se faire trouer la paillasse pour la gloriole.

— Non, mon cher ami. Vous allez choisir deux compagnons d'équipée. Mais auparavant, je voudrais que M. Oscar Avane ici présent vous fasse un rapide cours sur le Kelsaltan, pays peu connu des Européens. Lorsqu'il en aura terminé, vous saurez quelles qualités doivent être requises pour entreprendre l'enquête dangereuse dont je vous charge.

Fermez le ban !

Un petit frémissement court dans l'assistance. Mes compagnons me matent à la sournoise pour voir comment je me comporte. La perspective d'une virée aussi délicate dans ce bled pourri ne les tente visiblement pas. C'est assez de morfler des gnons et des bastos en Europe en faisant la guérilla aux malfrats, mais s'il faut, par-dessus le marka, jouer Lawrence d'Arabie à prix de faveur, alors là ils ont envie de balancer leur plaque de matuche dans la première poubelle venue et de s'engager dans les P.T.T. afin d'y jouer les affranchis.

Le dénommé Oscar Avane, l'homme qui paraît être le fils légitime d'un hareng saur et d'une bouteille d'huile d'olive, s'avance vers la carte. C'est un monsieur élégant, aux gestes aisés et à la voix caressante.

— Messieurs, attaque-t-il, peut-être le savez-vous déjà, mais l'imanat de Kelsaltan résulte d'un éclatement de l'Arabie Karbonate de Séoud survenu tout de suite après la guerre qui opposa ce pays à l'Angleterre sous le règne de Fotomathon Ier. C'est un pays dont l'étendue est sensiblement égale à celle de la France.

— Sauf que la capitale, c'est pas Paris, gouaille l'Abominable.

Oscar Avane lui virgule une œillade glacée et poursuit :

— La capitale, comme vous l'a dit M. le directeur, s'appelle Kelsalmecque et les habitants du Kelsaltan sont les Kelsaltipes.

Unique richesse du pays : le pétrole. Le long du littoral, on fait un peu d'agrumes et, sur les premiers contreforts des monts Zémerveils, paissent des troupeaux d'astrakans nains, mais ce sont là des ressources très secondaires. Le Kelsaltan est officiellement gouverné par l'iman Komirespyr : en fait, ce pays se subdivise en petits émirats dont le plus important est l'émirat d'Aigou. Chacun des émirs qui les dirigent est en fait un monarque indépendant qui fait fi des directives de la capitale. L'unité du Kelsaltan n'est qu'illusoire. Les émirs sont des gens très riches à cause du pétrole, vous vous en doutez. Ils vivent en mauvaise intelligence...

— Ce sont tous des c... ? s'inquiète le Terrible.

Ses interruptions, à Béru, ce sont des excréments qu'on enjambe. Aussi Oscar Avane pousuit-il sans même l'honorer d'un regard :

— Les mœurs sont très primitives, là-bas. Les émirs et leur cour exceptés, la population vit misérablement.

— Laissez arriver les Popofs, prophétise sourdement le gauchisant Béru.

Cette fois, son avis revêt quelque pertinence car Avane branle le cigare.

— Justement, approuve-t-il, ils arrivent. Leur doctrine pousse comme blé en Beauce dans ce peuple sous-développé, qu'on mène au fouet et qu'on laisse crever de faim. Les émirs roulent dans des Cadillac sans réaliser que le jour est proche où les Kelsaltipes les arroseront de leur sacré pétrole pour y mettre le feu.

Le Dabuche tousse, gêné. Il aime pas qu'on tartine trop sur ce terrain. Il a des idées préconçues avec la manière de s'en servir.

— Pour en revenir à l'affaire qui vous intéresse, messieurs, reprend Oscar Avane, je vous précise que l'avion de la Trans-Lucide s'est posé dans l'émirat d'Aigou, lequel est gouverné par l'émir Obolan, le plus vif opposant au gouvernement officiel. Je vous ai dit que ces émirs avaient presque leur autonomie, j'ajoute qu'Obolan est un tyran gorgé d'or et pétri d'ambition. Ce n'est pas un secret : il vise à détrôner l'iman Komirespyr pour prendre sa place. Ensuite il balaiera les autres émirs afin d'opérer l'unification du Kelsaltan et devenir un véritable chef d'Etat.

Je lève le doigt comme à l'école.

— Vous pensez donc, monsieur Avane, que dans la mesure où l'avion s'est volontairement posé sur l'émirat d'Aigou, cela impliquerait une complicité de l'émir Obolan ?

— Sans aucun doute, affirme Oscar Avane, et voilà pourquoi les enquêteurs des Services secrets sont morts. Dès qu'un Européen débarque dans ce pays, ce qui est extrêmement rare, les sbires de l'émir Obolan n'ont aucun mal à le repérer et, s'il fait montre d'une curiosité insolite, le suppriment.

— On ne peut pourtant pas déclarer la guerre au Kelsaltan, pour faire tranquillement une enquête, soupire le cher Pinuche.

— D'autant plus qu'on serait pas certain de la gagner, renchérit l'Obèse.

Le Vieux frappe dans ses mains et nos attentions se remettent en rang.

— J'ai une idée, annonce-t-il avec emphase.

Béru va pour s'exclamer qu'« une fois n'est pas coutume » mais je lui propulse un coup de tatane dans les pilotis à titre préventif.

— Ceux qui partiront en expédition vont se déguiser en Arabes, déclare-t-il. Ils débarqueront à Béotie, le port du sultanat d'Analfabeth, pays de l'émirat d'Aigou. Là, une petite caravane de dromadaires les attendra. Ils gagneront par petites étapes la ville de Toutal-Aigou où se trouve le palais d'Obolan. Ils seront officiellement marchands de bimbeloterie et feront du commerce.

Oscar Avane intervint.

— Je me permets de préciser au passage, si M. le directeur le permet, que le peuple kelsaltipe est très sensible aux marchands ambulants. Munissez-vous de denrées peu coûteuses, dans l'esprit « Tout à un franc » et vous deviendrez vite des personnages considérés.

— Tout ça est très joli, admets-je, mais comment nous débrouillerons-nous du point de vue dialecte ?

Oscar Avane branle son chef vert-de-gris.

— Les Kelsaltipes parlent un arabe fouinazé qu'on ne retrouve chez aucun autre peuple du Moyen-Orient. Les plus évolués connaissent l'anglais, quelques-uns le français. Il vous suffira de prétendre que vous venez d'Afrique du Nord.

Le Vieux intervient. Ça le démangeait, le chéri, car cela faisait longtemps qu'il n'avait rien bonni.

— J'ai remué tout Paris pour essayer de vous trouver quelqu'un parlant le kelsaltipe, en vain. Il faudra donc user du système que préconise M. Avane.

— Nous verrons, acquiescé-je. Reste maintenant à trancher la question de mes collaborateurs. Il me faut des gars à la tête froide.

— Pour aller se baguenauder au soleil, c'est préférable en effet, plaisante le Tonitruant.

Je continue, à l'intention de M. mon patron :

— Ces gens doivent être jeunes, hardis, souples, pleins d'audace.

— Mince, tu vas pas tourner Tarzan ! ricane Béru.

Il est déconfit, mon Gravos. Le signalement du compagnon idéal que je viens de donner — la hardiesse mise à part — ne correspond pas du tout au sien.

Je fais front à mes collaborateurs. Mathias, Ronchond et Nabus sont jeunes, sportifs et célibataires...

— Il y a des amateurs ? je questionne.

Tous lèvent la main, excepté mon père Pinuche. Ce dernier actionne son vieux briquet à la flamme aussi fumeuse qu'une cheminée bouchée et se flambe trois millimètres de moustache, sous le fallacieux prétexte de ranimer son mégot. J'ai un pincement au cœur. Habituellement Pinuche est toujours partant pour les équipées dangereuses. Faut croire qu'il vieillit. Je soupire. Un petit coup de flou met de la buée sur mon âme romanesque.

— Je pense, déclaré-je que je vais choisir Mathias et Nabus.

Les deux intéressés s'inclinent, la roseur de la gloriole au front.

Lors, l'Énorme se met à barrir comme un troupeau d'éléphants auxquels on passerait les trompes à la scie circulaire.

— Merci pour la délicatesse, fulmine Sa Divinité mal braguettée ; alors on se dévoue toute une carrière pour un monsieur dont au sujet duquel on a la sottise d'admirer les prouesses, et dès qu'il peut vous faire une crasse, il s'empresse !

Il tourne sa face violette vers le Boss.

— M'sieur le directeur, fait-il, j'ai le regret de vous donner ma démission, et sans vous l'envelopper dans du papier-cadeau ! Il est pas question que je restasse z'encore dans une maison dont on m'humilie.

— Calme-toi, éponge, recommandé-je. Si je ne te prends pas, c'est pour une raison bien simple...

— A cause que j'ai pas la souplesse boa, ni le courage Bayard, et que j'ai un brin de carat ? grince mon dévoué camarade.

Il s'éloigne de nous, s'approche du mur, y appuie son bras replié et se met à chialer dans son coude, à gros sanglots.

Nous voilà tous à sourire avec des larmes aux cils. C'est un bon gros cancre sensible, mon Béru.

Je vais à lui et pose ma main sur sa nuque.

— Tu vas pas jouer la *Dame aux camélias*, Gros. Je ne t'emmène pas uniquement parce que tu crains la chaleur. T'as toujours soif, reconnais ! Dans le bled où nous allons, le mahomed cogne pas avec un plumeau, fais-lui confiance.

Il tourne vers moi sa bouille détrempée.

— Et alors, fait-il, tu le sais p't-être pas que les gourdes, ça existe ?

— En te considérant, je ne devrais pas l'oublier, conviens-je.

— Je m'emporterais quelques bouteilles de muscadet et le tour serait joué.

Comment résister, mes amis, alors que tout mon être aspire à ce compagnon de voyage ?

— Très bien, tu viendras à la place de Nabus.

Nabus n'a pas l'air tellement consterné par cette permutation. Il fait tout de même semblant d'être contrarié, mais c'est pour sauver la face.

— Eh bien ! voici l'affaire réglée, déclare le Vieux en souriant.

— Vous permettez ! dit soudain Pinaud en étreignant sa moustache à combustion lente entre son pouce et son index qu'il a préalablement humectés de salive.

— Quelque chose à dire ? murmure le Dirlo, mécontent, en caressant son crâne pareil au dargif d'un bébé élevé à la Blédine.

— Oui, monsieur le directeur, bêle Pinuchet. Je voudrais vous signaler que j'ai fait mon service militaire dans les tirailleurs et que je parle couramment le marocain. Ne pensez-vous pas qu'il serait bon que je me joigne à cette expédition ? Le kelsaltipe est, dit M. Avane, un dialecte spécial. Néanmoins il reste un langage arabe. Or il me semble que si l'un des membres de la mission parlait vraiment l'arabe...

Brave, cher, doux, tendre, suave, rusé, généreux Pinaud ! Il n'a pas levé la main pour ne pas essuyer de rebuffade. Avec sa sagesse coutumière, il a attendu le moment de placer sa botte secrète.

Le Dabe me virgule un regard en forme de portemanteau. Je bats des ramasse-miettes.

— Ah ! vraiment, vous parlez couramment le marocain ? dit-il.

— Oui, monsieur le directeur.

Le Vieux se tourne vers Oscar Avane.

— Eh bien ! vous allez pouvoir faire un brin de conversation tous les deux, décide-t-il.

Voilà donc le gars Oscar qui se met à bavasser dans la langue de Hassan II. Pinaud écoute, les sourcils joints derrière la fumée crasseuse de sa cigarette.

Lorsque l'autre a fini, il murmure :

— Voulez-vous répéter plus doucement, je vous prie...

Et Avane, réprimant un sourire, répète. Lors, la Vieille Fripe baragouine à son tour. Ce qu'il dit est entremêlé de mots français. Je file un coup de coude à Avane.

— Ça me semble pas mal, n'est-ce pas ? lui soufflé-je.

— En effet, convient généreusement le chargé de mission aux affaires arabes, je suis persuadé qu'avec un petit entraînement, M. l'inspecteur s'exprimera couramment.

La Vieillasse a la sueur aux tempes.

Il lance à Oscar Avane un long regard d'épagneul pour le remercier de son pieux mensonge.

— Voilà donc Pinaud dans le coup à la place de Mathias. Très vite, le Boss nous refile ses instructions.

Nous devons partir le lendemain, très tôt. Un avion nous conduira à Aden, là nous revêtirons nos tenues arabes et nous prendrons un barlu pour Béotie. Dans cette ville, notre caravane nous attendra et la grande, la redoutable aventure commencera.

— Vous n'emportez aucun bagage, déclare-t-il, si ce n'est du linge de corps. Par contre, vous allez vous munir chacun d'un lot important de bimbeloterie. Je tiens à ce que vous l'acquériez vous-même afin de la mieux connaître.

Il sourit.

— Et tâchez de la revendre là-bas avec bénéfice, la caisse des œuvres de la police vous en sera reconnaissante.

Nous prenons congé avec force poignées de louche.

CHAPITRE II

Comme dans la vie il faut toujours procéder par ordre, nous commençons par aller écluser du blanc-cassis au troquet voisin.

Béru est tout émoustillé.

— On va avoir fière mine, loqués en arbis, déclare-t-il en vidant son glass d'une seule aspiration. A part la Vieillasse, naturlich, qui fera un peu cheikh sans provision avec sa bouille de constipé.

Le Pinuchet se fâche.

— Vous serez bien aise d'avoir avec vous un vieux renard comme votre père Pinaud ! prophétise-t-il.

— Tu seras le renard des sables, se gondole le Gros.

Rien que de prononcer le mot « sable » ça lui flanque la pépie et, vite fait, il fait renouveler sa consommation. Il est comme les chameaux, Béru. Il lui faut sa provision de carburant avant de se lancer dans le désert.

— Quoi-t-est-ce qu'il faut acheter en fête de pacotille ? me demande-t-il.

— Ce que tu voudras. Du pas chérot et du pas encombrant, tu vois le genre ?

— Si que j'irais au Bazar de l'Hôtel de Ville ? propose Sa Rondeur.

— Fais au mieux.

Je les laisse pour aller chercher des bons de commande en blanc à l'économat.

Au moment où je traverse un couloir j'avise une ancienne connaissance à moi, assis sur un banc crasseux entre deux gendarmes. Il s'agit de Sidi-l'Arnaque, un malfrat de haute volée dont le véritable blaze est Sirk Hamar. Ce gentilhomme a touché à tout avec brio : vol à la tire pour se faire la pogne, trafic de stupes, proxénétisme, attaque à main armée, etc. Son casier n'est plus regardable et flanquerait la migraine à Dillinger. Depuis quelques années il se tient peinard, ayant, selon la rumeur publique, différentes taules du même nom. Quand on est arabe, le pain de fesse c'est le vrai bâton de vieillesse.

Sirk Hamar me reconnaît parallèlement et m'adresse un petit sourire pas flambard.

— Alors, ma pauvre guêpe, je lui dis, on s'est fait faire aux pattes ?

Il hausse ses robustes épaules d'oisif bien entretenu par le réveil musculaire.

— C'est une erreur judiciaire, m'sieur le commissaire.

— Ben voyons ! fais-je. Depuis « Roger la Honte » on n'avait pas vu ça.

Et, m'adressant à l'un des pandores qui l'encadrent :

— Il a pas piqué dans le trou du tronc du culte de l'église du coin, je suppose ?

— Oh ! non, m'sieur le commissaire. Ce vilain coco est compromis dans une affaire de faux billets.

Je me cintre.

— Ça manquait à ton palmarès, Sirk. Tu prépares le décathlon, à c't'heure ? M'est avis que tu vas passer champion dans toutes les disciplines du crime, mon grand.

Il se tasse entre ses deux épaules et ne répond rien. Le gars Moi-même, fils unique et préféré de Félicie, ma brave femme de mère, continue sa route. A l'économat (à noter qu'un économat est un endroit où l'on dépense) on a été affranchis par le Dabe et je reçois des bons en blanc me permettant de faire les emplettes prévues au programme.

Lorsque je fais demi-tour, Sirk Hamar et ses vaillants archers ne sont plus dans le couloir mais dans le burlingue de mon estimé collègue, le commissaire Péver. En m'apercevant, il m'adresse un grand geste plein d'estime.

J'entre pour lui serrer la louche. On se dit des trucs importants, dans le style « Comment-ça-va-pas-mal-et-toi-il-fait-beau-aujourd'hui-mais-il-pleuvra-peut-être-demain » et je vais pour continuer inexorablement ma route semée d'embûches lorsque l'inspecteur-secrétaire de Péver, un grêlé qui tape à la machine avec deux doigts et la langue pendante, commence à procéder à l'interrogatoire de Sidi-l'Arnaque.

— Nom, prénom, date et lieu de naissance ! aboie-t-il.

L'inculpé, qui a l'habitude de ces petites formalités, annonce la couleur d'une voix morne.

— Hamar, Sirk. Né le 18 mars 1930 à Fiksesh, Kelsaltan.

Avez-vous bien lu, mes frères ?

Ai-je, quant à moi, bien entendu ?

Du pas indécis d'un somnambule déambulant sur une corde d'étendage, je m'approche de Sirk Hamar.

— Tu es né au Kelsaltan ? croassé-je, car je parle couramment le corbeau moderne et le lis non moins couramment dans les textes de La Fontaine.

— Ouais, articule-t-il, vous connaissez ?

— Ça ne va pas tarder. Tu y as passé combien de temps, dans ce bled, Sirk ?

— Une quinzaine d'années, m'explique-t-il. Ensuite, je me suis embarqué pour Le Caire. De là je suis allé à Marseille, puis enfin ç'a été Paris.

— La remontée vers le nord, plaisante mon très honorable collègue.

Le gars Mézigue n'a point envie de chahuter. Il est bouleversé par les caprices du hasard, votre San-Antonio capiteux, mes loutes.

— Par conséquent, poursuis-je, tu dois parler merveilleusement le kelsaltipe ?

— Puisque c'est ma langue maternelle !

Il a un sourire torve, Sidi-l'Arnaque.

— Mais vous savez, monsieur le commissaire, continue-t-il, si vous avez envie d'apprendre une langue étrangère, choisissez plutôt l'anglais ou l'espagnol, ça vous sera beaucoup plus utile, vu qu'un million de personnes à peine emploient le kelsaltipe.

Je cramponne Péver par une aile et l'entraîne dans le couloir.

— Mon cher Maurice, fais-je, car il se prénomme Henri, j'ai l'impression que je viens de toucher la poule aux œufs d'or !

— Qu'est-ce qui se passe ?

— Ce serait trop longuet à vous expliquer. Dites-moi, où en est Hamar, du point de vue casier judiciaire ?

Péver fait une grimace que le chef de pube des pilules Pink lui achèterait une fortune.

— C'est plus un casier, c'est une poubelle ! rigole-t-il.

— Il est vraiment mouillé dans l'affaire des faux fafs ?

— Jusqu'à l'os.

— En somme, ça va chercher lourd pour sa pomme, s'il passe aux assiettes ?

— Il morflera vingt piges de placard sans dégoder, sans préjudice de la relègue !

— Parfait. Vous allez me rendre un service d'ami.

— Je ne demande pas mieux, affirme ce loyal confrère.

— Entreprenez cet arbi, faites-lui le grand jeu pour qu'il se mette à table et décrivez-lui son avenir sous un jour couleur de soufre. Bref, ce que je vous demande, c'est de faire l'abordage de son moral et de le lui mettre en pièces. Il se peut très bien que j'utilise ce malfrat à des fins très louables.

Là-dessus, je fonce chez le Big Boss. Il est « en rendez-vous », comme disent les secrétaires, mais lorsqu'il sait que son cher San-A. veut le voir, il sort dans l'antichambre à une vitesse supersonique.

— Patron, exulté-je, je crois que les dieux sont avec nous.

Il sourcille à cause de ce pluriel. Le Dabe est un homme extrêmement croyant et il n'aime pas qu'on standardise la divinité.

— Vraiment ?

Je lui bonnis le coup de Sirk Hamar. Il en reste comme douze ronds de flan.

— C'est pas possible ! tonitrue-t-il. Et moi qui avais remué ciel et terre pour dénicher un Kelsaltipe !

— L'éternelle histoire de l'homme qui cherchait la fortune et qui l'a trouvée dans son lit, chef.

Il opine avec énergie.

— Cela veut dire que la chance est déjà avec vous, San-Antonio.

— Bref, je peux emmener ce ouistiti en expédition ?

— S'il y consent, oui.

— Il y consentira. Faites-moi confiance, je saurai lui chanter la poésie du pays natal.

— Vous l'emmenez à la place de Pinaud, alors ?

— Non, patron. N'oubliez pas que cet homme est un gangster. Nous ne serons pas trop de trois pour le surveiller, car il est probable qu'il cherchera à nous fausser compagnie.

— Carte blanche, San-Antonio.

Il me refile à la sauvette une poignée de main complice.

— Le passeport de cet homme sera prêt en même temps que les vôtres et ses billets de transport aussi.

Je redescends chez Péver. J'ai idée que les beignes volent bas dans son burlingue, à moins qu'il n'applaudisse les tours de passe-passe d'un prestidigitateur. Je ne m'explique pas autrement les claquements qui retentissent.

Afin de le laisser conditionner mon client, je m'assieds dans le couloir pour gamberger un chouïa à ce business. M'est avis que l'enfant se présente rudement bien, mes amis, j'espère que malgré vos cervelets déguisés en gelée de groseille, vous vous en rendez compte.

Car enfin, si nous avons avec nous un naturel du patelin parlant la langue sans accent, notre mission devient réalisable.

Bien sûr il ne faudra pas que Sirk Hamar joue au comte, mais je compte sur l'estimable Bérurier pour le tenir en laisse.

J'attends un petit quart de plombe, puis je pousse la lourde. Ce qu'il y a de chouette avec mon camarade Péver, c'est qu'il ne plaint pas la marchandise. La frime de Sidi-l'Arnaque ressemble maintenant à un accident de chemin de fer. Il a une étiquette décollée, un lampion gros comme mon poing, le naze comme une tomate et lorsque je pénètre dans le bureau, il est en train de considérer avec une certaine mélancolie trois canines en parfait état sur le parquet. Ce furent les siennes.

— Eh bien, mon biquet, lui dis-je, y a ton horoscope qui a l'air de donner de la bande, à ce qu'on dirait ?

— Tous des fumiers ! me répond-il.

C'est impertinent, non ? En tout cas, Péver n'aime pas et lui octroie une nouvelle décoction de goumi qui déguise le crâne de Sirk Hamar en spoutnik accidenté.

— Dites donc, Péver, je fais à mon confrère, en ponctuant d'une œillade complice, pour que vous lui fassiez l'honneur de cette petite séance, il faut croire qu'il est dans des draps pas présentables, mon petit camarade.

— Pire que ça ! me répond Péver.

Il me virgule une œillade tout aussi éloquente et ajoute :

— Non seulement avec son affaire de faux talbins et son pedigree couleur de ouatères publics, il risque ses vingt ans de placard, mais j'ai idée que c'est lui l'assassin de la pleine lune !

— C'est pas vrai ! C'est pas vrai ! hurle Sirk avec ses trois ratiches en moins.

On l'a à merci, mes chéries. Le poisson a mordu, il ne reste plus qu'à le ferrer en souplesse.

— Ah ! non, c'est pas vrai ? gronde Péver en lui mettant la petite mandale convaincante sur le museau. Le signalement des différents témoins concorde. Je vais opérer une confrontation, mon petit gars, et tu seras identifié, fais confiance !

— J'ai des alibis, qu'il glapit, le démantelé.

Le geste insouciant de Péver achève de détruire ses espoirs. Bon, à San-Antonio de jouer.

— Cher Péver, dis-je, pouvez-vous me confier ce gentleman quelques minutes, j'aimerais lui parler.

— Faites !

J'entraîne Sirk Hamar dans mon bureau. Il renifle du raisin, le pauvre, que c'en est une bénédiction.

— M'est avis que ton destin n'est pas très présentable, mon pauvre bonhomme, lui dis-je. Du train où vont les choses, et avec un coriace comme le commissaire Péver au prose, tu finirais sur la bascule que ça ne m'étonnerait pas.

— J'ai pas tué, me répond-il en essayant de faire passer à travers ses lèvres fendues un maximum de sincérité. J'ai jamais buté personne, monsieur le commissaire.

Je me lève, contourne mon bureau et m'assieds en face de lui sur le meuble.

— Dis voir, Sirk, suppose que je sois la fée Marjolaine et que j'aie le pouvoir de donner un coup de baguette magique sur ton dossier afin de lui redonner la blancheur Persil ?

Il me fixe, la bouche béante sur ses gencives sanguinolentes.

— Tu as entendu parler des services secrets, Bébé vert ?

— Bien sûr !

— Ils nous demandent un petit coup de paluche pour mettre de l'ordre dans une affaire délicate au Kelsaltan.

Je guette ses réactions. Tout ce qu'il parvient à exprimer,

c'est une totale incompréhension ; et encore emploie-t-il pour ce faire un moyen très rudimentaire : il fronce ses épais sourcils.

— Je dois donc aller dans ton bled en compagnie de quelques aminches. Incognito, tu piges ? Seulement, y a un os : nous ne parlons pas ta noble langue, mon petit pote. Je te fais donc la proposition suivante : on t'emmène avec nous et tu joues notre partie ; moyennant quoi, au retour, on te dépose au Caire et tu te refais une belle vie toute neuve dans un autre pays que la France. C'est honnête, non ? On peut dire que tu as de la chance d'être kelsaltipe. Montesquieu écrivait : « Comment peut-on être persan » ; cette exclamation pourrait s'appliquer à ton cas, mon lapin.

Il lui faut un certain temps pour contourner la situation. Enfin, un léger sourire perce sous ses limaces meurtries.

— Et ça consiste en quoi le travail ?

— Nous partons là-bas rechercher des gars disparus. Pour ne pas éveiller l'attention, nous nous déguiserons en nomades arabes. Ça n'a rien de compliqué...

— A condition que vous ne soyez pas démasqués, assure Sirk Hamar.

Il lève ses mains emmenottées et s'essuie le nez.

— Si on découvre qui vous êtes, vous savez ce que vous risquez ?

— Vas-y !

— Le pal !

J'ai des picotements alarmés dans le fondement. M'est avis, les enfants, que c'est plutôt Charpini que je devrais emmener avec moi, vous ne croyez pas ?

— T'inquiète pas, Sirk, lui dis-je. Tout ira bien, nous sommes des orfèvres. Alors, que décides-tu ?

Il n'a pas l'ombre d'une hésitation.

— Oh ! je refuse, bien entendu !

Alors là, pour une déception c'en est une. Je croyais l'affaire dans la fouille, moi ! Je pèche toujours par excès d'optimisme.

— Tu refuses ! m'étranglé-je.

— Oui, m'sieur le commissaire. J'aime mieux me farcir des années de trou en France et même grimper à l'abbaye de Monte-à-regret pour une erreur judiciaire plutôt que de retourner dans mon pays.

— Voyez-vous ! Et pour quelle raison, if you please ?

— J'aime mieux ! répète-t-il, têtu.

— S'il y a des gars que le mal du pays travaille, c'est pas toi, Sirk !

Sa pauvre tranche ravagée par le séisme du bureau voisin esquisse une grimace.

— La France, m'sieur le commissaire, c'est ma vraie patrie. Je préfère y mourir.

Agacé par cette sotte obstination, je lève les bras comme fait le général quand il va « Je vous ai-comprendre » dans les peuples d'outre-mer.

— Mais tu es plus sottement têtu qu'un âne rouge, mon gars ! Je te dis qu'on va là-bas en loucedé pour quelques jours. Je ne devrais pas te le dire, beau frisé, mais j'ai un fion grand comme une porte de hangar à Boeing. Tout se passera bien !

Hamar secoue la tête.

— C'est pas possible, m'sieur le commissaire.

Et il déclame, très oriental :

— Mettez une peau de chacal à un lapin, vous n'arriverez pas à faire croire à un chacal que c'est un chacal !

Il me collerait les flubes, ce gougnafier ! Oh ! mais c'est que le tracsir commence à me chatouiller la raie médiane !

Vous me connaissez, mes amis, j'ai rarement les chocottes. Quand il m'arrive de faire bravo avec mes genoux et de jouer des castagnettes avec mes quenottes, je réagis toujours très vite, et très violemment.

Bondissant sur Sirk Hamar, je l'empoigne par les revers de son bath costar blanc à rayures noires et le décolle de son siège.

— Écoute, mon pote, lui soufflé-je dans le tarin éclaté, écoute-moi bien ; quand un homme comme moi fait une proposition à un homme comme toi, c'est pas pour s'entendre répondre non, tu piges ? Tu viendras avec nous, que ça te chante ou pas, et tu feras ce que je te dirai. Tout ira bien. On reviendra de chez tes empaleurs et je te moulerai au Caire. Tu seras sauvé malgré toi, tu piges ?

Il ne répond rien, détourne les yeux et suçote sa lèvre inférieure.

Je le remets à Péver en lui demandant de refaire une beauté à ce ouistiti.

Sur sa promesse, je me paie une virouze au labo. Le Rouquin m'accueille avec son cordial sourire habituel.

— Besoin de mes services, commissaire ?

— Je vais t'exposer mon petit problème, Léon. J'ai un voyage à faire en compagnie d'un monsieur qui préférerait mourir plutôt que de faire ledit voyage.

— Heureusement qu'il s'agit pas d'un voyage de noces ! rigole le brave rouillé.

Il passe la main dans son incendie et cligne de l'œil.

— Si je comprends bien, vous cherchez un remède pour le faire tenir tranquille et même pour lui donner l'envie de vous accompagner ?

— T'es le type le plus intelligent de cette maison après le fameux commissaire San-Antonio, applaudis-je.

— Il faut que votre zèbre soit docile, quoi ? Qu'il marche, qu'il obéisse et qu'il ne fasse pas de pet ?

— Tout juste, Auguste !

— J'ai ce qu'il vous faut. Avant le départ, on lui fera une petite piqûre.

— L'effet dure combien de temps ?

— Quelques heures. Mais vous pourrez la renouveler.

— Mon type ne deviendra pas gâteux ?

— Pas du tout.

— En ce cas, prépare-moi une petite trousse boy-scout pour demain matin.

Je me débine, gonflé à bloc !

CHAPITRE III

Des zigs qui poussent de drôles de bouilles, ce sont les vendeurs du B.H.V. lorsque je m'annonce dans leur sous-sol débordant de richesses quincaillières. Je commence par le rayon des coupe-tomates. Je me dis qu'en Arabie, ça doit intéresser l'indigène, ce genre d'article, vu que messieurs les Kelsaltipes n'ont pas grand-chose d'autre que les pommes d'or à se filer sous les chailles. Faut être pratique. Dans tous les patelins in the world, les gens adorent acheter des trucs qui ne servent pas à grand-chose, mais à la condition que les trucs en question possèdent une utilité apparente.

Je laisse le vendeur me baratiner et m'expliquer le fonctionnement de l'engin. C'est bête comme coupe-chou. Il y a une manivelle, un levier de vitesse et un volant. Ça ne se conduit pas plus difficilement qu'une deux chevaux et ça te vous débite les tomates en rondelles minces comme les tranches de saucisson qu'on vous sert dans les restaurants à prix fixe.

Quand le bradeur m'a dûment démontré que cet appareil vous bouleverse une existence, au point qu'il y a la vie avant lui et la vie après, il se hasarde à me demander si j'en désire un.

— Non, lui réponds-je, mettez-m'en deux cent cinquante.

Il s'étrangle, le pauvre sous-terrain. Il blêmirait bien, mais comme il a déjà la blancheur endive dans son sous-sol sans soleil, il s'abstient. Quand on n'a que des tubes de néon pour bronzer, on ne peut plus se permettre les réactions de tout un chacun, c'est fatal.

Outre les coupe-tomates, je fais l'acquisition de trois douzaines de fixe-chaussettes et de quelques postes à transistors destinés aux gars huppés du Kelsaltan. Me voilà paré pour jeter la perturbation sur les markas du pays de Sirk Hamar.

Ayant de la sorte préparé mon expédition, je rentre à la maison. Félicie me vote un sourire radieux : elle est en train de préparer un couscous, ce qui est de circonstance, vous l'admettrez ?

En termes prudents, je lui apprends que je suis chargé d'une mission au Moyen-Orient. Ça fauche sa joie. Elle disait aussi que ça n'était pas normal, le retour à la maison de son grand sur les six plombes.

— Veux-tu que nous allions au cinéma après le couscous, m'man ? je lui propose.

— Tu y tiens ? me demande-t-elle.

— Pas plus que ça.

— Moi non plus.

Je suspends ma veste au portemanteau.

— J'ai envie de t'aider à faire la cuisine, m'man. O.K. ?

Elle en a les yeux qui s'embuent, ma parole ! C'est une dame qui pige tout, Félicie. Elle a très bien compris que si je suis aussi tendre, c'est à cause de mon départ du lendemain.

Elle sent que je cours un danger. Certains maris ont un drôle d'air lorsqu'ils viennent de faire du contrecarre à leur bourgeoise. Moi, j'ai sûrement une frite à part quand, comme le dit si éloquemment Béru, mes os risquent leur peau.

Je sais qu'elle ne me questionnera pas. Elle préfère ne pas le savoir, ce que je vais maquiller chez les arbis.

Tout en épluchant des navets sur la table, de la cuisine, je me dis que, si je ne reviens pas de cette garce de mission, Félicie restera toute seulâbre dans notre petite maison douillette et j'en ai la gorge qui fait des nœuds, les gars. Je me pleurerais presque, si je m'écoutais. Non, ce n'est pas moi que je pleurerais, mais la solitude de Félicie. Les mères ne devraient jamais pouvoir perdre leurs lardons. C'est pas correct. Il est indécent, le Bon Dieu, quand il permet de pareils coups fourrés.

De fil en aiguille, comme dirait mon tailleur, j'en viens à étudier ma mission d'un peu plus près. M'est avis que le Big Dabe nous a mis le nez dans un sacré sac de chose, les gars ! Il a trop lu Tintin, le Boss, ça a fini par lui court-circuiter le bulbe. Et puis faut dire aussi que son valeureux San-Antonio l'a trop gâté. A force de lui servir la lune sur un plateau à son petit déjeuner, il a fini par me prendre pour l'enchanteur Merlin.

Maintenant que je mate les choses un peu plus calmement, je réalise que je n'ai pas une chance sur cent de revenir du Kelsaltan. Parce qu'enfin, les agents qu'on a expédiés là-bas pour enquêter n'étaient pas des enfants de chœur. S'ils y ont laissé leur derme, au pays du pétrole et des empalés, c'est bien parce qu'ils n'étaient pas de taille à doubler toute une population, non ? La logique !

M. le directeur de mes trucs nous imagine fringués en arbis en jouant les caravaniers (d'Offenbach) à dos de dromadaire ! Moi je veux bien, mais j'ai idée que les Kelsaltipes vont un peu se frapper les jambons quand ils vont nous voir radiner sur nos ruminants à bosse.

Ils vont nous prendre pour Barnum ! Plus je gamberge à cette affure, plus que je me dis que j'ai raison d'embarquer Sirk Hamar avec nous. Ce qui me chagrine, c'est qu'on soit obligé de l'empaqueter de force ; pourtant j'espère que lorsqu'il sera au pied du mur, il se comportera vaillamment, ce malfrat du désert.

— Tu as l'air soucieux, mon grand, balbutie ma Félicie en tournant son couscous.

A travers la vapeur elle a l'air irréelle, m'man. Une apparition. Je secoue la tête.

— Je suis un peu triste à la pensée de te quitter, je réponds.

— Tu en auras pour longtemps ?

— Tout dépendra de la manière dont mon enquête évoluera.

Elle acquiesce.

— Et tu pars seul, mon grand ?

— Non, avec Bérurier et Pinaud.

Pour le coup, elle récupère un brin d'optimisme.

— Ah bon, ça me tranquillise, dit-elle.

Pas moi !

⁂

— Comment te sens-tu, mon vieux Sirk ?

Il semble marcher quelques centimètres au-dessus du sol. Son regard a quelque chose de pensif et ses gestes possèdent une étrange mollesse.

— Ça va bien, articule-t-il d'un ton monocorde.

Le gars Béru me pousse du coude.

— Il sait même pas qu'on est en avion, je parie, fait-il. Faudra que je demande le nom de la drogue au rouquin du labo, vu que j'aimerais l'expérimenter un brin sur ma bonne femme.

Il s'arrache un poil du nez qu'il mire à cette pure lumière qu'on ne trouve qu'à six mille mètres d'altitude.

— Berthe, ce serait le rêve qu'elle m'obéisse au doigt et à l'œil. J'y commanderais tout ce qu'elle a jamais voulu me faire depuis qu'on est marida.

J'attends une énumération salace, mais le Gravos, récite, les yeux mi-clos, déjà pâmé :

— Des z'omelettes au persil, de la branlette de morue, du cœur de bœuf aux zoignons, et t'essaieras, et t'essaieras !

Je mate Pinuchet. Il a conservé son bitos dans l'avion et il dort par-dessous, comme un vieux chérubin fané.

Le débris a pris place aux côtés de Sirk Hamar. Béru et moi occupons les sièges arrière ce qui nous permet de surveiller le truand.

Jusque-là, tout a admirablement marché. Sirk a eu droit à sa petite piquouse des familles et il se tient sage comme une image pieuse représentant un saint Jean-Baptiste pédé avec son petit mouton frisé. Je dois lui en faire une autre lorsque nous serons sur le bateau. Donc tout va bien. Le ciel infini n'a pas un nuage. Il est presque blanc de chaleur.

— C'est la première fois que je vais me poser en Arabie, déclare Sa Grosseur. J'ai survolé déjà, mais je pionçais.

— Au fait, dis-je soudain, qu'as-tu acheté comme denrées à vendre ?

Il me cligne de l'œil.

— Des tas de trucs, t'inquiète pas.

Je m'inquiète mais m'abstiens d'insister.

Au début de l'après-midi, nous atterrissons à Aden. La visite de la ville, ça sera pour une autre fois, mes fils, car notre barlu décarre dans deux heures et nous devons d'ores et déjà adopter la tenue arabe. Un correspondant du Vioque nous attend au volant d'une américaine décapotée. Il nous drive jusqu'à son bungalow, à l'orée de la ville. Là, des fripes nous attendent. C'est un spécialiste, le gars, et il a dû être tailleur dans une vie antérieure car faut voir comment qu'il nous les sélectionne vite-fait, nos burnous, nos turbans et nos gandouras. J'ai emporté plusieurs boutanches de Bronzine de chez Molyneux et je barbouille la vitrine de Pinaud et celle — plus vaste — du Gros, avant de m'occuper de la mienne. Bref, au bout d'une plombe, nous ressemblons à d'authentiques Arabes.

Je me cintre comme un perdu devant ce spectacle encore jamais vu du Gros et de Pinuche déguisés en descendants de Mahomet.

La bedaine de Béru, sous la gandoura, ressemble à un ballon de rugby qu'il aurait chouravé dans un grand magasin et qu'il espérerait sortir en loucedé. Quant à Pinaud, jamais il n'a paru plus sec et plus lamentable. Une chaisière de province, mes chéries ! Quel dommage que vous ne puissiez vous régaler de sa vue !

— Faudrait s'occuper de messire Hamar, now !

Pour l'instant, il est affalé dans un fauteuil de bambou, essayant de surmonter le coup du même nom que le Rouquin lui a administré.

Il bâille comme à une conférence du révérend père Chprountz sur les incidences de la clé à molette dans les guerres de Religion. Parfois il se frotte les yeux avec une espèce de fureur mal contenue et exhale de profonds soupirs.

Pinaud me le désigne.

— Tu devrais lui remettre une petite dose, me conseille-t-il. J'ai l'impression qu'il a assimilé la première.

C'est également mon avis.

Je cherche la trousse dans mon petit bagage à main. Le

Rouillé m'a donné une douzaine d'ampoules et une seringue. Il a joint en outre du coton et de l'alcool à 90°.

J'ouvre le flacon d'alcool et fais la grimace : il est vide.

L'air gêné de Béru me renseigne. Cette espèce de boit-sans-soif a éclusé la bouteille. Je lui dis ma façon de penser et il bredouille de confuses protestations.

Fort heureusement, notre correspondant nous remplace l'alcool distillé par le Gros et Sirk a droit à sa nouvelle dose de « tiens-toi-tranquille ». Il ne fait aucune difficulté pour revêtir la tenue qui lui est destinée. Je dois reconnaître que dans sa belle gandoura, Sirk n'a plus du tout l'air d'un mac de Pigalle. Il fait plus vrai que nature.

— Vous pourrez étudier ses manières, nous confie le correspondant du Boss. Il sera pour vous un bon miroir.

Au moment de partir, notre hôte pousse une exclamation.

— Qu'y a-t-il ? m'inquiété-je.

Il désigne les pieds de Béru.

— Monsieur a conservé ses souliers de daim ! dit-il ; ça n'est pas possible. Il doit mettre des babouches comme tout le monde.

Ça ne fait pas l'affaire du Mastodonte.

— Vous vous imaginez pas que je vais me balader en pantoufles dans le désert ! maugrée-t-il. Avec le sable et les escorpions !

— Mets tes babouches, esclave ! tonné-je.

Il obéit.

— Je peux z'au moins conserver mes chaussettes, j'espère ?

— Non !

— Mais...

Il commence à me les briser menu, le Râleur.

— Quitte tes chaussettes, Béru ! intimé-je. Je sais que ça n'est pas un dépôt à laisser à monsieur, mais pourtant il le faut.

Sa Majesté s'assied et commence de tirer sur ses malheureuses chaussettes.

— Si j'aurais su que cette mission m'obligeâtes à ces simagrées, j'aurais pas insisté pour venir. Ou alors, je m'aurais lavé les pinceaux.

De la chaussette arrachée, émerge effectivement un panard pas racontable. Si, au lieu de mettre des cuissardes, les égoutiers boulonnaient nu-pieds, leurs radis seraient plus présentables que ceux du Gravos.

Il s'excuse auprès de notre correspondant lequel se détourne en fronçant le nez d'un air méprisant.

— Faut que je vous explique que notre salle de bains fait relâche depuis le mois dernier, vu que la canalisation est percée et qu'à Pantruche, pour ce qui est d'avoir un plombier, c'est la croix et la bannière...

— Suffit ! grondé-je, tu te décaperas à bord.

Je suis optimiste car le barlu sur lequel nous embarquons est un abominable rafiot séoudien, plus cradingue encore que l'inspecteur principal Bérurier.

Il y a des chèvres et des dromadaires sur le pont. Les passagers les moins fortunés y ont dressé des tentes. Dans un désordre indescriptible, cette faune bivouaque avec des cris, des supplications chaque fois que le bateau chahute un peu.

A l'heure de la prière, tout ce beau monde se tourne vers La Mecque et s'agenouille pour implorer Allah. Y en a qui profitent de leur position accroupie pour aller au refile.

Ça pue comme des abattoirs de village en plein soleil. Les belles mouches arabes, bleutées et zonzonnantes, sont les reines de la fiesta. Elles font la navette, des hommes aux bêtes en décrivant des arabesques mauresques dans l'air chauffé à blanc.

Les dames voilées font la tambouille et les mômes leurs besoins. Des odeurs d'huile et de safran se marient avec des remugles de sanies et de ouatères vidangés. Un muezzin joue de la flûte au milieu du tintamarre et les notes grêles de l'instrument vous rentrent dans les oreilles comme des vers perfides

Mes camarades et moi-même bénéficions d'une cabine pourvue de quatre bat-flanc en bois recouverts d'un méchant tapis. Nous finissons par nous y réfugier. Essayer de pioncer est encore la meilleure façon de tromper le temps.

— Combien de temps qu'on se farcit sur ce radeau de la Méduse ? demande l'Obèse.

— Une trentaine d'heures, Gars. Ça t'épouvante ?

— Et comment ! Moi que je croyais me payer la vie de croisière, je suis un peu déconvenu. Il charrie, le Grand Dabe de nous faire voyager, nous, des poulagas parisiens, dans un pareil baquet de m... !

— Il y a une chose que tu parais oublier, fait Ben Pinaud.

— La quoi-t'est-ce ? ronchonne Abdel Béru.

— A partir de désormais, nous ne sommes plus des matuches français mais des marchands arabes.

J'applaudis à la sagesse pinucienne.

— C'est juste, Gros. Le Pinaud des champs a raison. Admire au contraire la prudence et la clairvoyance du Vieux qui a tout prévu. En ce moment, nous nous fondons dans le folklore arbi. Demain, ce sont quatre Arabes comme les autres qui débarqueront à Béotie. Personne ne nous remarquera. Nous ne serons cependant que dans l'antichambre du Kelsaltan, mais déjà la métamorphose sera accomplie.

Sa Majesté se le tient pour dit. Il s'abat sur son bat-flanc avec la grâce d'une vache malade. A peine est-il entré en contact avec son « lit » qu'il se redresse en hurlant. Cet abruti n'a pas pris garde à la trousse pharmaceutique que j'y avais déposée et s'est planté l'aiguille de la seringue dans les noix.

Nous nous affairons autour de son postérieur. L'aiguille a pénétré jusqu'à la garde. Je l'arrache d'un coup sec. Elle est toute tordue, maintenant. Mais s'il n'y avait que ça, mes pauvres chéries ! Ce sac à graisse a broyé toutes les ampoules. Leur contenu fait une flaque dans la poche de caoutchouc.

— Quadruple imbécile ! tonné-je. Qu'est-ce qu'on va devenir maintenant qu'il n'y a plus de calmant pour notre camarade ?

Sa Majesté sultanesque a relevé sa gandoura, nous proposant un magnifique dargif velu sur lequel perle une goutte de sang.

— Faudrait voir à me nettoyer ma blessure avant de m'engueuler, proteste-t-il. Dans ces patelins pourris, ça doit s'infecter vilain, les piqûres d'aiguille, j'ai idée.

Il n'a pas tort. Aussi frotté-je consciencieusement à l'alcool le point endolori.

Lorsque j'ai terminé, le Gravos me chope le flacon des doigts.

— Puisque les ampoules sont cassées, l'alcool, elle ne peut plus servir, alors autant la boire avant que la chaleur la fasse éventer, non ?

*
**

Le service du dîner sur le « Vermicelle[1] » c'est un poème. A bord, comme je vous l'ai dit, il n'y a que deux classes : les fauchemans du pont et les privilégiés des cabines. A noter que le standing des privilégiés ne correspond même pas à celui des émigrants européens. Pas plus de stewards que de zouaves pontificaux dans un congrès du parti communiste ! Chacun se dépatouille avec ses problèmes. Et y a qu'un gogue — un seul — pour la classe huppée. Le dîner, donc, pour en revenir à lui, nous est annoncé par un coup de sirène. Tout de suite on pige pas, mais c'est en entendant du ramdam dans la coursive qu'on est allé mater ce qui se passait. J'ai d'abord dépêché Pinaud aux nouvelles, vu qu'il prétend jaser marocain. Il revient sans avoir pigé, et c'est en fin de compte Sirk Hamar qui nous tire d'embarras.

— Dîner ! fait-il.

Il se décomate à vue d'œil, notre camarade. J'appréhende un éclat de sa part. Faudrait voir à voir qu'il ne nous chanstique pas notre position. Je le place sous la haute surveillance de Béru, ce prince de la manchette.

— S'il s'agite, calme-le en souplesse, mon pote. O.K. ?

Le Majestueux insinue sa forte dextre à travers sa gandoura et se fourrage dans le nombril.

— Fais confiance, San-A. !

— T'as des ennuis ? lui demande Pinuche en constatant que sa gratouille se prolonge.

Il est lugubre, le Gravos.

— J'ai idée que ça morpionne un peu sur ce contre-torpilleur, fait-il. J'ai toute une populace qui m'investit le bide, les gars. T'as de la Marie-Rose dans les bagages, San-A. ?

Ma réponse négative le désole. C'est soudain la hargne et la grogne à tribord. Il fustige mon imprévoyance. Il dit que des chefs militaires de la grande époque se seraient suicidés pour moins que ça.

Enfin calmé, il nous suit jusqu'à la salle à briffer.

Faut voir le coinceteau, mes frères ! Et faut aussi voir le cuistot ! Imaginez une pièce toute en longueur, avec pour tout mobilier une longue table et des bancs. Le sol n'a pas été balayé depuis que le barlu est sorti du chantier naval. Ça chlingue

1. Nous avons ainsi surnommé le barlu parce que son nom est écrit en caractères arabes.

vilain. On foule d'ignobles détritus, ce qui ne rétablit pas l'équilibre du pékin qui n'a pas le pied marin.

Or, précisément, comme nous prenons place à cette auge, en compagnie d'un tas d'autochtones, voilà le « Vermicelle » qui se met à tanguer, à tangoter, et même à valser.

— Quoi t'est-ce qui se passe ? demande Sa Majesté.

— C'est la mer d'Oman qui commence ! géographié-je.

Béru, qui ne craint pas le mal de mer, non plus que le calembour, assure que la mer d'Oman est une source d'em...

C'en est une surtout pour les autres convives. Pas une dame dans la salle à becqueter. Les nanas, ces messieurs se les mettent sous clé. M'est avis que ça doit être duraille d'encorner un pote au pays d'Aladin ! Voilées, déjà ! Au départ, c'est pas fastoche de faire son choix quand la frangine ne montre que ses lampions. Y a rien de plus traître que les gobilles. On se fait des idées à cause de leur couleur et de leur éclat, mais si ce qui va autour est tartignole, on en est pour sa gamberge. On a allumé les vitrines pour rien. Égoïstes, qu'ils sont, les Arabes. Chez eux, y en a que pour le bonhomme. A lui la bouffe, le farniente, le bourricot et les joies luxueuses. Mme Ben Méchose, elle n'a que le droit de rouler le couscous et d'attendre le bon plaisir de son matou.

A l'arrivée, tous ces beaux messieurs, dans des gandouras impecs, pourvues de ceintures aux couleurs chatoyantes, font des magnes, ou plutôt, pour employer le langage de l'endroit, des salamalecs. On s'incline, on porte la main à sa bouche, à son cœur, partout. Et puis ça se met à jacasser vilain. Au début, Pinaud, désireux de jouer les fiérots, leur déballe son marocain des grandes revues militaires. Mais personne ne l'entrave, le pauvre chéri, et il en est pour ses frais.

En douce, je surveille le comportement de notre ami Sirk Hamar, lequel sort des vapes progressivement. Il paraît doucement éberlué, le copain. Il pige pas.

Le cuisinier du bord, c'est un grand Noir grêlé qui guérirait le hoquet d'un tigre affamé. Il porte un grand tablier sale sur un short plus sale encore et il a un torchon à vaisselle noué sur le front comme les bougnoules sur l'étiquette des bouteilles de rhum. Il dépose sur la table un plat immense rempli de je ne sais quelle abominable bouftance. Je ne veux pas être méchant avec la compagnie « Vermicelle[1] » mais la nourriture du bord, un clebs de chez nous n'en voudrait pas.

Ces messieurs ne font pas la fine bouche. Ils se servent et commencent à tortorer avec les doigts. Ça botte Béru, cette méthode. Il a toujours été contre les couverts, mon Gros. Les intermédiaires ne l'ont jamais emballé.

Tout se passerait bien si le « Vermicelle » ne faisait pas son grand fou sur les flots vert sombre de la mer d'Oman. Il a des remontées soudaines de funiculaire, puis il pique dans un creux et on a l'impression qu'il va s'y engloutir ! Les montagnes russes ! Au bout de vingt secondes, les convives cessent de jacasser. Au bout d'une minute, ils ne sont plus que quatre ou cinq (dont Bérurier) à bouffer. Pinaud est d'un joli vert par-dessus sa couche de Bronzine. Il m'annonce qu'il va se rapatrier sur les gogues. Comme il n'y en a qu'un à bord s'agit de ne pas se laisser prendre de vitesse. Je chipote un peu, moi aussi. C'est pas que je souffre du mal de mer, mais la jaffe me déprime. A force de gratouiller dans mon assiette je finis par découvrir une petite saucisse embusquée sous un tas d'immondices. Je plante les dents dedans. Oh ! ma douleur ! Si je mordais la flamme d'un chalumeau ça ne serait pas pire.

Je cramponne mon verre de thé pour essayer d'éteindre l'incendie mais je n'y parviens pas. C'est corrosif, ces saucisses. Ils doivent s'en servir pour décaper l'étrave du navire quand le « Vermicelle » est en cale sèche !

Béru, lui, les trouve à son goût. Juste épicées ! Comme il les aime, m'assure-t-il avec de grosses larmes plein ses joues.

Le bateau maintenant ressemble à un ascenseur dingue qui monterait et descendrait sans arrêt. Quand il plonge dans les gouffres marins, les cœurs remontent dans les gosiers ; par contre, lorsqu'il décrit son mouvement ascendant, les pauvres palpitants vont se réfugier au fond des estomacs pour crier sauve qui peut !

Juste en face de Sa Majesté, y a un gros cheikh (avec provisions) qui porte la main devant sa bouche, l'air pas content d'être ici. Il arrive à contrôler sa nausée un court instant, mais les tripes, c'est impétueux quand ça s'y met. Et désobéissant, faut voir ! Le gros arbi à barbouse (il a un piège arrondi autour de la galoche) retire précipitamment sa main

1. Le nom de cette compagnie est également écrit en caractères arabes.

baguée de cuivre et balance dans l'assiette du Gros le début de son repas, plus la fin du précédent. Béru ne s'offense pas de ces livraisons intempestives.

— Ça n'a pas l'air de carburer, mon gars ? fait-il à son vis-à-vis sans s'émouvoir. Et il se remet à bouffer.

Moi je commence à trouver ma position intenable. D'autant plus que, maintenant, la moitié de la tablée dégobille sur l'autre moitié. Sirk Hamar est du voyage. Lui aussi travaille dans le nougat. Les convives pleurent, gémissent et se traînent à quatre pattes vers la coursive. Les derniers mangeurs démangent maintenant. Il ne reste plus que le Gros qui s'empiffre éperdument, ravi de l'aubaine ! Il liquide ses assiettées en deux coups de cuillère et en reprend. Il ne s'aperçoit même pas qu'un délicat passager s'est servi du plat de fricot pour se dégager l'estom'. La vie lui appartient. Le bateau en tout cas. Il est seul maître à bord, le Répugnant. C'est lui qui fait la loi ! Le Neptune de la mer d'Oman et de l'océan Indien tout entier il est ici, mes amis, ne cherchez plus !

— Tu t'en vas ? me dit-il.

— Je préfère, fais-je. Le bout de la nuit, je viens de l'atteindre, Gros. J'ai besoin de revoir le soleil.

Sur le pont, c'est pas racontable non plus. Les passagers sont à plat ventre, à implorer Allah, Mahomet et tout le brain trust céleste entre deux hoquets.

Devant la lourde des cagouinsses y a une véritable émeute because Pinaud s'y est barricadé et ne veut pas ouvrir au peuple. Enfermé dans son bastion, il défend la place héroïquement, le vieux débris. Il a lu les ordres du jour de Joffre et il est prêt à se faire tuer plutôt que de reculer. De la graine de héros, je vous dis ! Y a pourtant des vieillards à barbe blanche qui supplient. Des dames aussi, chassées des cabines par l'appel des cabinets. Leurs voiles flottent au vent. Elles ne sont plus masquées jusqu'aux yeux, maintenant, croyez-en votre San-A. bien-aimé. Et leurs grands jalminces ne songent pas à râler pour ce manquement aux usages. Chacun pour soi et Allah pour tous !

On en voit des douzaines agrippés au bastingage ; d'autres se cramponnent à tout ce qui est fixe. Le muezzin, épargné par le mal de mer, continue à jouer de la flûte. Les sons grinçants de son instrument vont chatouiller les glottes surmenées. Ça en aide certains à puiser au fond d'eux-mêmes des ressources insoupçonnées.

Franchement, les poulettes, cette traversée, je ne suis pas près de l'oublier.

⁂

La nuit calme les flots tourmentés. Les passagers réussissent à trouver le sommeil. Dans notre cabine, Pinaud et Béru ronflent à poings fermaga. Pour ma part je n'arrive pas à trouver le sommeil. Je pense à tout ce qui nous attend au Kelsaltan en surveillant gentiment Sirk Hamar.

Il est allongé à l'autre bout de la cabine, c'est-à-dire le plus loin possible de la porte. Jusque-là il n'a rien dit, bien que son médicament ait cessé de lui faire de l'effet.

Par acquit de conscience, j'ai disposé autour de son bat-flanc des journaux froissés. Si je m'assoupissais et qu'il essaie de jouer la fille de l'air, le crissement du papelard foulé m'éveillerait sûrement.

Je réprime mon envie de fumer. A travers les minces cloisons du « Vermicelle », j'entends ronfler les autres passagers.

Ces respirations bruyantes s'unissent pour composer un concert étrange qui domine le bruit des machines.

Un léger froissement. Je regarde en direction d'Hamar. Ce petit fripon vient de poser un pied sur le plancher. Il en pose un autre et se dresse. Je le laisse faire car je ne suis pas fâché d'avoir le prétexte d'une discussion avec sa pomme.

Lentement, très lentement, et presque sans faire crisser les journaux, ce qui constitue un exploit, il gagne la porte.

Il ne lui manque plus que deux enjambées pour l'atteindre, mais pour les faire, il doit passer devant ma couchette.

Il hésite, risque le paquet. Mal lui en prend car je plonge sur lui et le fais culbuter. Une lutte sauvage s'engage alors entre nous. Le roulis donne au combat des fortunes diverses. Tantôt je suis sur Sirk, tantôt Sirk est sur moi.

On se bourre de gnons, de manchettes, de coups de genou. A un certain moment je morfle un coup du tranchant de sa main sur mon cou et, asphyxié, je relâche ma prise. Il en profite pour se dégager.

— Alors, quoi ! gronde la voix bérurienne, y a plus moyen d'en écraser ?

Le Gros se lève. Il pige la scène et sans se demander par quel bout il va attraper la situation, il fonce bille en tête comme un méchant bélier sur Hamar. Un coup de tangage malheureux fait dévier sa trajectoire et il emplâtre la cloison. Tellement mince est cette dernière que la bouille en béton du Gros la traverse. Je perçois des glapissements de l'autre côté. Puis des invectives. J'ai beau ne pas comprendre l'arabe, quand un gars dit « M... », qu'il le dise en mandchou, en canaque ou en séoudien, je pige.

Je vois le torse du Gros qui se trémousse. Il pousse une beuglante féroce. M'est avis que les locataires de l'autre cabine ne sont pas contents de sa visite fractionnée et qu'ils ne lui expriment pas leur réprobation avec des fleurs.

Et Sirk, pendant ce temps ?

Eh bien, il est marron, car le Gros bloque la porte sans le vouloir. Avant de porter secours à mon compagnon, je règle le compte du malfrat par un une-deux à la face qui ferait éternuer ses défenses à un mammouth. Hamar s'écroule.

Je peux donc venir en aide à Bérurier-le-Vaillant. Pour cela, muni d'un couteau, je découpe les lambeaux de bois qui lui composent une collerette.

Il continue de ruer et de mugir, mon Gravos.

— Du calme ! l'exhorté-je, pas d'impatience ! Ça va y être, Béru.

Et ça y est.

La tronche qu'il ressort du trou m'est pratiquement inconnue. Elle pisse le sang par tous ses orifices. Il a le nez en compote, deux cernes violets sous les yeux et une profonde entaille au front. Je mate à mon tour dans la cabine voisine et j'avise un spectacle qui flanquerait de la fièvre à une statue de marbre. De l'autre côté en effet, loge un caïd avec ses trois femmes. Quand le Gros leur a rendu cette visite impromptu, le caïd était en train de faire reluire mesdames ses légitimes. Non seulement les mômes n'ont pas de voile sur la frite, mais elles n'en ont pas ailleurs non plus.

Le mari embusqué derrière le guichet de fortune continue de rouscailler à bloc.

— Mon dentier ! bavoche Béru ! Mon dentier est tombé de l'autre côté...

— Va le récupérer ! conseillé-je.

— Mais si j'y vais, ce sagouin va me découper en tranches, lamente Béru.

— Bouge pas, fais-je, je vais essayer de le neutraliser un instant.

Je m'approche de la cloison percée, je bigle les poulettes effarouchées qui se pressent dans un angle de la cabine et j'émets un sifflement admiratif. C'est international, ça.

Furax, le mari veut m'administrer une mandale à travers le trou. C'est ce que j'escomptais. Prompt comme l'éclair je lui chope le bras et m'arc-boute pour plaquer m'sieur Ben Claouis contre le mur.

— Fais fissa, Gros ! lancé-je, les lourdes des cabines ne ferment pas à clé.

Il s'élance. J'entends la porte de l'autre cabine s'ouvrir. Les pintades du voisin en gloussent de trouille.

— Tu l'as ? je demande à Béru.

— Ouais, ça y est ! fait-il.

Un léger temps. Sa voix congestionnée murmure :

— Dis voir, San-A. Tu pourrais pas l'arrimer cinq minutes encore que je me déguste une des souris de ce chat, vite-fait ?

Il ne doute de rien, ce gros salace.

— Reviens ici tout de suite ! intimé-je, sinon je relâche le mec et tout ce qui restera de toi, ce sera une flaque rouge sur le plancher.

Il ne se le fait pas dire deux fois et s'esquive, non sans avoir toutefois administré une claque pardonneuse sur les croupes proposées à ses redoutables instincts.

Lorsqu'il a regagné notre gîte je lâche le caïd. Celui-ci ne met pas trois secondes pour radiner. Il écume.

J'essaie de le ceinturer, mais cette peau de vache sacrée a pris un couteau à lame recourbée et prétend vouloir m'en sectionner le gosier.

— Attends, fait calmement Béru dont la colère se met à croître et à se multiplier. Il enfourne son râtelier dans la poche de son pyjama, puis pose la veste de ce dernier sur son bat-flanc et se met en garde.

— Tu peux lâcher ce Gugus, je suis paré.

Sa trogne sanguinolente est belle à force de courage.

J'hésite. Puis je libère le caïd. Celui-ci veut m'assaisonner d'un coup de rapière, mais j'ai suivi des cours de tauromachie par correspondance et je lui exécute une véronique impeccable.

Il me rate, la lame de son ya s'enfonce dans le mur en planches. Il s'en est fallu de quelques centimètres que je ne le déguste. C'est sûrement radical pour les angines, mais c'est mauvais pour le système circulatoire.

— Par ici la bonne soupe ! lui fait mon péon fidèle en lui virgulant un coup de tatane dans les montants.

Le trigame lui fait front. Il a tort. Un Béru furieux et en garde, il faut douze bazookas et un régiment de lanciers pour en venir à bout.

C'est peut-être pas avec ce style-là que Liston est devenu champion du monde, pourtant je vous affirme que la série décochée par le Mastar est efficace.

L'arme blanche, c'est peut-être son violon d'Ingres, au camarade Ben Tringleur, mais la lutte à poings nus, il n'y connaît que tchi. Ses quenottes se mettent à pleuvoir sur le parquet et bientôt, il ne tarde pas à les rejoindre.

Béru, calmé, ramasse les molaires, les canines, les incisives et les deux dents de sagesse du forcené, les plie dans un morceau de baveux et déclare, lui fourrant le petit paquet dans la main :

— Tiens, mon pote, en souvenir. Tu feras faire un collier à tes bourgeoises et recommande-leur surtout de bien laisser cuire le couscous, vu que pendant un bon bout de temps, tu vas devoir le bouffer avec une paille.

Notre voisin est enfin calmé. Par gestes, je tâche de lui expliquer que si Béru a passé la tête chez lui inopportunément c'est à cause du tangage. Il ne dit rien et regagne son cheptel d'un air sombre.

— Eh bien, tu parles d'un cirque ! gronde Béru en épongeant sa frimousse tuméfiée avec la veste de son pyjama.

A propos de cirque, je me tourne vers Sirk qui a repris conscience et qui nous dévisage d'un œil torve.

— Tout ça à cause de cet enfoiré ! fait Béru.

Il se penche sur le bat-flanc où Hamar est écroulé et lui agite lentement son poing sous le nez, comme on passe un flacon de sels sous le pif d'une petite nature évanouie.

— Si jamais tu rebronchais, promet Son Honneur, avec la petite mécanique de précision que voilà, je te défoncerais tout le portrait si tellement que même un superman de la chirurgie orthopédique serait pas foutu de te reboulonner, vu ?

Sirk Hamar détourne la tête.

— Monsieur le commissaire, murmure-t-il, c'est pas correct

ce que vous avez fait là. Même avec un truand, on n'agit pas comme ça.

— Je lui mets une tisane de cartilages ? me demande Béru.

— Non, Gros, laisse, il a raison.

Je me penche sur Sirk.

— Il y a des moments où les circonstances vous obligent à commettre des saloperies, mon vieux Hamar. Ce n'est pas de gaieté de cœur, crois-moi. En tout cas, tu es avec nous dans le bain désormais et tout ce qui te reste à faire pour t'en tirer, c'est de nous aider à mort.

— A mort est le mot, soupire Sirk.

Il hoche la tête.

— Pas un de nous quatre n'en reviendra, je vous le dis.

— Tu ne sais donc pas à qui tu causes, se marre le cher bon Béru. Quand on part avec San-A., on en revient toujours.

Là-dessus, il remet son râtelier d'aplomb et se l'assujettit dans la clapoire.

Pendant tous ces démêlés, la Vieillasse a continué son angélique sommeil.

CHAPITRE IV

C'est avec un plaisir extrême que nous quittons ce rafiot de malheur à Béotie.

Comme vous le savez sans doute si vous ne l'ignorez pas, Béotie est un port de commerce important situé à l'angle du golfe Persique et de l'avenue Raymond-Poincaré.

Deuxième ville du sultanat d'Analfabeth, avec ça, c'est vous dire. Sa prospérité vient de ce qu'il sert de débouché au pétrole kelsaltipe. Les pétroliers y fréquentent beaucoup et battent (les méchants) pavillons du monde entier !

La foule bigarrée dont il est question dans les romans de feu Claude Farrère se bouscule sur la jetée. Je marche en tête de notre petite colonne après avoir confié la surveillance étroite de Sirk à mes deux collègues.

Le tendre Pinuchet reprend des couleurs. Sa moustache pendante retrouve du nerf, comme le poil d'un manteau après qu'on est resté assis dessus un certain temps. Quant à Béru, avec son sparadrap sur le front, il a l'air d'un gros bouddha de porcelaine mal rafistolé. Son nez violacé et ses valoches bleuâtres sous les yeux tranchent sur le faux bistre de sa peau.

— Où qu'on va ? me demande-t-il après que nous avons souscrit aux formalités douanières.

— Te casse pas le bol et suis-moi, esclave.

— Pressons un peu le pas, recommande-t-il, le tringleur de cette noye nous file le train.

Je balance un coup de périscope par-dessus mes camarades et, effectivement, j'aperçois le caïd de la cabine voisine sur nos talons avec ses trois nanas qui trimbalent les bagages.

Ce vilain pas beau aurait-il décidé de nous chercher noise ?

J'avise une file de taxis, pas très loin. Ce sont de vieilles bagnoles anglaises datant de la reine Victoria. Des gars au torse nu et à la tranche enturbannée dorment sur leurs volants horizontaux. J'en réveille un et je lui donne l'adresse du gars qui nous a préparé le matériel.

On prend place dans la chignole et le chauffeur dehotte en roulant pendant trois cents mètres avec deux roues sur le trottoir de terre.

— Il a appris à conduire sur une tondeuse à gazon, ce gus ! brame Béru.

Hamar a un petit ricanement.

— On n'est plus à Paris, fait-il, vous allez en voir d'autres !

Je regarde derrière nous. Le caïd et ses mousmées ont renoncé à fréter un bahut, because it is very expensive.

En un quart d'heure, le Fangio béotien nous drive jusqu'à Camel Street. Ça se trouve à deux pas de Sun Place, entre la gare du Sud et l'hôtel du Nord.

Notre nouveau correspondant nous guettait. C'est un gros zig suifeux, avec des baffies qui semblent avoir été dessinées sous son nez avec un bouchon brûlé. Il porte une chemise de soie bleu pâle et un costar de toile blanche. Il est coiffé d'un chapeau de paille à large bord. C'est une nature. Il s'exprime avec volubilité dans un français entrecoupé d'espagnol et d'anglais. Décidément, le Vioque déniche des gars pas croyables.

Il se présente : Alvarez Raymondo. En moins de temps que n'en réclame un habitué de chez Mme Arthur pour gober un suppositoire, j'ai fait le tour du zig. C'est un de ces aventuriers comme on en rencontre dans les ports sous toutes les latitudes.

Ils vendent de tout : des denrées de contrebande, des femmes, des renseignements, des armes et de la drogue. Ils savent nager. Un jour, quand la précirrhose commence à déguiser leur foie en caillou, ils se retirent dans un endroit délicat de leur pays natal. Ils y mènent une vie d'honnête rentier et se font élire maire du bled.

— Tout est paré, nous annonce Alvarez.

Il nous entraîne au fond d'une remise où cinq dromadaires ruminent nostalgiquement.

— Voici les bêtes. Elles sont toutes sellées. On va vous aider à arrimer vos colis.

Il prend dans sa poche une carte imprimée sur une étoffe de soie.

— Ça, c'est une carte du Kelsaltan. Je vous ai tracé au crayon bille l'itinéraire que vous devrez suivre pour aller dans l'émirat d'Aigou.

— Vous êtes un homme très précieux, señor Alvarez, le complimenté-je.

Il hoche sa grosse tête encadrée de favoris larges comme des pattes de tigre.

— Je ne suis pas précieux, je suis cher ! rectifie-t-il avec un humour glacé.

Béru s'approche des dromadaires et leur palpe le ventre d'un geste circonspect.

— Le plein est fait, à ce que je vois ? dit-il.

— Oui, répond Alvarez, le plein est fait. Comme vous pouvez le constater, la dernière bête est bâtée. Elle transportera votre tente et vos vivres. Tout est prêt, je n'ai plus qu'à vous souhaiter bonne route.

— Déjà ? proteste le Gravos, on ne va pas écluser un petit Anjou bien frais pour dire de s'humecter la pierre d'évier ?

Alvarez ruine ses espoirs en lui révélant que le vin est inconnu ici. On ne trouve que du vin de palme. Curieux, Béru en demande. On lui en apporte. Pinaud insiste pour goûter. L'un et l'autre font une grimace atroce.

— Vous avez intérêt à boire de l'eau, assure Alvarez. Vous allez traverser le Grand Rasibus, surnommé aussi désert de la soif ! Il s'étend sur trois cents kilomètres et ne comporte qu'une seule oasis, c'est vous dire !

Sa Majesté en flageole de détresse :

— Trois cents bornes sans trouver un bistrot ! Vous charriez, les mecs ! Pinaud, qu'est-ce que c'est que ce piège à morue salée où qu'on a fourré nos lattes ?

Pas enthousiaste non plus, Pinaud. Mais résigné.

— Que veux-tu, rétorque-t-il, on a insisté pour venir.

— Pas moi ! laisse tomber sèchement Sirk Hamar.

Alvarez appelle des domestiques maigres comme des chaises Napoléon III, et leur ordonne de charger nos montures.

— Vous avez déjà voyagé à dos de dromadaire ? nous demande-t-il.

Nous lui répondons que non. Il réprime un mauvais sourire.

— Alors, messieurs, vous n'êtes pas au bout de vos peines ! Je vais vous donner un petit cours. Il existe un cri pour les faire agenouiller et un autre pour les faire se redresser. Vous allez voir.

Il s'approche d'un dromadaire et crie :

— Youpi !

L'animal, avec un dandinement grotesque, s'agenouille alors et attend en balançant son long cou bête.

Alvarez enjambe la nuque du dromadaire, prend les rênes, et s'assied sur la selle de cuir. Lorsqu'il a le dos bien calé, il crie alors « Yé-yé » et la bête se relève encore plus lourdement qu'elle ne s'est agenouillée. Lors, notre professeur de dromadaire croise les jambes sur l'encolure de sa monture. Il tire sur les brides de cuir. Le dromadaire se met en marche.

— Regardez bien, nous lance Alvarez. Le dromadaire marche en se dandinant. Il faut donc, pour ne pas être déséquilibré, épouser le balancement en se rythmant soi-même, comprenez-vous ?

— Faites voir, dis-je, je vais essayer.

Je crie « Youpi » à l'un des bossus. Pas contrariant, il s'affale. J'imite en tout point la manœuvre exécutée par Alvarez. Au moment du « Yé-yé » je ne me sens pas très fiérot. J'ai l'impression d'être emporté par un coup de vent. Mes jambes battent le vide, à gauche, puis à droite, mais j'arrive à préserver mon équilibre. Je donne un coup de rêne et le dromadaire marche. Un sacré roulis, les gars ! Le voyage à bord du « Vermicelle », c'était zéro en comparaison.

Mais j'ai idée qu'on doit s'y faire assez facilement.

— Et pour arrêter ? demandé-je à Alvarez.

— Pour arrêter, me répond Pinaud, tu tires sur les brides de manière à lui faire baisser la tête.

Je regarde ; Pinaud est sur sa monture, lui aussi, plein d'aisance.

— Mais tu nous avais caché ce talent de société, fais-je au Croulant.

Il hausse ses épaules de cicogne :

— Les tirailleurs...

Bérurier est épanoui.

— J'ai idée que ça n'a rien de duraille cette combine, affirme-t-il. Là où ce que Pinaud passe, je dois passer !

Il choisit sa monture tandis que je saute de la mienne afin de ne pas laisser à Sirk la possibilité de se débiner.

— Je vais prendre çui-là, décide-t-il en désignant le plus gros.

Il en fait le tour, le palpe, l'examine avec la circonspection d'un vétérinaire.

— Les pneus sont bons, fait-il en soulevant une patte du ruminant.

Le dromadaire laisse retomber son pied sur celui de Béru, lequel, étant chaussé de babouches, pousse un hurlement et donne un coup de poing rageur dans les flancs de l'animal. Le dromadaire blatère une protestation et virgule à son futur cavalier un regard pas si morne que ça !

— Avec moi, mon lapin, décrète Béru, faudra voir où c'est que tu poses les pinceaux parce qu'alors c'est pas avec Azur, mais avec de l'azur que tu feras le plein la prochaine fois.

Après quoi, l'incident passé, le Gros poursuit son exploration.

Tâtant la gibbosité de son véhicule il assure : « Ça manque de rembourrage mais ça paraît assez bien suspendu. »

Ensuite il passe aux jarrets. « Les bielles sont costaudes... » Il flatte la croupe : « Quant à ce qui est d'à propos de la carrosserie, elle me paraît résistante. »

— Combien ça vaut un machin comme ça ? demande-t-il à Alvarez.

— Cinq cents brakmarh, révèle notre hôte. Mais ça dépend de l'année. Ça c'est le modèle 62. On trouve des 56 en parfait état... de marche pour moitié prix.

— Si je saurais, dit le Gravos, j'en emmènerais un en rentrant. Pour la campagne, c'est chouette. Tu te figures quand j'irai passer les vékendes chez ma belle-sœur à Nanterre ?

— Tu porterais un coup fatal à Barnum, Gars ! Allez, assez de blabla, en selle !

Béru retrousse sa gandoura.

— Comment que c'est, déjà, le mot de passe ?

— Youpi !

— Ah ! c'est vrai.

Il hurle « Youpi » et son dromadaire s'agenouille. Son Ampleur prend place à bord du vaisseau du désert.

— Yé-yé ! mugit-il.

Là, le dromadaire se relève et Béru culbute sur le sol de terre battue.

Il en est tout étourdi, le pauvre bonhomme. Une bosse auberginesque dilate le sparadrap qui lui barre le front. Il se redresse en chancelant.

— M'est avis qu'il a voulu me jouer un tour de vache, ce chameau-là ! déclare-t-il. Je vous dis que c'est un vicelard.

— Vous n'avez pas manœuvré comme il faut, assure Alvarez que notre numéro commence à ne plus amuser. Les jambes croisées, comme ceci ! Le buste corrige le mouvement de bascule.

Ses valets aident Béru lors de sa seconde tentative. Le Gros finit par se trouver juché sur sa monture, pas rassuré.

— Tonnerre de pipe, ce que son cou est loin ! grommelle le méhariste néophyte. Ce serait un cheval je pourrais m'y cramponner mais avec c'te fosse d'orchestre qui nous sépare, y a pas mèche.

Le morceau de bravoure, c'est quand le dromadaire commence à déambuler. Béru, sur son bourrin des sables, il ressemble à un cachalot dans une chaloupe ! Cramponné aux brides, les jambes pressées contre l'encolure du dromadaire, le corps boulé sur sa selle, il n'en mène pas large.

Au tour de Sirk, maintenant.

— Jamais je n'arriverai à me tenir là-dessus, fait-il irrévocablement.

— Allons donc, gouaillé-je, toi, un enfant du pays ! Le dromadaire, Sirk, c'est comme la bicyclette, ça ne s'oublie pas !

Mais il secoue la tête.

— N'insistez pas, commissaire.

Oh ! que si ! J'ai ma manière à moi d'insister. La bonne, quoi !

— T'as vingt secondes pour faire à dada de ton plein gré,

Hamar, déclaré-je tout net. Au bout de ce laps de temps, si tu n'as pas pris place à bord de ton Alfa-Romeo, je te fais attacher à ta selle, vu ?

Les mâchoires crispées, l'œil mauvais, il grimpe sur la selle. Les aides l'assistent, comme ils ont assisté Béru.

— Maintenant, cramponnez-vous, messieurs, fais-je. On va aller peinardement pour débuter. Pinaud se tiendra aux côtés de Béru, et je marcherai près d'Hamar. Le cinquième dromadaire, le colporteur, est attaché à la monture de Pinuchet.

Je serre la main potelée du maître écuyer Alvarez.

— Merci de tout cœur, mon bon ami.

Il m'adresse un coup d'œil significatif et m'entraîne à l'écart :

— Avec vos cavaliers, je ne vous vois pas très bien parti, me dit-il franchement. Enfin, que Dieu vous garde, señor commissaire !

CHAPITRE V

La frontière du Kelsaltan se trouve à quatre heures de dromadaire et à trois mois de voiture de Béotie. Cela pour la bonne raison que, pour l'atteindre, il faut parcourir une quinzaine de kilomètres dans le sable poudreux.

Le plus duraille, croyez-moi — et si vous ne me croyez pas, allez vous faire cuire autant d'œufs que votre foie atrophié peut en supporter —, le plus duraille, répété-je, ce sont les cent premiers mètres. Le gros tracas vient du gars Bérurier. Douze fois il dégringole de son vaisseau du désert. Douze fois, je suis obligé de descendre pour l'aider à se jucher sur son dromadaire, lequel a nom Anon. Ce n'est pas une sinécure. A la fin, je finis par l'arrimer sur sa selle avec des sangles et c'est alors qu'il prend le mal de mer, mon Intrépide ! Lui qui brave les tempêtes, sur la bosse de son ruminant il chope la nausée.

On pourrait nous suivre à la trace.

Et quelles traces, mes pauvres amis !

Il est jaune comme un canari, le Gonflé. Il tangue misérablement sur Anon et bredouille entre deux fusées que la vie n'est plus possible et que si l'on avait un chouïa d'estime pour lui, on se grouillerait de lui filer une praline dans le bulbe, manière d'abréger ses souffrances.

Son peu de self control, il l'emploie à admirer Pinaud. Des années de sarcasmes et de houspillage viennent de se volatiliser soudain au spectacle de ce Pinuchet, silencieux dans sa gandoura en tête de la colonne.

Pour ma part, j'ai l'estom' pas tellement fiérot non plus. Ça me file le tournis, ce dandinement animalesque. Et ça fait mal aux miches, je vous l'affirme. J'ai l'impression de faire du tape-der sur un rocher. On peut pas croire ce qu'ils ont la bosse coriace, ces bestiaux.

— Si au moins on aurait touché des chameaux, lamente le Gros, j'ai idée que c'eût z'été plus fastoche. Entre les deux bosses on peut s'installer et attacher sa ceinture. Mais sur cette cochonnerie de dromadaire, y a pas moyen ! Et tu dis qu'on va faire joujou commako pendant trois cents bornes ?

Il se tait pour apporter un peu d'humus fertilisant au sable brûlant du Grand Rasibus.

On avance, lentement, avec seulement nos ombres fantastiques pour nous escorter.

Sirk Hamar se cramponne comme un perdu, sans piper mot.

— Ça te change des petits bars à malfrats de Pigalle, hein, Toto ? ricané-je.

Il ne desserre pas les lèvres. Ce qui se passe dans sa tronche n'est pas racontable. Il aimerait me tenir dans un coin peinard et avoir tous les ustensiles en main pour me faire payer ça.

Nous parcourons de la sorte un ou deux kilomètres. Le port de Béotie ainsi que la mer ont disparu, avalés par les dunes.

— J'en peux plus, affirme Béru. Tu me connais, San-A., pas feignant, il est, ton Gravos, à preuve c'est que j'ai fait du suif pour venir, mais je suis t'au bout du rouleau, Mec. Ou alors laisse-moi z'y aller à pinces dans ton bled pourri. Oui, à pinces, je veux bien. Mais ce canasson de malheur aura ma peau, t'entends ? Fendu en deux je serai à l'arrivée, si j'arrive. Déjà que je sens plus mes bijoux de famille. C'est ce qui s'appelle faire d'une paire deux c... !

Je ne réponds rien. J'ai la pensarde délabrée. Tout ça est insensé. Et ça se goupille comme une opération d'appendicite dans une cabine téléphonique ! Déguisés en Arabes, gênés par ces fringues inhabituelles, ballottés sur des dromadaires idiots, nous fonçons dans le désert, lamentablement !

Et tout ça parce que M. le Dabe qui se gargarise avec du tricolore soir et matin et qui s'en épingle au calcif, a voulu donner une leçon aux Services secrets. L'opération sans-retour !

Le seul de l'expédition qui jacte le kelsaltipe est un truand redoutable qui aimerait nous arracher les yeux avec une cuillère à café (ou à thé à la rigueur). C'est bath, non ?

Le sable poudroie sous le soleil. En v'là un, là-haut, qui prend ses aises ! Oh ! la vache, ce qu'il nous déverse comme calories !

Nous en prenons plein la nuque. J'ai déjà la bouche plus sèche que la voix d'une surveillante générale de collège anglais.

Pour la première fois de ma carrière, mes frères, j'ai grande envie de tout laisser quimper. Oui, j'ose l'avouer, je suis prêt à dire pouce avant même d'être arrivé à pied d'œuvre.

J'hésite. Je regarde une dune, à quelques centaines de mètres. Je me dis que si on n'aperçoit pas un arbre lorsque nous y serons parvenus, je donnerai l'ordre de tourner bride. Les conséquences, j'en ai rien, strictement rien à faire.

Nous atteignons la dune. A perte de vue, c'est le sable pailleté qui mijote au soleil comme un monstrueux gratin de macaroni.

Béru achève de se vider et pour bien se finir, bien s'essorer, il pleure.

Le vieux Pinaud, lui, hoche la tête. Pas joyce, mais vaillant. Il mérite la prime, le pompon, la médaille, sa statue, la retraite des cadres, un cadre pour cloquer sa photo héroïque. Il mérite des poignées de main, des poignées de billets, des poignets de force. Il mérite la reconnaissance de la patrie et celle du mont-de-piété. Il a droit à la piété populaire. Y aura sa bouille dans les manuels scolaires, c'est promis. Juste entre celle du Père de Foucauld et celle de Lyautey l'Africain. Une bath trilogie, mes gosses. Vive Pinaud, le poulet du désert.

Béru mate de son œil, qu'il va sûrement vomir avec le reste, l'étendue désertique.

— On peut pas dire qu'on soye privé de désert ! bavoche le Tuméfié.

Je n'ai pas le temps de rigoler de sa boutade.

Il vient de se produire un petit quelque chose d'inattendu. C'est ce salopard de Sirk Hamar qui vient de nous jouer un petit tour de sa façon. Comment qu'il a mijoté son coup, cet apôtre ! Son incapacité dromadairienne ? Du bidon ! Du gros jerrican de vingt litres ! En fait, c'est un crack de l'équitation sur gibbosité. Il voulait endormir notre confiance. J'ignore ce qu'il a pu faire ou chuchoter à sa monture, mais voilà soudain qu'il tourne bride et fonce comme un Mystère IV en direction de Béotie.

Sa manœuvre est belle et bonne. Il a cheminé assez loin de la ville avant de nous semer du poivre.

— Rattrape-le ! hurlé-je à Pinaud.

Mais le Vieillasse lève ses bras dessinés par Bernard Buffet.

— Je ne suis pas en mesure ! dit-il.

Que fait alors le San-Antonio bien-aimé lorsqu'il se trouve en pareille conjoncture ? Eh bien, comme toujours il use des grands moyens. Je dégage de mes fontes une carabine à canon court, mais pourvue d'une minuscule lunette de visée.

C'est la première fois que je vais défourailler sur un dromadaire, les gars. Et croyez-le, j'en ai le battant qui se coince, mais je n'ai pas d'autre possibilité de m'en sortir. Je vise les pattes.

Une détonation sèche comme nos gosiers fourbus emplit toute l'immensité désertique. Là-bas, le dromadaire pousse un cri et culbute. Je me dirige dans sa direction. Sirk a du mal à se dégager car il est pris sous sa monture. Je mets pied à sable pour l'aider, puis, comme l'animal souffre et tourne vers moi ses grands yeux implorants, je l'achève d'une balle en pleine tête. Nous voilà chouettes avec une monture de moins. Ah ! l'expédition se présente sous des auspices qui ne valent pas ceux de Beaune.

— Mon petit Hamar, dis-je à notre compagnon, tu as tort de vouloir jouer ce jeu-là avec moi. Ça se finirait par une balle entre les deux yeux que je n'en serais pas autrement surpris. Ramasse tes frusques et viens prendre le dromadaire porteur ! Par ton petit coup d'État tu as un peu plus compromis nos chances de succès. Maintenant, je veux que tu saches qu'au moindre geste, t'auras ta ration de plomb dans l'armoire à ragoût.

— Ce zèbre, gronde Bérurier, lorsque nous rejoignons mes camarades, ce zèbre, dès que le mal de dromadaire m'aura passé, je vais te lui faire une de ces tronches que les zigs de son patelin prendront les chocottes en le voyant.

Sur cette forte promesse, Sirk prend place sur le dromadaire vacant. En voilà un qui se farcit une drôle de charge utile, je vous le dis. Si la S.P.A.[1] passait par là, elle nous collerait un procès aux noix, c'est mathématique.

Seulement personne ne passe par là.

Quant aux procès éventuels, on s'en tamponne les paupières avec une pelle à gâteau.

*
**

Tout le reste du jour nous allons, d'une allure morne et ballottante. Une sorte de torpeur nous coule dans les membres. C'est à peine si, de temps à autre, je mate ma boussole, histoire de m'assurer que nous cheminons bien dans la bonne direction.

Sur le soir, enfin, lorsque la ligne d'horizon devient d'un violet prometteur et que le sable blanchit, je donne le signal de la halte. Sirk, qui veut se réhabiliter, car il comprend que sa position est intenable désormais, nous plante la tente et confectionne le thé. Béru, qui ressemble à un abcès sur le point de percer, s'abat sur sa couverture. Il a les yeux comme deux virgules de cabinets publics et un teint plus plombé qu'une valise diplomatique. Il se remet un peu à exister lorsque Pinaud, qui continue, ma foi, de se comporter comme un méhariste chevronné, ouvre une boîte de conserve.

— Qu'est-ce que c'est ? demande le Gravos.

— Des tripes à la mode de Caen ! annonce la Vieillasse.

Ça le dope, Béru. C'est un peu comme si on lui passait des sels sous le nez.

Il mange gaillardement, et va farfouiller dans ses bagages. Il y déniche une bouteille de chambertin.

— Votre thé des familles, fait-il, vous pouvez vous en faire des lavements. Pour colmater des brèches comme celles dont auxquelles j'ai eu à subir, y a que le bourgogne.

Effectivement, lorsqu'il s'est éclusé sa bouteille, le Régénéré entonne *les Matelassiers*, son hymne réputé. Rassuré sur son sort, je mets les menottes à Sirk et nous nous endormons.

Le lendemain, y a de l'animation dans le camp. Dans la vie, voyez-vous, tout est question d'adaptation. L'homme est fait pour s'acclimater à toutes les conditions atmosphériques, à toutes les fantaisies climatiques, à toutes les latitudes et longi-

1. Société protectrice des animaux.

tudes, à tous les chagrins. C'est lui le vrai caméléon de l'univers ; lui seul. Il prend la couleur du milieu ambiant. Il devient rouge ou blanc, gentil ou méchant, résigné ou révolté. Il subit le froid ou la chaleur, la prison ou le désert. Un vrai prodige !

— Aujourd'hui, annonce le Gravos qui au lever n'a rien perdu de sa bonne humeur du coucher, aujourd'hui, les gars, je sens que ça va carburer.

Nous plions bagage et reprenons place sur nos montures.

Le Gravos étudie attentivement la manière de procéder de Sirk. Ayant fait coucher son dromadaire, il se place à califourchon, sur son encolure et crie le yé-yé d'usage, mais, contre toute attente, l'animal demeure accroupi.

— Et alors ! gronde le Mastar, lequel voit soudain sa belle énergie inemployée. Qu'est-ce qui se passe, mon vieux bosco ?

Il réitère le signal, sans plus de résultat. Le dromadaire ne se redresse pas.

— Eh, San-A. ! me lance Sa Gonfle, j'ai une panne de démarreur.

— Mets le starter ! conseillé-je en riant. Il est froid, ton ruminant, Gros.

Hélas ! Sa Majesté a beau s'escrimer, le bossu ne veut rien chiquer pour la décarrade. Il reste imperturbable, mâchonnant on ne sait quelle confuse rancœur, la paupière lourde et le nez tombant.

— Y devrait pourtant avoir le feu au dargif avec ce que j'y ai fait gober ce matin, lamente son noble cavalier.

L'inquiétude me mord les chplouques bivalentes.

— Que lui as-tu fait prendre, Gars ?

— Un gorgeon de muscadet pour le mettre en train.

— Quoi ?

— J'ai cru bien faire. Je m'ai dit que la journée allait être dure et qu'il fallait lui filer un petit remontant à mon chameau monoplace.

— Espèce de noix vomique ! Tu lui as fait ramasser une biture, à cette pauvre bête !

Pinaud rigole comme un petit fou.

— L'animal le plus sobre de la création qui se ramasse une malle, on n'avait encore jamais vu ça !

— Si je lui ferais boire un peu de café fort ? demande l'Ignoble.

L'envie d'étrangler la moitié de l'humanité et de faire fusiller l'autre moitié s'allume en moi, sauvage, impérieuse.

— Et notre provision de flotte, crétin ? rugis-je. Tu ne t'en soucies pas ? Du café au dromadaire ! Il faut de l'eau pour le confectionner, non ?

— Si peu, plaide l'Hénorme. T'inquiète pas, la flotte, je la ménage. Tiens, ce matin, pour me laver les nougats j'ai pris juste ce qu'il fallait.

Du coup je saute de mon animal et me précipite sur mon ami.

— J'ai bien entendu, Gros ? Tu t'es lavé les pieds ce matin ?

— J'ai le droit ! fait-il. Quand on se balade en babouches et qu'on peut rencontrer sur son chemin une jolie mousmée, faut être paré, Gars. On porterait des chaussettes je me serais abstenu. Mais j'avais pas les chevilles Persil.

Je le biche par la gandoura.

— Misérable baudruche ! tonné-je. On est rationné en flotte. Et toi, qui de mémoire de plombier ne t'es jamais lavé les pinceaux, c'est ce moment que tu choisis pour le faire ! Tu mériterais que je t'égorge ! Allez, cramponne-toi ! Je vais le faire démarrer, ton dromadaire.

Je défais la ceinture de cuir qui serre mes fringues et je frappe le dargeot de la bête.

Il ne paraît même pas s'apercevoir de cette flagellation, l'unibosse. On dirait même qu'il se marre avec sa bouille d'ivrogne.

— Il est aussi c... que Pinaud, ce bestiau ! tonne le Gros.

L'effet est immédiat. D'un bond, le dromadaire se met sur ses cannes et le voilà parti droit devant lui dans le désert.

Comme, par chance, il a pris la bonne direction, je le laisse aller.

Nous finirons bien par le rattraper un jour ou l'autre !

Béru, cramponné à sa selle, ne tarde pas à disparaître dans un nuage de sable et un flot d'insultes.

CHAPITRE VI

Deux jours s'écoulent.

Nous nous dandinons sur nos montures en regardant défiler

nos ombres biscornues. Nous avons les fesses en marmelade et la peau qui nous brûle autant que le gosier.

D'après mes calculs, nous avons dû parcourir le tiers de la distance qui nous sépare de l'émirat d'Aigou. Donc il nous faut arpenter les dunes pendant encore quatre à cinq jours sous ce soleil forcené. Pour comble de bonheur, il ne reste plus beaucoup de carburant liquide. Le Gravos, qui s'était muni de quelques bonnes bouteilles, les a bues, mine de rien, dès le premier jour, ce qui l'a guéri du mal dromadairien, mais dès le deuxième, sa pépie le tenaillant, il s'est rabattu sur l'eau de nos outres. « Juste une petite lichette histoire de m'arroser la glotte », prétendait-il chaque fois. Seulement, une gorgée bérurienne ça n'est pas la gorgée de tout le monde. Un demi-litre à chaque lampée, c'est sa capacité buccale, à Béru. Avec de l'entraînement, il pourrait sûrement faire mieux.

A l'aube du troisième jour, je déclare l'état d'urgence et je fais attacher les deux dernières outres de flotte sur ma bête afin de pouvoir mieux les contrôler. Le rationnement, ça n'a jamais créé une bonne ambiance dans la troupe. Chez les civils non plus, du reste. Aussi mes méharistes me font-ils grise mine.

— Obliger des poulagas à enquêter dans un patelin pareil, lamente Sa Rondeur, c'est du vice. On s'en tamponne de ce qui peut arriver ici, non ?

Et d'ajouter, en désignant d'un geste superbe l'immensité sableuse :

— Quand je pense que des tripotées de Parisiens passent onze mois de l'année à faire des éconocroques pour aller se rouler dans le sable pendant le douzième ! Faudrait les amener un peu par ici, les vacanciers, ça leur ferait les pinces ! Ah ! les mecs, ce que je donnerais pour me trouver à Nanterre chez ma belle-sœur !

— Parle pas tant, conseille Pinuche, ça te déshydrate la menteuse.

Le pauvre Mahousse promène une langue chargée comme un ciel d'orage sur ses lèvres craquelées.

— On croit se lécher et on se râpe, nostalgique-t-il. Maintenant, c'est fini, je verserai plus un fifrelin aux mineurs quand c'est qu'ils seront en grève. Quand je pense que je les plaignais ! Je me disais qu'ils se tapaient un sale turbin. J'étais louf : ils sont à l'ombre au moins, ces veinards.

Et nous allons, nous allons.

Il fait de plus en plus chaud.

De plus en plus soif.

De temps en temps on aperçoit un amoncellement à l'horizon. On se dit, dans le secret de sa gamberge, que c'est sûrement une oasis. Mais tout ce qu'on trouve, ce sont des rochers plus brûlants encore que le sable.

Pinaud, j'ai idée que ça va le terminer, ce voyage, s'il s'en sort. Il semble devenir momie sur la bosse de son dromadaire. Il se dessèche à vue d'œil. Sa peau devient cuivrée sous la bronzine. Il a l'œil plus terne que celui de sa monture et sa moustache pend comme les moignons d'un pingouin.

Le mot pingouin me fait évoquer une banquise immense, dont j'aimerais casser un morceau pour le plonger dans un verre d'eau gazeuse.

Dans le courant de la troisième nuit, je suis éveillé par Sirk. Il a les menottes aux poignets, comme chaque noye et ça ne lui permet pas de prendre des positions voluptueuses sous la tente.

— M'sieur le commissaire ! appelle-t-il.

J'émerge du cauchemar dans lequel je me débattais. Un cauchemar complètement déshydraté.

Le visage luisant de sueur de Sirk est pareil à un masque de cire.

— Qu'y a-t-il, mon pote ? je grommelle.

Pour me rendormir, maintenant, c'est scié. Je lui boufferais la rate, à ce malfrat, si seulement j'avais un bon demi de Kronenbourg pour la faire passer.

— J'entends une source ! me dit-il.

Je bâille.

— T'as rêvé, mon gars. On ne fait que des rêves commak dans ton bled infernal.

— Mais non, fait-il en tendant le doigt pour requérir mon attention, écoutez !

Effectivement, un glouglou ensorceleur me parvient. Pas d'erreur, un filet d'eau s'épanche quelque part.

Je bondis hors de la tente, les glandes salivaires toutes prêtes à s'humecter. Aurions-nous bivouaqué près d'un point d'eau ?

Après tout, c'est possible. J'ai forcé mes hommes à avancer au crépuscule pour profiter de la fraîche et il se peut qu'au moment de la halte je ne l'aie point remarqué.

Le bruit provient de derrière la tente. Flanqué d'Hamar j'y cours. Et qu'aperçois-je ? Pinuche, à genoux sur le sol, qui répand dans le sable le contenu de nos outres. Sur l'instant je n'en crois pas mes châsses. Je me demande même s'il ne les remplit pas plutôt à une source. Mais non : le clair de lune, sans être celui de Werther (qui ne s'use pas même si l'on s'en sert) est suffisant pour me révéler la hideuse réalité.

— Pinaud ! N... de D... ! meuglé-je, qu'est-ce que tu fabriques ?

— J'arrose mes poireaux, répond aimablement la Vieillasse en poursuivant son manège.

» Avec cette sécheresse, termine-t-il, je crains bien ne pas pouvoir les sauver !

Je lui saute sur le paltok. Il est devenu dingue, le père Pinuche ! Une insolation, je suppose. A force de morfler le mahomed derrière le cigare ça devait arriver !

Aidé de Sirk, pourtant handicapé par les menottes, je le ceinture. Mais il est trop tard, les deux dernières outres sont complètement vidées.

Lors, Pinuche pousse un étrange soupir. Ses yeux ont un vacillement et il se met à regarder autour de lui d'un air effaré.

— Qu'est-ce qu'il y a ? demande-t-il.

Le Gravos, attiré par le tohu-bohu, s'annonce en se grattant les miches.

— Qu'est-ce que c'est que ce raffut ! fait-il très vite, si vite même qu'on dirait qu'il parle turc.

On lui explique. Il secoue la tranche.

— Pinaud est somnambule, tu sais bien, dit-il.

Je suis rassuré quant à la raison de la Vieillasse, mais je ne le suis pas quant à notre sort. Plus d'eau et encore trois jours de marche ! Il ne reste plus qu'à souhaiter une grande pluie, les gars !

Mais le lendemain, le grand ciel chauffé à blanc nous dit m... Pas un nuage. Le sable qui scintille à l'infini crible nos cerveaux de ses paillettes d'or. (C'est rudement bien écrit, non ? Vous comprenez pourquoi l'Académie française me fait du pied sous la table ?)

Nous nous traînons, la gorge en feu. Nous rêvons à des fontaines glougloutantes. Ça dure ! Ça dure !

Pas le moindre espoir de trouver de la flotte.

Dans l'après-midi, Béru pousse un cri.

— Un bistrot ! glapit l'Enflure en pointant son doigt vers l'horizon.

Effectivement, il me semble voir des palmiers et une construction en cannisse à l'horizon. Notre Pinaud penaud sollicite son dromadaire. Mais Sirk nous fauche l'allégresse à la racine.

— C'est un mirage ! annonce-t-il.

— Tu vas voir si la dégustation de marrons que je vais te voter, c'est aussi un mirage ! fulmine le Mastar.

Aux côtés de son somnambulique Pinuche il galope, galope, à s'en démolir le fondement.

— Tu es sûr que c'est un mirage ? fais-je à Sirk.

— Certain, répondit-il. Si ça n'en était pas un, les bêtes auraient réagi depuis longtemps.

Nous nous élançons à la poursuite des deux compères et nous avons toutes les peines du monde à leur expliquer qu'il s'agit d'une réfringence particulière de l'atmosphère qui restitue l'image d'une chose se trouvant en fait à des dizaines et des dizaines de kilomètres.

— Mirage, mes choses ! tranche Béru. Si je vous dis que je vois un troquet, c'est qu'y en a un ! Je m'ai jamais gourré en la matière, San-A. Jamais !

Sirk Hamar intervint. Depuis sa tentative de fuite, rapidement et énergiquement jugulée, il est resté morne et n'a pratiquement pas parlé.

— Déconne pas, gros lard ! lance-t-il à Bérurier. Les dromadaires ont un autre pif que toi, eh ! tas de graisse ! Et s'il y avait de la flotte, ils l'auraient reniflée.

Nous n'avons plus la force de fustiger son impertinence. Il y a des moments dans la vie où la détresse nivelle tout.

— Je m'en balance, déclare soudain Béru après un temps de réflexion. Je préfère claboter en marchant sur un mirage plutôt qu'en lui tournant le dos !

Cette fois il repart, déterminé, fort, impétueux, habité par une foi farouche, un peu comme partait le croisé qui entendait arracher le tombeau du Christ aux Infidèles.

— Béru ! Béru ! fais-je avec mon olifant à cordes vocales.

Mais, tel la chèvre de M. Seguin, le Gros poursuit sa route dans le sable émouvant.

— Il faut coûte que coûte le maîtriser ! dis-je aux deux autres.

Sirk a un haussement d'épaules désabusé.

— Depuis que votre gâteux a balancé la flotte, tout est perdu à 99 %, fait-il. Après tout, il a raison de s'accrocher à un rêve.

Il ajoute sombrement :

— Qu'on crève ensemble ou séparément, après tout, qu'est-ce que ça change ?

Lors, l'énergique San-A. dégaine sa rapière et la pointe sur Hamar.

— Si tu es particulièrement pressé d'en terminer, Sirk, dis-le. Je peux t'arranger ta priorité...

Il me regarde, puis, la mâchoire crispée, fait faire un quart de tour à sa monture et nous suit.

Béru a disparu derrière une dune couronnée de rochers. Le nuage blanc qui marque son passage continue de tourniquer dans l'air immobile. Nous escaladons la dune. Et là, mes amis, nous émettons tous les trois un même cri extasié.

A nos pieds s'étend une palmeraie verte comme l'habit et le visage d'un académicien. Le Gros l'a déjà atteinte. Il est dans l'ombre, debout devant une construction de cannisse, et un indigène lui verse à boire.

Dans un galop forcené nous le rejoignons.

— Y a plus de pastaga, nous annonce-t-il, mais cette anisette n'a pas mauvais goût.

Puis, se tournant vers le taulier.

— Vous me remettrez une tournée générale ! ordonne-t-il.

Ensuite de quoi il vide son godet avec délice et s'approche de Sirk.

Notre prisonnier n'a pas le temps d'esquiver. C'est parti. Une mornifle recto-verso qui décornerait un zébu.

— Pour t'apprendre à être poli, déclare sévèrement le Gros.

Il remet une nouvelle mandale à répétition.

— Et celle-là, pour t'apprendre à avoir plus mieux confiance dans la parole d'un officier de police que dans celle d'un dromadaire aussi abruti que toi, vu ?

J'accorde une demi-journée de repos à mes amis — et ce faisant, je me l'octroie à moi-même. Nous nous trouvons dans la palmeraie d'Ukuh, c'est-à-dire que nous avons dévié de la bonne route. Cela nous obligera à faire quarante kilomètres de plus, mais grâce à ce grand écart, nous avons eu la vie sauve.

Le lendemain de très bonne heure, nous repartons, ragaillardis, avec de l'eau plein nos outres.

Quatre jours plus tard, harassés mais triomphants, nous sommes en vue d'Aigou.

Aigou, fin de section !

Fin de martyre !

Le désert de la soif ne nous a pas eus. La première partie de l'expédition a réussi.

Bravo, San-Antonio !

CHAPITRE VII

Aigou est une ville beaucoup moins grande que New York et beaucoup plus petite que Mantes-la-Jolie puisqu'elle ne comporte que quelques centaines d'habitants entassés dans des maisons de terre séchée. Ces constructions forment une espèce d'amoncellement de cubes blancs car elles s'étagent sur la colline que couronne le palais de l'émir Obolan. La végétation y est assez rare. Les arbres chétifs sont talqués par un sable blanc, plus fin encore que celui du désert.

Notre arrivée a été repérée de très loin, car, à peine sommes-nous en vue de cette cité qu'une cohorte de gamins hurleurs nous cerne. Ils sont faméliques, en haillons, et nous tendent des mains insistantes.

Je prends Sirk Hamar entre quat'zieux et je lui débite un sermon de mon cru.

— Sirk, le moment est venu pour toi de te montrer à la hauteur. Ton avenir et le nôtre — mais le tien surtout — dépendent de ton comportement. Tu es un gars d'ici. Tu connais les habitants, la langue et les mœurs, par conséquent tu es mon atout number one. Tu vas annoncer à la populace que nous sommes des marchands étrangers venus pour faire du commerce. Et, chaque fois que tu le pourras, tu chercheras à avoir des détails sur l'avion qui s'est posé il y a quelque temps dans la région.

» Demande aussi, mais sans éveiller l'attention, si des Européens séjournent actuellement ici.

Je contemple la horde de mouflets.

— Les gosses peuvent t'être d'un grand secours, remarqué-je. Ils voient tout, sont partout et ne demandent qu'à bavarder...

Sirk opine.

— Je ferai de mon mieux.

Je distribue quelques piécettes aux gamins, ce qui, illico, nous pare d'un prestige fabuleux. Nous faisons dans Aigou une entrée aussi triomphale que celle de Paul VI à Nazareth.

Les distractions sont rarissimes, dans ce pays. C'est pour le coup que mon camarade Aznavour ferait un malheur si ses pérégrinations internationales l'amenaient jusqu'en ce coin reculé où l'attend sans doute un de ses arrière-grands-pères.

Nous parvenons sur la place du village. Elle est justement réservée aux nomades, contrairement à celles de nos patelins à nous qui leur sont interdites (au point que les nomades, ne pouvant plus stationner nulle part, deviennent nomades à part entière ; comprenez-vous ?).

Il y a un fouillis indescriptible sur cette place. Tellement indescriptible même que je ne vous le décrirai pas. Ça chlingue[1] au point que si j'avais des boules Quiès, ce n'est pas dans mes portugaises que je me les collerais mais dans mes trous de nez.

La grand-place sert de goguenots publics, de tout-à-l'égout, de dépotoir municipal et de terrain de jeux.

— Plantons notre tente ici ! décrète Sirk.

Nous lui obéissons. La situation est rare, non ? C'est le truand prisonnier qui prend la direction des opérations, à c't' heure.

La tente est dressée, les dromadaires sont conduits à la fontaine où ils font le plein de leur radiateur. Béru en profite pour demander si, l'hiver on leur met de l'antigel dans leur flotte.

Nous attachons les bêtes à des pieux ; ensuite de quoi nous nous mettons à déballer nos marchandises sur des toiles.

1. Mot kelsaltipe signifiant « puer ».

La foule s'amasse vite-fait. Y a des vieillards et des vieillardes qui renaudent parce qu'on leur bouche le spectacle. Les messieurs se mettent au premier rang et donnent des coups de poing dans le ventre des dames trop curieuses afin de leur apprendre à garder leurs distances.

— On va drôlement affurer ! annonce Béru. Pas besoin de baron, ici[1].

Il ouvre la malle de fer dans laquelle il a emballé sa marchandise.

Illico il y a panique à bord. Ça renifle affreusement. Du coup, les miasmes de la place font figure de senteurs marines. La foule des badauds recule. Un nuage de mouches radine en escadrilles serrées. Elles ont tout de suite reniflé des délices, les sagaces. Elles se le téléphonent. Il en arrive de partout ; par vagues bourdonnantes. Voraces, elles sont. Et avides de becquetance occidentale. Des bleues, brillantes comme des plumes de jais. Des toutes noires : les lanciers de la mort chez les mouches ! Des grises, des presque rouges pour la parade. Elles ont largué leurs charognes en cours. Un festin exceptionnel qu'il leur amène, le Gravos. Il avait bien fait de coller du sparadrap autour du couvercle de sa malle. Et d'abord, s'agit-il d'une malle ou d'un sarcophage ? Je voudrais savoir. Je lui demande. Il révèle.

— J'ai apporté une denrée dont au sujet de laquelle je suis certain qu'on ne la trouve pas ici, San-A., me déclare l'Immonde.

Cette puanteur lui est familière, lui est chère, lui est nécessaire. Elle justifie Béru. Que dis-je : elle l'explique.

L'odeur infernale, putride, agressive, calamiteuse ne l'incommode pas. Il en est la matérialisation.

C'est sa maman. C'est son papa. Toute son ascendance bérurienne qu'il a amenée en terre arabe. L'univers du Gros est là, sous nos yeux révulsés, étalé au grand soleil du Kelsaltan.

Il se fait un grand silence. Béru plonge sur la malle béante.

Tout autre que lui s'écroulerait foudroyé. Lui pas. C'est le Dieu du remugle ! Le souverain fautif de la pestilence ! Le grand prêtre de la sanie !

1. Pour les lavedus, je précise que le baron, chez les marchands forains, est le compère qui vient acheter en premier afin d'amorcer le client.

Il lève une chose ronde et dégoulinante. Elle devient aussitôt noire car la moucherie du patelin a fondu dessus. Bérurier chasse ces impétueuses.

— Des camemberts, fait-il noblement. De véritables camemberts de Normandie. Je les ai choisis pas trop faits pour qu'ils supportent mieux le voyage. Et les voilà à point, ces chéris. Bons pour le service !

Il fait front à la foule, passe une langue torcheuse sur les parois de la boîte, lape, déguste, hume, se gargarise !

A tout hasard, la foule applaudit l'exploit. Ils ont déjà vu des mangeurs de feu, à Aigou, jamais des lécheurs de calandos faisandés.

Béru se tourne vers Sirk.

— Toi, mec, tu vas traduire au futur et à mesure mes paroles.

Puis, à Pinaud :

— Et toi, Lapinus, occupe-toi des mouches. Si on se méfierait pas elles me becqueteraient mon stock avant que j'aie z'eu le temps d'en vendre un.

Il harangue, de sa noble voix de baryton cabossé :

— Messieurs et même mesdames, j'ai l'honneur de vous présenter en exclusivité, un produit de l'élevage français.

» J'ai surnommé le camembert authentique, véritable et pur fruit de Normandie.

Il souffle, laissant à Sirk le temps de traduire sa diatribe. Ce que l'autre accomplit consciencieusement.

— Dommage qu'on n'ait pas un tambour, déplore le Gravos.

Il reprend :

— Pour fêter mon arrivée dans votre beau pays, j'offre deux boîtes en prime à çui-là qui m'en achètera une. Je cause pour le premier clille, œuf corse, biscotte j'aurais vite fait, à ce tarif-là, de bouffer ma culotte, ou plutôt, ma gandoura.

Il brandit son calandos de plus en plus coulant, comme un discobole superbe et généreux. On murmure dans l'assistance. Les gars se tâtent à cause de l'odeur.

— Tu l'as dans le baba, résume Pinaud. Les Orientaux n'aiment que le piment ou le sucré, tu sais bien !

Bérurier se fiche en renaud.

— Si je veux leur apprendre la civilisation, c'est mon droit, non ? Dans les pays arriérés, y a plein de missionnaires qui vont leur brader notre Bon Dieu, pourquoi t'est-ce que je leur refilerais pas nos camemberts ? Le Bon Dieu on le voit pas, tandis que le calandos, il existe !

Pinaud entreprend une discussion contradictoire.

— Dieu, on ne le voit pas, c'est juste, mais chacun le sent ! fait-il.

Du coup, le Furax lui flanque son produit laitier sous le pif, poussant son camarade sur les berges de l'évanouissement.

— Et ça, la Vieillasse, ça ne se sent peut-être pas ?

Puis, se ravisant, il dit à Sirk :

— Passe-moi le sucre en poudre, Mec. On va modifier nos batteries d'épaule.

Sans piger, Hamar obéit. Béru, d'un geste preste décapite la boîte à frometon et ayant soufflé dessus pour disperser les asticots, il arrose le camembert de sucre.

Cela fait, il le dépose sur la toile.

— Maintenant, ordonne-t-il à Sirk, tu vas dire aux gosses que s'ils volent ce camembert, ils auront affaire à moi.

Je ne pige pas très bien sa tactique, lors il me décille les yeux.

— Tu le sais, Gars, comment que Parmentier a imposé la pomme de terre, en France ? Lorsqu'il l'a amenée de je sais-plus-d'où les gens se gaffaient et personne voulait y goûter. Alors il a planté ses patates dans un champ et a fait garder le champ par des militaires habillés en soldats. Pour le coup, ça les a excités, les incrédules, et ils sont venus voler les tubercu-leuses. Ils ont trouvé ça fameux et...

Il me pousse du coude.

— Qu'est-ce que je te disais : voilà un lardon qui vient de secouer ma boîte.

Effectivement, un petit môme famélique se sauve tandis que la foule, ravie, rigole à nos dépens.

L'affamé goûte le camembert sucré. Ça lui plaît. Il le dit et la vente démarre. Tout le monde en demande à la fois.

— Combien t'est-ce qu'il faut les vendre ? s'inquiète sou-dain le Triomphant.

Sirk hoche la tête.

— De mon temps, le rahat-loukoum se vendait deux klitoris pièce, évalue Sirk, mais depuis la découverte du pétrole l'ar-gent s'est revalué.

— Bon, on va vendre mes camemberts un klitoris, décide le Gros.

— C'est pas cher, affirme notre interprète.

L'argent se met à pleuvoir. On s'organise. Sirk harangue ; Béru puise dans la malle ; Pinaud répand le sucre en poudre et j'encaisse l'artiche. Le système Taylor, quoi !

En une heure le Gravos a épuisé son stock. Il ne lui reste plus qu'une douzaine de camemberts qu'il réserve jalousement à sa consommation personnelle.

Grâce à lui, nous avons fait mouche (si j'ose dire) dès notre arrivée. La population nous a adoptés. Ça se voit à tous les sourires que ces braves gens nous font.

— Je vous donne quartier libre ! annoncé-je à mes compères.

Je regarde en direction du palais émiral dont les créneaux immaculés dominent la ville.

— Hamar et moi allons opérer une petite reconnaissance, annoncé-je.

Le dear Pinuche me chuchote dans les trompes :

— Méfie-toi de ce type. Il est prêt à nous claquer dans les doigts à la première occasion.

— Ne te casse pas le chou pour moi, je l'ai à l'œil.

En déhotant, je montre mon camarade tu-tues à Sirk.

— Je n'ôterai pas ma main de sa crosse, lui affirmé-je. Penses-y.

Il a un étrange sourire.

— Ne craignez rien, commissaire. Maintenant, je ne peux plus que jouer votre jeu.

— Pourquoi « maintenant » ?

Il abaisse le capuchon de son burnous très bas sur ses yeux.

— Permettez-moi de ne pas vous répondre, commissaire. Ça vaut mieux.

Je n'insiste pas.

CHAPITRE VIII

Tout est blanc et ocre ici. Faut reconnaître que c'est bathouse. Pourtant je préférerais visiter le patelin dans d'autres conditions. Derrière un guide d'agence, par exemple ; bien que mon tempérament indépendant se prête peu aux excursions en groupe.

Malgré ces gens paisibles qui grouillent dans les venelles d'Aigou, je sens peser sur la ville une étrange angoisse.

Cette angoisse, je n'arrive pas à en définir l'origine. Il me semble qu'elle est ambiante et affecte tous les bipèdes sans exception qui se trouvent dans la capitale de l'émirat.

Nous grimpons, sans mot dire, jusqu'au palais de l'émir Obolan. Au fur et à mesure que nous approchons de la demeure princière, les gardes se font plus nombreux. Avec leur uniforme rose et vert, ils font penser à des soldats d'opérette, mais ils ont été triés sur le volet et leurs tranches sont plutôt rébarbatives. De terribles moustaches noires, cirées comme des bottes de gardes républicains, leur barrent le visage. Les sourcils broussailleux ont la même épaisseur, la même noirceur d'encre de Chine (du reste Aigou est sur le chemin de la Chine) et leurs yeux fauves, quand ils se posent sur nous, semblent faire des trous dans notre gandoura comme en feraient des éclaboussures d'acide.

Ce palais est une merveille d'architecture arabe. Construit sous le règne de Godmishé le Frénétique, il semble avoir défié les siècles dans l'éclat de sa blancheur.

Il se dresse au milieu d'un immense jardin à la mauresque, plein de plantes exotiques. Les pétassiés géants, les bitambars à feuillage caduc, les troufignons panachés, les coca-colas glacés, les zémorohydes croisés avec des intré-de-marrons d'Inde, les six-troêns-déesses, les noughas de Mont-Thélimar, les sthances assofis doubles, les vermos à calembours approximassifs, le podzobis mirabilis, les toubihornotes toubis à floraison musculaire, les caziés habouteil nains, les conomordicus, les cépamoacépétrus à collerette, les kanons-de-navhârhône à gueule béante, les pompidargeos rayés, les thandeberbères, les bèssetonfrok-kejelvoy et les nimportekoas composent une floralie digne des mille et une nuits du grand palais de la Défense.

Muet d'admiration, chaviré par les senteurs subtiles et opiacées qui se dégagent de ce paradis terrestre, je m'arrête devant les hautes grilles en or massif qui en défendent l'accès.

— Venez ! m'intime Sirk, on n'a pas le droit de stationner aux abords du palais émiral.

Effectivement, des gardes s'annonçaient déjà dans notre direction. Je fais semblant d'évacuer le sable qui s'est infiltré dans ma babouche pour justifier cet arrêt prohibé.

Juste comme je me relève, j'aperçois, au fond de l'immense jardin, entre les branches d'un grand konar palmé, deux hommes blonds assis à une table sous un parasol.

C'est tellement inattendu dans cette ambiance arabe, ces gars aux tifs couleur de blé mur[1] que si l'ami Hamar ne m'entraînait pas, je m'arrêterais de nouveau pour mieux voir.

Que font donc deux Européens dans ce palais ?

Je suis formel : il ne s'agit pas des agents français enlevés dans l'avion. Le Vieux m'a montré longuement différents agrandissements photographiques des gars que je recherche et je suis certain que ce n'est pas eux que je viens de voir.

Je songe, en redescendant vers la grand-place baptisée place des Dromadaires, que pour une première virée dans Aigou, j'ai ramassé déjà un tuyau de première longueur.

Il a bien mijoté son truc, le Big Dabe. Si nous étions arrivés ici en Européens pour descendre au *Kursaal Palace*, le seul hôtel convenable de tout l'émirat, on nous aurait déjà souhaité la bienvenue avec une lame de ya frottée d'ail pour que les plaies de la blessure ne se referment pas.

Tandis que les humbles marchands que nous sommes ne troublent pas la quiétude bourgeoise des gardes.

En débouchant sur la place, j'avise un rassemblement. Il y a des cris, de la bousculade. Dominant le tumulte, je perçois le bel organe de Béru en pleine bourre.

Mon petit doigt m'annonce que le Gravos a dû débloquer d'une façon ou d'une autre. Vous parlez d'une épidémie, ce gars-là ! J'ai eu tort de l'amener. Dans les opérations en vigueur, il fait merveille car il a un poing de bronze au bout d'un bras de fer, mais dans les enquêtes qui nécessitent plus la ruse du renard que la force du bœuf, c'est plutôt un handicap, le Mahousse. Je préfère le discret, le paisible, le résigné Pinaud.

Nous fendons la foule à coups de coude. Devant notre tente, Sa Majesté est aux prises avec deux chétifs kelsaltipes dont les fringues sont déjà en lambeaux.

Sirk intervient et questionne les deux malmenés.

Parallèlement, j'interroge Béru.

— Ces ouistitis se sont pointés la main tendue en me baragouinant je ne sais quoi, explique-t-il. Je croyais qu'ils

1. Cette image manque d'originalité, mais je veux vous garder en bonne condition mentale pour vous faire avaler les turpitudes qui vont suivre.

faisaient la mangave, alors je leur ai refilé une petite aumône, pensant m'en débarrasser. Je t'en fous : ils ont crié plus fort et, comme je leur disais d'écraser, ils ont chopé une de nos malles avec l'intention de l'embarquer facile. Tu connais ton vieux Béru, Gars. Je leur ai causé le langage des poètes de la salle Wagram...

Sirk me touche le bras.

— Vilaine affaire, me dit-il, ce sont les gardes fiscaux. Ils venaient percevoir la taxe de séjour, la taxe locale et l'impôt direct sur les bénéfices commerciaux.

Loin de calmer le Gravos, la nouvelle attise sa fureur.

— Mais où qu'y faut aller, bon Dieu, pour que le fisc nous lâche un peu ? brame le Mastar. Sirk, reprend-il, dis-z'y leur que les impôts, je les douille au requin de mon arrondissement. Faudrait voir à voir à pas chérer dans les hortensias ! La tasque de séjour ! Tu causes d'un séjour, mon neveu ! Au milieu du dépotoir municipal ! C'est euss qui devraient nous voter une suspension ! Et pour ce qui est de ce qui concerne les bénéfices commerçants, des clous ! Mes calandos, on les a soldés un klitoris pièce. Faudrait voir à regarder à combien est le change, mon pote ! Si ça se trouve, c'est pas du bénef qu'on a fait, mais de la faillite en branche !

— Bénef ! Bénef ! glapissent les deux gardes fiscaux.

Sirk m'explique que le mot en kelsaltipe signifie justement bénéfice.

— Bougez pas ! déclare Bérurier l'Unique.

Avant que nous ayons eu la possibilité de le retenir, il administre un coup de boule dans la physionomie d'un des gardes et, conjointement, il file une ruade poulinière au second qui chope la babouche de notre compagnon à l'endroit où les marsupiaux rangent leurs gosses, leur mouchoir et leur porte-monnaie.

La foule en liesse pousse des cris d'enthousiasme.

De mémoire d'eunuque, on n'avait pas vu rosser le percepteur dans l'émirat. C'est à marquer d'une pierre noire (puisqu'on est musulman dans le bled, il n'est pas question de croix blanche).

Les deux sbires du Grand Financier, comprenant qu'un mauvais parti va leur être fait, prennent leurs babouches d'une main, le pan de leur gandoura de l'autre et se sauvent sans demander leurs dix pour cent de pénalité de retard.

Béru, triomphant, lève ses bras de vainqueur pour un salut de gladiateur. On l'acclame.

— J'ai dans l'idée que tu nous as plongés dans un drôle de bain, soupiré-je. Tu penses bien que ces gars-là vont filer au rapport et que nous allons avoir de graves ennuis d'ici pas longtemps et peut-être avant.

— T'occupe pas, rassure Brutus, y trouveront à qui causer.

— Où est Pinaud ? m'inquiété-je.

— Il est au bistrot du coin. M'est avis que l'anisette lui plaît.

Ce renseignement m'inquiète. Tonnerre de Zeus, tout marchait bien, et voilà que mes deux boy-scouts font des leurs !

Je m'apprête à envoyer chercher Pinaud, mais à cet instant, une vieille jeep peinte en mauve (avec les ailes dorées) s'arrête à quelques mètres de nous, dans un nuage ocre.

Quatre soldats kelsaltipes en descendent, armés de mitraillettes.

Ils accourent jusqu'à nous en hurlant des ordres.

— C'est foutu, soupire Hamar. Vite, les bras en l'air sinon ils vont nous liquider.

J'obéis. Le Gros voudrait jouer à Fort Alamo, mais il pige vite que quatre seringues bourrées de dragées contre ses poings velus, c'est là une équation difficile à résoudre.

Alors il fait « Maman-les-petites-marionnettes » comme nous.

Sans ménagement, les troufions nous font grimper à coups de pompes dans les cannes, à bord de leur jeep.

Je sais bien que c'est pas grand, une jeep, et que ce véhicule ne se prête pas particulièrement aux transports en commun, mais, comme nous n'en menons pas large, nous parvenons à nous caser sur le siège arrière. Un soldat se met au volant. Un deuxième se place à genoux sur le siège passager. Et les deux autres grimpent sur les marchepieds.

Comme nous fonçons dans la rue principale, j'avise le père Pinuche sur le pas d'un estaminet. Il a son œil cloaqueux des jours de biture. Il l'ouvre tout grand en apercevant ses valeureux camarades les bras levés dans une voiture empoulaguée.

Nous sommes passés. La silhouette maigrichonne du chétif reste piquée devant le café. On dirait un sarment de vigne.

Elle fait une ombre toute noueuse sur le sol.

CHAPITRE IX

Nous pénétrons dans le palais par une entrée dérobée (Dieu sait à qui) et une porte lourde comme le regret que j'ai de Paris se referme derrière nous.

— Voilà le travail, ronchonne Sirk.

C'est plus Sirk Hamar, les gars. C'est Sirk Amer. Peut-être que ce nouveau calembour va défriser les grincheux, je préfère les avertir que j'en ai rien à fiche de leur mauvaise humeur.

S'ils aiment le beau, le bien léché, le profond, le pur gaullien, qu'ils se rabattent sur la prose de M. François Mauriac de l'Académie française et de l'Elysée réunis. Parce qu'au fait, faut que je vous en cause, mais il y a des tas de pisse-chagrin, d'empêcheurs de peloter en rond, d'affligés de l'entresol, d'invertébrés de la membrane, de tourmentés de la coiffe, d'endeuillés du slip, de consternés, de mortifiés, de refoulés, d'éduqués, de subjonctifiés, d'engrisaillés, de documentés, de blazonnés, de cloisonnés, de hémerpés, de sentencieux, de puristes, de claudéliens, d'apostolicromains, de chagrins, de pamalins, de bilieux, d'aqueux, de végétariens, de jamairiens, de grammairiens, des tas de Comtes, des tas de jaloux, de poux, de hiboux, de genoux, de choux-aigres ; des qui ont un Mallet et Isaac à la place du cœur, le Littré à la place du cerveau et un faire-part de deuil à la place du scoubidou-verseur ; des qui n'aiment pas rire de peu et qui sont obligés de se faire chatouiller la plante des pinceaux avec une plume de paon quand ils se font photographier pour ne pas ressembler à une réclame de laxatif ; des qui disent que le français est le peuple le plus spirituel de la terre ; des qui le croient, qui l'affirment ; des qui prennent leurs cellules grises pour le clapier de l'intelligence ; des qui se font amidonner la hure pour être sûrs de ne pas rire d'un rien ; des qui croient à ce qui est grand, à ce qui est beau, à ce qui est généreux ; des qui aiment la force, des qui aiment les frappes, des qui aiment la force de frappe, la brosse à défriser, la brosse à reluire et qui n'aiment pas se faire reluire ; des qui ont des lettres (celles des autres, of course) ; des qui veulent préserver le patrimoine, les moines et la patrie ; des qui ont des fers à repasser la morale dans le tiroir de leur kangourou ; des qui ont des tronches de carême ; des qui prétendent que Bardot n'a pas un joli c... ; des qui en ont un pas comestible ; des qui boivent de l'eau (bénite de préférence) ; des qui ont honte d'être des hommes et qui pourtant sont fiers d'habiter Auteuil ; des qui léontrichent dans *l'Aurore* parce qu'ils ne sont même pas de l'académie des farces et attrapes ; des qui massacrent les poissons le vendredi saint ; des qui roulent en Cadillac parce que le métro se paie comptant[1] ; des qui mobilisent ; des qui immobilisent ; des qui prophétisent ; des qui bêtisent et quelques autres encore dont je tairai les noms, pour ne pas avoir de procès, prétendent que ma prose n'est pas orthodoxe.

Ces petits popes de la syntaxe, ces pépiniéristes du style réprouvent le langage de Bérurier et mon esprit libertin. C'est leur droit. Ce que je leur reproche, c'est de prétendre que c'est leur devoir. Je voulais leur dire (car ils me lisent, bien entendu) que, par les temps qui se traînent, je suis heureux de pouvoir san-antoniaiser en trempant ma plume dans du fluide glacial.

J'écris relaxe, pour user des tournures publicitaires ; j'écris facile, c'est vrai. J'écris Vermot. Et puis, au fait, je n'écris pas : je me contente de mettre du poil à gratter sur le quotidien défraîchi.

Je suis le bicarbonate de soude de la littérature ; je ne fais pas penser, je fais roter ! Et c'est à ce titre-là que je soulage. C'est à ce titre-là que j'ai tant d'amis. J'accomplis ma mission, la main dans la main du cassoulet toulousain. Tâchant de peindre en rose cette humanité scatophagique ; en rose ou en bleu. En joyeux, quoi ! Nous sommes tous dans une salle d'attente. Voilà pourquoi il faut écrire pour les chemins de fer ! Vive la littérature essènecéeff ! La seule ! La vraie ! L'unique ! Celle qui nous cache un instant l'effroyable danse des poteaux télégraphiques le long de la voie et que vous pouvez abandonner sans arrière-pensée dans le filet ! Qu'est-ce que ça peut foutre que j'aie l'a-peu-près approximatif ? Mes jeux de mots, messieurs les sévères, vous les regretterez au moment de la mise en caisse ! Vous pigerez alors que ça n'est pas avec Proust que vous aurez fait le petit voyage, mais avec les calembouriens chevronnés. Le temps d'un sourire, elle aura duré votre petite trajectoire minable de brandon qui s'éteint à peine allumé. Et si vous n'avez pas ri (fût-ce de mes pauvretés) pendant cet éclair, vous mourrez cocus les gars ! Faites gaffe !

1. Je ne pense à aucun producteur de films en particulier en écrivant cela.

Cessez de vous prendre au sérieux et laissez-vous aller dans la tarte à la crème. Quoi de plus onctueux ? De plus confortable ? Le dunlopillo, c'est de la gnognote à côté de la Chantilly. En vérité, je vous le dis : quand ça ne carbure pas, mettez le nez dans un San-Antonio. Et faites-le en vous disant que si c'est de la m... ça vous portera peut-être bonheur !

Bon ! Je tenais à vous dire tout ça. C'est pas que ça fasse du bien, mais ça soulage.

On va continuer, dénouez vos cravates, posez vos godasses si vos cors vous taquinent. Tournez le bouton de la TV où l'on est en train de vous jouer « Mon culte suprême sur la commode » et revenez avec Sirk, Béru et le gars Mézigue dans ce palais de l'émir Obolan qui, pour l'instant, ne ressemble pas, mais alors pas du tout à celui des Mille et Une Nuits.

En effet, les sbires en arme nous font descendre un escalier suintant taillé dans le roc. Nous arrivons dans un sous-sol immense divisé en cellules. Ces compartiments sont constitués par d'énormes grilles dont le plus humble barreau a le diamètre de mon poignet.

J'aperçois quelques loqueteux dans les cellules, ou plus exactement dans les cages. Ils sont accroupis, sombres et prostrés sur le sol riche en salpêtre.

— On est revenu au Moyen Age ! m'exclamé-je.

Nous sommes bouclés dans l'une des cages. Le préposé aux clés actionne une serrure grosse comme un poste de télé.

— Si on faisait ça, chez nous, aux contribuables qui ne répondent pas à leurs percepteurs, soupire Sa Majesté, il y aurait du pet.

— Tu nous a mis dans de beaux draps avec ta grande gueule et ton coup de poing automatique, lamenté-je. Il faut toujours que tu t'assoies dans le plat de langouste, mon pauvre homme !

Je considère Sa Pomme, adossée aux barreaux de la cellote. Jamais il n'a eu davantage l'air d'un primate.

C'est le primate des Gaules, en somme ! (Vous voyez, je continue !)

Hamar retrouve des gestes héréditaires. L'atavisme, c'est comme la syphilis : les enfants trinquent. Il s'assied, les genoux remontés, les bras autour des genoux, le front sur les genoux.

On dirait l'une des deux parties d'un serre-livres. Il a le coup de pompe, Sirk. Son étoile, il n'y croit plus. Il l'a laissée au-dessus du Sacré-Cœur de Montmartre.

— Dis voir, mon mec, l'interpellé-je, toi qui es du bled, raconte un peu ce que nous sommes en droit d'espérer ou de redouter ?

Il ne relève même pas la tête.

— Rien à espérer, tout à redouter ! fait-il.

— Tu pessimises ! rétorque l'Enflure. Leurs taxes, on va les payer, puisqu'ils le prennent sur ce ton, et tout sera classé.

— Vous oubliez les gnons aux gardes fiscaux, lamente Hamar. Ça aussi, faites confiance, on va vous le faire payer !

Le Gravos se met à arpenter la cellule.

— Et Pinaud ? fait-il, qu'est-ce qu'il va devenir ?

— J'espère qu'il s'en tirera, souhaité-je. S'il a la bonne idée de ne pas retourner à notre tente et de récupérer en douce un des dromadaires, il peut rebrousser chemin.

— C'est pas l'homme à filer sans nous ! affirme le Confiant.

Et il murmure sombrement :

— Ça fait rien, pour des poulets, c'est pas fort de se trouver en cabane !

Sa remarque ne fait sourire qu'Hamar.

Je m'allonge sur un morceau de tapis vermineux. J'ai les flûtes en pâte à chou. Quelque chose glisse le long de ma jambe. Je me penche et j'avise un gros rat triste qui a les moustaches de Pinuche. Il est lourd de toutes les puces qui le traquent, le pauvre minou. C'est ça la vie, y a toujours des petits qui essaient de vivoter sur les plus gros. Lui, le raton, avec ses puces, il se rabat sur moi, et moi sur l'administration (quand j'en ai la possibilité, ce qui n'est présentement pas le cas !). Et dans tous les domaines c'est du kif. L'univers, c'est un banquet-gigogne, avec des appétits emboîtés.

Je vire le rongeur d'un coup de tatane et, pas contrariant, il va se rabattre sur Béru. C'est un vexant dans son genre, ce rat. Il aurait pu commencer par le Gravos avant de venir me faire des papouilles.

Distraitement, Béru caresse l'animal, jusqu'au moment où l'habitant des sous-sols lui mord la main. Le Gros bondit et, le saisissant par la queue (les Yvelines) lui fracasse la frimousse contre le mur. Ensuite de quoi, pour s'en défaire il l'évacue à travers les barreaux.

— Je croyais que c'était le greffier du gardien chef, dit-il en suçant sa blessure pour, croit-il, la désinfecter.

Mais il n'est pas au bout de ses misères. Le rat assassiné qu'il a viré est allé choir sur la physionomie d'un garde.

Il est pas d'accord, le taulier. Oh ! madame, ce rebecca. Avec un fouet, qu'il s'annonce. Il vitupère :

— Arroua ména kécécza, ce qui, en kelsaltipe, signifie autre chose, vous le pensez bien !

Il ponctue sa diatribe en nous virgulant à tout-va des coups de fouet.

Je déteste ça. Prompt comme l'éclair (l'image est rabâchée mais faut bien utiliser le patrimoine linguistique) je me saisis de la lanière et je tire d'un coup sec.

— Arrête ta représentation, Zorro ! je crie.

Le fouet lui échappe des paluches. Maintenant c'est le gars Bibi qui l'a en pogne, bien décidé à s'en servir. Le garde hurle pour appeler ses potes. Ces messieurs rappliquent, mitraillettes de bas en haut et de gauche à droite. Une forêt de canons perforés s'infiltre entre les barreaux.

— Lâchez ce fouet, me crie Hamar, sinon ils vont nous hacher sur place.

La rage au cœur, j'obéis.

Le garde, protégé par ses acolytes, pénètre dans notre cellotte, ramasse son fouet et me file une de ces séances de flagellation qui vous déguiserait en zèbre n'importe quel âne blanc. Quand je pense qu'il y a des salingues qui se font fouetter par plaisir ! Qu'ils écrivent de ma part au gardien chef des prisons d'Aigou, ils seront servis.

On se croirait dans la Rome antique. Je suis en train d'acquérir la psychologie de l'esclave, les gars. D'ici qu'on me mette en vente sur la place du marché, entre les pommes de terre et les bottes de radis, y a pas loin !

Béru en pleure de rage, le pauvre biquet. Quand le gros méchant de père fouettard, fatigué sans doute, m'abandonne, j'ai l'impression qu'on vient de me faire bronzer le dos avec une lampe à souder. Je ne peux plus bouger. Plus respirer. J'ai les cerceaux qui bloquent mes éponges[1] !

Un rire acide me parvient, émis par Sirk Hamar, tout joyce

1. Je signale aux petites filles modèles qui s'aventureront dans ces pages que la phrase en question signifie que « mes côtes compriment mes poumons »... Ne me remerciez pas, c'est la moindre des choses.

de voir filer la rouste-façon-gladiateur au poulet qui lui a joué un vilain tour.

Il a tort de se marrer à haute voix, si j'ose dire.

Béru est là, pour veiller au standinge de son bien-aimé, de son vénéré San-A.

Sans dire un mot, blanc comme linge (c'est-à-dire violet pâle), il chope Hamar par le colbak, l'amène à vingt centimètres de lui et lui file un coup de boule dans l'écrin à ratiches.

Sirk glaviote une fois encore deux ou trois chailles. Il crache ses crocs comme des pépins d'orange, ce pauvre cher homme depuis que je m'occupe de lui.

Béru le repousse et il s'affale sur son derche, comme la poire mûre qui vient de larguer sa branche[1].

— Jamais se marrer d'un commissaire comme San-A., fait très gravement le Mastodonte ! jamais... Ou alors...

Puis il se penche sur moi.

— Je te peux quéque chose, Gars ? murmure-t-il.

— T'as fait le nécessaire, lui dis-je. Ça va...

— On est peu de chose, hein ? banalise-t-il.

— C'est la vie, lieu-communis-je.

— Elle est bête à pleurer, celle-là, assure Sa Défaillance.

Il essuie ses bons gros lotos d'un revers de manche.

— Ce qui m'a donné à réfléchir, affirme-t-il, c'est la mort de MacArthur.

— Qu'est-ce que tu débloques, Gros ?

Il pousse son idée devant lui comme une brouette chargée d'épithètes dépareillées.

— Quand il est clamsé, les actualités ont fait une instrospective de sa vie. Un convalsé, quoi...

Et il déclare :

— Tu le vois, généralissime Vachard, en chemise d'officier et képi, beau comme le cinéma d'Hollywood. L'œil marin, l'air malin sur fond d'océan Pacifique. Il est victorieux. On l'applaudit. Y a les petits Japs qui agitent des drapeaux amerlockes en chantant « Merci pour Hiroshima, m'sieur Mac ; pour une belle bombe, c'était une belle bombe. » Un succès, non ? Et

1. J'aime bien cette image, je la trouve efficace et poétique, c'est pourquoi je m'en sers souvent.

puis les années sont passées. Mac, tu le retrouves en vieux débris, avec les étagères à crayon écartées pour pouvoir soutenir son bitos. Il est tout fripé, tout fané, tout ratatiné. Cramponné au bras d'un poulaga ricain afin d'entrer à l'hosto. Il fait adieu comme il peut. On sent que son chou-fleur, il va pas pouvoir le coltiner plus loin ; que, la porte franchie, il va se désaper rondo pour plonger dans le coma. Alors, Mec, quand j'ai maté ces images sur mon Pâté-Maconnerie, je m'ai demandé si ça voulait dire quéque chose, ses prouesses guerrières, au vieux Mac. Tu piges ? Je m'ai dit comme ça : Où qu'elle est la séquence qui donne une vraie idée de l'homme ? Est-ce que c'était celle où qu'y gagnait la guerre ? Est-ce que c'était celle où qu'on le voyait rentrer dans ses foyers pour jouer à la belote, bourré de médailles et des confetti de Brohadevouet ? Ou bien est-ce que c'était justement la dernière, celle qui le montrait au bout de son rouleau, déjà momie, petit vioque en pleine débandade ? Dis-moi !

Je considère mon Gros Bibendum avec intérêt.

Il pense donc, Béru ? Il philosophe même ! Voilà qui est neuf, et réconfortant.

— La bonne séquence, Gros, c'était celle de ses funérailles, parce qu'elle contenait toutes les autres.

Notre conversation élevée (bien qu'elle se déroule dans un cul-de-basse-fosse) est interrompue par l'arrivée de la patrouille armée. Ces messieurs viennent nous chercher. Nous nous entreregardons, mes compagnons d'infortune et moi, avec inquiétude.

Est-ce qu'on va nous faire payer la taxe ou nous pendre haut et court ? Ici tout est possible. Je pencherais plutôt pour la seconde hypothèse.

Le caporal dit quelque chose, Sirk fronce les sourcils.

— Qu'est-ce qu'il y a ? m'informé-je.

— L'émir Obolan veut nous voir, fait-il.

— Ça peut être grave ? demande la Gonfle.

— Ça peut, oui, soupire Hamar.

Nous remontons l'escalier salpêtreux. On nous fait arpenter des couloirs et des couloirs. Ça devient de plus en plus bathouse. Maintenant, on circule sur les tapis moelleux comme un marécage.

Bientôt nous pénétrons dans une pièce un tout petit peu plus petite que la place de la Concorde. Le coup d'œil est féerique.

C'est un chatoiement d'étoffes rares, de plats d'or, de meubles bas en bois précieux ! Au centre de la pièce il y a une vasque de porphyre dans laquelle glougloute un jet d'eau.

Le fond de l'immense salon est surélevé. C'est là que se tient l'émir. Il prend le thé-à-la-feuille-de-rose-menthée en compagnie d'un type que je ne vois que de dos. Obolan est un grand zig d'une trente-quatraine d'années qui commence à grassouillir. Il a l'œil sombre et pas commode.

Il porte à sa main potelée un diamant qui doit le gêner pour faire sa culture physique du matin tant il paraît lourd.

Il nous regarde venir tout en soufflant sur sa tasse.

Près de lui, un petit boy noir agite un immense éventail en plumes fabuleuses qui ont dû être arrachées au derrière des demoiselles des Folies-Bergère.

Comme nous atteignons le bas des marches de marbre donnant accès à son praticable, Sirk s'agenouille et se prosterne. Béru me chuchote.

— On devrait peut-être faire aussi l'opération lèche-parquet, non ?

— T'es louf ! m'insurgé-je. Même au Vatican, tu vois plus ça !

Je reste droit, regardant Obolan en plein dans les carreaux.

Le personnage qui lui fait vis-à-vis se retourne et j'ai la pomme d'Adam qui se met à bredouiller. Pinaud ! C'est Pinuche ! Le vieux, le bon, le surprenant Pinuchet. Pinusky l'Inattendu. Pinaudère le Stupéfiant !

Béru exhale un long barrissement d'ahurissement.

— Monseigneur Votre Altesse Majestueuse, attaque le Pinaud-bien-aimé, permettez-moi de présenter à Votre Honorature mes compagnons de caravane...

L'Honoré du discourant a une légère inclinaison du buste.

Du coup, le Gravos et moi nous y allons d'un plongeon grand siècle. Faut ce qu'il faut ; et du moment qu'Obolan a fait la première courbette...

Toutes ces flexions faites je vais pour bavasser des formules explicatives, excusatrices et aristocratiques, mais la Pinuchette-bêlante me coupe l'adjectif sous la langue.

— Votre Seigneurerie Rarissime et Authentissime, continue le Bouleversant, voici donc de grands artistes qui vont donner l'éclat du neuf à votre fête.

Il me désigne.

— Ici Ben Santa, le chef de la troupe. Là, Abder Béru. Et ici Sirk...

— Sirk Isker ! fait précipitamment Sirk Hamar, ce qui lui vaut un long et soupçonneux regard san-antoniesque.

— Voilà, bêle la Vieillasse.

Je voudrais dire quelque chose, mais je suis trop occupé à museler Béru qui va vraisemblablement proférer des couenneries.

Pinaud reprend :

— Notre chef de troupe, l'honorable Ben Santa exécute un numéro de tir au pistolet. Quant à Abder Béru, il est spécialisé dans la chanson et la lutte à mains libres. Pour Sirk Isker...

Il se râcle la gorge.

— Je fais de la prestidigitation, termine notre prisonnier.

Il me laisse rêveur, Sirk. Car en somme, il pourrait profiter de cette chance inouïe qui s'offre à lui de nous larguer. Il lui suffirait de dire à l'émir qui nous sommes. Mais il paraît infiniment craintif.

— Majesté, fais-je à Obolan en donnant à mon français un accent nordaf très prononcé, vous parlez le français ?

— Je ! fait l'émir qui doit surtout utiliser l'anglais comme langue étrangère. D'autant plus que son pétrole il le fourgue très certainement aux Ricains.

Pinuche se tourne carrément vers nous et déclare :

— Quand j'ai su que Sa Grande Bienveillance Prodigissime recherchait des artistes pour célébrer les fêtes du Falzar, je me suis empressé de lui dire qu'il en détenait trois très exceptionnels dans les geôles de son palais.

Je commence à piger l'astuce pinucharde.

En draguant dans les estaminets d'Aigou, il a appris que des fêtes allaient avoir lieu et que le souverain faisait appel à des artistes et il a trouvé cette astuce pour nous faire débastiller. Pas bête. Il est drôlement précieux, Pinaud.

Mais Obolan parle.

— Pourquoi avez-vous frappé mes gardes fiscaux ? demande-t-il.

Béru va répondre, je lui vole une fois de plus la parole.

— C'est un malentendu, Majesté. Nous n'avons pas le rare privilège de parler votre langue et nous n'avons pas compris ce que voulaient ces valeureux fonctionnaires.

— Il paraît, fait l'émir d'une voix suave en montrant Sirk, que celui-ci traduisait.

Il est déjà bien rencardé, le monarque ! Son français est scolaire ; lent, bien articulé. Il remue à peine les lèvres en parlant.

— Il est vrai, fais-je, que notre ami Sirk Isker comprend votre fabuleux langage. Mais vos gardes se sont montrés si grossiers et ont parlé de vous en termes si désobligeants que mon ami ici présent *(et ce disant je frappe sur l'épaule d'Abder Béru)* n'a pu le supporter. C'est un homme d'une haute tenue morale. Il a servi en Egypte sous les ordres de Cormoran-l'Intrépide pendant la guerre contre Guy Mollet. Il est décoré de la coquille Saint-Jacques décernée par Chelkjèm. Il a été blessé une fois à la poitrine et une autre fois dans le désert du Grand Kabochar. Il a tué à lui seul une section française et ce avec pour toute arme un rasoir électrique. Bref, Votre Majesté, il admire trop les grandes figures arabes pour tolérer que de vagues collecteurs d'Aigou fassent des plaisanteries de mau-v'Aigou sur leur vénéré émir.

Un peu gros comme blabla, je vous le concède. Mais comme dit Félicie, dans la vie, il n'y a que ceux qui n'entreprennent rien qui restent sur le gazon.

Je n'ai pas d'autre argument à portée de cellules grises. Ce sont les trucs les plus simples qui réussissent le mieux. L'éternel gag de la cuillère fondante, quoi !

Obolan se met à froncer ses beaux sourcils soyeux.

— En vérité ? demande-t-il.

— En vérité, Sire. Demandez plutôt à mon interprète qui nous traduisait leurs odieuses paroles. Vos fiscars déclaraient qu'il fallait que nous payions les redevances pour vous permettre de péter dans la soie et de faire vos ablutions dans des bidets en or massif. Est-ce là le langage que les mandataires d'un illustre émir peuvent tenir ? Nous, étrangers venus dans votre très fabuleux pays pour y faire commerce, pouvions-nous tolérer ces sarcasmes impies ?

— Tu te répands dans la vaseline, Mec, me susurre Béru.

Il contient son hilarité, le Balourd.

Obolan frappe dans ses mains ; aussitôt des domestiques surgissent, comme s'ils sortaient de la lampe d'Aladin. L'émir donne des ordres, tout en nous priant de nous asseoir pour le thé des familles.

M'est avis, les gars, que grâce à Pinaud, à mon imagination et à la crédulité du despote, nos actions vont bientôt être cotées en Bourse. C'est ce qui s'appelle revenir de loin.

On sert le thé. Béru, timidement, demande si, à la place, il ne pourrait pas avoir un petit verre de juliénas.

Je lui vote un coup de latte dans les échasses.

— Crétin, fais-je, t'es censé être arbi et le picrate est interdit par ta religion.

— Qu'est-ce que c'est que le juliénas ? demande Obolan.

— Un mélange de lait, d'huile d'olive et de miel, me hâté-je d'expliquer.

L'émir donne des ordres pour que soit préparée cette mixture. La bouille du Gros est indescriptible.

Lorsque les serviteurs lui amènent son cocktail, il considère le breuvage avec épouvante.

— Si je me retiendrais pas, tu le prendrais dans la devanture, m'assure Sa Grosseur.

On fait des risettes à l'émir. Il nous bonnit que sa fameuse fiesta du Falzar, qui tombe cette année le jour même de la commémoration du Grand Kalbar, doit revêtir un éclat tout particulier. Non seulement les notables de tout l'émirat doivent s'y pointer, mais de plus, les autres émirs du Kelsaltan vont rehausser de leur présence ces fêtes dignes du siècle de Klérambar le Somptueux, celui-là même qui fit construire le prestigieux palais de Mars-el-Hémé. Gentiment, Obolan nous réclame un échantillonnage de nos talents. Qu'à cela ne tienne. Je lui demande de l'armurerie, alléguant que ma panoplie a disparu à la suite de l'échauffourée de naguère.

— Je crois, fait-il, que j'ai ce qu'il vous faut.

Tu parles, Charles ! Il me fait apporter un pistolet de compétition en argent ciselé. C'est une arme suédoise, avec Barillet et Grédy incorporés, point de mire éclairé au néon et gâchette assistée.

Avec un jouet pareil, je me sens capable de couper les brides de soutien-gorge d'une demoiselle sans lui effleurer la peau.

— Montrez-moi votre adresse ! dit l'émir en souriant.

C'est prononcé sur le mode badin, mais je pige très bien que c'est un ordre. J'assure l'arme dans ma main et je commence par lui faire un chouette numéro buffalobillien en la faisant tourniquer au bout de mon index jusqu'à ce qu'elle devienne aussi invisible qu'une hélice d'avion en action. Ensuite de quoi, je me la passe d'une main à l'autre à une vitesse telle qu'on pourrait croire que j'ai un pétard dans chaque pogne.

Tout ça, c'est de la petite manipulation pour amuser les demoiselles venues admirer ma collection de flingues.

Ça produit sur l'émir une forte impression et il s'éclaire comme une salle de cinéma après qu'Eddie Constantine a buté le dernier acteur du film.

Maintenant je me dirige vers la terrasse, toujours suivi d'Obolan.

— Majesté, lui dis-je, vous voyez ce jardinier qui est en train d'arroser vos magnifiques parterres de roses ?

Il opine.

— Me permettez-vous de lui faire une simple farce ?

— Vous allez lui traverser la cervelle ? croit deviner l'émir.

— Qu'Allah m'en préserve, fais-je. J'ai dit une simple farce.

— Faites !

J'espère que cette pétoire d'apparat est bien réglée. Une arme, c'est comme une gonzesse, faut bien la connaître lorsqu'on veut faire des prouesses avec elle.

Enfin, je fais confiance aux armuriers suédois. Repliant mon coude gauche afin de m'en faire un support, je vise le tuyau d'arrosage et j'y vais de quatre prunes.

Quatre jets d'eau naissent instantanément dans le dos du jardinier qui se prend une douche maison avant d'avoir réalisé ce qui se passe.

L'émir éclate de rire et me frappe sur l'épaule.

— Bravo, Ben Santa ! fait-il. Vous êtes le meilleur tireur qu'il m'ait été donné de voir. Si vous voulez vous installer définitivement dans mon émirat, je vous nomme ministre des tirs au pistolet avec un traitement annuel de dix millions de klitoris, plus trois femmes et le pétrole gratuit pour votre voiture.

Je me prosterne et baise le bas de son burnous.

— La bonté et la magnificence de Votre Altesse sont infinies, dis-je. Mais j'ai déjà vingt-quatre femmes dans mon pays qui m'attendent en se lamentant, Sire. Et vous savez ce que c'est, lorsqu'on quitte son harem, c'est pas un régime de bananes qui peut assurer longtemps l'intérim.

Il acquiesce.

— Réfléchissez tout de même. Vingt-quatre femmes de perdues, c'est cinquante de retrouvées, selon le proverbe de notre grand Mory-Hak.

— Je vais réfléchir, Majesté.

Une interruption : l'arrivée des deux gardes fiscaux. Ils se prosternent en balbutiant des paroles psaumatiques.

— Harroha blabla mustafakémalpacha ? leur demande l'émir à brûle-pourpoint.

Ils ont l'air suffoqués, les malheureux. Ils secouent la tête éperdument.

— Tépabougnakamasoutra jakanktil ! protestent les gardes fiscaux.

L'émir se file en renaud.

— Hayaparémonkopa ! tonne le souverain.

Puis, s'adressant à votre serviteur :

— Ces chiens galeux mentent effrontément. Ils jurent sur les mânes de leurs ancêtres n'avoir pas prononcé les paroles que vous dites. Je vais les faire empaler !

— Ça leur fera les pieds, applaudit Bérurier.

Je m'exclame :

— Comment peux-tu dire une chose pareille, Abder Béru ? Sais-tu ce qu'est le supplice du pal ?

— Oh ! réalise le Gravos, y a gourance, j'avais compris : « Je vais les faire emballer. »

Déjà l'émir fait un geste, pour signifier que la sentence doit s'accomplir. J'interviens :

— Seigneur tout-puissant, le plus grand des plus grands, fais-je. Vous dont la générosité est sans égale et la bonté plus vaste que l'océan Indien ; accordez le pardon à ces hommes. Tenez compte de ce que nous sommes étrangers. Après tout, peut-être avons-nous mal compris.

Mais l'émir est inflexible.

— N'ayez aucun scrupule, dit-il, de toute manière, chaque année au moment des fêtes je fais empaler deux ou trois percepteurs, histoire de faire plaisir à mon peuple.

Il hoche la tête et ajoute :

— Pour vous être agréable, je vais dire qu'on enduise la pointe du pal d'huile afin que leur mort soit plus rapide.

⁂

Charmant homme, cet Obolan, vraiment.

Il est conquis par notre petit groupe. Béru lui chante « les Matelassiers » comme jamais il ne les avait encore interprétés.

Pinaud qui, vous le savez peut-être, a fait du théâtre d'amateur dans sa jeunesse, déclama la tirade du *Cid*.

Quant à Sirk, il fait disparaître la montre-bracelet de notre hôte. Un bijou magnifique, en diamant bleu avec mouvement en platine. Ça épate l'émir. Faut admettre que ce brave Hamar a une rare dextérité.

— T'étais piqueur à tes débuts parisiens, je parierais ? lui demandé-je en aparté, car je parle couramment cette langue.

Il sourit.

— Exactement. Je me défendais pas mal !

— Je te crois sans peine, tu as de beaux restes.

Ravi, l'émir nous conseille de bien préparer nos numéros pour la fête qui aura lieu le surlendemain. Et, afin de nous témoigner sa bienveillance, il nous fait visiter son sérail[1].

C'est la première fois que nous mettons les pieds (en regrettant que ça ne soit que les pieds) dans un endroit de ce genre. Il est sans rapport (même sexuel) avec ceux qui firent la réputation de Mme Richard.

Quel luxe, mes amis !

Quelle luxure !

Quelle luxuriance !

On se croirait dans un Cécil B. De Mille (en anciens francs) de la belle époque. Une piscine taillée dans une émeraude ! Des plantes rares, des parfums... d'Arabie. Des coussins de soie rehaussés de pierreries ! Des oiseaux, partout, dans des volières aux barreaux d'or. Faut le voir pour y croire, aussi n'êtes-vous point obligés de me croire, les gars. Comme disait mon copain l'Auvergnat en parlant des filles : faut en prendre et en lécher.

Mais qu'est le décor en comparaison de ses habitantes ? Les nanas les plus bathouses of the world, mes frères (vous exceptée, charmante petite madame qui me lisez dans votre lit en catiminette, tandis que votre gagneur roupille à poings fermés). Il y a des filles à la peau ocre, à la peau noire, à la peau blanche,

1. Le mot sérail désignait le palais d'un prince oriental. C'est improprement donc, qu'il est devenu synonyme de harem. Cette notation pour vous prouver ma grande érudition.

à la peau crème, à la peau crème-fouettée (les spécialistes de la flagellation), à la peau brique, à la peau bistre, à la peau bisque (comme les homards), des qui ont les cheveux blonds, des qui ont les cheveux roux, ou noirs, ou châtains, ou presque blancs, ou presque bleus, ou quasiment rouges, ou pratiquement dorés. Des qui ont des seins en forme de pommes, en forme de poires ou de scoubidous. Des qui ont du duvet partout, des qui ont le valseur comme une citrouille et des que vous pourriez l'attraper avec une seule main. C'est le grand vertige, les gars. Ça chavire un homme normalement constitué, un spectacle pareil. On ne sait plus où donner de la rétine. On n'a pas le pied marin, dans ces cas-là. Les effluves vous font chanceler, les couleurs vous écartèlent le grand zygomatique et les formes font sauter le disjoncteur de votre nerf optique. Toutes ces souris roucoulent en se faisant des mamours. Elles sont moins vêtues que des Esquimaux, croyez-moi. Y en a même une qui s'habille seulement avec une perle précieuse, c'est vous dire si son bronzage est uniforme !

Béru respire comme une vieille locomotive. Son nez fait un bruit de pompe. Pinuche, la brave Vieillasse, a ouvert toute grande sa bouche, ce qui nous permet d'admirer ses quatorze ultimes chicots jaunis et sa langue avariée.

Le gars Sirk, lui, il a les yeux partout à la fois. Et je dois avouer, toutes belles qui me lisez et qui aimeriez que j'aille vous faire ma démonstration *68 bis*, avec suite, que je fais comme lui.

Béru résume le sentiment général en demandant à l'émir :

— Dites voir, mon président, ce cheptel c'est pour votre usage personnel ou si on peut taper dans le tas ?

Question innocente mais qui fait se rembrunir l'émir.

— Étranger, sentence-t-il, les lois de mon émirat précisent que celui qui ose porter la main sur une femme de l'émir aura l'instrument de sa virilité tranché et sera ensuite empalé.

Le Gravos réprime un frisson.

— Faites escuse, mon émir, bredouille-t-il. Je causais pour savoir, manière de parler.

Ces jolies poulettes, en avisant l'arrivée de leur coq, se précipitent en se bousculant et en caquetant autour de leur bonhomme. C'est à celle qui lui fera le plus beau sourire, la meilleure papouille et la danse du bide la plus suggestive.

— Je sens que si je reste là encore un moment, je finirai pas la journée sans m'asseoir sur un paratonnerre, lamente le Gros.

C'est pas humain de nous faire ça, mon émir. J'espère qu'on a au moins droit à se faire les femmes de ménage dans votre chaumière ?

L'émir s'amuse comme un fou. C'est un vicelard dans son genre.

— Vous ne devez toucher à aucune des femmes qui habitent sous mon toit, fit-il.

— Alors faudra nous donner l'adresse de Madame la Baronne, proteste le Survolté, autrement sinon je vais pouvoir pêcher au lancer tout en jouant de l'accordéon.

J'ai dit que toutes les femmes de l'émir s'étaient précipitées vers lui. Je dois préciser que l'une d'elles n'a pas bronché. C'est une fille blonde, au visage bruni par le soleil et aux yeux presque mauves. Elle porte une espèce de chasuble blanche, bordée d'or, fendue sur le côté, ce qui permet d'admirer à loisir ses longues jambes admirables. Ses cheveux de lin sont relevés et maintenus par un anneau de diamant. Elle est allongée sur des coussins rouges qui composent l'écrin de ce pur joyau. Immobile, la tête appuyée sur sa main droite, elle nous fixe. Le sphinx ! Si je puis dire, vu l'ambiance. Elle a je ne sais quoi de nostalgique et d'énigmatique, cette souris.

L'émir chasse les autres frémissantes et s'approche de la fille en question.

— Voici Lola, ma favorite ! annonce-t-il.

— C'est gentil pour les autres, déplore le Gravos, lequel louche éperdument sur une mulâtresse au regard de braise dont les flotteurs ressemblent à deux petits canots pneumatiques.

Obolan caresse les cuisses de Lola. Un instant, je me demande s'il ne va pas se la payer devant nous ; mais non. Il se contente de promener sa main potelée sur le corps superbe proposé à sa salacité.

La fille regarde Sirk ardemment. Je me dis que mon petit camarade le truand a un ticket avec elle, et je n'ai guère envie de l'en féliciter étant donné les risques que cela implique.

Enfin, après un dernier tour de sérail, nous sortons.

Vachement congestionnés, vos petits camarades, les gars ! On dirait la fanfare de Bagnolet après son récital.

Béru est plus violet qu'un évêque, Pinaud plus pâle qu'une robe de première communiante, Sirk plus pensif que Rodin, et moi plus émoustillé que douze mille étalons bourrés de cantharide.

— Merci pour cette visite, Majesté, fais-je en m'inclinant.

— Votre Sire est trop bon, renchérit Béru, maintenant on n'a plus qu'à aller se pêcher une grenouille dans les bras de votre station balnéaire.

— Non, fait Obolan, vous restez ici. Je vous ai fait préparer des appartements.

J'aime moins ça.

Pourtant, si on y regarde de plus près c'est une sacrée aubaine car je vais pouvoir étudier mon problème au cœur du palais.

Enfin, comme dit l'autre, ce célèbre inconnu : qui vivra verra.

L'essentiel étant de vivre.

CHAPITRE X

Somptueux ils sont, les appartements.

Il fait décidément bien les choses, m'sieur Obolan. Ses chambres d'aminches valent celles du *Plazza-Athénée.* Il y a l'eau chaude, l'eau froide et l'eau de Cologne sur l'évier. Les lits bas sont en satin et tout. « A lavement », selon Béru.

Nous y passons une excellente nuit réparatrice après nous être fortement restaurés. Au menu : mouton rôti aux bananes, haricots rouges au piment et salade de blatchwitz. Le tout arrosé de thé.

Le lendemain, je suis d'une humeur de pucelle lâchée dans le printemps. Je bois un peu de sirop de cactus (l'huile de foie de morue du Kelsaltan) afin de me mettre en condition ; je prends un bain à l'extrait de feuilles de roses et puis, pour achever ma beauté, je me rase au moyen d'un rasoir à main qui pourrait servir d'enseigne à un pommadin de village.

Une fois beau comme un mylord arabe, je passe voir mes camarades. Sirk est paré. Mais Béru et Pinuche, brisés par la fatigue du long voyage et les émotions de la veille, font un meeting d'aviation à eux deux.

— Viens, ordonné-je à Hamar, on va se baguenauder un peu.

Nous draguons (comme disent les Chinois) dans les magnifiques jardins de l'émir. Je voudrais bien rencontrer les deux mecs blonds aperçus la veille, mais je fais chou-blanc.

— Allons en ville, décidé-je alors.

J'ai une légère appréhension en me dirigeant vers la grille. Je me demande dans ma Ford intérieure si Obolan n'a pas donné des ordres pour nous empêcher de sortir. Nous n'aurions, en ce cas, fait que troquer nos culs-de-basse-fosse pour des cages dorées. J'ai l'impression, soudain, qu'un regard pèse sur mes épaules. Ça fait ça à tout le monde, mais chez moi, le poids d'un regard est une chose qui me fait immédiatement tressaillir.

Je me retourne. A une fenêtre du harem, il y a la favorite d'Obolan, Lola. Elle se tient dans l'embrasure comme une statue. Elle fixe Sirk. Je le lui fais remarquer et il se retourne à son tour.

— J'ai idée que cette nana a des idées polissonnes sur ta personne, Mec.

Ça lui fait hausser les épaules.

— Dites, commissaire, charriez pas ; je tiens à mes bijoux de famille !

Nous voici devant la grille du palais. Des gardes montent la faction, l'air sévère avec leur moustache noire, terrible et calamistrée. Personne ne s'oppose à notre sortie.

Ouf !

Nous musardons un moment dans Aigou. Une certaine agitation règne dans les rues. On voit des camions de l'armée chargés de soldats munis de pelles passer dans un concert inutile de klaxons.

Inutile, car personne ne songe à leur chicaner la priorité.

Nous atteignons la haute ville et débouchons, Sirk et moi, sur la place de la mosquée de Kelbodar, le Saint-Sulpice d'Aigou. On y jouit d'une vue étonnante. A nos pieds, le désert s'étend sur des kilomètres et des kilomètres, pour ne pas dire plus.

Le sable, le sable, le sable ! Et puis le ciel, presque de la même couleur blanchâtre... Et la chaleur torride !

Un vertige !

— Qu'est-ce qu'ils fabriquent ? murmure Sirk qui regarde dans la direction opposée à celle que j'admire présentement. Je le rejoins. A environ deux kilomètres sept cent cinquante de là, j'aperçois un fourmillement de soldats et des camions arrêtés...

— Ils vont peut-être construire une maison de la radio et de la télé, ricané-je.

Mais le boulot effectué par les gars en uniforme est pour le moins bizarre et ne procède pas de la construction. Ils œuvrent dans un très vaste quadrilatère entouré de barbelés. A l'intérieur dudit quadrilatère, le terrain est quadrillé à l'aide de rubans tendus sur des piquets.

— Renseigne-toi auprès d'un passant, ordonné-je.

Sirk m'obéit. Je le vois s'approcher d'un vieillard chenu et plus barbu qu'une tomme de Savoie oubliée dans un cellier. Il revient au bout d'un instant.

— Il ignore ce que font les soldats. Tout ce qu'il a pu m'apprendre, c'est qu'un avion a atterri ici il y a quelque temps.

Je bondis.

— J'ai pigé, mon pote ! Ils sont en train de rechercher quelque chose dans le sable. Quelque chose qui ne doit pas être gros car ils passent le terrain au tamis, centimètre carré par centimètre carré. C'est pour se repérer qu'ils l'ont découpé en carré. Ils font chaque carré minutieusement, comme un chercheur d'or pour traquer les pépites...

Je me mets à gamberger, mais sous le soleil qui cogne sur nos nuques comme Guignol sur le gendarme, cette méditation solaire ne donne rien de bon.

Nous allons musarder du côté des fouilles. De loin je m'aperçois que des sentinelles espacées devant l'entrée de ce curieux camp en interdisent l'accès.

Inutile d'essuyer un refus et de nous faire repérer. Je rebrousse chemin, toujours escorté de Sirk Hamar.

Comme nous allons rentrer dans la ville, une jeep nous dépasse, elle arrive du camp. Je tressaille en apercevant à son bord les deux gars blonds de la veille. Ils portent des chemises kaki et des casquettes plates en toile verte. Ils discutent avec une certaine véhémence.

— Je me demande bien qui sont ces Occidentaux, murmuré-je.

Ma question n'obtient pas de réponse. Accablés par la chaleur, nous préférons rentrer au palais.

Dans le jardin, Béru et Pinuche font les jolis cœurs en

adressant des baisers goulus, du bout de leurs doigts sales aux dames du harem.

— Vous êtes complètement siphonnés ! m'alarmé-je.

— Ben quoi, fit Béru, on les touche pas, on se contente de filtrer un chouïa, y a pas de mal.

— Avec un hôte comme nous en avons un, c'est d'une folle témérité.

— J'ai un jeton monumental avec la demi-négresse, m'avertit Sa Majesté. J'ai jamais vu des roploplos comme elle a, jamais ! Ma Berthe, que pourtant je peux dire que de ce point de vue elle a pas le style planche à laver, peut pas concourir avec cette demoiselle. Ah ! misère, si seulement il aurait la bonne idée d'aller chasser le chevreuil en Allemagne ou de faire une croisière en Méditerranée, le monarque, tu verrais comment que j'y causerais de Paname, à cette petite miss café-au-lait !

Il fait miauler un dernier baiser dans l'air déjà embrasé.

— Ah, ma gosse, lui crie-t-il, tu sais pas ce que tu perds. C'est pas ton julot en copropriété qui te fera jamais connaître la grande séance pâmante.

Tandis que je l'éloigne, il commente :

— Même si c'est une épée de plumard, ton Obolan, c'est pas possible qu'il fournisse de l'extase à toute sa volière, soyons juste ! Ces dames doivent prendre des numéros d'appel pour la séance de lissage de plumes. Admettons qu'il s'en bricole trois par jour, même pour un superman du slip Eminence c'est la moyenne maxi, non ? Conclusion, y a chaque noye une tripotée de pauvrettes qui sont obligées de se faire un solo de mandoline avant de s'endormir. Moi, ça me fend l'âme, surtout quand on pense que c'est du cheptel trié sur le volet...

Il poursuit longtemps encore ses lamentations tandis que nous dégustons l'ombre odorante d'un bornibus-amora en fleurs extra-fortes sur la pelouse.

Ayant trop parlé, le Mahousse a soif.

C'est pour lui un nouveau motif de râlage. La picolanche à Aigou, c'est le régime aqueux. Cette complète absence de picrate, ça le déprime, mon Nounours. On lui indiquerait une succursale des vins du Postillon qu'il nous dirait « Bonne nuit, les petits ».

En soupirant il s'approche d'un robinet et l'actionne.

Je pousse Pinaud du coude.

— Mate la grimace qu'il va faire, lui qui a une sainte horreur de la flotte.

Mais je l'ai in the bab'. Voilà mon Gravos qui écluse à grands traits ! Il est irrassasiable. Et le plus fort, c'est qu'il semble y prendre goût !

Lorsqu'il a terminé, gavé, il se redresse et, s'essuyant les lèvres d'un revers de gandoura, il affirme en nous virgulant un clin d'œil :

— C'est pas de la flotte, les gars. C'est de la gnole ! Ah ! Ils sont futés dans leur genre, vos Arbis ! Pas bête, le robinet en plein air. Mine de rien on fait semblant de se rafraîchir et...

Il n'a pas plutôt achevé que la Vieillasse a déjà son long nez sous le robinet. A peine a-t-il tourné celui-ci qu'il se met à cracher en hoquetant comme un qui a des démêlés avec son estomac.

Je mets un doigt sous le jet impétueux et je goûte.

— Mais c'est le robinet de pétrole ! m'écriai-je.

— Tu crois ? soupire le Gros.

Il fait claquer sa menteuse, et, ayant de ce fait mis en émoi ses papilles gustatives, finit par admettre que j'ai raison.

— J'ai bien cru que c'était de la gnole, s'excuse l'Ignoble. Sur le moment, on peut se gourer. D'accord, c'est pas très fameux, mais je vais vous dire, ça change d'avec cette cochonnerie de thé dont au sujet duquel j'ai toujours l'impression de boire des tisanes.

Nous ne voyons pas Obolan de la matinée. A midi nous avons droit à un copieux déjeuner composé d'oreilles de chacal à la pâte de dattes, de courgettes fourrées aux fourmis rouges et de miel au sucre en poudre. Après quoi l'heure de la sieste nous neutralise pour un temps. Entre deux et quatre de l'après-midi, tout le monde roupille, à Aigou. Les grands et les petits, les hommes et les femmes. Les factionnaires du palais s'appuient sur leur fusil et n'ont qu'un œil entrouvert. Le gars moi-même profite de cette léthargie générale pour aller se promener dans les couloirs. Je musarde lentement, en adoptant l'allure somnambulesque du monsieur qui a une crise de foie et qui se rend à son armoire à pharmacie.

Parvenu au bout de l'aile gauche, j'entends un ronron de conversation. Ce qui me titille les trompes d'Eustache, c'est le fait que la langue employée n'est pas du kelsaltipe. Je ne la comprends pas, mais elle me dit quelque chose. Ses sonorités me sont quasi familières.

Je tends un peu les manettes, et je ferme les yeux pour mieux me concentrer. Ça y est, c'est pigé : du russe, mes chéries.

Je me trouve devant les appartements des deux hommes blonds. Oh ! mais alors, voilà qui ne manque pas d'intérêt.

Je me tire sur la pointe des pinceaux et c'est dehors, à l'ombre d'un parabellum-rarissima que je fais le point of the situation. En somme, si j'avais la possibilité de faire au Vieux un premier rapport, je lui dirais que deux Russes sont au palais de l'émir Obolan et qu'ils dirigent de minutieuses recherches à l'endroit où l'avion de la Trans-Lucide se posa. Que recherchent-ils ? That is the question.

Une légère toux me fait relever la tête.

Qu'avisé-je derrière sa fenêtre écrasée de soleil ? La belle Lola. Elle me considère de ses grands beaux yeux tristes. Je lui souris : elle me sourit.

Comme il a raison, le Gros, quand il déplore qu'Obolan ne parte pas en croisière. Elle est tellement sensationnelle, cette gosse, que je risquerais la mort pour un quart d'heure passé en sa compagnie, si la mort en question n'était provoquée par un suppositoire en bois d'arbre.

Je mate alentour : nobody ! Lors je risque un petit geste du bout des doigts. La fille se retire de la fenêtre et qui vois-je apparaître à sa place ? Ce brave émir, entièrement dévêtu. Je déguise mon petit bonjour en grattage de tempe, selon la technique éprouvée des acteurs jouant Labiche.

Il me virgule un hochement de tête.

— Vous ne faites pas la sieste, étranger ? me demande-t-il de sa voix suave et inquiétante.

— Je préfère la fraîcheur de vos arbres, Majesté, si vous n'y voyez pas d'inconvénient.

— Faites, mon ami, faites, me répond-il, moi je vais prendre quelque félicité avec ma favorite.

— A votre santé, Sire, soupiré-je misérablement.

CHAPITRE XI

Lorsque la vie reprend son cours normal, je vais retrouver mes copains.

Ils dorment encore. Au soleil, il devient boa, Béru. Je secoue Pinaud et je dis à Sirk de se lever.

— Mon pote, fais-je à ce dernier, si la chance ne fait pas trop sa chichiteuse avec nous, il se pourrait que nous quittions le patelin dans pas très longtemps.

Son regard s'allume.

— Vraiment ?

— Mettons dans deux ou trois jours, poursuis-je. Seulement il faudrait que tu me trouves un moyen de correspondre avec Boétie. Ça doit exister, ici, non ?

— Je l'ignore, se renfrogne-t-il.

Il se dit, le pauvre Sirk, que si notre départ est subordonné à l'installation d'une ligne téléphonique Aigou-Boétie, on est encore en vacances chez Obolan pour un bout de temps.

— Il y a probablement une liaison radio, fait-il.

— Alors cherche où elle se trouve, Pinaud t'accompagnera.

Je fais un signe éloquent à la Vieillasse pour lui demander de veiller au grain.

Pendant leur absence, le Gros (enfin réveillé) et moi mettons au point notre spectacle du lendemain. Car il y a cela à quoi il faut songer. Nous sommes ici en qualité d'artistes. Nous devons exécuter un numéro.

Béru calme mes craintes.

— Ne t'occupe, Gars. Je vais faire une démonstration de catch qui fera tout le succès de la soirée.

— A condition que tu aies un partenaire ! objecté-je au Modeste.

Il secoue vigoureusement ses — précisément vigoureuses — épaules.

— C'est pas les partenaires qui manquent, dans ton palais des mirages, Mec.

Pour plus de sûreté, comme on dit à la P.J., je demande audience au souverain. Il nous reçoit pendant son petit conseil.

Je suis confus de pénétrer dans cette salle où s'organise la vie de l'émirat. Il y a là le président du conseil des sages : le grand Jmèmeti avec son gonfleur d'applaudimètre particulier, le gros

Pomppi, surnommé le Doux par opposition à son prédécesseur qu'on avait sobriqué l'Amer. Ont pris place également autour du tapis (d'Orient) vert, Ben Jiskar, le secrétaire d'État à l'indigence ; Pie-Z'Allhé, le ministre des sables et cactus ; Malchnouf, l'emballeur de Vénus de Sa Majesté ; plus le vice-sous-secrétaire d'État à la sécheresse ; plus le colonel Ganache, attaché par les pieds à la maison personnelle de l'émir ; ainsi que l'intendant général des feuilles de rose et l'amiral Mard-el-Plata, commandant en chef de la mer de sable. C'est vous dire si je suis impressionné.

Lorsque les présentations sont achevées, je dis à Obolan ce qui nous *amen.*

— Vous tombez comme jeûne pendant le Ramadan, déclare Sa Gracieuse Majesté. Justement, nous étions en train de régler les festivités de demain.

Je me permets de lui demander quel sera le déroulement desdites. Il m'apprend que le matin, à partir de onze plombes, il y aura corso fleuri. Puis déjeuner en plein air. Ensuite sieste. A quatre plombes, les vraies festivités démarreront.

Il a déjà à son programme un dompteur de serpents à lunettes, le célèbre Ben Lissak. Puis un ballet de filles nues arrivées du sultanat de Kelkroupkellha.

Un mangeur de feu et un montreur de photos pornos complètent sa distribution. Par conséquent, il compte sur nous pour donner du corps à ce spectacle.

— Mon collègue que voilà, dis-je, en montrant Abder-Béru, est soucieux. Il voudrait avoir des partenaires à la hauteur pour son exhibition de catch.

— Qu'à cela ne tienne, déclare Obolan, superbe.

Il s'adresse à Abdel-Huèner, son ministre des loisirs et de la prostitution réunis.

— Cisavapa fricsionla ! lui dit-il.

L'interpellé touche son front, sa bouche, sa poitrine, son nombril et s'abîme dans d'intenses réflexions. Lorsque la fumée de son cerveau surmené commence de lui sortir par les narines, il répond.

— Fopapou cépapa danlézorti !

Approbation de l'émir.

— Le nécessaire sera fait, promet-il. Votre ami aura son adversaire.

Nous nous inclinons et sortons.

*
**

Lorsque le soleil commence à rougir le sable à l'horizon, à l'heure où le chacalot (ou petit chacal, ne pas confondre avec le cachalot) jappe pour appeler sa maman aux pis gonflés, Pinaud et Sirk rentrent au palais.

Il semble joyce, le père Pinuche.

— T'as du neuf, Vieillard ? je le questionne.

— Et du raisonnable, fait-il.

— Raconte.

— Figure-toi, commence-t-il, que nous avons demandé des tuyaux à des soldats, ceci afin de ne pas éveiller de soupçons, justement. Le militaire qui nous a renseignés était un garçon bien de sa personne, à la mine éveillée et au sourire engageant. On sentait, rien qu'à le voir, qu'il...

— Je ne te demande pas de me raconter sa vie, Pinaud.

Sirk, agacé, prend le crachoir.

— Nous savons où se trouve le bâtiment des communications télégraphiques. Il est juste derrière le palais, sur la hauteur. Une demi-douzaine d'employés s'y roulent les pouces et une sentinelle monte la garde devant l'entrée.

— C'est tout ?

— Absolument tout. Seulement il y a un hic : les particuliers ne peuvent utiliser ce centre. Il appartient à Sa Majesté l'émir. Si un commerçant de la ville a un message à adresser, il doit confier celui-ci au ministère de l'Intérieur qui lui donne ou non avis favorable.

Je fronce le nez. Le message que je voudrais expédier n'est pas soumettable aux services du gars Obolan, vous l'avez déjà deviné, non ?

— Il est comment, ce bâtiment ?

— Assez simple, fait Pinuchet, qui sait lire parfois dans le fond de ma pensée aussi bien que Mme Irma dans le marc de caoua.

— Des barreaux aux fenêtres ?

— Oui.

— Plusieurs entrées ?

— Deux. Les employés habitent la construction.

— Très bien, nous verrons, le moment venu, la meilleure manière de procéder.

Je suis commak, les gars. Je compte toujours sur l'inspiration. Jusqu'ici, vous le savez, elle ne m'a jamais fait défaut. Le propre de la vie c'est d'être mouvante, malléable, façonnable. Sa consistance change d'une seconde à l'autre. Peut-être que ça provient des conjonctures astrales, je ne vous dis pas le contraire. En tout cas, chaque instant exige une recette particulière. Vous mordez ? Eh ! Je vous cause ! Soyez pas toujours dans le cirage, mes lapins.

Y a des moments, franchement, c'est fou ce que vous me faites de la peine. Vous êtes plus dans le circuit. Vous coltinez votre pauvre destin comme un boy-scout son sac tyrolien, en oubliant un peu de vivre. C'est glandulaire ou quoi ? Y a des pilules pour votre cas, mes fils. Le salut, il est chez votre pharmago habituel. Faites un traitement, et quand vos cellules grises auront eu droit à un bon rodage de soupape, dites-le-moi, qu'on essaie de rigoler ensemble au moins une fois. D'ac ?

On achève la journée par une solide galimafrée.

Chacun regagne ses appartements.

Il fait doux.

Ah ! la puissance lénifiante des nuits kelsaltipes !

Un clair de lune couleur de-ce-que-vous-voudrez-pourvu-que-ça-soit-jaune se faufile dans ma chambre, polisson !

Je me tourne et me retourne sur mes moelleux coussins en pensant à des trucs rigoureusement étrangers à ma mission. Il se dit, votre fougueux San-Antonio, que ce genre de mission manque de bergères. Voilà un bout de moment que j'en ai pas cramponné une dans mes bras et je commence à avoir de l'amertume dans le bas-ventre.

Quand on pense que, juste au-dessous de moi, il y a le harem de l'émir Obolan, mieux approvisionné que les Galeries Lafayette, admettez que ça fait frissonner l'honnête homme en parfait état de marche, hein ?

J'essaie de fermer les yeux et de m'abandonner au sommeil. Y a pas mèche. La nuit d'Arabie me porte aux nerfs, à la peau, partout.

Les solides ronflements des autres ne m'encouragent guère à les imiter. Ce que ça peut être hideux, le sommeil. Ce coma bruyant, torturé, cette bête inconscience m'effraient. C'est ridicule. C'est pitoyable. L'homme est fait pour rester éveillé et pour mourir. La part du feu qu'est le pageot, je voudrais pouvoir la supprimer. Toujours conserver son self-control, ne plus être un homme de quart, parmi tant et tant d'autres, mais un homme d'entier, ça devrait être bath il me semble.

Pas un souffle. De l'extérieur me parviennent des senteurs de plantes opiacées qui m'émoustillent davantage.

Brusquement, je me dresse, le cœur en surmultipliée. J'ai la certitude fulgurante qu'il y a quelqu'un dans ma chambre.

Effectivement, une silhouette est debout près de la porte.

Je porte la main sous mon oreiller, là où j'ai planqué mon canif-campeur.

— Chut ! me module-t-on.

La silhouette s'avance et pénètre dans le rayon de lune. Alors là, mon palpitant qui faisait du trot attelé pique un grand galop lorsque je reconnais Lola, la favorite de l'émir.

Dans sa grande sagesse flicarde et franco-cartésienne, il se dit, votre San-A., que si un locdu quelconque découvre la présence de cette souris dans ma chambrette de garçon, j'aurai droit à un siège tellement pointu qu'il me remontera jusqu'au gosier.

Par ailleurs, cette présence féminine me fait trouver bonne la vie.

Lola vient s'asseoir au bord de ma couche. Maintenant je me félicite d'être cerné par les ronflements tumultueux de mes camarades. Le fracas de cette bataille nasale couvre le chuchotement de la fille, car elle me cause.

— Vous êtes français, n'est-ce pas ?

Elle s'exprime dans la langue de Victor Hugo, de Balzac et de Georges Simenon (lequel est également connu sous le pseudonyme de Balzac 00.02) sans le moindre accent. Ou plutôt si ; elle en a un : l'accent parisien.

— Quelle idée, ma belle ! je lui gazouille.

— Je le suis moi-même, fait-elle. J'habitais rue du Chemin-Vert.

Une nostalgie de Paris chante en moi sa musique accordéoneuse et tristette. La rue du Chemin-Vert... Les grands boulevards... La Bastille...

— J'ai tout de suite reconnu Sirk Hamar, ajoute-t-elle.

Cette fois, je manque en avaler ma pomme d'Adam.

— Quoi ?

Je veux bien que l'Arabie soit le pays des sortilèges, mais admettez qu'une pareille déclaration couperait les bras à un eunuque !

— C'est à cause de lui que je suis ici, dit Lola.

Et la gente enfant me raconte son histoire. Comme elle doit me la chuchoter, elle est obligée de se blottir tout contre moi. Une merveille de cette qualité, ça crée non seulement un courant de sympathie, mais en plus un courant à haute tension, vous pigez ?

Elle était secrétaire chez un coulissier. Un jour, elle est tombée amoureuse d'un beau garçon qui se prénommait Rodolphe, comme dans Eugène Sue, mais qui jouait les Jules, nonobstant son prénom ronflant. Il appartenait à un gang dirigé par Sirk Hamar. Il a fait croire à la gosse qu'il lui payait un voyage de rêve au pays des feuilles de rose en bâton. Rodolphe était censé partir le premier pour affaires. Lola devait le rejoindre. Quand elle s'est pointée à Beyrouth, une belle bérouthe l'attendait, qui lui a fait prendre un deuxième zinc pour le Kelsaltan. Ensuite, c'était râpé. Des messieurs (et des dames) extrêmement documentés l'ont séquestrée pour lui apprendre l'amour oriental. Au début, fatalement, réalisant ce qui lui arrivait, elle a regimbé, la pauvrette. Mais les coups de fouet se sont mis à pleuvoir dru. Y a que le premier pas qui coûte. Comprenant que la seule manière d'adoucir son sort était de jouer le jeu, elle s'y est piquée (au jeu) et elle a vite obtenu sa licence de licence. Elle s'est même payé le luxe de sortir première de sa promotion en décrochant le prix du Harem général.

Obolan, qui renouvelait son stock de femmes, l'a achetée et, devant sa science, en a fait sa favorite. Voilà !

Triste histoire, on en conviendra, mais que peu de femmes ont vécue.

Un silence suit cette pénible confession. Je le mets à profit pour rouler à Lola une galoche princière.

— Tu devrais me montrer un peu ton catalogue, ma petite compatriote chérie, sollicité-je de sa haute bienveillance.

— Ne sois pas impatient, mon chou, qu'elle répond. J'en ai autant envie que toi. Un Français ! Je croyais que jamais plus je ne pourrais en embrasser un.

Elle combat son pessimisme par un mimi humide qui me permet d'admirer la voie lactée en Gevacolor et sur écran panoramique. Y a la Croix du Sud qui étincelle et la Grande Ourse qui vient lui faire une petite visite.

— Je crois que j'ai tout compris, murmure Lola.

— Qu'as-tu compris ?

— Tu es un type du 2e bureau, n'est-ce pas ? C'est à propos de l'avion que tu enquêtes ?

J'en suis abasourdi.

— C'est ton petit doigt polisson qui t'a dit ça, ma poule ?

— Oui. Tu as amené ce saligaud d'Hamar parce qu'il parlait notre langue, vrai ou faux ? Et comme vos précédents envoyés n'ont pas rejoint leurs bases vous vous êtes déguisés...

— Continue, tu m'intéresses, Lola.

— C'est tout. Je suppose que tu recherches les deux gars prisonniers ?

Eh bien ! en voilà une qui a touché sa ration de méninges à la distribution et qui sait s'en servir.

— Ils le sont toujours, prisonniers ?

— Je pense...

Je bondis :

— Et où sont-ils détenus ?

— Dans les prisons spéciales, je suppose.

— Lesquelles se trouvent ?...

— Je te montrerai.

Je la saisis par la taille.

— Quand ?

— Demain, pendant la fête. Mais à une condition !

Prêt à tout, le San-A. Quand il a un cataplasme de pin-up sur la poitrine, il vendrait la Chambre des députés avec son contenu au premier chiffonnier venu.

— C'est accepté, ma gosse.

— Quand tu repartiras, tu m'emmèneras avec toi. J'étouffe dans ce palais. Je n'en peux plus.

— Je te promets, petite Lola.

Elle me récompense par un bouchaboucha pompeur.

— Dis-moi, l'interromps-je, les deux hommes blonds qui habitent chez Obolan, ce sont des Russes, n'est-ce pas ?

— Oui.

— Que cherchent-ils, à l'emplacement de l'atterrissage ?

Elle secoue la tête.

— Je l'ignore. Je ne sors jamais et je ne sais rien de ce qui se passe en dehors du palais.

Nous nous en sommes assez dit comme ça. Maintenant nous devons nous en faire.

Et nous nous en faisons.

Elle me révèle le coup du rossignol dans le rosier sableux, ensuite c'est l'arabesque fantôme, le shâ persan, le shâ persé, le raton-baveur, le croissant de lune dans le train ; le train des équipages dans la lune, si-tu-n'en-veux-pas-je-la-remets-dans-mes-fèzes et, son morceau de bravoure : la nuit des rois sur le mont Chauve.

Bref, lorsque la gentille enfant me quitte, silencieusement, comme elle est venue, je me dis qu'après tout le sommeil a du bon pour l'homme qui a su bien remplir sa journée, sa mission et ses devoirs de mâle.

— A demain, toi sans qui l'amour ne serait que ce qu'il est, lui dis-je. Dès que mon numéro de tir sera fini, on se retrouvera ici.

Elle acquiesce et me dit, tendrement :

— A demain, Paris !

C'est gentil, non ?

CHAPITRE XII

Paris !

C'est le mot qui me vient à l'esprit au réveil. Je suis éberlué par cette nuit d'ivresse. Si je m'attendais à une belle partie galante ! Oh, non, je jure, ma vie est tellement pleine d'imprévu que je vais sûrement avoir un excédent de bagages à payer. Cette Lola, vous parlez d'une ravageuse de sommiers ! Quelle technique ! Quelle science ! Quels dons ! C'est vachard, ce qui lui est arrivé, mais ça lui a permis de réaliser les qualités secrètes qu'elle possédait. Grâce à la bande Sirk Hamar, elle a pu les développer. La mise en exploitation, c'est un truc délicat. C'est pas le tout de dénicher un gisement de pétrole dans son jardin : faut le mettre en valeur.

En apercevant Sirk, j'éclate de rire.

— Qu'est-ce que vous amuse ? bougonne-t-il.

Je m'apprête à lui parler des fantaisies du hasard, mais je me ravise. En me farcissant Lola, j'ai commis un crime de lèse-majesté. Je suis passible du pal et de l'ablation des amygdales sud. Supposez qu'Hamar joue au comte et qu'il aille glavioter le morceau à l'émir ? Vous l'imaginez, votre San-A. bien-aimé, déguisé en girouette ?

— Rien de particulier, réponds-je. Je suis joyce parce que c'est la fiesta. J'ai jamais pu résister à la magie des kermesses, mon petit gars.

Il hausse ses vigoureuses épaules.

— Je vous trouve plutôt optimiste dans votre genre.

— L'optimisme, Sirk, c'est la santé de l'âme.

— Dites voir, murmure-t-il, pour faire mon numéro de prestidigitation, j'aimerais être masqué, c'est pas incompatible, non ?

Je le défrime suavement.

— C'est pour corser le mystère ou pour te tenir la bouille au sec, bonhomme ?

— Y a rassemblement de trèpe au palais et je ne voudrais pas être reconnu de certaines gens qui probablement s'y trouveront.

— En ce cas tu as raison : masque-toi.

Ces fêtes démarrent dans la liesse.

On espérait un peu de pluie pour ajouter à l'ambiance, mais on n'a pas vu de nuage dans le pays depuis le règne de l'émir Ador. Qu'importe. Le soleil, on s'y accoutume, à la longue.

Le grand boss du Kelsaltan, l'iman Komirespyr, est là avec sa garde personnelle et sa suite (plusieurs lignes groupées). C'est dire si l'émir Oton, l'émir Akulé, l'émir Ab El, l'émir Ifik, et le plus vieux d'entre eux : l'émir Liton, ont également répondu présent à l'appel.

Quel faste ! Ils ont amené leurs plus beaux atours, leurs plus beaux larbins, leurs plus belles femmes.

L'un s'est radiné à dromadaire, un autre à dos d'éléphant, un troisième en jeep, un quatrième à cheval et l'iman a pris son avion personnel : un Rivoire et Carret 1925 à hélice biconvexe et moteur Bozon-Verduraz. L'appareil offre ceci de particulier, c'est qu'il ne comporte qu'un seul siège : celui de l'iman, sa suite voyageant debout par déférence, y compris le pilote.

Autre particularité, le siège en question est une lunette de water-closet car l'iman a peur de l'avion, ce qui lui provoque des troubles intestinaux. Naturellement la lunette en question est en platine et son abattant en or massif, vous aviez rectifié de vous-même je n'en doute pas.

Le palais s'emplit d'une rumeur joyeuse. Les couloirs sont investis par une foule chamarrée, jacassante et rieuse.

Béru considère ce brouhaha, s'ébroue et fait « haha »[1].

— Quand je vais raconter tout ça à ma Berthe, s'extasie-t-il, elle va croire que je lui bonnis l'histoire de Paladin et de sa loupiote magique !

Le défilé est inoubliable.

— Quel dommage que j'aie pas pris mon Kodak ! se lamente Pinaud. J'aurais fait des photos couleur que j'eusse pu revendre à Match !

C'est la cavalcade du Barnum Circus. En plus chatoyant.

Le banquet en plein air qui suit dans les jardins du palais (lesquels se nomment les jardins de l'Avhanbrâ) relève de la superproduction américaine. On y croque des moutons entiers arrosés de piment. Des baladins grattent le trou de leur luth en psalmodiant des mélopées d'Eraste.

Des boys déguisés en eunuques agitent de longs éventails arrachés à des dargeots d'autruche pour rafraîchir l'assistance.

Ils n'ont peut-être pas éventé la poudre, mais ils ont l'art et la manière de chasser les mouches. Car elles sont intrépides, ces mouches kelsaltipes. Un arrêté émiral leur interdit l'accès du palais, mais elles n'en tiennent aucun compte, les goulues.

Tout le monde baffre et rote. Les plus rapides émettent déjà d'autres incongruités. On s'empiffre avec les doigts. La graisse de mouton dégouline aux commissures des lèvres !

Ce sont en général des commissures de peau lisse[2] car messieurs les émirs sont du genre grassouillet.

Plus les notables sont notoires, plus ils bouffent comme des sagouins. Le Tout-Aigou à un méchoui est presque plus dégueulasse à regarder que le Tout-Paris à un lunch.

Tous les affamés, les traîne-babouches, les clodos, les sous-alimentés, les disgraciés, les mutilés (de l'El Seneur), les chômeurs, les handicapés, les affligés, se pressent contre les

1. Non, qu'est-ce que vous voulez : je suis doué, un point c'est tout !
2. Ce sont ces lamentables jeux de mots dont je n'arrive pas à me défaire qui freinent ma carrière et font hésiter les mecs du Nobel.

grilles et tendent des mains avides qu'ils retirent à vide car personne ne se soucie de leur jeter des reliefs. Les chiens sont là pour déguster ce qui est dédaigné par les convives. Lorsque les implorants implorent trop fort, des gardes à l'extérieur leur administrent de larges et généreux coups de fouet.

Depuis nos fenêtres, nous considérons cet affligeant spectacle.

— Si c'est pas honteux, s'indigne Pinaud. Pourquoi ces gens ne se révoltent-ils pas ?

— C'est pas dans leurs moyens, Pinuche, je lui réponds. Faut quinze cents calories pour faire une révolution, et eux sont loin de les avoir...

Pendant l'heure sacro-sainte de la sieste, je mijote mon plan de bataille. Je peux avoir besoin du Gros, pour ce qui se prépare, par conséquent, c'est lui qui ouvrira la séance. Il passera en lever de rideau et moi je me produirai tout de suite après. De cette façon, nous aurons un moment assez long pour visiter les oubliettes. J'espère que tous les gars du palais assisteront (Basses-Alpes) de près ou de loin au spectacle.

A trois plombes, je secoue mon compère.

— Mets-toi en tenue, Béru, ça va être à toi de jouer.

Il grogne, se gratte l'abdomen et se lève en gémissant.

— Ma tenue, dit-il, elle est pas dure : je reste en slip.

Il prend une bouteille d'encre et une autre de teinture d'iode. Nanti d'un tampon d'ouate, il constelle son Eminence (qui en possède pourtant une belle quantité) de taches ocre et de taches noires.

— Je le léoparde, m'explique le Gravos, ça fait plus lutteur, tu saisis l'astuce ?

— Ah ! le complimenté-je, le Système D n'a pas de secret pour toi, Béru. Tu le hausses au niveau des sciences exactes.

Content de lui, il réclame une bouteille d'huile et s'oint le lard. Après quoi il opère quelques exercices d'assouplissement.

— Bon, paré, dit-il. Je suis bien en jambes, bien en souffle et mes mécaniques ont jamais z'été plus rodées.

Il descend dans le jardin où va avoir lieu la représentation et se présente sur la piste préparée pour les numéros, d'une démarche noble et lourde de gladiateur.

Tout le monde est là.

— T'as pas trop le trac ? je chuchote au Mahousse.

Il me regarde avec stupeur.

— T'es louf ou quoi San-A. ? Le trac, moi ? T'as lu ça dans *Fillette-Magazine.* Y a qu'une chose qui me fait peur, vois-tu, c'est qu'on me refile une mauviette comme partenaire. Du coup, je perdrais la face et ça me serait duraille. Quand je me coltine avec un zig, j'aime que le zig dont au sujet duquel il est question ait du répondant dans les mécaniques sinon y a pas de charme.

A ma demande, on a planté quatre pieux sur la piste. Ce sont des pals piqués à l'envers, en somme. Et on a tendu une corde autour pour figurer un ring.

Béru passe sous la corde et se présente à la fringante assistance, les bras en V, dans l'attitude du jevousaicompris réglementaire. Il fait un gros bide. Les Arbis de la haute sont avares de leurs bravos et ne les accordent qu'aux vainqueurs.

— Ils sont constipés des phalanges, me fait observer le Gros, bougon en revenant dans son coin où je le manage, une serviette à la main.

— Les beignes, ça va être pour saluer ton triomphe, Gars, le réconforté-je.

L'émir Obolan, qui est assis à la gauche de l'iman Komirespyr, pour la bonne raison qu'il a pris l'iman à sa droite, fait un signe.

Alors il se passe quelque chose. Un être surprenant, quasi préhistorique surgit. Il mesure deux mètres dix au moins. Il a une cage thoracique large comme une barrique. Il est noir et aussi velu qu'un gorille. C'est presque un gorille, il en a eu un, en tout état de cause, dans ses ascendants directs. C'était soit sa maman, soit son papa. Peut-être les deux, au fond ? Y aurait qu'un grand-père homme. Oui, c'est possible.

Bérurier sourit.

— Ils sont mal organisés, les organisateurs, plaisante-t-il. Ils mélangent déjà les numéros. V'là qu'ils annoncent la ménagerie en même temps que la lutte à main libre !

Je ne partage pas sa bonne humeur, car je viens de piger que cet être gigantesque, monstrueux, antédiluvien, c'est le partenaire de Bérurier.

L'émir se dresse et, tourné vers ses hôtes, leur baragouine quelque chose de sa voix plus sucrée qu'un kilo de rahatloukoums. Ils approuvent silencieusement.

Alors Obolan s'adresse à nous.

— Etrangers, fait-il, voici l'adversaire qui a été choisi pour le combat. Son nom est Durondubaiduradada, ce qui signifie « Tranche-Montagne ».

Je file un coup de saveur à Béru. Il est pâlichon, le biquet.

— Si que Vot' Majesté voudrait me permettre, fait-il, ce gentèleman et moi on n'est pas de la même catégorie. Moi je ne suis que dans les lourds, tandis que lui est au moins dans les impesables.

— Nous n'avons pas à entrer dans ces considérations fait sévèrement Obolan. J'ajoute, ajoute-t-il en effet, que pour donner plus d'âpreté au combat, j'ai décidé que le vainqueur recevrait une bourse de mille klitoris et que le vaincu serait castré.

Si le tonnerre tombait sur la bouille du Mastar, il ne serait sûrement pas plus étourdi.

— Vous dites, Monseigneur Sa Majesté ?

— Que le vaincu sera castré dans l'heure qui suivra le combat. Le vainqueur est celui qui aura fait perdre connaissance à son adversaire. Allez, et, comme le dit le proverbe kelsaltipe : que le meilleur ne perde pas !

Je suis atterré. On entend castagnéter le râtelier du Gros. Ses genoux s'unissent dans la frousse.

— Mais je refuse le combat, me dit-il. Qu'est-ce que tu veux que je fasse à ce King-Kong, à part lui lancer des cacahuètes ?

— Trop tard, Gros, nous sommes au pied du mur.

— Nous ? On voit bien que c'est pas tes précieuses qui sont dans la balance. Moi, je vais te bonnir une chose : j'aime mieux clamser plutôt que de rentrer à la maison sans mon matériel à distribuer des frissons. Jamais un Bérurier n'a fini sa vie avec ses prunes dans une boîte à bijoux.

Il est interrompu par une aigre sonnerie de flûtes.

— Tu dois gagner, Béru. C'est la seule solution possible. Prends-le au corps à corps. C'est un colosse, il est balourd. Empêtré dans sa viande, tu vois pas ?

Le Gros s'éloigne, pitoyable, c'est le cancre puni qui s'en va au piquet. Il est minuscule tout à coup devant Tranche-Montagne.

Une puce !

L'autre, qui a des usages, lui tend la main pour le paluchage préambulatoire. Béru, maussade, laisse tomber sa dextre dans celle du super-gorille, et le voilà qui pousse une beuglante en tombant à genoux.

— Oh ! le bandit, qu'il éructe, le Mastar, qu'est-ce qu'il vient de me filer comme électricité extatique dans les salsifis ! C'est pas de jeu. Il a un étau en guise de mains !

Le combat commence. Sa Majesté, affolée, commence par tourner autour du King-Kong comme s'il cherchait une brèche par laquelle s'évader. L'autre pousse des grognements d'ours et le fixe sans aménité. Et tout à coup, comme le digne Béru passe à sa portée, il lui file une manchette. Etourdi, Sa Pomme chancelle et met un genou en terre. L'autre s'avance pour le finir.

— Fais gaffe, Mec ! je supplie, il va te cloquer la manchette lapinière !

Dans un suprême effort, Béru roule de côté et le bras de l'homme-montagne s'abat à vide. Mon camarade se relève et fait front à nouveau. Dans l'assistance, chacun retient son souffle.

Tout en décrivant des esquives, le Gros fulmine :

— C'est pas de jeu. Je déposerai une plainte à la fédération de catch. C'est le combat de David contre Colgate !

— Saoule-le, Gros ! exhorté-je. Tu le promènes en rond, et tu risques la feinte à Jules.

Il m'obéit. Très vite, en sautillant, mon ami oblige son redoutable vis-à-vis à tourner presque sur place. C'est un lutteur, mais pas un valseur, Tranche-Montagne. Quand il a fait huit révolutions complètes sur soi-même, il dodeline un peu.

— La boîte à ragoût, Gros ! suggéré-je.

Sa Pomme a pigé. Il feinte du corps par une nouvelle rotation et plonge, tête première dans l'estomac du Terrible.

On dirait qu'il vient de percuter la porte d'une église au volant de sa chignole. Ça fait un bing caverneux. L'autre n'a pas bronché, mais Béru est étourdi. Ses jambes sont en pâte de coing. On dirait qu'il marche dans les sables mouvants, l'Emouvant.

Je le vois mal parti. Il tombe assis sur son derche, avec l'air pensif du gars qui vient de recevoir un wagon de briques sur la cafetière.

— Ne compte pas les étoiles, Gradu ! je lui lance. Pense à tes valseuses, c'est plus urgent.

Heureusement que le mammouth n'a pas une grande promptitude de réflexes, sinon il pourrait, d'un coup de tatane, décoller la noble hure bérurienne.

— Debout ! glapis-je. Debout, Gros. Y a urgence !

Il se redresse et murmure dans ma direction :

— Qu'est-ce que je peux faire : il a le bide en acier. C'est l'homme de Gros-Moignon, je te dis !

— Fonce ! Fonce ! il arrive.

On murmure dans l'assistance. Ils ne trouvent pas le combat passionnant, messieurs les seigneurs. Le sang à la une, ils se demandent si ça va être pour aujourd'hui ou pour demain. Pour un rien ils se feraient rembourser, alors que c'est Béru qui va être déboursé dans pas longtemps.

Le Gros se rabat dans mon coin ; toujours coursé par son mastodonte.

— Pour me le faire, il me faudrait une mitraillette jumelée, assure-t-il. T'aurais pas une épingle que j'y crève les lampions ?

J'ai une épingle. De sûreté ! Je l'ouvre et la fais discrètement choir sur le sol.

— Fais encore un tour et tu te laisseras tomber ici pour la ramasser !

Il a pigé. Cette fois, devant sa fuite éperdue, l'assemblée proteste. Le Gros (qui est devenu le petit) attend un atout de l'autre qui justifiera son billet de parterre. Ça vient, mais Béru l'efface mal et il est groggy.

Un Arbi s'approche du ring et compte en kelsaltipe les fatidiques secondes.

— Lève-toi, Gros ! m'égosillé-je. Lève-toi !

Il ne bouge pas. L'arbitre improvisé poursuit sa comptabilité. Il doit en être à six.

— Lève-toi tout de suite : voilà Berthe !

Ça commotionne Alexandre-Benoît, il réagit, se lève. Miracle, l'épingle n'est plus à terre. L'a-t-il ramassée ? Je le souhaite. King-Kong veut en finir. Il s'élance. Béru se baisse, l'autre culbute dans la corde. Un pieu est arraché. Le gars tombe, face à terre. Béru en profite pour se jeter sur lui. C'est la première fois qu'il a un semblant d'avantage. D'un coup de reins, Tranche-Montagne s'en débarrasse. Béru roule sur le flanc. Alors l'autre s'agenouille pour lui faire un étranglement. Il porte ses battoirs au cou de mon camarade. Ils sont ventre à ventre. Le mufle du lutteur kelsaltipe fait un bruit de turbine.

Béru sort déjà une langue plus longue que le tapis qu'on déroule sur l'aire d'atterrissage d'Orly lorsque le général rentre de ses prestations à domicile.

C'est la fin, je m'apprête à jeter la serviette, compromettant par ce simple geste une éventuelle descendance des Bérurier. Mais qu'arrive-t-il ? Tranche-Montagne a un soubresaut. Il lâche le gosier du cher Béru pour porter ses mains à son bas-bide.

En deux énergiques soubresauts, Béru est sorti de sous la carcasse de son antagoniste. Je le crois, maintenant quand il m'affirme avoir fait du rugby au régiment. Il botte un de ces coups de pied de pénalité dans la tronche du gorille qui ferait mourir de jalousie notre cher Albaladejo. L'autre éternue et regarde son adversaire.

— Attends, ma carne, je te vais servir les légumes en même temps, halète Bérurier.

Il fait un saut de champion et s'abat de tout son poids sur la poitrine du mammouth. Cent dix kilos de charge utile dans les cerceaux, ça compte, même quand on est un super-superman. Tranche-Montagne ne tranche plus rien. Il suffoque. Lors, ma Gravosse s'agenouille à côté de son adversaire ; du tranchant de la main il mitraille le cou du quasi vaincu. On dirait un boucher cisaillant un os de bœuf à grands coups de coutelas. Cette fois, le gorille tourne de l'œil, c'est net. Mais Béru ne s'en aperçoit pas. Il ne veut pas s'en apercevoir. Superbe dans sa noire fureur, il frappe, et frappe, et refrappe, et frappe encore ! Puissant, généreux, invincible !

Il est devenu mécanique. Oui, c'est une machine à mettre K.O. Une machine à détruire les gorilles.

— Arrête les frais, Gars ! lui crié-je. Il a son taf.

Sa Rondeur ralentit, s'arrête et considère le grand corps inerte étalé à ses pieds. Il se redresse et fait quelques mouvements du bras afin de rétablir sa circulation.

Puis, s'adressant aux monarques, il leur lance :

— Eh ben, Mes Majestés, faut-il vous l'envelopper, c'est pour emporter ?

Un tonnerre d'applaudissements. Ils n'en reviennent pas, les émirs, de cette prouesse. Y a l'iman qui vote une gratification spéciale avec mention du jury. Des gardes viennent choper

Tranche-Montagne par les lattes et l'évacuent, comme les péons des arènes évacuent un taureau mort.

— Tu as été sensas, Gros, applaudis-je.

— J'ai fait comme j'ai pu, me dit-il. Heureusement que j'avais ton épingle. C'est pas qu'elle était grosse, mais je l'y ai planté dans les breloques. Je m'ai dit que du moment qu'on allait les y couper, c'était pas la peine de se gêner, tu comprends ?

Je comprends.

***

Maintenant, c'est à moi.

A moi de jouer pour l'honorable assistance d'abord.

A moi de jouer pour mon compte personnel after.

Mon numéro est sobre, classique, impec.

Je fignole. Je commence par une petite série de boules de verre jetées en l'air par Pinuche — mon assistant — et que je pulvérise à coups de pistolet. Puis je coupe des cigarettes aux lèvres du même Pinuche. Il a drôlement confiance en mes qualités buffalobilliennes, le Déchet. Recta, je cisaille les mégots au ras de ses moustaches de rat. Ça plaît. On m'applaudit. Le pétard de précision du père Obolan me botte. J'ai bien envie de le lui sucrer à la faveur de ces réjouissances. Mon petit doigt me chuchote qu'il pourra m'être utile dans pas longtemps et sans doute avant. Aussi, lorsque j'ai réussi le clou de mon numéro : un tir à la renverse accompli en visant dans un miroir, il ne m'est pas difficile de glisser la seringue dans ma gandoura au lieu de la remettre dans son écrin.

Ouf ! Nous en avons fini. Maintenant c'est le mangeur de feu qui va se déguiser en lampe à souder. Puis viendront les danseuses, Sirk, etc. J'ai du temps devant moi.

— Annonce-toi, Gros, fais-je. Et toi aussi, Pinuchet.

Nous remontons dans nos appartements. Il n'y a personne dans les couloirs. Les larbins se pressent aux fenêtres pour mater les performances. C'est vraiment le bon moment.

La gosse Lola est assise sur mon plumard. En la découvrant, mes subordonnés insubordonnés écarquillent leurs obturateurs. Mais où ils sont complètement siphonnés, c'est quand ils voient la favorite se précipiter dans mes bras et me galocher tout en me faisant dans l'entrepont le coup du genou-pédaleur.

— Ah ! ben toi, alors ! bredouille l'Enflure, on te changera jamais. Partout où y a du cheptel, tu te sélectionnes le surchoix.

Pinaud, plus réaliste, murmure :

— C'est de la démence, San-A., tu sais ce que tu encours ?

Je rends à Lola la monnaie de son baiser avant de répondre car Félicie m'a appris qu'il ne faut jamais parler la bouche pleine.

— Pas de panique, mes enfants. Si on ne risquait pas sa vie par amour de l'amour, pour quoi la risquerait-on ?

— Vous êtes prêt ? me demande Lola.

— Je suis.

— Alors venez.

J'intime à mes preux chevaliers l'ordre de nous filer le train et je marche sur les talons de Lola.

Elle connaît ce palais comme la poche de mon kangourou. Au bout du couloir la voilà qui soulève une tenture et qui s'engage dans un escalier dérobé.

On se descend commako la valeur de trois étages, alors que nous sommes partis du premier. Ce qui revient à dire, je le précise pour ceux d'entre vous qui seraient faibles en mathématiques, que nous arrivons deux étages sous terre. Une porte de fer dont les barreaux ne sont pas rachitiques barre soudain l'escalier, Lola met un doigt sur ses lèvres et me désigne un garde assis sur un tabouret.

L'homme est en train de graisser un revolver gros comme une bombarde. Il fredonne une mélopée.

— C'est lui qui a les clés, me chuchote Lola. Et il y a deux autres gardes dans une pièce voisine.

Problème épineux. Que faire ?

Si je me mets à casser la cabane avant d'avoir assuré nos arrières, je risque fort de me faire bloquer dans une impasse. D'un autre côté, il est indispensable que je communique avec les prisonniers. Alors ?

— Tu parles kelsaltipe, chérie ? je demande à la souris.

— Couramment !

— C'est vrai que tu es douée pour les langues.

Je dégaine le pistolet et le coule entre les barreaux.

— Tu vas appeler l'homme à voix basse et lui dire de venir ouvrir, sans qu'il fasse le méchant, O.K. ?

— S'il appelle ? objecte la belle messaline.

— Il n'appellera pas deux fois. A ces profondeurs et avec le boucan qu'il y a dans le jardin, le bruit d'une détonation passerait inaperçu.

Elle est prête à tout, Lola. Pour une fille soumise c'est une fille soumise.

— Eh ! Houssékonsmé poûrsbékoté ? fait-elle.

Le garde cesse de chanter, lève la tête, nous voit, se dresse, empoté avec son revolver démonté. Il doit regretter d'avoir choisi ce moment pour lui faire sa toilette intime à son pétard.

— Féfissa ! lui lance Lola.

Il regarde en direction de la pièce où se tiennent ses potes. J'ai un petit mouvement du pistolet très opportun. Le gars, c'est pas le chevalier Bayard. Il s'approche jusqu'à la grille.

— Dis-lui qu'il lève les bras et chope la clé de la tirelire dans sa poche, beauté !

Elle exécute docilement mes ordres. Nous voici dans la place. D'un hochement de tranche, je signifie au Gros de s'occuper du garde. C'est pas au vainqueur de Tranche-Montagne qu'il faut faire un dessin pour lui apprendre la façon de mettre un zig K.O. en douceur.

Il l'étale d'une manchette en pleine glotte. De sa main libre, il le rattrape afin de freiner sa chute. Avant de le déposer à terre, il lui place un petit crochet sec comme un biscuit à la pointe du menton. Je connais la dose de Béru. Cette anesthésie va chercher dans les dix minutes.

— Surveille le type et la lourde, chuchoté-je dans la feuille de la Vieillasse. S'il y a du pet, tousse.

Silencieux comme l'ombre d'un sourd-muet sur du velours, je me dirige vers la porte de droite. J'entends parler à l'intérieur.

— A nous deux de faire, Mec, dis-je au Gros. On les cueille à la surprise. Je délourde brutal et chacun prend le sien, correct ?

— C'est parti.

Aussitôt dit, aussitôt fait. D'un coup de tatane, je virgule la porte. Nous découvrons un large couloir sur lequel s'ouvrent des cellules semblables à celles que nous occupâmes lors de notre arrivée chez Obolan.

Deux bonshommes jouent au troufignarborduré en buvant du sirop dévogecazé. Leurs mitraillettes sont posées sur la table, près de leurs tasses.

Ils sont vifs. Notre brutale intrusion les paralyse deux secondes seulement. Les voilà qui empoignent leurs pétoires.

Le drame, comprenez-vous, c'est qu'ils sont à l'autre bout du fameux couloir et que nous avons une dizaine de mètres à faire avant de les atteindre. Je pige illico qu'on arrivera sur eux juste à temps pour morfler une giclée de dragées brûlantes dans le placard. Alors j'applique la jouvence extrême. Pas celle de l'abbé Souris, l'autre : celle du révérend Pan-pan.

Deux balles : deux défunts ! Je les ai dotés l'un et l'autre d'un troisième œil. A propos de troisième œil, ça me fait penser à l'histoire de la maîtresse d'école qui demandait à ses élèves s'ils aimeraient avoir un troisième œil et si oui, où ils souhaiteraient l'avoir. Le premier le voulait derrière la tête pour surveiller ses arrières, le deuxième le voulait à la plante de ses pieds pour mater les embûches du chemin, et le troisième rêvait de l'avoir au bout du zizi-à-coulisse, afin de pouvoir le passer à travers la haie pour suivre en douce les matches de football le dimanche. A part ça, qu'est-ce que je voulais vous dire ? Oh oui : les gardes. Ils sont morts.

Béru, qui avait déjà pris de l'élan, culbute leurs carcasses et s'étale sur le sol.

Il se relève en sacrant comme à Reims. L'endroit est mal éclairé par deux lampes à huile (le Sieur vous les offre). Je regarde dans les cellules. Elles sont au nombre de quatre. Deux seulement sont occupées.

Dans la première, il y a un type barbu, hirsute, blême, exsangue, pouilleux, crasseux... Qu'est-ce que je pourrais ajouter encore ? Il a d'immenses yeux fiévreux, ses lèvres sont retroussées sur des dents de tête de mort. Il est affalé sur le sol dans l'attitude d'un mendiant qui connaît son métier et qui vous chatouille la glande à pitié de doigt de maître.

Je m'approche.

— Vous êtes S 04 H2 ? je lui demande, croyant reconnaître dans ce fantôme l'un des agents disparus.

— Un Français, bredouille-t-il d'une voix d'hypnose.

Je mate dans la seconde cellule et mon cœur me grimpe sur la langue. Le deuxième mec des Services est cloué nu sur une croix de Saint-André. Il me paraît mort. On l'a écorché vif. Vous entendez bien ? Il a été dépecé. On voit ses organes comme sur une planche d'anatomie.

Lola, qui nous a rejoints, tourne de l'œil. Béru se penche pour vomir. C'est pas soutenable, un spectacle pareil !

— Ah ! les ordures ! je lamente. Ah ! les misérables ! Cherche les clés des cellotes, Gros. Et fais vite.

Béru en a les larmes aux gobilles. Il se ramène avec les ouvre-boîtes demandés. Une affreuse odeur s'exhale de la seconde cellule. Des débris humains jonchent le sol. Je m'approche du supplicié. Le cœur bat encore. Il est évanoui. Je lève mon revolver et, comme dans un cauchemar, je presse la détente. La balle lui a ravagé la tête, seule partie de son pauvre corps qui soit demeurée intacte.

— On ne pouvait rien d'autre pour lui, dis-je au Gros.

Maintenant, il nous reste à délivrer le premier. Nous sommes obligés de le porter. Il a des plaies aux pieds et aux mains, de vilaines brûlures qui suppurent.

Quand je dis que nous le délivrons, le terme est excessif. Où aller ? Que faire ? De quel moyen de fuite disposons-nous ?

Il est d'une faiblesse extrême, S 04 H2.

— J'ai soif, gémit-il, ça fait quatre jours que je n'ai pas eu la moindre goutte d'eau.

Je lui tends la carafe de sirop des gardes et il boit à longs traits. Pendant ce temps, au milieu de mon carnage, je gamberge vivement.

La seconde partie de ma mission est remplie : j'ai retrouvé (et délivré) les deux agents français disparus. A la troisième, maintenant : les ramener à Paris. Pour ce qui est du second, il n'en est bien entendu pas question. Mais le premier est vivant...

— Qui êtes-vous ? balbutie-t-il.

— Commissaire San-Antonio.

— Merci...

— Vous me remercierez plus tard, si nous parvenons à nous sortir de ce merdier. Les gardes sont relevés tous les combien ?

— Toutes les huit heures.

— Il y a longtemps que ceux-là avaient pris leur service ?

— Non.

— Et les types blonds, ils viennent souvent vous harceler ?

— Ça fait deux jours que je ne les ai pas vus.

— Parfait.

Ma décision est prise.

— Béru, ligotez le garde de l'entrée et foutez-le dans une des cellules. Remuez-vous !

Je m'adresse à Lola :

— Tu as aperçu les deux Ruskoffs, aujourd'hui ?

— Oui, fait-elle, ils partaient à bord de leur jeep.

Ils s'en tamponnent la faucille, des réjouissances, les blondinets. Au charbon !

— Nous avons notre petite chance, fais-je. Pour peu que nous puissions disposer de quelques heures, ça collera.

Nous remontons précautionneusement après avoir bouclé la porte de fer.

— Toi, Lola, fais-je, tu vas regagner ta base. Maintenant, il faut attendre la nuit pour agir. Nous allons planquer le prisonnier dans nos appartements tandis que je m'occuperai d'organiser la croisière du retour.

— Ne me laisse pas, implore-t-elle. Si tu partais sans moi, je me tuerais !

— Sois sans crainte, je tiens toujours mes promesses.

Là-dessus, je dis au revoir à cette précieuse camarade de sommier et je regagne ma piaule avec S 04 H2, lequel se prénomme Gérard.

Il est guère vaillant, le frère. Béru joue les infirmiers bénévoles tandis qu'au-dehors, Sirk Hamar joue les Bénévol en faisant disparaître des colombes. Béru trempe les plaies de Gérard dans un vase d'huile et les lui bande avec des morceaux de drap découpés en lanières. Pinaud va lui chercher à bouffer. On se le colmate, le pauvre. Il nous raconte son odyssée d'une pauvre voix fragile. L'avion qui les ramenait de Pékin, son camarade et lui, s'est donc posé dans le désert. Des cavaliers sont arrivés, qui les ont proprement neutralisés sans que les autres passagers de l'avion s'en aperçoivent. Certains créaient une diversion en faisant une fantasia tandis que les kidnappeurs agissaient. On les a ensuite amenés au palais et jetés en prison. Quelques heures plus tard, les deux hommes blonds sont arrivés. Fouille minutieuse ! Puis la torture pour leur faire dire où se trouvaient les documents qu'ils étaient chargés de convoyer.

— J'ai tenu bon, murmure Gérard. Ils m'ont brûlé les pieds et les mains avec un chalumeau. Puis ils ont semblé se désintéresser de moi pour se consacrer à mon ami. Ludovic leur a dit que les documents se trouvaient à l'état de microfilms dans une pièce truquée. Et que cette pièce, au moment de notre capture, il l'avait laissée tomber dans le sable.

Je pige maintenant les raisons de ces travaux sur l'emplacement de l'atterrissage. Les Ruskis cherchent la pièce. Voilà pourquoi ils ont quadrillé le terrain et le passent au crible.

— Qu'est-ce qu'on fiche ? s'inquiète Béru qui a vécu en silence les différentes phases de ce coup de main.

— Il faut que je lance un message-radio, décidé-je. Si le Vieux ne nous fait pas envoyer un zinc pour nous récupérer, nous sommes flambés. Il n'est pas question de se farcir quatre ou cinq jours de galopade dans le désert avec ce blessé. D'ailleurs, où sont passés nos dromadaires à cette heure ? Tu penses bien qu'on nous les a chouravés depuis longtemps.

J'écarte la pile de coussins composant mon lit.

— Gérard, vous allez vous allonger ici. Nous vous recouvrirons de coussins en les empilant de façon à vous ménager une aération.

» Surtout ne remuez pas le petit doigt avant que nous soyons de retour. Compris ?

Il est d'accord. C'est un homme au bout du rouleau, grelottant de fièvre et de souffrance.

Lorsque nous l'avons planqué, je me tourne vers les camarades syndiqués qui m'escortent.

— Pinaud, j'espère que le gars Sirk a fini ses passes, va le récupérer ; on vous attend, le Gros et moi, à la sortie du palais.

Comme vous le voyez, mes bons amis, c'est le branle-bas de combat. Je suis le commandant dans la tempête. Une demi-douzaine d'existences (dont la mienne) sont entre les mains de mon esprit d'initiative, comme l'eût écrit Ponton du Sérail. Faut donc faire gaffe, faire vite, et faire juste !

Pinaud, flanqué de Sirk Hamar, se ramène. Je me dis qu'après tout, nous n'avons pas besoin d'être quatre pour faire ce que j'ai envie de faire et j'ordone à Béru de rester au palais pour s'assurer que rien ne cloche. En ce moment, la fête bat son plein. La musique de la garde imanienne joue une marche kelsaltipe : *Oui, oui, je sens bien que tu aimes l'émir* sur un air adapté du folklore étatsuniens.

— Si par hasard il y avait du pet, Gros, essaie de t'en sortir et de venir donner l'alerte, nous serons sur la hauteur.

— Tâchez moyen z'aussi d'être à la hauteur, pouffe le Patapouf.

Telle est bien mon intention.

CHAPITRE XIII

Le centre des communications radiophoniques d'Aigou est une bâtisse carrée, blanche comme neige, et qui ressemble un peu à un blockhaus.

Derrière les fenêtres munies de grilles, les visages joyeux des employés se pressent pour essayer d'apercevoir des bribes de la fête dans les jardins du palais.

La sentinelle somnole dans la chaleur, appuyée contre la lourde.

D'un coup d'œil, l'infaillible, le prodigieux, l'extraordinaire San-Antonio[1] a évalué la topographie, les pions, l'ouverture.

— Allons sur la face de la maison qui ne comporte pas de fenêtres, ordonné-je.

Une fois là, j'explique mon idée aux deux autres :

— Je vais faire semblant de me bagarrer avec Pinaud. Toi, Sirk, tu vas foncer chercher la sentinelle en disant que deux hommes sont en train de s'étriper. Si, comme je l'espère, le gars accourt, tu lui feras le coup du lapin derrière la tranche, vu ? Pour un prestidigitateur chevronné, c'est tout indiqué.

Nous nous étalons dans la poussière, la Vieillasse et moi, et nous faisons semblant de nous étrangler. Sirk contourne la crèche pour crier ce que je lui ai dit de crier.

Voyez-vous, bande de navets flétris, la vie appartient aux psychologues. Quand on prévoit les réactions de ses semblables, on est assuré de toujours les biaiser en canard.

La sentinelle contourne le bâtiment et nous regarde frétiller en se marrant. Enfin, il se penche sur nous pour nous séparer à coups de crosse de fusil.

Sirk, qui connaît son métier, lui place un coup de goumi de

1. Je me le dis parfois avec assez de verve. Mais je préférerais que d'autres me le servent... Car c'est fatigant de se passer toujours la brosse à reluire.

ses deux mains croisées. L'autre ne dit rien, mais n'en pense pas moins et se hâte de déguster la poussière.

— Allez, les mecs, fais-je en bondissant. Au turf, y a urgence.

Comme nous parvenons à la porte, celle-ci s'ouvre et deux employés qui radinaient pour assister à la castagne annoncée à l'extérieur, se trouvent nez à nez avec le canon de mon revolver et avec celui du fusil dont Pinaud s'est emparé.

— Pour la suite du rodéo, restons à l'ombre ! ricané-je en leur poussant l'index de mon tu-tues dans la tripaille.

Ils font ce que font les hommes de toutes les latitudes en pareille circonstance : ils lèvent leurs jolis bras sans muscles.

— Sirk, amène la sentinelle à l'intérieur, je voudrais pas qu'elle chope une insolation.

— C'est déjà fait, se marre Hamar.

— Rentre-la tout de même, pour si des fois un passant passait comme font la plupart des passants.

La salle des messages, c'est la première à droite en entrant. Je m'y propulse et je m'assieds devant l'appareil émetteur.

— Garde ces bédouins au frais pendant que je fonctionne, Pinuche.

Là-dessus je me repère dans l'appareillage du Centre. Chose curieuse, vu le patelin, il n'est pas trop archaïque. Je mets le contacteur à valve, je branche le pelliculaire-convalescent, je glotemuche le pénétrateur à ondes gondolées et j'y vais de ma chansonnette.

— Allô ! Sana appelle Duralex-Sedlex...

Mon organe fait le grand écart dans le ciel brûlant d'Arabie. Il enjambe les déserts et va se poser dans l'esgourde du correspondant d'Aden, ou d'un de ses collaborateurs.

— Duralex-Sedlex écoute...

— Avez-vous possibilité fréter d'urgence avion pour prendre six passagers à Aigou ?

— Allons faire le nécessaire.

— Dans combien de temps l'appareil peut-il se poser à Aigou ?

Un silence. On sent que le correspondant se livre à un calcul rapide.

— D'ici cinq heures environ.

Je dis au copain de faire au plus vite, vu que nous bivouaquons en ce moment sur une plaque chauffante. Je lui demande de prévenir le Vieux que les agents sont retrouvés, qu'un seul est en vie et que les documents ne sont toujours pas en possession des autres ! L'avion devra se poser à environ deux kilomètres à l'est d'Aigou, derrière une petite dune. Le camarade d'Aden répond O.K. et je le laisse vaquer à ses occupations.

— Maintenant, enfermons ces gaillards dans un coin tranquille afin qu'ils ne puissent pas donner l'alarme ! ordonné-je. Il nous faut cinq heures de tranquillité.

Tout à fait entre nous et la Foire du Trône, je ne suis pas très optimiste. Parce que je ne sais pas si vous vous rendez compte de la situation, mes chéries, mais j'accumule les périls à une vitesse grand C. Les prisons secrètes, avec des gardes morts ou entravés ; le prisonnier évadé dans ma chambre ; et maintenant, le centre de transmission neutralisé, ça fait un peu beaucoup. Si nous parvenons à faire encore illusion pendant cinq heures après ce festival Tintin, c'est que notre bonne étoile se plaît sous le ciel d'Arabie.

Une fois la sentinelle et les préposés ficelés et bâillonnés dans un hangar où sont rassemblées les ondes défectueuses, je donne le signal du retour.

La fiesta est en train de s'achever. Les invités d'Obolan procèdent à la cérémonie des cadeaux. L'iman lui a apporté une négresse-sport à injection directe, amortisseurs spéciaux, capot profilé et refroidissement par éventail incorporé. Un autre émir lui fait présent d'un petit caïman qui offre la particularité de ne se nourrir que de petites filles prénommées Odile ; un autre lui remet une trousse à castrer en argent massif de chez Zermès, un troisième émir lui donne un bonjour d'Alfred de l'époque byzantine, conservé dans un formol, et le quatrième lui fait cadeau d'un petit enfant de harem eunuque qui a remporté le premier prix de misogynie au dernier trimestre et qui a obtenu son B.E.P.C.[1].

Obolan, ému, remercie ses rois mages fastueux. Il offre un thé d'honneur.

1. B.E.P.C. : Banc d'Essai des Pauvres Châtrés.

Je cherche Bérurier du regard, mais ne l'apercevant pas, j'en déduis que le Valeureux tient compagnie à S 04 H2. Nous fonçons vers nos appartements. Ma décision est prise : il s'agit de les mettre en loucedé. Je préfère me planquer dans les environs en attendant notre coucou plutôt que de mijoter un infarctus au palais.

Je pénètre dans ma piaule, avec, sur les talons, mes deux assistants. Je suis très content de Sirk, voyez-vous. C'est un gars efficace, une fois qu'il n'a plus la possibilité de vous blouser. C'est courant. Combien de gens ne sont honnêtes que parce qu'ils ont les moyens de l'être ?

A peine ai-je mis le pied dans ma carrée que mes veines se vident comme si elles étaient pleines d'éther.

L'agent que nous avons délivré n'est plus sous les coussins. Il est agenouillé, les mains liées dans le dos. Assis sur des tabourets, les deux Russes blonds attendent, en fumant d'horribles et pestilentielles cigarettes. Ils ont l'un comme l'autre un pistolet mitrailleur sur les genoux. Je n'ai pas le temps de tenter quelque chose, fût-ce ma chance à la Loterie nationale. Les deux canons d'acier bleui nous dévisagent déjà de leur petit œil sévère. Je vous jure que c'est intimidant.

D'un mouvement de tête, l'un des blondinets nous fait signe d'avancer.

Nous avançons. Un joli morceau de moment s'écoule, non homologué par Lip. Personne ne parle. Nous nous dévisageons seulement et chacun classe ses pensées par paquets de quatre, histoire de clarifier un peu la conjoncture.

C'est l'impertinent San-A. qui met fin à la grève des glandes salivaires :

— Alors, les gars, fais-je, on se fait cuire une soupe ou bien on se lave les pieds ?

C'est pas du Bergson, en fait d'interpellation, mais ça dit bien ce que ça ne veut pas dire. Le charme est brusquement rompu, si on pouvait appeler charme la tension qui nous muselait.

Le plus âgé des deux Popofs s'amène vers moi, un léger sourire aux lèvres.

Il n'est pas antipathique, ce grand garçon à l'air suave. On dirait un étudiant attardé. Le genre de gars qui est plein de bonne volonté mais qui loupe ses examens parce qu'il lui manque trois grammes de phosphore.

— Vous êtes français ? fait-il.

— Par le mari de ma mère, oui. A qui ai-je l'honneur ?

Il oublie ma question et poursuit :

— Deuxième bureau ?

— A gauche, en sortant de l'ascenseur !

Je n'ai pas le temps de laisser mon sourire s'épanouir. Il vient de me balancer un coup de crosse dans les chailles et mes lèvres tuméfiées me semblent soudain épaisses comme celles d'un hippopotame.

On dirait que ça se gâte.

On dirait même que c'est complètement gâté, mes loutes.

Pinaud fait une mine de drapeau mouillé ; Sirk, quant à lui, considère l'infaillible San-A. d'un œil critique et désabusé.

Le Russe qui m'a frappé dit un mot à son compagnon. Ce dernier lui tend son pistolet mitrailleur. Lors, nanti des deux armes, mon dilateur de lèvres grimpe sur un tabouret afin de nous tenir tous en respect plus aisément. Pendant ce temps, l'autre nous fait placer à genoux et nous attache les poignets dans le dos, comme il l'a fait avec Gérard. Nous avons l'air de fidèles en prière, ou de suppliciés attendant que la hache du bourreau s'abatte sur leur nuque.

Sur le moment, je me demande pourquoi ils se livrent à cette séance dans ma chambre alors que des prisons secrètes sont disponibles, avec la panoplie du parfait inquisiteur. Mais je crois piger : ils attendent le retour du Gros. Ils savent que nous sommes quatre et ils veulent tous nous cueillir sans bavure. Ils se méfient des indigènes et mènent leur petite affaire tout seuls. Sans doute redoutent-ils qu'on alerte notre ami et qu'il parvienne à leur échapper.

Effectivement, une fois que nous sommes agenouillés en rond au milieu de la pièce, les deux hommes continuent d'attendre.

J'ai beau taquiner mes cellules grises, je n'arrive pas à les porter à l'incandescence. Je connais les hommes (les femmes aussi, par la même occasion) et je sais qu'on n'a pas grand-chose à espérer avec ces deux gars d'acier. Ils sont trop vigilants, leurs réflexes sont trop fulgurants (j'en sais quelque chose) pour que nous puissions espérer les feinter. A la moindre tentative, on prendra du plomb.

Un quart d'heure s'écoule de la sorte, dans un silence quasi religieux, très compatible avec notre position. Au fait, que fabrique-t-il, mon Béru ? Dans quelle histoire s'est-il embringué pour ne pas être ici alors que je lui avais donné l'ordre de veiller sur Gérard ?

Tout à coup, la porte s'ouvre et une grosse femme paraît dans l'entrebâillement. On dirait une bohémienne enceinte. Elle a le teint presque marron, de larges anneaux de cuivre aux oreilles, un foulard écarlate autour de la tête et des cheveux noirs qui lui tombent sur les épaules. Elle porte une espèce de longue robe imprimée qui lui descend jusqu'aux pieds.

En nous apercevant, la femme a un tressaillement et bat en retraite. Mais l'un des deux Russes, celui qui a les mains libres, se précipite et la ramène dans la pièce. Il lui demande en français ce qu'elle vient faire ici. La grosse bohémienne ne pige pas et exprime son incompréhension par gestes. Les Russes lui font signe de s'asseoir sur le sofa. Elle a une mimique désespérée pour demander « Mais qu'est-ce que j'ai fait, moi ? ». Nos surveillants ne se donnent pas la peine de lui fournir des explications. Alors la bohémienne se résigne. Elle reste tranquille, jouant avec les coussins comme le ferait une petite fille de la campagne en visite chez Mme la Baronne.

Elle en prend un, le lance en l'air, le rattrape en riant. M'est avis que cette donzelle est un peu lézardée du plaftard. Elle saisit un deuxième coussin. La voilà qui jongle en gloussant. Sur le coup, les blondinets sont un peu déroutés, mais ça finit par les amuser, ces simagrées. Surtout que la bonne femme jongle maintenant avec un troisième, puis un quatrième coussin. Ça doit être une artiste ayant participé à la représentation. A un certain moment, la maladroite rate un de ses coussins qui choit au pied du tabouret du haut duquel le mitrailleur d'élite continue de nous tenir en respect.

Avec de petites mines confuses, notre jongleuse va le ramasser. Elle se baisse, et alors c'est le clou de la représentation, mes fils. Tout se déroule si vite que nous n'avons pas le temps de réaliser.

En se baissant pour ramasser le coussin, la bohémienne fait un bond la tête la première. Elle file un coup de boule dans le ventre du Russe qui fait une cabriole en arrière et s'abat sur le plancher. Sa tête a porté contre une table basse et, à la position de son cou, je me dis qu'il doit avoir une demi-douzaine de vertèbres cervicales cassées.

La bohémienne, au cours de cette plongée acrobatique, a perdu son turban, ses cheveux et l'une de ses boucles d'oreilles.

La trogne magnifique du gars Béru nous est alors restituée. Sans perdre une seconde, le Gros saute sur les pétards.

— Fais gaffe, Béru ! je lui crie.

Car le deuxième Russe plonge sur lui, un couteau à la main. Tout en criant je me suis allongé sur le parquet. Un pied de l'assaillant me heurte le crâne. Je me dis qu'il a dû me le défoncer. J'entends confusément un remue-ménage près de moi. Puis un tic-tac. Silence. Je regarde : le deuxième blondinet est en train de se tortiller sur le sol en se pétrissant sa brioche dans laquelle ce petit écureuil de Béru a planqué trois ou quatre glands d'acier pour l'hiver.

— Eh bien, mes enfants, dis-je, c'est ce qu'on appelle un coup de théâtre.

Je regarde Béru.

— Si Mme Sahara Bernhardt voulait bien nous résumer le premier acte de son mélodrame, ça nous éviterait de mourir de curiosité.

Le Gros se dépiaute en rigolant comme un petit fou.

— J'ai marché sur tes brisants, Gars, me fait-il avec orgueil.

— C'est-à-dire ?

— Moi z'aussi je me suis payé une nana de l'émir.

Nous nous exclamons à qui mieux mieux.

— Que me bailles-tu là, bonhomme ?

— J'ai pas voulu partir d'ici sans être allé faire une petite virée au sérail. Seulement, pour limiter la casse, je m'ai déguisé en bergère. C'était simple, mais fallait y penser. J'ai secoué une perruque dans la malle d'une danseuse et avec des rideaux j'ai confectionné le joli petit ensemble que vous avez vu.

— Tu es le Christian Dior de la Poulaille, complimenté-je. Et alors, raconte !

— Je m'étais repéré une gentille petite négresse bien sous tous les rapports. A la frissonnante, que je l'ai eue ! Mon regard ensorceleur numbère oane, quoi. Quand je m'ai pointé au sérail, ces dames ont cru que je faisais partie de la troupe et elles m'ont offert des bonbons. Moi, en loucedé, j'ai sélectionné ma petite Miss Café-au-lait dans un coin. Elle cause pas français, mais comme elle a du doigté, j'ai pas eu de mal à lui faire comprendre que l'habit ne fait pas le moine ! Elle m'a piloté dans sa carrée personnelle et alors, mes enfants, j'ai eu droit à une séance extravagante. Figurez-vous qu'elle m'a...

— Oh ! ça suffit, Gros, épargne le descriptif, tu vas nous faire censurer. On a mieux à fiche pour le moment.

Je regarde où en sont les deux blonds. L'un est mort, l'autre est décédé. Nous les arrangeons sous des coussins pour les soustraire provisoirement à la vue d'un visiteur.

La grande hécatombe de printemps continue, quoi ! Nous avons une façon de jouer au Petit Poucet en jalonnant notre parcours, qui n'est pas piquée des vers de chez Borniol. Si on s'attarde encore au Kelsaltan, la population de ce valeureux patelin sera en rapide régression.

— Ils vous ont parlé de nous ? je demande à S 04 H2.

— Pas un mot. Ils sont entrés dans votre chambre après avoir visité les pièces voisines. C'est en fouillant qu'ils m'ont découvert.

— Ont-ils eu l'air surpris en vous trouvant là ?

— A coup sûr.

— Par conséquent, conclus-je, ils n'étaient pas encore descendus dans les prisons. Ce qui revient à dire que, le garde qui s'y trouve ligoté n'étant pas en mesure de nous démasquer, nous pouvons encore sortir du palais.

Je claque des doigts à Béru.

— Puisque tu as des talents d'habilleuse, camoufle un peu notre ami qui fait trop occidental.

— Fastoche, se réjouit le Gravos. En deux coups d'écuyer à Pau ça va être réglé.

Teinture d'iode, chiftards de couleurs et en effet, nous voyons naître une Kelsaltipe sous les doigts magiques du Boudiné.

Pinaud mate l'heure.

— Le zinc ne sera là que dans quatre heures, dit-il, où allons-nous nous planquer ?

— Nous verrons.

Là-dessus, la porte s'entrouvre et le doux visage de Lola apparaît.

— Ça y est ? fait-elle.

Je vais vous avouer une chose, mes jolies princesses, mais dans le feu de l'action je l'avais oubliée, celle-là.

— Ecoute, mon lapin rose, je lui gazouille, nous allons sortir du palais parce qu'il y a urgence. Toi, tu viendras nous rejoindre dans trois heures à l'est de la ville, derrière la grande dune au sommet de laquelle se dresse le mausolée du Vieux Kroumir.

Elle blêmit.

— Mais comprends une chose : les femmes ne peuvent quitter le palais.

Sirk s'emporte en voyant ma mine préoccupée.

— Dites donc, commissaire, on va tout de même pas jouer les boy-scouts et risquer de se faire crever pour une gonzesse, non ?

— Salaud ! fait Lola en lui crachant au visage. Tu es donc le démon pour toujours briser ma vie !

Je m'interpose ; d'abord parce que c'est pas le moment d'organiser un nouveau combat de catch, ensuite parce que ce que dit la pauvrette fait un peu vieux mélo et que ça n'est pas digne d'une prose de la qualité de celle que je vous livre.

— Qu'est-ce qu'elle a à me chambrer avec sa vie brisée, cette pécore ? gronde Hamar.

— Laisse, je t'expliquerai tout plus tard, coupé-je violemment.

Je réfléchis. Il y aurait bien une solution qui consisterait à la travestir en homme, mais nous n'avons pas le temps de chercher des fringues. Chaque seconde qui s'écoule prépare la catastrophe.

Dans les pires instants, mon sixième sens intervient, pour prêter main-forte aux cinq autres. J'aperçois dans un angle de la pièce un coffre mauresque, en cuivre. Il me semble assez grand pour y loger Lola.

— Colle-toi là-dedans, petite. On va plonger.

CHAPITRE XIV

Le cortège s'organise comme suit : Sirk et Béru coltinent la malle, Pinaud et Gérard[1] les précèdent, moi je ferme la marche.

1. Comme je n'ai pas de secret pour vous, je vais vous révéler une chose. Le vrai prénom de l'agent S 04 H2, ce n'est pas Gérard, mais Alcide. Il s'appelle Alcide Sulfuric ; Gérard n'est que le prénom d'emprunt d'un cousin de sa concierge. Mais chut ! je suis en train de trahir des secrets d'Etat.

Nous prenons la sortie qui sert, dans le sens contraire, d'entrée des fournisseurs. C'est plus prudent, car l'entrée principale (qui sert éventuellement de sortie d'apparat) est très fréquentée. Certains émirs rentrent déjà chez eux pour des raisons diverses. L'un parce qu'il a oublié de fermer le gaz en partant, un autre parce qu'il veut suivre l'homme du Quinzième Siècle à la télé (on est en retard au Kelsaltan) et le troisième parce qu'il a un élevage de chats persans et que ces bêtes-là, c'est comme les chiens de Pathé-Marconi ; ça ne connaît que la voix de son maître.

Donc, profitant de ce que l'animation a lieu devant, nous nous tirons par-derrière.

Cette issue (qu'on appelle au palais l'issue des pieds parce qu'elle ne comporte pas de paillasson) est gardée par un poste de guerriers rébarbatifs.

Ce sont des eunuques de la garde spéciale de l'émir Obolan, qu'on appelle ici la garde « Mheurménsrhanpa » en souvenir de la bataille Merdave qui permit aux Kelsaltipes de battre les Kambronars.

Les gars dont je vous cause, bien que privés de leurs scapulaires à quetsches, n'ont pas l'air de fillettes. Imaginez des gaillards de deux mètres (chacun) avec des moustaches larges comme des pains de deux livres et des yeux si terribles que lorsqu'ils vous regardent, on se met à faire de la température.

Pinaud et Alcide passent la porte sans encombre, puisqu'ils n'en ont pas sur eux. Maintenant, c'est la Gravosse et Sirk qui s'amènent. Je vous ai déjà parlé de mon petit lutin intime, vous savez ? Le petit mec embusqué dans mon caberlot qui me tuyaute sur certaines choses dans les circonstances périlleuses. En ce moment, il gratte à ma cellule du dessus et m'annonce que ça va barder dans si peu de temps que ça barde déjà. Effectivement, les deux militaires surveillant la porte se placent en travers du passage, mitraillette braquée, et d'autres radinent du poste de garde avec des intentions tout pareillement belliqueuses.

J'ai une suée.

Le gougnafié-chef[1] intervient. Il désigne la malle et enjoint à mes zèbres de la poser à terre.

1. Dans la garde d'Aigou, grade équivalant à celui de brigadier dans la garde républicaine.

Béru, naturliche, se met à parlementer. Mais les militaires ne comprennent pas le français. C'est Sirk qui prend le relais en s'efforçant d'avoir l'air dégagé.

— Travou davu cavu farcih ! dit-il.

Et il ajoute cette phrase qui m'impressionne passablement :

— Nonobstan béhèncéhi cérapé.

Ça ne lui fait pas plus que si on lui lisait du Claudel, au vaillant gougnafié-chef. Il donne un coup de pied sur la malle et glapit d'une voix d'eunuque enroué :

— Délourdéssa héféfissa !

Autant dire que nous touchons le fond de l'abîme. Ça sent déjà la vase.

Là-bas, Pinaud et Alcide attendent. Je leur fais signe de disparaître. Eux, au moins, ont maintenant une chance de s'en tirer. Pour ma part je pourrais sortir, notez bien, mais le bon San-Antonio a-t-il jamais laissé un de ses hommes dans la barbouille ?

— Ça se corse ? je demande à Sirk.

— Ils veulent absolument qu'on ouvre.

— Si on piquait un démarrage style Jazy ? propose le Gravos.

— Les balles courent plus vite que toi !

J'ai sur moi un pistolet mitrailleur piqué aux Russes, et effectivement, je pourrais l'utiliser, mais la partie serait perdue d'avance. Ils sont au moins vingt gardes en armes, maintenant. A quoi bon en scrafer quelques-uns puisque les autres nous allongeraient tout de même ?

— Essayez de faire demi-tour avec la malle, nous verrons bien.

Mes deux lascars chopent les manettes du coffre, mais le gougnafié-chef pose le pied dessus. Il fait signe à ses sbires. En dix secondes, Lola est découverte. En apercevant cette beauté dans son écrin, les guerriers ont un mouvement de recul. Ils viennent de reconnaître la favorite de leur émir et ça leur colle les jetons. Ils s'attendaient à découvrir un vol, non un rapt.

En moins de temps qu'il n'en faut à un contractuel pour avoir l'air d'un contractuel, nous nous retrouvons face au mur, les bras levés, avec chacun le canon d'une mitraillette entre les épaules.

C'est l'affairement. Ça crie dans le landerneau. Ça cavale. On se bouscule...

Lola me lance :

— Laisse-moi parler, et dis comme moi sinon vous êtes perdus tous les trois !

La garde a prévenu l'émir et Sa Majesté Obolan s'amène, toute réception cessante.

Il est dans une fureur noire. Tellement noire qu'il en est tout blanc, le pauvre lapin. Lola se met à parlementer avec une véhémence toute féminine. Elle s'exprime en kelsaltipe, et pourtant je pige très bien ce qu'elle bonnit à son seigneur.

Il n'est que de voir l'index accusateur qu'elle brandit sur Sirk Hamar et que d'entendre les protestations forcenées de monsieur le truand pour réaliser qu'elle lui fait porter le bitos. Elle lui file tout sur le râble. Et lui se défend comme un perdu.

Que dit-il ? That is the point of interrogation. Son système de défense m'échappe. J'ignore s'il a la magnanimité de se sacrifier ou bien au contraire s'il se met à table.

Lorsque la môme Lola et Sirk ont bien vitupéré, l'émir dit quelque chose et on nous entraîne tous dans la salle du petit conseil.

Mon regard croise celui de Lola. Je l'interroge muettement. Elle me fait comprendre qu'Hamar n'a pas parlé de notre mission.

Ça me réconforte quelque peu.

Béru, désenchanté, regarde tomber le crépuscule.

— Je commence à en avoir classe, soupire-t-il, et j'aimerais bien rentrer chez moi !

— Prends un taxi, ricané-je, tu le porteras sur ta note de frais.

— J'ai une idée que c'est mon corbillard que je porterai sur ma note de frais.

L'émir se tourne vers moi.

— Etranger, m'attaque-t-il, ma favorite prétend que l'homme qui t'accompagne est un ancien nervi[1].

— Je l'ignore, Votre Majesté.

Béru, qui reprend espoir, se hâte de débloquer :

— Vous savez, mon émir, les prestidigitateurs, c'est comme

1. Au Kelsaltan, le nervi est un poisson qui offre de grandes similitudes avec le maquereau de nos côtes.

les bonniches, faut pas chicaner sur leurs certificats, on prend ce qu'on trouve !

Obolan frappe l'acajou incrusté d'or et de nacre de son burlingue[1].

— Silence ! Ma favorite prétend que c'est cet homme qui l'a expédiée dans mon pays. Il paraîtrait qu'on ne la lui aurait pas payée et que c'est pour cela qu'il voulait la remporter.

Je hausse les épaules.

— J'ignore tout de cette affaire, Votre Seigneurie.

Re-Béru :

— Sa Grandeur Seigneuriale et Majestueuse doit bien se penser que si j'aurais su quoi t'est-ce qu'il y avait dans la malle, je ne l'eusse point portée... Je me disais z'aussi qu'elle était bougrement lourde.

Obolan se recueille.

— Etrangers, fait-il, je ne veux pas ternir l'éclat de ces festivités par une sentence sévère. Obolan le Juste, tel est le surnom qu'on a forcé mes sujets à me donner. Voilà ce que je décide : attendu que ma bien-aimée favorite prétend que ton ami le lutteur et toi ignoriez le contenu du coffre, vous ne serez condamnés qu'à cinquante coups de fouet...

— Chacun ou si on se les partage ? questionne le Gravos.

— Chacun ! précise Obolan.

Il poursuit :

— Attendu que Sirk Isker ne peut fournir la preuve qu'il n'a pas été payé lors de la vente de ma bien-aimée Lola ; attendu qu'il a voulu se faire justice en l'emmenant de mon palais clandestinement ; attendu qu'il a osé porter la main sur elle, nous le condamnons à être castré, puis empalé, ainsi que l'exige notre loi émirale.

Sirk pousse un hurlement avant-coureur. Cette fois, y a pas d'erreur, il va s'affaler... Obolan ne lui laisse pas le temps de parler.

— Toutefois, enchaîne-t-il, attendu que c'est grâce à Sirk somme toute que j'ai eu le rare bonheur de connaître ma bien-aimée favorite, je fais grâce en ce qui concerne le supplice du pal.

1. Le burlingue est un meuble kelsaltipe très pratique, qui a sensiblement la forme d'une table et qui sert de bureau.

Ça ne calme pas tellement Sirk qui n'apprécie guère la première partie de la condamnation
Vivement, je lui lance :
— Ne moufte pas, mec, sinon ça serait le suppositoire de châtaignier pour tous.
Il pige et, par un prodigieux effort de volonté, se contient.
— Que l'ablation soit effectuée sur-le-champ ! décide l'émir.
Bérurier lève la main pour demander la parole.
— Dites voir, Majesté, puisque votre Sire est si bon, et puisque c'est la java monstre aujourd'hui, Votre Aimable Honneur pourrait pas nous accorder les cinquante coups de martinet avec sursis ? On lui a fait du bon travail à sa séance, non ? Vos invités, si c'étaient pas des pommes, ont dû être joyces.
Obolan est dans ses bons days. Il palpe doucement les cuisses de sa Lola retrouvée. C'est curieux comme les tyrans sont faibles en amour. Ce zig qui fait tomber les têtes et les noix comme vous laissez tomber deux sucres dans votre café du matin, est tout bêlant avec sa gosse d'amour.
— Doux Seigneur, gazouille cette friponne, étant donné que ces deux hommes n'ont absolument pas voulu nuire à Votre Majesté, ne pourriez-vous point les gracier pour l'amour de moi ?
Il lui met une caresse masseuse sur la malle arrière.
— Que me feras-tu si je leur accorde le sursis ?
Elle se penche à l'oreille d'Obolan et lui chuchote des trucs qui font rigoler l'émir.
— Qu'il en soit fait selon ton désir, déclare ce dernier, soucieux de s'assurer une nuit de qualité.
Du coup, je tire Béru par ses basques pour l'inviter à se prosterner comme moi aux pieds du magnanime.
— Grand des grands, psalmodié-je, Gardien des vertus, Rayonnement du pouvoir souverain, Splendeur glorieuse des sables, Maître incontesté de tous les chahs et de tous les ras d'Aigou et de la périphérie, Commandant suprême de l'armée et également de la marine et de l'aviation si vous possédez un bateau et un avion, Commandeur de la foi, Grand Cordon Ombilical de l'ordre des Epatiques ; Lumière des nuits, Chaleur des jours, Abonné à Rustica, Aboutissement du genre humain, Protégé de Mahomet, Destin des hommes, Vous qui êtes resplendissant comme le soleil et abscons comme la lune,

O Mystère vivant, Prodige de force et de grâce, Miroir des âmes, International de Rubis...

— Ecrase un peu, me souffle le Gros, il va se prendre pour un saint avec un 33 tours lumineux au-dessus de la coiffe !

Mais je poursuis, car les émirs sont élevés au petit lait de louanges et il ne faut jamais hésiter à se munir d'une boîte de superlatifs quand on va chez eux :

— ... Trésor des sables, Grondement du tonnerre...

Je suis dans l'obligation de m'arrêter car des larbins viennent d'entrer précipitamment dans la salle en baragouinant des choses qui me font froid dans le dos.

A l'œil carménien que me jette Obolan, je pige aisément qu'on a découvert le pot aux roses. Fallait s'y attendre, à force de glander sur les lieux du carnage !

Je parie que vous vous y attendiez un peu, les gars, avouez ? Je vous blague souvent, rapport à votre matière grise qui fait la colle, mais je sais bien que vous n'êtes pas aussi truffes que vous en avez l'air.

Il vous arrive de flairer ce qui va se passer un paragraphe à l'avance. Pas toujours, mettons une fois sur cent mille, mais ça réconforte un auteur. Il a du coup l'impression de s'adresser à des gens normaux, comprenez-vous ?

Bon, si vous voulez bien changer le chapitre, je vais vous bonnir la suite. Parce que, la suite, vous ne pouvez pas la deviner.

CHAPITRE XV

Vous avez déjà maté des gravures représentant les Bourgeois de Calais, malgré votre inculture ? On les voit, les pauvres biquets, en limace, les nougats à l'air, les mains au dos.

C'est un peu dans cet appareil que le Gros et moi faisons un voyage à rebours dans le palais. On nous a enchaînés l'un à l'autre, pas pour le meilleur, mais pour le pire. L'émir marche devant avec ses gens. Nous nous rendons pour commencer dans nos appartements. Les cadavres des deux Russes blonds sont allongés sur un tapis percé (par les balles) et persan (de fabrication).

Obolan jette des imprécations, des blasphèmes, l'anathème et des chrysanthèmes en les apercevant. Voilà qui ne va pas arranger ses relations diplomatiques avec la Russie. S'il mijotait un coup fumant, il tombe dans la résine, l'émir. Comment expliquer en haut lieu que les agents soviétiques aient été effacés dans son propre palais ?

Il vient se placer devant moi et sa figure ressemble à un masque chinois.

— Je vous ferai payer cela ! fait-il. Vous mourrez dans des souffrances qu'aucun homme avant vous n'aura connues. Il vous faudra des jours et des jours de tortures pour expier ces meurtres. Ainsi, vous étiez des agents français et vous m'avez berné !

Il lui faudrait douze quintaux de bicarbonate de soude pour digérer cette humiliation.

Je me sens étrangement calme. Lorsque tout est foutu pour lui, l'homme retrouve sa sérénité. C'est l'espoir qui rend les individus fébriles. C'est l'espoir qui leur monte à la tête et qui, en fait, les rend vulnérables. Mais lorsque cette vilaine drogue leur est enlevée, ils se résignent et acceptent leur sort sans broncher.

Nous descendons dans la prison secrète où les cadavres des gardes provoquent un nouvel accès de fureur chez Obolan. Le rescapé bredouille des accusations contre nous et contre Lola.

Ce nouveau coup finit l'émir. Le ciel lui choit sur la théière. Ainsi sa favorite le doublait. Elle s'était faite notre complice ! Il est cornard de bas en haut, Obolan. Mystifié, berné, battu. Mais pas content. Oh ! ça non ! pas content du tout !

— Faites-moi empaler tout de suite cet abruti, dit-il en montrant le malheureux garde, ça lui apprendra.

Il a jeté cet ordre en français pour vous permettre de le comprendre[1]. L'un de ses sbires le traduit en kelsaltipe.

— Attachez-les sur les chevalets, maintenant ! commande Obolan. Tous les trois ! fait-il en désignant également Lola.

Il vient à elle et lui crache au visage.

— Chienne ! l'invective-t-il. A toi aussi, je réserve une mort exceptionnelle. Je te ferai manger par un chacal. Chaque jour on lui laissera dévorer un morceau de ton corps immonde ! Et chaque fois on versera de l'huile bouillante sur ta plaie !

1. C'est gentil, non ?

— Monsieur est abonné à *Guérir*, d'après ce que je crois comprendre, gouaille le Gros, qui réagit toujours bien dans ce genre de circonstances.

Obolan a également des délices en réserve pour la Grosse Gonfle.

— Quant à lui, fait-il, vous allez le mettre tout de suite sur une croix et l'y fixer AVEC DES CLOUS ! Son supplice sera de ne jamais plus boire ni manger. Il est gras et goulu, je veux qu'il ne lui reste plus que la peau sur les os.

Les sbires se jettent sur mon pauvre cher Bérurier. Ils l'écartèlent sur un « X » de bois. L'un des hommes lui tient la main appuyée contre le chevron tandis qu'un autre, armé d'un clou et d'un fort marteau, s'agenouille près de Sa Rondeur.

Mon sang ne fait qu'un tour. Il est impossible à un garçon de ma trempe et de ma valeur de contempler les tourments d'un être cher. Non, je ne peux pas supporter. J'essaie de faire sauter mes liens en bandant mes muscles, mais bien que je sois un fameux bandeur de muscles (l'essayer c'est s'en convaincre, mesdames) je n'y parviens pas. Faudrait, pourtant ! Car je vais vous dire une chose marrante, mes tout petits chérubins, mais si incroyable que cela puisse sembler, ces tordus ne m'ont pas encore fouillé et je sens toujours dans la poche pistolet de ma gandoura le pistolet mitrailleur.

Un premier coup de marteau. Le sang gicle de la main trouée du Gros.

— Ah ! les carnes !

Il est très bien, le camarade Béru. Stoïque. Un peu pâlichon sous sa couche de bronzine, peut-être, mais d'une fermeté édifiante.

Un second coup ! Le clou s'est enfoncé de deux centimètres. Le raisin pisse comme l'eau d'une tuyauterie crevée. Penché sur le Mastar, Obolan se repaît. Il arrose sa colère avec le jus de veines des victimes. Tous les tyrans font commak. Ils pensent pouvoir étancher leur soif, mais ils n'y parviennent jamais car le sang désaltère moins que le Cinzano[1].

Mon petit lutin rapporteur m'envoie un télégramme en urgent. Il me dit : « Vise donc un peu la môme Lola qui, elle, a les mains libres et qui profite de ce que l'attention de

1. Si j'en reçois pas une caisse après cette phrase shakespearienne c'est que C.D.C. est D.C.D.

l'horrible Obolan est accaparée pour exécuter dans ta direction un mouvement tournant. Si tu n'es pas la dernière des crêpes, mon pote San-A., complète le mouvement et présente-toi à elle de dos pour lui permettre de te délier.

Un drôle de futé, mon petit lutin, hein ?

Je suis ses instructions à la lettre. D'un regard, j'invite ma Lola à délacer mes liens. Ça se passe aux frais du Gravos. Big Pomme subit un martyre qui n'a d'équivalent que celui de saint Sébastien. Il serre le dentier, Bibendum. Il veut pas gémir. Il se laissera découper en rondelles s'il le faut, sans donner à ses tortionnaires la satisfaction de l'entendre crier.

Je suis maintenant dans le dos de l'émir. La main tâtonnante de Lola, si experte pour dévaliser les poches de kangourou, arrive sur mes poignets ligotés. Elle a un doigté pharamineux, cette beauté.

Soudain, je sens que j'ai recouvré ma liberté de mouvements. Un léger glissement. Ce sont mes liens qui viennent de choir. Je faufile ma main droite dans les plis de ma gandoura. Ah ! la bonne crosse gaufrée du pétard à répétition. Je dégaine, sans que personne se soit aperçu de rien. Je vise les deux crucifixeurs et je crache une demi-douzaine de pépins. Ils s'abattent sur le Gros. Lors, j'appuie le canon brûlant sur la nuque d'Obolan.

— A nous deux, pauvre crêpe, grincé-je. Si tu ne fais pas exactement tout ce que je vais te dire, je te farcis tellement la cervelle que ta tête sera plus lourde que ta saloperie de conscience.

En voyant que je me sers de leur monarque comme bouclier, les gardes n'osent broncher.

— Tu vas leur dire d'arracher ce clou de la main de mon ami sans lui faire mal.

Obolan, dont je vois les membres faire « à gla-gla », transmet mon ordre. Un garde nanti de tenailles arrache délicatement le clou. Béru se redresse.

— Dites, miss Lola, fait-il à la charmante, vous auriez-t-y pas un petit bout de quéque chose pour que je me fasse un pansement ?

Elle déchire un pan de son voile.

— Merci, dit le Gros.

Il se fait un bandage express et rafle deux mitraillettes aux gardes terrorisés.

— Maintenant, me dit-il, on va pouvoir s'expliquer avec ces fripouilles.

Il saisit un coutelas très effilé, tellement effilé que, de profil, la lame est invisible à l'œil nu. Puis il s'approche de l'émir, cueille entre le pouce et l'index une pointe de sa belle moustache calamistrée et tranche un côté de cet ornement pileux.

Un seul.

— Maintenant, regardez, bandes d'esclaves ! lance-t-il aux soldats pétrifiés, votre émir de mes choses, quand il lui reste rien qu'une baffie, il a l'air aussi crêpe que le dernier clodo du patelin.

— Ne fais pas de démagogie, Gros, le calmé-je. On va se tirer d'ici avec Sa Majesté et Lola.

— Bon Dieu ! Et Sirk ? s'exclame le Gros, tu crois qu'ils l'ont déjà dévalsé ?

— Cher émir, dis-je. Donnez l'ordre à vos comiques troupiers d'aller chercher notre compagnon et dites que si l'opération est en cours elle soit suspendue.

Un vrai mouton, Obolan, quand il a le canon d'un casse-tête dans le cou. Il ordonne tout ce qu'on veut. Il verrait un enfant de chœur qu'il l'ordonnerait prêtre dans la foulée.

— Pourvu qu'on arrive à temps, fait Béru. Ou du moins qu'on ne lui ait ôté que la moitié de ses philippines. Une, c'est mieux que rien. Ça personnalise un type.

Pendant que le messager va récupérer notre pote, nous remontons l'escadrin.

Quant à l'émir, il s'efforce de se composer un maintien digne pour affronter ses gens. Mais c'est une vraie gageure. Quand on marche au bout d'un pistolet avec seulement une moitié de moustache, il est dur d'imposer le respect.

— Dis donc, l'émir, je gouaille, j'ai idée que ton standing, si on le cotait en Bourse, il foutrait pas les Royal Dutch par terre, hein ?

Une fois que nous avons refait surface, on nous amène Sirk Hamar. Il est soutenu par deux gardes, il se traîne. Il est vert, avec des yeux plus cernés que ceux d'une collégienne.

— Oh ! m... arabe ! soupire le Gros, tu veux parier qu'ils sont arrivés trop tard ?

Nous interpellons ce pauvre truand.

— Alors, Sirk ?

Il balbutie :

— C'est fait. Ah ! les tantes !

— Complètement ? insiste Béru d'un ton qui s'enroue.

Sirk opine (c'est tout ce qu'il peut faire désormais).

— Pour un barbeau, tu parles d'une punition ! s'émeut le Gros.

La larme perlant à la paupière, il s'approche d'Hamar et lui passe un bras affectueux autour du cou.

— Pauvre bonhomme ! soupire-t-il. Faut pas te laisser abattre. Y a tout de même pas que l'amour, dans la vie. Tiens, t'apprendras à jouer aux échecs, paraît que c'est un bon passe-temps.

CHAPITRE XVI

— Où m'emmenez-vous ? demande Obolan, comme nous l'entraînons dans la cour de son palais.

— Prendre l'air, mon pote, lui rétorque amèrement Béru.

— Je ne sais pas si vous vous rendez compte de la gravité de votre acte, me dit l'émir. C'est la rupture des relations diplomatiques entre nos deux pays ! Peut-être même la guerre !

— Écoute, l'émir, gronde Béru qui ne lui a pas pardonné son début de crucifixion ni l'ablation pratiquée sur Sirk, non seulement tu nous coupes les choses, mais en plus tu nous les brises. Alors ferme-la.

Il fait quelques pas et réalise qu'on va au poste de garde. Après, ce sera la ville, la nuit, la fin peut-être de son règne.

— Lâchez-moi et je vous donnerai une fortune, promet-il. Vous aurez chacun dix sacs d'or ; je vous garantis la liberté. Vous pourrez repartir sans crainte...

Je le considère avec ironie.

— Dites donc, monsieur Obolan, c'est pas un langage de chef que vous tenez là. Auriez-vous peur ?

Il a peur.

— Qu'allez-vous me faire ?

— Vous le verrez. Je ne suis pas comme vous : je ne divulgue pas à l'avance le programme des réjouissances, je préfère en réserver la surprise.

Une drôle d'atmosphère plane sur le palais.

Les domestiques, les soldats, ces dames du sérail, les ministres, le reste des invités regardent, paralysés par la stupeur.

Personne ne tente rien. Ils croient à une révolution. Et les révolutions impressionnent toujours.

— Sirk, dis-je à notre infortuné compagnon qui se traîne au bras du Gros, peux-tu parler ?

— S'il le faut, soupire-t-il.

— Pourquoi qu'il causerait pas ? s'étonne le Gros. C'est pas les amygdales qu'on lui a enlevées, tout de même !

Je le fais taire du geste.

— Sirk, reprends-je, dis-leur à tous que ce salopard est destitué et qu'ils s'arrangent pour lui trouver un successeur. Si ça ne carbure pas, on leur enverra les casques bleus ; ces braves gens ne demandent qu'à aller faire des galas !

Sirk réunit ce qui lui reste de forces.

D'une voix de centaure (prétend Béru qui n'a pas le vocabulaire d'à-propos) Hamar traduit mon avertissement.

Une rumeur court dans la cour où la cour accourt[1]. Les carottes émirales d'Obolan seraient râpées que je n'en serais pas autrement surpris.

— Si je criais un ordre, un seul, vous seriez immédiatement abattus, grince-t-il.

— Et toi avec, bouffi ! rigole Béru. Laisse quimper, va. Vaut mieux être un clochard vivant qu'un émir mort.

Je mate l'heure. Dans deux plombes, l'avion va — je l'espère — s'annoncer !

Avisant une jeep stationnée devant le poste de garde, j'y prends place avec mes compagnons et Obolan. C'est le Gravos qui se met au volant. Il commence par une fausse manœuvre et enclenche la marche arrière, mais vite il rectifie le tir et nous déhotons sans que quiconque ait levé le petit doigt pour nous en empêcher.

— Ils n'ont pas l'air tellement peinés de vous voir partir, fais-je observer à l'émir. Vous avez des enfants ?

Il secoue négativement la tête.

— Cinquante bonnes femmes et pas un lardon ! pouffe notre émérite conducteur, c'est pas pour dire mais ça n'arrange pas ton standinge.

1. J'en ai réussi des plus compliqués que ça.

Tandis que la jeep cahote dans les ornières des ruelles, je mate alentour dans l'espoir de découvrir Pinaud et Alcide Sulfuric (plus connu sous le matricule de S O4 H2). Je ne les vois pas.

— Où qu'on se dirige ? s'informe Sa Graisseuse Majesté.

— La dune que tu vois à gauche...

Il roule. Parfois, il s'écarte de la mauvaise route. La jeep patine dans le sable, mais elle est conçue pour et, chaque fois, Béru parvient à la remettre sur le bon chemin.

Nous parvenons au sommet de la hauteur. Les ruines du mausolée se découpent, géométriques, dans le clair de lune blafard[1]. Je mate autour de nous et ne vois rien ; probable que Pinuche et l'agent secret se planquent. Ils n'imaginent pas que nous puissions radiner en chignole.

— Arrête, Gros.

Il stoppe et coupe les gaz. Je mets ma dextre en porte-voix :

— Ho ! Ho ! Pinaud ! je mugis.

Mais l'écho du désert me fait un retour d'invendus.

Béru, dont l'organe est d'une plus longue portée, me supplée.

Cet intérim vocal ne donne pas de résultat. Le silence de la nuit est profond comme une pensée de Pascal.

— La Pinuche n'est pas là, fait observer le Gros, lequel a un don d'observation infaillible.

— Descendons la dune. Il va falloir baliser le terrain pour que le coucou puisse se poser. Les phares de la jeep ne suffiront pas.

Une fois au bas du promontoire, j'ordonne à Béru et à la gente Lola de rassembler tout ce qu'ils pourront trouver de bois sec. La végétation est pauvre. Quelques lentisques, des chênes nains, des arbousiers...

— Vous en ferez deux tas à quatre cents mètres d'ici, ordonné-je. Lorsque nous entendrons l'avion, je ferai un appel de phares et il faudra mettre le feu.

Ils disparaissent. Le clair de lune est merveilleux. Il tombe à pic. Ces feux ne serviront qu'à délimiter l'aire d'atterrissage.

Lola et le Gravos partis, je reste donc avec l'émir et Sirk.

— Profitons de ce moment d'accalmie pour bavarder, fais-je à Obolan. J'aimerais que vous me racontiez un peu la genèse de l'affaire.

1. Il n'y en a pas deux comme moi pour créer une atmosphère !

Il tire sur sa moitié de moustache et ne répond pas. Je lui enfonce le canon de l'arme dans les côtelettes.

— Vous m'entendez ?

Alors il parle. Son ambition, c'est de coiffer l'iman. Il veut faire du Kelsaltan un État unique, ainsi que le spécialiste des affaires arabes me l'avait dit chez le Vieux. Cet État, il le dirigerait. Seulement l'iman est fort à cause du pétrole qui lui assure le soutien sans condition des Ricains. Obolan a compris que seul il n'arriverait à rien et il s'est mis en cheville avec les Russes. Du coup, il est devenu leur homme de paille.

Ce sont eux qui ont organisé l'atterrissage forcé de l'avion. Aidés par les gens de l'émir, ils ont kidnappé nos deux agents. Obolan, selon lui, n'a fait qu'héberger les prisonniers dans ses geôles. Il a joué dans tout cela un simple rôle d'aubergiste, quoi !

— Les fouilles dans le sable, qu'ont-elles donné ?

— Rien, dit-il.

— Vous êtes sûr ?

— Les Russes me l'auraient dit.

— Parle-moi de nos agents qui furent assassinés.

— Les Russes, murmure l'émir. Ce sont eux qui ont tout fait.

Il ajoute :

— Qu'allez-vous faire de moi ?

— Vous le verrez !

Je serais bien incapable de le lui dire. Pour ne rien vous cacher, il m'encombre déjà, Obolan. Jusqu'ici, il nous a servi de bouclier, mais maintenant il devient un sérieux poids mort.

Il est certain que ce genre de rapt peut créer de sérieuses difficultés diplomatiques. D'accord, il a participé à l'enlèvement de deux agents secrets français, mais lui, il est émir. Qu'on le veuille ou non, les torchons et les serviettes continuent de ne pas être rangés dans le même tiroir de la commode. Je pense que lorsque l'avion sera là, le plus simple sera d'abandonner le monarque. Il racontera ce qu'il voudra...

Ce qui m'inquiète surtout, c'est l'absence de Pinuche et d'Alcide, dit Gérard, dit S O4 H2. Maintenant, on peut espérer le zinc dans moins d'une plombe et si mes deux copains ne sont pas là en temps voulu, je ne pourrai pas faire poireauter le coucou.

— Descendez, l'émir et toi, fais-je à Sirk.

Je lui refile une mitraillette.

— Tu vas garder Obolan, Hamar. Pas de violences, mais de la vigilance, vu ?

Il acquiesce. Tous deux s'asseyent dans le sable face à face. Je décarre et roule jusqu'au Gros qui joue au petit bûcheron.

— Pinaud n'est pas là, je retourne en ville.

— T'es louf ! s'exclame le Gros.

— On ne peut pas décoller sans eux. Je te parie que la Vieillasse fait la retape autour du palais en cherchant un moyen de nous délivrer. Il ne nous a pas vus partir, tu comprends ?

— Fais gaffe, balbutie le Mastar. La ville doit être sur le pied de guerre, après ce qu'on vient de faire à l'émir. Si on te pique tout seul, tu risques d'être léché par la foule.

— Tout le plaisir serait pour moi, assuré-je, mais je suppose que tu as voulu dire lynché.

— Je vais avec toi, décide Béru.

Je lui prends sa main valide.

— Non. En mon absence, c'est toi le boss de l'expédition. Si je ne suis pas revenu lorsque le coucou radinera, allume les feux et fais grimper tout le monde à bord, y compris Obolan. Vous attendrez un quart d'heure, pas une broquille de plus, vu ? Passé ce délai, vous décollerez.

Je le lâche et je ressaute dans la jeep.

Ce qu'il y a de glandouillard, dans la vie, c'est que rien n'est parfaitement en harmonie. Y a toujours des fausses notes dans le concert. Lorsque les cordes sont rodées, c'est les cuivres qui déconnent, évite Versailles (toujours Béru dixit).

Je regrimpe la dune. Je bombe vers la ville.

***

Il a vu juste, le Monstrueux, quand il m'a prédit que la bonne ville d'Aigou était sur le pied de guerre.

Il y a de la troupe dans tous les coins. Si je continue à vadrouiller avec la charrette, les militaires vont me harponner aussi sec.

Je planque donc le zinzin plein de roues dans une venelle sombre. Je dissimule la mitraillette sous mon burnous et je rabats mon capuchon bas sur mes traits harmonieux, altiers, énergiques et séduisants[1].

M'est avis, les gars, que la partie qui se joue maintenant est duraille. J'appréhende pour ces deux pommes.

Avec ce déploiement de force, on les a déjà arquepincés, c'est sûr ! Ah ! misère, moi qui me réjouissais naguère à l'idée qu'ils avaient pu se tirer du palais !

Je fais dans ma jolie tête bourrée d'idées originales le calcul suivant : Pinaud sait qu'on a rancart à l'est de la ville avec l'avion de notre correspondant d'Aden... S'il n'est pas là, c'est parce qu'il cherche le moyen de nous venir en aide. Mais que peut-il espérer, le pauvre cher débris ? Donner l'assaut au palais ? Allons donc ! Une première fois il nous a sortis de taule en allant raconter des calembredaines à l'émir. Mais cette fois, il ne peut plus...

Alors ?

Je marche, le dos rond, en affectant une claudication de miséreux. Des soldats investissent des maisons en gueulant comme des putois. Parfois, ils braquent des lampes électriques dans la poire de certains passants. Franchement, ça renifle le brûlé.

D'une seconde à l'autre, on va m'arraisonner.

Je file en direction du palais. Une foule considérable y grouille, que la police d'Aigou s'efforce de canaliser.

La révolte est en train, mes enfants. C'est du peu au jus. Surexcitées par la fiesta du jour, les foules kelsaltipes, en apprenant le coup de main qui a permis l'enlèvement de leur émir, ont pigé qu'on pouvait très bien se débarrasser d'un tyran et les Aigoutiers veulent exploiter la situation. Ce sont les jeunes, comme toujours qui déclenchent la castagne. Toujours et partout, c'est la jeunesse qui commande. Lorsqu'elle en a assez de la routine à papa, elle se met à casser la cabane pour faire piger au pays qu'il vit toujours.

Le cerveau d'un pays peut être âgé, son cœur a toujours vingt ans.

Blotti contre un mur, je regarde se démener la populace. Ils ont fermé les grilles du palais.

Non, inutile d'insister, c'est terminé pour Alcide et pour Pinuchet. Je ne les récupérerai pas.

1. J'aime les mises au point.

Une dernière fois, je jette un regard à cet édifice où nous avons vécu de si surprenantes aventures. Et que vois-je ? Par-delà les grilles, dans la lumière des projecteurs, Pinaud soi-même ! Il est retourné dans la gueule du loup. Il marche dans le vaste jardin d'un pas rapide et va droit à un angle de la grille.

Je m'y précipite. Un soldat se dresse devant moi :

— Ouïaïa kelbodar ! me fait-il à brûle-pourpoint.

Je lui réponds d'un coup de genou dans les valseuses. Puis par un coup de boule dans le clapoir. Il se liquéfie sans insister. J'arrive à la grille. Et que vois-je ? Alcide Sulfuric, dit Gérard, dit S O4 H2 qui attend Pinuchet à l'extérieur. J'opère ma jonction avec ces messieurs.

— Dieu soit loué ! s'exclame Pinaud. Vous êtes libres !

Brave homme ! Ce cri, c'est tout le Détritus. C'est sa bonté, son abnégation, sa gentillesse.

— Qu'est-ce que tu fiches ? dis-je.

— Y a plus moyen de sortir, ils ont barricadé les portes.

Je regarde la grille. Elle mesure deux mètres cinquante de haut. Un fil électrifié court au sommet des grilles acérées.

La Vieillasse est coincée, comme un vieux rat dans une nasse !

Il a les mains rouges de sang.

— Tu es blessé ?

— Non, mais je les ai ! me répond-il avec un angélique sourire.

Il ressemble à ces vieilles statues du XIIIe siècle en bois polychrome. Certains visages de saint grossièrement façonnés ont cet air béat, ou plutôt cet air de béatitude (je tiens au distinguo).

— Tu as quoi, Pinaud ?

— Les documents ! Je viens de passer un sale moment. Mais enfin, les voici...

Il me tend une pièce de monnaie. Elle est sanglante et malodorante.

Je la prends à travers les barreaux.

— Je vous expliquerai, me fait Alcide, dit Gérard, dit S O4 H2. Il faut faire sortir Pinaud de ce piège.

Je suis d'accord, mais comment.

— Il s'agit de faire vite, renchéris-je, l'avion se pose dans un quart d'heure...

Je vais couper une palme à un négrier nain et je la lance contre le câble sommant la grille. Une gerbe d'étincelles en jaillit.

Pas la peine d'insister. Vouloir franchir la grille causerait une électrocution brutale et définitive du sujet.

— Écoute, Pinuche, dis-je. T'as plus qu'un moyen de t'en tirer : je vais te refiler ma mitraillette. Fais le coup de force à la lourde pour te la faire ouvrir.

— Ça ne marchera pas. Y a émeute. S'ils ouvraient la grille, les gars envahiraient le palais. Et puis cette mitraillette, tu peux en avoir besoin.

Il a un geste très à lui. Il regarde sa montre et murmure en branlant le chef :

— Vous avez juste le temps pour l'avion, San-A. La mission ne sera réussie que si vous le prenez. Il faut que les plans rentrent à la maison. Laissez-moi.

— Tu es fou ! hurlé-je.

Mais il me sourit.

— Un patron, commissaire, ça doit donner l'exemple. Pense au Vieux.

— Il faut faire quelque chose...

— Ne t'inquiète pas pour moi... Peut-être que j'arriverai à m'en tirer. Allez, partez !

Comme je ne bronche pas, il murmure :

— Antoine, si tu ne pars pas je vais me fâcher. Tu sais que ça m'arrive une fois tous les dix ans, mais ça m'arrive. Si à trois vous n'avez pas disparu, je vais botter le derrière au premier garde que je rencontrerai.

— Il a raison, partons, fait Gérard.

Il brandit ses mains mutilées, toujours empaquetées dans des chiffons.

— Je ne vous serre pas la main, Pinaud, mais le cœur y est.

Moi, je la serre, la louche, à Pinuche. Je la lui serre comme je n'avais encore jamais serré la main à personne.

Dites, est-ce que ça ne serait pas des larmes, ce brouillard devant mes yeux ?

— Salut, Vieille Guenille, balbutié-je. Je t'aime bien.

Il hoche la tête, sourit, puis écrase son pleur à lui à l'angle de son long nez triste.

— Tu feras mes amitiés au Gros, fait-il. Et tu feras part de ma tendresse à Mme Pinaud.

CHAPITRE XVII

Nous nous hâtons, l'un guidant l'autre, vers l'endroit où j'ai planqué la jeep. Tout en marchant, je serre, d'une main la pièce de monnaie que m'a remise Pinaud, de l'autre je tiens la crosse de la mitraillette, prêt à bousiller tout obstacle. J'en ai sec, mes gars, de mouler mon Pinaud dans ce bled pourri. Partir en le laissant ainsi, derrière moi, c'est vachard.

Nous retrouvons la bagnole. Alcide Sulfuric prend place à mes côtés.

Je démarre lentement, tous phares éteints. Au début, ça ne se passe pas mal, mais comme nous sortons de la ville, une patrouille nous barre le chemin.

— Vous pouvez tenir le volant pendant que j'arroserai ? je demande à Gérard.

— Je vais essayer.

— Bon ! Je fonce.

Je joue les hommes-orchestre. Mon pied droit enfonce la pédale d'accélération, tandis que mes mains libérées par l'assistance de Gérard se servent de la mitraillette comme Paganini se servait de son violon.

Ça crachouille épais. Heureusement que les militaires kelsaltipes ne sont pas de farouches guerriers, car ça risquerait de mal se passer. Mais leur souci dominant est de se jeter à plat ventre, ce qui facilite grandement les relations.

Nous passons.

Le barrage franchi, je reprends le volant et je vous prie de croire que le mur du son en bagnole, c'est du peu au jus.

Comment que je te la fais fumer, cette vieille jeep !

Derrière nous, c'est le silence. Messieurs les archers vont tenir un conseil de famille pour savoir s'ils nous coursent ou bien s'ils rentrent chez eux pour régaler bobonne.

Quelle aventure ! Si je m'en tire, ça va me faire une fameuse matière première. On va dire que je donne dans le conte oriental, non ? D'ici qu'on me surnomme le Conteur Bleu, y a pas loin.

— Dites-moi, Gérard, qu'est-ce que c'est que cette histoire de documents ?

Il met un temps à répondre. Je le sens gêné.

— Quand on nous a kidnappés, lors de l'atterrissage forcé,

mon pauvre collègue a avalé la pièce contenant les microfilms...

— Et alors ?

— On nous a emprisonnés et torturés. Il se trouve que cette pièce n'a pas été restituée par mon compagnon. Elle est restée dans ses entrailles, comprenez-vous ?

J'en suis étourdi.

— Sacré bon Dieu ! pourquoi ne me l'avez-vous pas dit au moment où je vous ai délivré ?

— Je vais vous parler net, commissaire. J'ai eu peur qu'il ne s'agisse d'une ruse de nos ennemis destinée à me mettre en confiance... J'ai attendu.

Je lui boufferais la rate, à cet abruti !

— Quand j'ai liquidé les deux Ruskoffs vous n'avez toujours pas repris confiance ? Vous êtes dur à la sympathie, mon vieux.

— On m'a enseigné la prudence, plaide-t-il.

— Tout de même !

— Je me suis dit que vous apparteniez peut-être à un autre réseau étranger en cheville avec l'émir. Tout ce qui se passait dans son palais était si extravagant... Mais, reprend Alcide, lorsque je me suis retrouvé dehors avec Pinaud et que je vous ai vus arrêtés au poste, j'ai compris quelle avait été mon erreur. Alors j'ai tout révélé à Pinaud...

— Et il est retourné dans la prison ?

— Oui. Je voulais l'accompagner, mais il m'a fait remarquer qu'avec mes blessures, je ne pouvais être d'aucune aide.

Ah ! mon cher vieux Pinaud, doux héros tranquille...

Il est retourné au palais et on ne lui a rien demandé puisqu'il n'avait pas eu maille à partir avec les eunuques du poste.

Il est redescendu dans les geôles. Courageusement, il a fouillé les entrailles de l'agent mort jusqu'à ce qu'il récupère la pièce. La plus sale besogne de sa vie ! La plus hallucinante. J'ai dans l'œil ses pauvres mains rougies qu'il n'a pas pris le temps d'essuyer.

Mon âme adresse une impétueuse prière au grand patron de tous les grands patrons.

— Boss, je soupire, faites que la Vieillasse parvienne à s'en sortir !

⁂

Au sommet de la dune, je me retourne et alors je pousse un juron. La garde fonce sur nous dans des camions. Il y a trois véhicules sous le clair de lune. Ils ont des mitrailleuses ; je reconnais la silhouette de ces funestes engins arrimés sur les capots.

Devant nous, les feux sont allumés et l'avion est là, l'hélice tournant.

— Ma parole, mais c'est qu'il va décoller !

Je fonce, je fais des appels de phares ! Je klaxonne, je hurle ! Rien n'y fait ! L'avion commence à rouler.

Il file dans le sable blanc du désert... C'est pas possible, qu'on nous joue un tour pareil ! Ils ne peuvent pas ne pas voir mes appels de phares puisqu'ils nous guettaient...

Voilà le zinc qui décolle. Il décrit un tour au-dessus de la piste... Un autre... Nous sommes entre les deux brasiers... Les camions bourrés de sauvages arrivent sur la dune et se profilent en ombres orientales (pas encore chinoises, mais ça ne saurait tarder) sur le mamelon (lequel n'est pas un mamelon de Cavaillon).

— Fini pour nous, dit Alcide.

Soudain, je pousse un cri. L'avion décrit une embardée... Puis rétablit son équilibre. Il se met dans l'axe du terrain pour atterrir.

— Ils nous ont vus, cette fois ! trépigné-je. Ils nous ont vus !

En effet, le zinc accomplit un atterrissage impeccable.

Nous courons à lui. La porte s'ouvre, un Béru avec la frime sanguinolente nous tend sa dernière paluche pour nous aider à grimper.

Le tac-tac des mitrailleuses se fait entendre. Les balles crépitent sur la carlingue. Je me dis, le temps d'un éclair, que si l'une d'elles touche l'hélice, on est en rideau définitif... Mais non, l'avion se remet à rouler, avant même que le Gravos ait refermé la porte. Nous décollons.

— Tu voyais donc pas mes signaux ? je halète.

— C'est cet enviandé qui a obligé le pilote à décoller, tonne Béru en nous montrant Sirk, groggy dans l'allée. Toi, comme un c... tu lui remets une mitraillette, tu parles s'il avait le beau rôle. Il a dit que c'était bien fait pour toi qu'on te laisse. Que c'est à cause de tézigue s'il est déguisé en eunuque pour la vie, etc. J'ai fait semblant de me soumettre et, une fois en vol, comme le pilote amorçait un virage, je lui ai sauté dessus.

— O.K., Gros.

Il a une crispation, un spasme à travers la bouillie rouge qui lui dévale la frite.

— Mais... Mais... Et Pinaud ?

Alors je lui raconte tout. Béru ne dit plus un mot mais il se met à chialer.

Un peu avant Aden, Sirk reprend ses esprits. Il se frotte le crâne... Il regarde autour de lui...

Sa stupeur en découvrant mon beau sourire Colgate !

— Tu vois, Sirk, je lui fais. Tenace comme un morpion, ton cher commissaire...

Le coucou vole assez bas. Je vois son ombre se gondoler au gré des dunes. Une pensée me préoccupe : l'émir.

Il est là, le demi-moustachu, sombre comme un mélodrame, l'œil vide.

Béru me le désigne.

— Qu'est-ce qu'on fait de ce gros vilain pas beau ?

Je me penche pour mater par le hublot. Nous survolons la pointe du désert de la Soif. A l'endroit où ce dernier confine au Gnoki-Lustukru.

Je m'approche du pilote.

— Vous pouvez faire escale dans ce patelin ?

— Escale ? demande-t-il.

— Oui : c'est une espèce de station pipi, quoi !

Il hoche la tête.

— Si vous voulez, au point où nous en sommes, une acrobatie de plus ou de moins...

Et l'avion se pose en mollesse.

Je me tourne alors vers Béru.

— Dis donc, Gros, tu veux bien ouvrir la lourde à M. Obolan, c'est là qu'il descend.

Ça crée une surprise à bord. Lola émet un cri de souris violée, Béru lâche un « couac » et l'émir porte une main défensive à sa poitrine.

— Vous n'y pensez pas, fait-il.

— Je ne pense qu'à ça, au contraire. Descendez !

Je le braque...

— Sinon c'est un mort que nous descendrons.

Il est blême, flageolant.

— Vous n'êtes, d'après mon estimation, qu'à une centaine de kilomètres de la mer. Vous n'aurez qu'à suivre plein ouest. En trois jours, vous devez l'atteindre. Évidemment ce seront trois jours sans boire, mais vous avez des réserves. Et puis vous avez besoin de maigrir, allez, oust !

La rage au cœur, il descend. D'ailleurs Béru l'aide d'un démocratique coup de pompe dans les noix.

Un qui a l'air content, c'est Gérard.

Un qui n'a pas l'air content, c'est Sirk.

— Vous n'allez pas le laisser en vie, sacré salaud de flic ! trépigne-t-il.

— Je fais mon devoir, Sirk.

Il se lève, me met la main sur le poignet.

— Dites donc, commissaire, votre fameuse promesse de me larguer dans un bled étranger une fois la mission terminée, elle est toujours valable ?

— Toujours, Sirk. Toujours, je n'ai qu'une parole, malgré ta petite incorrection de tout à l'heure.

— Alors, décide-t-il, débarquez-moi aussi.

Nous nous récrions.

— Mais tu es fou, lui dis-je. Avec ce que tu viens de subir, tu ne ferais pas dix kilomètres.

— Je m'en fous, je veux descendre. Avec ce que j'ai subi, je n'ai plus envie de faire un seul pas vers la civilisation, commissaire. Je vais vous apprendre une chose, le moment est venu. Mon père était un notable d'Aigou. Un jour, le père de l'émir actuel a voulu lui acheter son oliveraie. Mon père a refusé. Alors l'émir l'a fait attacher par les pieds à un dromadaire et on a fouetté la bête jusqu'à ce que mon père ne soit plus qu'un squelette tout blanc ; vous pigez pourquoi je ne tenais pas à revenir ? J'ai dû fuir avec ma mère et mon frère... Voilà maintenant que le fils de ce tyran me fait arracher ma dignité de mec. Non ! Faut que je descende. Y a plus que ça qu'on puisse pour moi. Plus que ça...

J'adresse un signe à Béru.

— Laisse-le descendre, Gros.

Sans un mot, Béru ouvre la porte. Puis il dit, en la refermant :

— Tchao, Mec, et que le meilleur gagne !

ÉPILOGUE

Nous passons huit jours à Aden, dans la douillette demeure de notre correspondant. Il faut colmater les brèches. Béru, qui a un début d'infection à sa main clouée, subit un traitement sévère à l'hôpital Glotemuch, de même que ce pauvre Alcide.

J'ai câblé un rapport circonstancié au Vioque pour lui faire part de cette victoire sensationnelle. Victoire endeuillée, hélas ! par l'absence de Pinaud.

La môme Lola est ravie de revoir Paris.

En attendant elle me prend pour Pâris.

On se paie un croissant de lune de miel, et puis, un matin, on grimpe dans le Boeing qui va nous recracher à Orly.

En fin de journée, un peu éclopés, nous débarquons à la Grande Cabane.

Nous sommes d'une tristesse affreuse, le Gros et moi. Depuis que nous faisons équipe, c'est la première fois que nous rentrons incomplets. En passant le porche austère, des larmes nous viennent aux yeux et nous grimpons directo dans le bureau du Vioque.

Il se précipite sur nous.

— Ah ! mes amis ! Mes amis, fait-il, quel triomphe ! Le ministre veut vous serrer la main. Votre plus belle victoire !

— Patron, je coasse, nous n'avons pas le cœur à ça.

— Pourquoi ? demande une voix.

Je regarde dans un angle de la pièce. Assis dans un fauteuil, un cigare entre les doigts, Pinaud, dit Pinuchet, dit Lapinuche, dit Pinaud-occulte est là, goguenard et souriant, qui nous regarde.

Le Gros se met à baver sur sa cravate et moi à ouvrir des yeux pour lunettes postiches.

— Non ! C'est pas possible, je balbutie. C'est un rêve !

La Vieillasse secoue sa tête chenue pour refouler cette sotte hypothèse.

— C'est tout de même moi qui suis arrivé le premier à Paris, fait-il fièrement. J'ai déjà raconté toutes nos tribulations à M. le directeur ce qui t'évitera d'écrire un rapport.

— Mais comment t'en es-tu sorti ?

Il ouvre grande sa veste.

— Avec les honneurs, fait-il noblement.

En effet, je découvre, barrant sa chemise, un large cordon de soie verte sur lequel sont brodés des palmiers, des dromadaires et des cucurbitacés.

— Quand vous avez eu le dos tourné, dit-il, je me suis mis à haranguer les soldats du palais. L'un d'eux parlait marocain, comme moi. Il traduisait... La troupe s'est mise du côté des révolutionnaires. Le lendemain l'émirat devenait république. Ce qui a facilité les choses, c'est la fuite de l'émir Obolan. Comme j'étais un des artisans de la victoire socialiste, le nouveau gouvernement m'a décoré du grand cordon de la Courgette libérée.

Du coup, Béru, jalmince, grogne avec aigreur :

— Vous avouerez, m'sieur le directeur, que ce Pinaud a le fignedé bordé de nouilles !

M'sieur le directeur, qui n'apprécie pas ce genre de langage, fronce ses sourcils réprobateurs.

— Et c'est pas le tout, poursuit la Vieillasse. Ils vont paraît-il donner mon nom aux ouatères publics que les républicains ont promis de faire construire à la place de la mosquée.

Pris d'une intense émotion, il s'abat brusquement dans mes bras en hoquetant :

— Ah ! San-A., mon petit, on dira ce qu'on voudra, mais c'est tout de même beau, la gloire !

FIN

LAISSEZ TOMBER
LA FILLE

CHAPITRE PREMIER

Un bon début.

S'IL existait un bovidé capable de me dire ce que je suis venu maquiller à Paris cet après-midi, je vous jure que je lui offrirais volontiers le premier étage des Galeries Lafayette.

Parce que rappelez-vous que, pour venir balader son renifleur dans les rues de Pantruche en ce moment, il faut avoir une belle épaisseur d'idiotie sur la tomate. Laissez-moi vous le dire tout de suite, en long, en large et en technicolor : nous sommes en pleine occupation et la capitale est le dernier endroit de cette saloperie de planète où je puisse porter mes grands pieds. Surtout, n'allez pas croire que j'aie une activité quelconque dans un sens ou dans un autre... San-Antonio est un mec réglo. Mon job a toujours été de bosser pour le gouvernement français. Je n'ai jamais travaillé à mon compte, ni pour le compte d'une boîte autre que celle dont la devise est : Liberté, Égalité, Fraternité. Quand je me suis aperçu que la pauvre Marianne l'avait dans le baigneur, j'ai demandé à mes chefs de me mettre en disponibilité et je me suis retiré dans ma crèche de Neuilly. Si bien que je passe mon temps à lire des bouquins policiers et à pêcher le goujon : tandis que ma brave Félicie s'ingénie à faire la bouffe. Seulement, les romans policiers sont tous plus tartouses les uns que les autres et les goujons ont dû avoir la trouille des Chleuhs, car on n'en voit pas la queue d'un depuis quelques mois.

En somme, la vie n'est pas plus marrante pour les rentiers, en ce moment, que pour les rempailleurs de chaises. C'est p't-être à cause de la mélancolie qui m'envahit que je suis venu en ville. Ce matin, en m'apercevant dans la glace de ma salle de bains, j'ai fait un petit salut au type qui me regardait et qui ressemblait au cousin du négus. Il m'a fallu au moins dix minutes pour comprendre que le cousin du négus c'était moi. J'avais une de ces tronches !... D'habitude, je suis assez beau gosse. La preuve c'est que les fillettes préfèrent ma photo à celle d'Eisenhower. Mais ce matin, ma trompette ressemblait à celle d'un fakir auquel un plaisantin aurait remplacé les clous en caoutchouc de sa planche par de vraies pointes provenant de la quincaillerie du coin. J'avais des yeux de lion malade, et ma barbe poussait bleue. Quand ma barbe pousse bleue, c'est que j'ai des ennuis avec mon carburateur ; soit parce que je suis amoureux, soit parce que mon foie revendique son indépendance.

Alors j'ai rasé le cousin du négus et j'ai décidé de l'emmener promener.

Les rues sont tristes comme un roman de Pierre Loti. Tous ces écriteaux rédigés en gothique me flanquent le noir. Paris, en ce mois d'octobre 42, est plus vert qu'un sapin. Mais ici, les sapins portent des bottes qu'ils font sonner sur les pavés... Je rêve d'un bled où les gnaces marchent pieds nus. Ce doit être reposant ! La nostalgie creuse un trou dans mon estomac. Or les trous, excepté ceux du gruyère, sont faits pour être comblés. Je me dis que le mien se cicatriserait très bien avec du cognac. Je connais un coin pépère où l'on vous sert des trucs qui font rêver, dans des grands verres. Seulement, ce coin-là se trouve vers la République. Je vais prendre le métro. A ces heures, il n'y a presque personne dans les couloirs. J'arpente ceux de la station *Arts et Métiers* aux côtés d'un type qui n'a pas l'air plus pressé que moi. Au moment où nous parvenons sur le quai, une rame arrive. Nous grimpons, le type et moi, dans le même wagon. Nous sommes — semble-t-il — les deux uniques usagers du métropolitain aujourd'hui.

La rame s'ébranle. Elle parcourt environ deux cents mètres et s'arrête pile.

— Allons, bon ! ronchonne mon compagnon de route, voilà une alerte.

Je me mets à fulminer. C'est bien ma veine, je prends le métro afin d'aller me jeter un remède dans mon usine à distiller les plats garnis, et en fait de cognac, je vais rester une heure ou deux dans ce terrier, en tête à tête avec un mec que je ne connais pas.

Je regarde le type : c'est un grand fifre habillé de sombre. On dirait un professeur de philosophie. Il a les cheveux en brosse (ce qui le grandit encore), des yeux de canard, en forme de boutons de bottine et des mains allongées. Son visage respire l'intelligence.

— Je ne sais pas si on peut fumer pendant les alertes ? questionne-t-il.

Je lui réponds que je me fous du règlement comme de mon premier bavoir et, pour le lui prouver, je sors une cigarette de ma poche. Il en fait autant. Nous voilà donc l'un et l'autre avec une gauloise dans le bec. Nous fouillons nos profondes pour y chercher du feu. C'est bibi qui trouve le premier son briquet. Je l'allume et tends la flamme à mon voisin. Il avance sa tête et aspire. A ce moment-là, nos regards rapprochés se croisent. J'éprouve une curieuse sensation. Mais je ne puis en analyser la nature. Il me semble... Oui, il me semble que les yeux du grand type annoncent quelque chose. Je connais déjà, non pas ces yeux, mais l'espèce d'avertissement qu'ils contiennent.

La cigarette du type grésille.

— Merci, me dit-il.

Il se redresse. Et soudain, je comprends ce qu'il y avait dans son regard. Seulement c'est trop tard. Ce fumier est en train de me tirer des coups de revolver à travers sa poche. Je prends sa marchandise dans la brioche. J'ai l'impression que le tonnerre du ciel éclate dans mon bide. J'en ai le souffle coupé. Un brouillard rouge se forme devant mon regard. La dernière image que j'ai, c'est celle de la poche du gars, déchiquetée par les balles.

Je soupire :

— Ben, mon salaud, tu vas avoir une drôle de note de stoppage à régler.

Le brouillard s'épaissit. Mes tripes s'enflamment. Je me mets à geindre et cette fois je sens que je m'évacue dans le bled où les gonzes se baguenaudent avec des petites ailes dans le dos.

Un jour, j'ai traversé le Mont-Cenis. Pour un tunnel, c'est un tunnel. Si vous avez une belle pépée à vos côtés pour faire le voyage, vous pouvez en toute tranquillité lui expliquer ce qu'Adam a raconté à Ève le jour où ils ont joué à papa-maman. Mais si vous voyagez seul, pardon : il ne vous reste plus qu'à fermer vos mirettes et à pioncer. Tout le noir qu'il y avait de disponible dans ce coin des Alpes on l'a collé dans ce sacré tunnel. Ça dure. Du noir ! et encore du noir !

Et puis voilà que peu à peu le jour commence à poindre. J'ouvre les yeux :

— On vient de sortir du tunnel, dis-je.

Je bats des paupières. Le soleil me rentre de partout dans le corps. Je sens sur mes joues quelque chose de tiède : c'est doux et caressant. Je mets un sacré bout de temps à comprendre que cet air chaud c'est le souffle de Félicie. Aussitôt, mes pensées se mettent en rang comme des petites filles dociles.

— Alors, je vais m'en tirer ?

— Oui, mon grand, murmure Félicie.

Je peux vous dire que je pousse un soupir tellement copieux qu'il gonflerait un dirigeable. Mais voilà qu'une douleur terrible s'installe dans mes tripes. J'esquisse une grimace. Aussitôt, une môme en blanc, tout ce qu'il y a de gironde, s'avance en tenant une seringue. Elle rejette mes draps et me plante son engin dans le prose. L'effet ne se fait pas attendre : ma douleur disparaît et je me sens tout ce qu'il y a de gaillard.

— Écoute, m'man, dis-je à Félicie. Tu dois croire que je me suis laissé entraîner dans une histoire quelconque de politique... Ma parole, il n'en est rien, et je ne sais pas pourquoi ce bonhomme a craché sa ferraille dans mon garde-manger.

Félicie essuie mon front en sueur.

— Ne t'agite pas, elle fait.

Mais elle comprend vite que son conseil aura autant d'effet sur moi qu'un poème lettriste sur une génisse. Elle me connaît et sait que je ne vais pas me laisser démolir, par le premier venu, sans faire un drôle de chabanais.

— Que voulais-tu dire par : j'ai compris ses yeux ? demande-t-elle. Tu as répété cette phrase pendant plusieurs jours...

Je sursaute :

— Plusieurs jours ! Il y a combien de millénaires que je suis dans ce pading ?

— Trois semaines.

Je n'en crois pas mes oreilles.

— C'est pourtant la vérité, murmure Félicie ; ah ! mon pauvre petit, j'ai eu bien peur...

Je réfléchis à la question qu'elle m'a posée.

— J'ai compris ses yeux, m'man, ça voulait dire qu'avant

que le type me tire dessus, j'ai aperçu dans son regard ce petit quelque chose qui brille dans les yeux de tous ceux qui s'apprêtent à bigorner un copain. C'est indéfinissable, mais ça ne trompe pas, je ne peux pas t'expliquer...

Comme j'achève de parler, j'entends un petit chuchotement au fond de la chambre. Je fais un mouvement et j'aperçois mon collègue Berliet qui discute le bout de gras avec un zig en blouse blanche.

Mon copain s'approche de moi.

— Alors, tu te laisses faire des cartons, maintenant ?

Il a sa tête des grands jours. Son crâne somptueux brille doucement à la lumière. Son grand pif est frémissant et dans ses yeux bleus, calmes et scrutateurs, brille une petite lueur de curiosité. Sans doute ne comprend-il pas comment San-A., l'as des as, s'est laissé posséder.

— Écoute, murmuré-je. Je dois avoir une bath fermeture Éclair sur la brioche, alors, tu m'excuseras, mais ça me fait mal pour rigoler...

Sa tête de châtelain s'anime.

— Enfin, que t'est-il arrivé ? J'avoue que je ne pige plus. On t'a trouvé après une alerte dans un wagon du métro, baignant dans ton sang, suivant la formule des journaux ; pardonne ma curiosité, mais je voudrais bien savoir comment tu t'es laissé avoir.

Rapidement, je débite ma petite histoire.

Berliet détourne les yeux.

— Tu as une idée du pourquoi et du comment des choses ?

Je vois ce qu'il veut dire.

— Aucune idée... Depuis deux ans que je suis peinard. Si tu pouvais me rencarder, tu me ferais plaisir.

Il se penche sur moi.

— Débloque pas, me dit-il. Tu appartiens à un groupe ?

Alors je me fiche en renaud.

— T'es complètement déplafonné ! Je te dis que je suis tranquille comme un nouveau-né. Demande à Félicie... Je ne quitte plus la cabane ; même que j'ai l'impression qu'il me pousse des champignons dans le cervelet. Enfin quoi, tu sais bien que je n'ai rien de caché pour un pote comme toi ! Cette cérémonie de tir dans le métro me laisse baba.

Cette fois, Berliet a l'air convaincu.

— C'est à n'y rien comprendre, fait-il.

A cet instant, je prends une faiblouse. L'infirmière s'approche de moi.

— Il vaudrait mieux le laisser tranquille, dit-elle. C'est assez pour aujourd'hui.

Elle se penche au-dessus de mon page, ce qui me permet de constater qu'elle a une paire de roberts tout ce qu'il y a de meûmeû. Elle me fait respirer un truc infect et je me rebecte aussitôt.

— Écoute, Paul, dis-je à mon collègue, dès que je pourrai me tenir à la verticale, mon premier soin sera de rechercher le mec qui prend mon nombril pour une pipe en terre. Et alors, j'aime autant te dire que, lorsque je l'aurai trouvé, je lui ferai plus de trous dans le portrait qu'un poinçonneur n'en fait avec son casse-noisettes à la station *Opéra*.

Pendant que Berliet se gratte l'occiput, je contemple mon infirmière. Oh, pardon ! Je ne sais pas encore dans quel hosto je me trouve, mais je peux vous affirmer qu'ils font bien les choses dans cette turne. Car cette gamine, si elle n'est pas la sœur jumelle de Miss Europe, elle est modèle chez Jean-Gabriel Domergue. Moi j'aime les blondes platinées quand elles ont des chasses pareils et des chailles aussi blanches. Au décarpillage, ça doit donner un drôle de coup d'œil...

Ce qu'il y a d'agréable, c'est que cette souris n'a pas l'air farouche. Elle me regarde volontiers et me sourit d'une façon qui se passe de commentaire.

— Voyons, me dit soudain mon collègue, il n'y a pas de zèbre qui t'en veuille ?

Il se marre.

— Avant guerre, lui dis-je, s'il avait fallu que je fasse le compte de tous les gnaces qui faisaient brûler des cierges pour que je passe sous une paire de locomotives, j'aurais été obligé d'embaucher un expert comptable ; mais je te le jure, depuis deux ans les choses ont changé. J'ai perdu tout contact avec la pègre...

— Alors, peut-être s'agit-il d'une confusion.

— Ça me paraît bien mou comme raisonnement.

— T'as mieux à proposer, toi ?

— Ben...

Il hausse les épaules :

— Alors ?

Je ne sais plus que penser.

— En tout cas, reprend-il, il y aura un moyen bien simple de reprendre contact avec ton agresseur. Nous demanderons à un copain de la presse de passer ta photo dans un coin de son canard en signalant que le valeureux commissaire San-Antonio a échappé à un attentat. Des fois que ça intéresserait le type de savoir qu'il t'a loupé...

Félicie pousse une exclamation.

— C'est cela, dit-elle, et il s'empressera de lui vider le reste de son chargeur dans le ventre...

Berliet a un geste réconfortant.

— Il essayera seulement, mais un homme averti en vaut deux.

— Oui, dis-je, seulement deux hommes morts, ça ne vaut plus que le prix d'une troisième classe, ou plutôt de deux troisièmes classes, tu saisis ?

Berliet hausse les épaules.

— Ma foi, dit-il, je te donne un avis impartial. De toute façon, tu sais, le type aux cheveux en brosse va s'inquiéter de ta santé. Tu peux faire gaffe à tes os à partir de maintenant...

Il me tend la main et cligne de l'œil.

— Remets-toi vite !

— O.K., frisé.

Félicie m'embrasse et tous deux quittent la pièce.

Je demeure seul avec ma douce infirmière.

— Ne vous agitez pas ! chuchote-t-elle.

Alors là, je me fends la cerise. Très succinctement, je lui explique que quand je vois une pépée de son acabit, je me sens des picotements dans la moelle épinière. Comme elle semble surprise qu'un ci-devant moribond lui tienne un pareil langage, je me crois obligé de compléter son éducation en lui révélant que les garçons de mon genre peuvent avoir le ventre plein jusqu'au bord de morceaux de plomb et rester sensibles à la carrosserie d'une belle gosse pour peu qu'il leur reste pour trois ronds de lucidité sous le capot.

Elle devient plus rouge qu'une langouste qui apprendrait à nager dans de l'eau bouillante. Elle est sensible aux compliments. J'aime les petites filles qui sont sensibles aux gentillesses que je leur débite. Les gonzesses qui prennent leur fignedé pour le Panthéon, moi je peux pas les morfiller !

— Je suis là pour combien de siècles ? je demande.

— Le médecin estime que vous devez en avoir au moins pour un mois.

Je réprime une grimace.

— Alors, dis-je, nous aurons le temps de discuter. Vous ne croyez pas qu'il serait utile que je sache votre blaze ?

— Mon quoi ?

— Votre nom !

Elle paraît franchement amusée.

— Je m'appelle Gisèle.

Je répète Gisèle, à plusieurs reprises.

Un doux bien-être m'envahit. Cette gosse, sans blague, je me lèverais la nuit pour en manger...

CHAPITRE II

Si le hasard s'en mêle !

Trois jours avant Noël, je suis assis sur une banquette du Merry Bar, rue du Colisée. J'ai les guibolles en pâte d'amande et mes joues ont autant de couleur que la page de garde de ce bouquin , néanmoins je me sens d'attaque. Ma convalescence s'achève. Il y a huit jours que je suis sorti de l'hosto et je commence à trotter comme un lapinoscof. Pendant que j'étais parallèle au plafond, j'ai envisagé les choses bien calmement. Ce qu'on peut devenir philosophe quand on est dans la plume pour longtemps ! L'existence vous apparaît grandeur nature. On comprend alors que la fatalité régit nos actes. Nous ne sommes qu'une bande de pégreleux qui se font enchetiber par la vie. Ainsi, regardez cet endoffé de San-Antonio : il s'est tenu bien peinard depuis le début de l'occupation. Il a rendu ses pions parce qu'il ne voulait plus jouer, mais le hasard, qui est un sacré enfant de garce, est venu le chercher au milieu de son petit train-train de rentier. On n'échappe pas à son destin, les gars. Allez chercher un marteau et enfoncez-vous bien ça dans la tronche...

Mon rôle, c'est de distribuer des cartes d'abonnement pour la Santé ou... pour le Paradis. J'ai voulu abandonner la partie, conclusion : j'ai failli faire mon pacson pour le coin du ciel qui m'est destiné et où la plus belle des gosselines ne peut pas m'être plus utile qu'une pompe hydraulique. Il ressort donc de tout ça que ce que j'ai de mieux à faire, c'est de planquer mes pantoufles et de rentrer dans la bagarre. Pour commencer, j'ai un vieux compte à régler avec le type aux cheveux en brosse. Ce gars-là, si malin qu'il puisse être, je prends d'ores et déjà une hypothèque sur sa peau. Je me promets bien, lorsque je le rencontrerai, de lui mettre suffisamment de morceaux de plomb dans le bide pour qu'il ne puisse jamais plus faire la planche, quand bien même il serait en celluloïd. A partir de maintenant, je me consacre entièrement à sa recherche.

J'en suis là de mes réflexions lorsque Gisèle entre dans le bar. Ça me fiche une secousse de la voir sapée en princesse. Jusque-là, je ne l'ai pas vue vêtue autrement qu'en infirmière. La toilette lui va aussi bien que le voile blanc. Elle s'est fardée et elle ressemble de plus en plus à une môme sensationnelle.

— Alors, fait-elle, en me tendant la main, comment se porte mon malade ?

— Pas tellement mal. Dites donc, c'est rudement chic à vous d'avoir accepté ce rendez-vous.

Elle ne répond pas et s'assied à côté de moi.

— Et ce ventre, il est ressoudé ?

Je lui prends la main.

— Ne vous bilotez pas pour ma géographie. Ça n'est pas le premier coup dur que j'essuie. Si vous me voyiez à poil, mon corps ressemble à la photo aérienne d'une région bombardée.

Gisèle éclate de rire et commande un Cinzano gin. Je la regarde siroter son glass. C'est un spectacle qui me plaît. Elle ressemble à une petite chatte.

Je lui demande brusquement :

— Alors, on va à la graine ? On m'a refilé l'adresse d'un restaurant où il est possible de se taper une escalope panée sans risquer le bagne perpétuel.

— Croyez-vous qu'il soit raisonnable de votre part de commencer une vie de noctambule ?

— Écoutez, mon chou, il y a belle lurette que la raison et moi nous sommes séparés pour incompatibilité d'humeur.

Je règle les consommations et nous sortons.

La nuit est froide et obscure. Nous nous dirigeons vers les Champs-Élysées pour y prendre le métro. Par chance, j'aperçois un fiacre vide. J'y pousse ma compagne.

— C'est un enlèvement ! s'exclame-t-elle.

— Exactement, lui dis-je. Mon père me disait toujours qu'une balade en fiacre est un truc épatant quand on s'est mis dans l'idée de prendre une belle gosse dans ses bras pour lui raconter des histoires de fées.

— Parce que vous avez l'intention de me raconter des contes de fées ? Je croyais pourtant que votre spécialité c'était le roman d'espionnage et de gangsters...

— Justement, je lui réponds, avec une fille comme vous, j'oublie la mitraillette pour ne plus penser qu'au clair de lune.

Je lui prends la main et la porte à mes lèvres. Elle ne la retire pas. Bien que vous soyez une bande de pieds nickelés, vous devez sûrement penser qu'en pareille circonstance, un gars qui connaît un tant soit peu les bonnes femmes profite illico du terrain acquis. C'est ce que je m'empresse de faire. Justement, ce fiacre est un toboggan qui nous jette sans cesse l'un contre l'autre. Je mets à profit un des cahots pour l'embrasser.

— Vous allez vite..., murmure-t-elle.

— La vie est si courte !

— En somme, vous êtes un opportuniste.

— Pourquoi cherchez-vous à analyser ce que je suis ? Y a un vieux proverbe latin qui dit « Vivons l'instant ». Je peux pas vous le réciter en latin, *because* je ne suis pas doué pour les langues étrangères ; mais j'ai la certitude que le zigoto qui a donné ce conseil au bon populo savait vachement ce qu'il disait.

Gisèle se pelotonne contre ma poitrine et me tend ses lèvres. Faites-moi confiance : j'en fais bon usage. Comment qu'elle s'y connaît, cette poulette ! Je ne sais pas ce qu'on leur apprend dans les écoles d'infirmières, mais si on ne leur donne pas de cours d'amour, comme dans les universités américaines, celle-ci a dû prendre des leçons par correspondance.

Quand elle se recule, je suis à bout de souffle.

— San-Antonio, murmure-t-elle d'une voix aussi tremblante que celle d'un centenaire transi de froid, San Antonio, je sens que vous allez me rendre folle.

J'aspire une grande goulée d'air, comme fait un pêcheur d'éponges avant de plonger, et puis je me fais inscrire pour un deuxième baiser encore plus complet. Des machins dans ce genre, il n'y a rien de mieux pour développer les facultés respiratoires.

Au bout d'un certain temps, je m'aperçois que notre carrosse ne roule plus. Le cocher est debout devant la portière et il se marre comme une bouche d'égout.

— Non, mais des fois, je lui dis, tu te crois au cinéma ?

— Presque, me répond-il.

Comme je n'aime pas les petits dessalés dans son genre, je descends de sa boîte à sucre et je l'empoigne par sa limace.

— Eh là, patron ! s'écrie-t-il. Pas de blagues. Après tout, vous êtes dans ma voiture et j'ai bien le droit de regarder ce qui s'y passe.

La môme me fait signe de mouler et je règle la course. Le type remonte sur son siège. Avant qu'il ait eu le temps de dire « hue », son bourrin démarre au triple galop, comme s'il venait de décider de gagner le sweepstake. Le cocher se cramponne aux guides pour essayer de le retenir, mais le bidet fonce à une telle allure qu'il faudrait une voiture de course pour le rattraper.

— Qu'arrive-t-il ?

— Je ne sais pas, dis-je.

Je fais mine de réfléchir avant d'ajouter, d'un air faussement innocent :

— A moins que ce ne soit à cause de ma cigarette que j'ai enfoncée en douce sous la queue du canasson...

Gisèle éclate de rire. Elle s'arrête soudain et me tend encore ses lèvres. Si elle continue à ce train-là, d'ici huit jours je vais faire de l'aérophagie... Néanmoins je profite de sa distribution. Comme dit je ne sais qui : « Une occasion de bouillaver, ça ne se refuse pas ».

Nous entrons au restaurant. Imaginez une salle de patronage avec des guirlandes et des lampions. A une table centrale se trouvent deux mariés ; lui est en habit et elle en blanc.

— Veine ! s'écrie Gisèle, nous tombons sur un mariage.

Je la rencarde aussitôt :

— C'est un mariage au flanc.

— Comment ?

— Je vous dis qu'il ne s'agit pas d'un véritable mariage. Les deux gars en tenue de prends-moi-tout sont des figurants payés par l'établissement. Le gérant du restaurant a eu cette idée qui lui permet de couillonner le contrôle éconocroque. Si les condés entrent pour renifler dans les gamelles, il leur dit qu'il célèbre le mariage de sa nièce. Il leur offre des dragées et une flûte de champagne et les gars se taillent sans insister après avoir présenté leurs vœux aux nouveaux époux. Y a pas à dire, c'est une fine astuce...

Elle n'en revient pas. La pauvrette n'est pas très documentée sur les mystères du marché noir.

Nous nous installons à une extrémité de la tablée et nous commandons une croque confortable.

Les peigne-culs qui vous racontent que les amoureux se nourrissent d'amour et d'eau fraîche feraient mieux d'aller se faire opérer de l'appendicite. Parce que je peux vous assurer qu'ils débloquent à perte de vue. Pour ma part, rien ne me met plus en appétit que l'amour. C'est à un tel point que, dès que mon palpitant fait des heures supplémentaires, je rêve à du poulet chasseur ou à des rognons sauce madère. Les types qui jouent à l'amour immatériel sont tous des tocards, des bourreurs de crâne qui se croient obligés de faire le grand jeu à la cocotte de leur choix. Ils prennent des poses de poète extasié, mais dès qu'ils ont quitté leur gosseline, ils se précipitent dans un milk-bar afin de morfiler une choucroute. Et comment qu'ils se la font garnir ! Tas d'hypocrites !

Je fais part à Gisèle de mon point de vue et elle se déclare d'accord avec moi. Les mousmés sont toujours d'accord avec vous dès l'instant que vous leur offrez quelque chose.

Le garçon nous sert une pelure d'oignon honnête. Tout va bien ; avec la bonne chère et des calembours on parvient souvent à ses fins. Les miennes, vous vous en doutez, consistent à décider la petite infirmière à m'accompagner dans un endroit peinard où je pourrai en toute tranquillité lui raconter ce que Rodrigue a fait à Chimène après qu'il eut bigorné son vieux.

Mon affaire n'a pas l'air de trop mal se goupiller. Gisèle me regarde de plus en plus tendrement. J'en connais un qui ne va pas s'embêter tout à l'heure...

Elle me plaît, cette petite. Si j'étais un type comme tout le monde, je n'hésiterais pas à me déguiser comme le bâfreur en habit de la grande table et à la mener devant le maire. Mais ça ne serait pas de la postiche ; on serait marida pour de bon et on ouvrirait un bouclard. Gisèle moulerait l'hosto pour tenir la caisse. Elle tricoterait des kilomètres de chaussettes qu'elle remonterait de derrière le comptoir tous les trois mois. Quant à ma pomme, je verserais à boire et je taperais la belote avec les clients. Ce serait le rêve d'un paquet de gougnafiers...

Seulement San-Antonio est fait pour une autre vie. Toujours la question de la destinée et de la mission de chacun, quoi ! Machinalement, je porte la main à mon postère pour vérifier si mon feu s'y trouve. Depuis que je suis sorti de la clinique je ne m'en sépare pas. Il y est. Je lui caresse doucement le museau. C'est une brave bête que j'aime bien ; tous les deux nous faisons une paire d'amis.

Au dessert, un mec sapé en bouseux se pointe et demande si les convives de la noce aimeraient un peu de musique. Bien entendu, il y a une tripotée de tordus pour hurler que oui.

Alors le zig fait un signe à un autre copain et les voilà qui grimpent sur une table ; le premier avec un accordéon, le second avec un saxophone. Aussi sec, ils exécutent la « Marche turque ».

Ils ne se défendent pas mal. Les convives applaudissent... A ce moment-là, l'accordéoniste dit que si l'honorable société le permet, son copain va jouer en solo un petit truc de sa composition. L'honorable société permet tout ce qu'on voudra. Le saxophoniste entame sa ritournelle. Son truc tient de la musique arabe. C'est une sorte de mélopée lente, qui s'interrompt tout net pour laisser place à des bredouillements. J'écoute attentivement ces bredouillements pour essayer de trouver ce qu'ils peuvent avoir de mélodieux.

— Ce truc est une pâle imitation du jazz de La Nouvelle-Orléans, me dit Gisèle.

Je lui fais signe de se taire. Prestement je sors un crayon d'une de mes poches et je me mets à noter des signes sur la nappe. Pas d'erreur : ce saxophoniste à la gomme ne cherche pas du tout à imiter les négros américains ; ce qu'il maquille, je vais vous le dire : il s'amuse simplement à faire du morse. Comme je connais à fond la question, je transcris fidèlement sa petite émission. Pour une combine astucieuse, vous avouerez que c'en est une !

Ma compagne me regarde aligner des traits et des points sans comprendre. Elle va pour me poser une question, mais je lui fais signe de se fourrer un édredon dans le bec.

Enfin, le musico-radio achève son petit morceau de société et, accompagné par son pote, entame « la Rue de notre amour ». Je commande du cointreau pour Gisèle et un double cognac pour le môme bien-aimé de Félicie. Tout en torchant mon glass, je mets le message en clair ; je n'en ai pas pour longtemps. Voilà ce que ça donne :

Ce soir, 14, rue Joubert, 3e étage, porte à gauche.

— Cette fois, me dit-elle, vous allez m'expliquer ce que tout cela signifie.

Pour la satisfaire, je lui raconte ma découverte. Elle est médusée.

— Mince alors ! s'exclame-t-elle, vous avez trouvé cela tout seul.

Je ne réponds pas. Je regarde les dîneurs en me demandant auquel s'adressait le saxophoniste. Il est impossible de se faire une opinion. Tous ces mecs ont des trompettes enluminées comme des missels. Ils ont tous l'air de bons vivants, soucieux de savourer la truite au bleu et la pelure d'oignon.

— Vous pensez qu'il s'agit d'un truc de résistants ? questionne la jeune fille.

— Ma foi, ça m'en a tout l'air.

— A votre avis, pourquoi ce saxophoniste a-t-il fait du morse au lieu de glisser un petit billet, beaucoup plus confidentiel, au moment de faire la quête ?

— Probable qu'il ne connaît pas la personne à laquelle s'adresse son message...

Elle est prodigieusement excitée, cette petite. C'est la grande aventure de sa vie... Elle ne donnerait pas sa gâche pour un emploi de chaisière à l'église Saint-Augustin. Moi, cette histoire me rend nerveux. Je renifle l'aventure comme un clébard affamé renifle une côtelette faisandée. Mon inaction de ces dernières années m'écœure. J'ai des démangeaisons sous la plante des pinceaux et dans le creux de la main.

— Qu'allez-vous faire ?

Sa question m'embête, car justement, elle renforce mon incertitude.

— Et que voulez-vous que je fasse, dis-je avec un peu d'humeur. Que je trotte à la Gestapo pour les affranchir sur ce qui se manigance ici ? Je ne suis pas un indic, et encore moins un traître...

Elle est déconcertée par ma sortie.

— Allons, ma petite Gigi, pardonnez-moi. Vous devez comprendre que la situation est délicate. Certes, si avant guerre j'avais découvert un toutim de ce genre, j'aurais fait un sacré barnum, parce que, alors, il n'y aurait pas eu de confusion possible : ce procédé aurait indiqué une quelconque organisation secrète et je me serais régalé, je vous le garantis... Seulement les temps ont changé, ma pauvre chérie ; nous sommes en guerre et il y a un tas de chics types qui se bagarrent en douce...

Elle a un soupir qui tend son corsage. J'en profite pour bigler ses roberts et, comme par enchantement, mes idées changent de tournure.

— On se fait la paire, Gisèle ?

— Si vous voulez...

Nous nous retrouvons dans la rue de l'Arcade. La nuit est de plus en plus noire et de plus en plus froide, ce qui est le droit absolu d'une nuit d'hiver. Nous avançons, bras dessus bras dessous, précédés par la vapeur blanchâtre de nos respirations.

— Où m'emmenez-vous ?

— Vous ne trouvez pas qu'on serait bigrement mieux dans un endroit douillet ?

Je risque le paquet :

— On pourrait aller chez un copain à moi qui tient un hôtel dans le secteur. Il a des petits salons au poil où nous serions bien pour discutailler.

— Quelle horreur ! s'exclame-t-elle. Avec toutes les descentes de police... Non, venez plutôt chez moi. J'ai un petit studio très gentiment arrangé.

Elle rigole et ajoute :

— Il y a du feu et du cognac...

Je la prends par les menottes et je lui déclare qu'elle n'a qu'à m'emmener où bon lui semble.

Sa crèche se trouve rue Laborde. Comme elle l'a annoncé, c'est un véritable bijou. Imaginez une carrée tendue de cretonne, avec des meubles modernes en bois clair, des bouquins et un poste de radio tout blanc comme la vertu d'une tourterelle en bas âge. Un radiateur électrique répand une chaleur confortable.

Elle me prend mon pardessus et me désigne le divan. Je m'y installe comme si je devais y attendre la fin des hostilités. Je mets la radio en marche. Un slow s'insinue dans le studio. Je souris d'aise.

— Cognac ou fine champagne ?

— Vos lèvres !

C'est peut-être pas un chef-d'œuvre d'originalité, mais ça fait plaisir à ma petite infirmière. Elle vient s'asseoir à côté de moi sur le divan.

Si vous le permettez, je vais tirer le rideau. D'abord parce que ce qui se passe à partir de ce moment ne vous regarde pas, ensuite parce que si je vous le racontais, vous poseriez ce bouquin pour demander à votre femme si elle veut faire une partie de Tu-me-veux-tu-m'as. Ce que je peux vous confier, sans faillir à la discrétion en vigueur chez un gentleman, c'est que ma petite Gisèle n'a pas que les châsses et les roberts à la hauteur. Oh là là ! Mesdames, si vous pouviez bigler son prose vous iriez faire la mangave pendant six ans pour pouvoir vous offrir le même. Je ne peux pas m'arrêter de le renoucher.

Comme infirmière elle n'est pas mal, mais comme amoureuse, c'est un feu d'artifice. Je ne me plains pas du tout d'avoir pu bénéficier de ses services dans l'un et l'autre cas.

Quand je trempe mon distillateur dans un verre de fine, il est plus de dix heures du soir. La radio continue de jouer sans qu'on y prête attention. C'est un fond sonore devant lequel on peut se dire des choses vibrantes sans craindre les silences qui flanquent le trac. Mais la musique s'arrête. Un gnace explique qu'il va donner les informations.

— Ferme-lui la bouche ! me demande-t-elle. J'ai horreur des informations que nous donne cette radio pourrie.

Je tends la main pour obéir, hélas ! je fais un faux mouvement et renverse mon verre d'alcool sur la jambe de mon pantalon.

— Maladroit !

— Ce n'est rien, dit ma poulette, avec un peu d'eau froide je vais t'enlever ça.

Elle va à la cuisine et en revient, en tenant un linge mouillé. Pendant qu'elle s'escrime sur la table le speaker dégoise à plein chapeau. Il raconte que la Luftwaffe a bousillé tous les avions anglais et que les Ricains vont être vidés de l'Afrique du Nord en moins de temps qu'il n'en faut pour faire cuire un œuf à la coque. Tout ça ce sont des charres qu'on entend et qu'on lit à chaque heure de la journée. Pas la peine d'y prêter attention. Puis voilà que ce pégreleux, ses mensonges débités, marque un petit temps d'arrêt.

« Dernières nouvelles, annonce-t-il. Nous apprenons à l'instant que le corps du fameux commissaire San-Antonio vient d'être découvert rue Joubert par une patrouille de gardiens de la paix. Le malheureux policier était criblé de balles dont deux s'étaient logées en plein cœur. On suppose qu'il s'agit d'une vengeance. Rappelons que San-Antonio s'était rendu célèbre avant guerre, par ses dons exceptionnels d'enquêteur. »

Je ne sais pas si la chose vous est déjà arrivée, mais je puis vous assurer que ça fait un curieux effet d'entendre prononcer son éloge funèbre. Surtout lorsque vous vous trouvez en compagnie d'une souris à laquelle vous venez de prouver que vous êtes on ne peut plus en vie !

Gisèle me regarde avec les yeux que devait avoir Hamlet lorsqu'il a biglé le spectre de son daron.

— Tony ! s'écrie-t-elle. Tony chéri, que se passe-t-il ?

Je me lève.

— As-tu le téléphone ?

Elle me conduit à l'appareil qui se trouve dans sa chambre à coucher. Je me hâte de faire mon propre numéro afin de rassurer Félicie pour le cas où elle aurait été à l'écoute. Cela fait, je prends mon pardessus.

— Où vas-tu ? interroge-t-elle.

— Voir « ma » dépouille.

— Oh ! emmène-moi...

J'hésite ; je n'aime pas beaucoup traîner une sirène sur mon porte-bagages lorsque je me lance dans une affaire où il pleut des dragées en acier calibré. Mais cette pauvre petite est le témoin de choses tellement bizarres depuis quelque temps que si je lui refuse cette satisfaction, sa pipelette la trouvera morte de curiosité demain matin en lui montant son courrier.

— Prends ton manteau.

Elle ne se le fait pas répéter. En général les gonzesses mettent de deux heures à trois heures pour se harnacher, mais elle se poile tellement vite que je crois voir un dessin animé. Dix minutes plus tard, nous sommes à nouveau dans les rues. A grands pas, nous gagnons le commissariat de police de la rue Taitbout. Vu l'heure tardive, le commissaire n'est pas là, mais il y a son secrétaire : Vilent, un petit gars que je connais très bien. En m'apercevant, il écarquille les mirettes. Il devient aussi vert qu'une pelouse de printemps. Je constate que ses pognes tremblent sur son buvard.

— Alors, mon petit Vilent, ça ne gaze pas ? demandé-je en riant.

— Mais ce... ce n'est pas possible ! s'étrangle-t-il.

— Tout est possible. Je viens reconnaître mon cadavre.

Il est long à se remettre.

— C'est la plus prodigieuse ressemblance que je connaisse, murmure-t-il enfin. Je viens de faire les premières constatations, rue Joubert. Pas beau, à voir... J'ai cru que c'était vous... La preuve, c'est que j'ai moi-même donné les indications à la presse.

Je propose un siège à Gisèle et je m'assieds sur le coin du bureau.

— Remettez-vous, mon vieux. Vous le voyez, je me porte bien, comme dit l'académicien de *l'Habit vert*.

» Vous avez su « l'accident » qui m'est arrivé, il y a deux mois ?

Vilent fait un signe affirmatif.

— Justement, dit-il, j'ai d'autant moins hésité à vous identifier tout à l'heure qu'il y avait eu ce précédent.

— Je conçois que, pour vous, la situation s'épaississe, mais pour moi elle s'éclaircit tellement que ça devient comme une aurore boréale. J'avais un sosie. Quelqu'un voulait supprimer l'un de nous deux. Il s'est trompé une fois. Est-ce lorsqu'il a tiré sur moi ou bien lorsqu'il a tiré sur le copain qui me ressemble ? *That is the question.* Je pencherais à croire que c'est en m'assaisonnant qu'il s'est gouré, le gars. Maintenant soyez gentil et éclairez ma lanterne.

Vilent y va de sa romance :

Il a été alerté vers neuf heures du soir par un coup de tube l'informant que des hirondelles à pédale avaient trouvé un macchabée rue Joubert en faisant leur ronde. Il s'est rendu sur les lieux.

Je l'interromps :

— Ce ne serait pas devant le 14 de la rue Joubert ?

Il me regarde comme si je venais de me transformer en chat siamois.

— Comment le savez-vous, chef ?

— J'ai un petit doigt qui n'a pas de secrets pour moi.

» Continuez, mon petit.

Je jette un coup d'œil à Gisèle. La mignonne boit du petit lait. Elle devait croire que les aventures de ce genre n'existaient que dans les romans.

— La concierge de l'immeuble, alertée, a déclaré que la victime s'appelait Louis Durand et demeurait...

— Au troisième, la porte à gauche, murmure Gisèle.

J'éclate de rire. Elle mord au truc. Vilent paraît la découvrir. Il la regarde comme il vient de me regarder. Quand il va raconter ça à sa femme en rentrant chez lui, elle va lui balancer un seau de flotte à travers la bouille parce qu'elle croira qu'il est chlass.

— Voyons, chérie, dis-je à la poupée, en lui télégraphiant une œillade, laisse parler monsieur.

Vilent hausse les épaules.

— Que voulez-vous que je vous raconte, grommelle-t-il, puisque vous connaissez l'histoire mieux que moi ?

Je n'aime pas tellement qu'un subordonné prenne ce ton-là.

— Nous en étions à la concierge, fais-je sèchement.

Il pique son fard et poursuit :

— Je ne me suis pas étonné de ce nom de Louis Durand que j'ai pris pour un nom d'emprunt. J'ai fait transporter le corps dans l'appartement, car les Allemands ont réquisitionné toutes les ambulances de Paris ce soir. La P.J. doit être sur les lieux.

— Des premières constatations, que résulte-t-il ?

Il a un geste vague.

— Pas grand-chose. Personne n'a rien entendu.

— Parbleu ! l'assassin a tiré à travers la poche de son bénard...

Je me lève.

— Puisque je suis ici, dis-je, vous allez être assez bon pour nous faire établir un *ausweiss*, à mademoiselle et à moi. J'ai dans l'idée que nous serons encore dans les rues après le couvre-feu, et nous n'avons pas envie d'aller cirer une douzaine de bottes dans un poste de garde, au milieu des sulfatés.

Il s'empresse de me donner satisfaction.

— A l'avenir, quand vous vous trouverez en présence d'un cadavre que vous estimerez être le mien, pour avoir la preuve formelle que vous ne vous trompez pas, regardez-lui la poitrine.

J'entrouvre ma limace.

— J'ai deux mètres vingt de cicatrices depuis le menton jusqu'aux genoux.

J'ajoute, d'un ton très sérieux :

— Je suis tellement troué que les petites dames qui m'accordent leurs faveurs croient, en se réveillant, qu'elles ont fait dodo avec quatre-vingt-dix kilos de gruyère, c'est vous dire...

Je tends galamment mon aileron à Gisèle. Et nous sortons sous le regard ahuri de Vilent. Je vous parie une jambe de bois contre un téléphérique qu'il est persuadé que j'ai du mou dans ma corde à nœuds.

La plupart des gens sont comme ça : sitôt que vous vous payez leur bol, ils croient que vous avez un train mécanique en liberté sous la coupole.

CHAPITRE III

En avant la musique !

— Je n'ai jamais vu de cadavre d'assassiné, me dit Gisèle.

— Ça te fait peur ?

— Un peu.

— Si tu veux... Je vais te raccompagner chez toi ?

Elle sursaute.

— Ah non, par exemple ! Pour une fois que je suis engagée dans une aventure, je tiens à la suivre jusqu'au bout.

Quand j'entends des gnères débloquer de cette façon, je prends mal aux seins. Les bonnes femmes sont toutes les mêmes : elles considèrent la vie d'une façon particulière qui les incite à penser que tout ce qui se passe ici-bas se passe pour leurs beaux yeux. Si je m'écoutais, j'attraperais la môme sous mon bras et je lui filerais une danse ! Mais elle serait capable de m'embobiner, rien qu'en tortillant son pétrus...

Je soupire.

— Écoute, ma beauté, je veux bien que tu me suives, mais à la condition expresse que tu foutes un cadenas à ton joli museau.

» Les enquêteurs n'ont pas l'habitude de charrier leurs brancards avec eux. Tu saisis ?

Elle s'arrête dans un rayon de lune et me regarde en souriant. Elle a un sourire qui transforme ma moelle épinière en mayonnaise. C'est inouï ce que l'homme le plus blindé peut devenir évanescent devant les singeries d'une poulette.

Puisque nous sommes arrêtés, je l'embrasse. Son rouge à

lèvres est juste à mon parfum préféré. Il a un petit goût de pâtisserie turque qui me plaît bigrement.

Je la saisis par la taille et l'entraîne vers la rue Joubert.

Nous voilà devant le 14. La porte d'allée est ouverte. J'aperçois une bagnole de la préfecture rangée en bordure du trottoir. Il y a un zèbre au volant.

— Police, lui dis-je. Quel est le nom de votre commissaire ?

Le chauffeur me regarde comme si j'étais du crottin de cheval. Puis il bigle Gisèle et hausse les épaules.

— Dis donc, mon petit pote, me fait-il, si t'es gelé t'as qu'à boire du café très fort ; il paraît que c'est radical...

Je me prends le pif avec deux doigts, ce qui, chez moi, dénote une certaine nervosité. Vous avouerez que ça la fiche mal d'être traité comme un fruit gâté par un petzouille, quand, justement, on plastronne devant une belle blonde.

L'envie me prend de choper ce tordu par les cheveux et de le sortir de l'auto, sans me donner la peine d'ouvrir la portière. Si je m'écoutais, je lui flanquerais une telle décoration qu'il pourrait s'embaucher comme bouchon de radiateur pour corbillard automobile.

Je lui montre ma carte.

— Mande pardon, commissaire, bredouille ce mal torché.

— Toi, mon petit, dis-je, t'as eu comme frère de lait un cochon rose et je parie que ta mère s'est gourée quand elle est venue te retirer de nourrice.

Il ne répond rien. Il doit se mordre les lèvres jusqu'au sang.

— Le nom de mon collègue ?

— L'inspecteur principal Guillaume.

Ça tombe bien : je l'ai eu sous mes ordres avant guerre.

Je me tourne vers Gisèle :

— Montons, lui dis-je, je vais réitérer mon coup du revenant.

L'immeuble est en effervescence. Quelques poulets protègent l'appartement tragique. Il y a là tout un peuple en pyjama ou en robe de chambre qui jacasse dans l'escalier. Ces branquignols sont heureux de cette aventure qu'ils touchent du doigt. Chacun donne son avis. Ils ne sentent pas le froid ! Il y a des mousmés qui laissent bâiller leur peignoir pour exciter les voisins. Ils s'en souviendront de cette nuit, les locataires du 14. Demain ils vont pouvoir tartiner du saignant pour leurs amis et connaissances. Au besoin, ils en rajouteront. Pour une fois qu'ils ont l'occase de se rendre intéressants, ces endoffés, ils ne vont pas la louper. La montée d'escalier sent le parfum de prisunic et la pantoufle culottée.

On entend beugler les chiarres dans les étages. Les mères de famille se sont taillées sans donner la biberonnanche, et les vieilles grillotes en fichu noir n'ont pas pris le temps de finir leur réussite.

— Où allez-vous ? nous demande un agent.

Il nous barre le chemin de ses bras écartés.

— Te fatigue pas à jouer à l'homme-oiseau, dis-je en exhibant ma carte.

Le matuche nous fait un salut impressionnant.

— Le cadavre est dans la salle à manger, fait-il.

— Alors, il ne nous reste plus qu'à passer à table.

Le bourreman est complètement siphonné.

Nous entrons dans l'appartement où les types de l'identité crachent du magnésium.

— Ce que vous branlez là ? gueule un type de deux mètres de haut sur trois de large.

Je cherche à regarder ce qui se passe derrière cet Himalaya de barbaque et j'aperçois Guillaume.

— Hep ! Guillaume...

Il se détourne et regarde dans ma direction. Mais comme les meules de son subordonné ne sont pas transparentes, il prend le parti de les contourner.

Quand il me voit, il fait un pas en arrière. Sa bouche s'ouvre tellement qu'on s'attend à en voir sortir une rame de métro.

— Mais... balbutie-t-il. Mais...

A ce moment, l'énorme poulet m'examine. C'est un garçon qui doit posséder à peu près autant d'intelligence qu'un kilo de choucroute. Pendant que son cerveau se met à assimiler les images inscrites sur sa rétine, nous aurions le temps de prendre un bain de pieds. Mais tout finit par arriver. Bien que ses pensées circulent dans son crâne comme les billes d'acier d'un billard électrique, il réalise ma ressemblance avec le mort et il émet un bruit qui tient du cri de guerre des Indiens Comanches (à balais), de la corne de brume et de la plainte témoignant de l'orgasme chez les kangourous femelles.

— Non de Zeus, chef ! bavoche-t-il.

Tout ce micmac a attiré l'attention du médecin légiste et du photographe. Imitant leurs collègues, ils me fixent d'un air abasourdi.

— SSSSSan-Antonio ! s'exclame enfin Guillaume.

— Soi-même, my dear.

Je salue l'assistance d'un geste circulaire.

— J'ai appris que je venais d'être assassiné, dis-je. Alors l'envie m'a pris de regarder à quoi je ressemble quand je suis mort.

Je fais signe à Gisèle de rester à l'écart et je m'approche du canapé où on a étendu mon sosie. Pour une sensation, c'en est une. Ma parole, si j'étais resté plusieurs jours sans me voir, je serais persuadé que c'est moi. La ressemblance est extraordinaire : ce macchab a mon visage, ma taille, mes cheveux... Je comprends que le type aux douilles en brosse se soit gouré ; la chose n'est pas surprenante puisque mes collègues eux-mêmes n'ont pas hésité à m'identifier...

— Dites donc, si j'avais connu ce pèlerin à l'époque où il consommait de l'oxygène, nous aurions pu monter un joli numéro de claquettes tous les deux.

Le médecin légiste retrouve ses esprits.

— Il n'y a que des jumeaux pour se ressembler ainsi, dit-il.

Mon pote renchérit. Il me serre la main avec effusion.

— Ce que je suis heureux que vous soyez vivant, chef. Vous voyez : bien qu'à cette fichue époque le cadavre d'un homme ne compte pas, nous avions déclenché le branle-bas de combat.

— Merci de cette touchante attention.

Gisèle toussote. Les pépées, dès qu'on cesse une minute de faire attention à elles, se foutent en renaud et sont prêtes à tirer un feu d'artifice dans leur culotte pour récupérer les regards de l'honorable société.

Assez gêné, je la présente à ces messieurs :

— Mlle Gisèle Maudin, mon infirmière.

Elle ramasse les hommages des policiers et s'approche du canapé. Pourvu qu'elle ne fasse pas un cirque ! Heureusement non. Il est vrai que, par sa profession, elle a l'habitude des morts. Elle regarde cordialement la victime.

— Inouï !

Ouf ! J'avais peur qu'elle ne déclame des trucs immortels sur le hasard, les phénomènes de mimétisme et la suite...

Pour détourner l'attention, je questionne :

— Vos conclusions, toubib ?

— Deux balles dans la région du cœur, tirées de bas en haut. Je suppose que cet homme descendait l'escalier lorsqu'on l'a assailli. Il n'est pas mort sur le coup. Il a eu le temps de gagner la rue et c'est là qu'il est tombé, foudroyé.

Guillaume ajoute :

— Le plus curieux, c'est que personne ne le connaît dans l'immeuble. La concierge ne l'avait vu qu'une ou deux fois. Il n'habitait ici qu'épisodiquement. Étant persuadé qu'il s'agissait de vous, je pensais que vous aviez loué ce pied-à-terre sous un pseudonyme pour l'utiliser lorsque vous ne pouviez pas rentrer chez vous...

Je le regarde en souriant.

— Pas du tout, vous pensiez que j'étais mêlé à des histoires de résistance et que la Gesta venait de me régler ma note. Depuis l'attentat dont j'ai été victime, vous chuchotez tous ça à la grande maison, hein ?

Il rougit et ne répond pas.

Pour le mettre à l'aise, je lui administre une claque dans les reins, assez forte pour lui faire cracher ses poumons s'ils ne sont pas bien accrochés.

— Vous avez trouvé quelque chose d'intéressant ?

— Rien, chef. Cet appartement est impersonnel. Ce type ne devait l'utiliser que très rarement, comme l'assure la concierge.

L'Éverest de viande et de c...erie s'approche de nous.

— Regardez ce que j'ai trouvé, dit-il.

Il ouvre une main large comme un saladier de pension de famille. Nous nous penchons et découvrons un canif au manche en corne sur lequel est écrit un mot : Venganza.

— C'est de l'espagnol, affirme Guillaume, cela signifie : vengeance.

— Vous permettez que je le conserve ? Mettons en souvenir de ma mort...

— Je vous en prie, monsieur le commissaire.

J'empoche le minuscule couteau.

— En somme, demandé-je, vous concluez à quoi ?

— Officiellement : crime d'un apache... C'est mieux, n'est-ce pas ? me dit l'inspecteur. En ce moment tout est déréglé. On ne sait pas différencier les crimes des exécutions, les honnêtes gens des voleurs et les héros des traîtres. Je comprends pourquoi vous vous êtes fait mettre en disponibilité. Ce n'est pas drôle d'exercer un métier comme le nôtre à notre époque.

Nous échangeons quelques futilités sur des sujets généraux, après quoi nous quittons tous l'appartement.

— Je vais laisser deux gardes en faction chez la concierge cette nuit, déclare mon collège, et demain nous ferons transporter votre sosie à la morgue. C'est égal, vous m'aurez fait peur, patron.

Sur le palier, le médecin, qui est un gros vieux à moustaches blanches se met à enguirlander les locataires qu'il traite de sadiques, de vicieux et de névrosés. C'est la débandade. Là où les rebuffades des agents n'ont pu réussir, les sarcasmes du médecin légiste font merveille. En maugréant, tous ces charognards, ces morfileurs de cadavres, ces locdus, regagnent leurs puciers.

Les moukères se drapent dans leur robe de chambre et remisent leur triperie. Le vieux suppositoire retire sa paluche du dargeot de la petite brune. Les vioques vont voir si ce p... de roi de pique va ramener sa couronne dans les treize premières brêmes. Les pondeuses pensent brusquement à leurs mougingues qui sont en train de se l'accrocher. La cage d'escalier se vide comme un cinéma après que le jeune premier a roulé un vache et ultime patin à sa partenaire.

Nous gagnons la rue. Guillaune donne ses instructions à ses sbires, puis il se tourne vers nous.

— Que puis-je faire pour vous, patron ?

Je fais la moue.

— Si vous pouviez mettre une voiture à ma disposition pour une heure ou deux, vous seriez la crème des flics.

Il sourit.

— Venez avec nous jusqu'à la boîte. Après, je vous laisserai l'auto.

Nous nous installons dans la traction. Gisèle se met devant à côté du chauffeur. Les hommes s'entassent derrière, ce qui est une belle cérémonie car le gros zèbre de Guillaume fait partie de la charretée.

— Il est marrant, votre bonhomme michelin, lui dis-je. Par où est-ce qu'il se dégonfle ?

— Riez, mais il n'empêche que c'est un auxiliaire de premier ordre en cas de coup dur.

Quelques minutes plus tard, nous arrivons à la Tour pointue.

Il y a l'inévitable distribution de poignées de main et, enfin libre, je prends possession de la calèche.

— Quel est le programme ? s'inquiète ma petite camarade.

— Primo : votre cabane où je vais vous coucher comme une petite fille raisonnable que vous êtes ; secundo, je vais rendre une visite nocturne.

La poulette pince ses lèvres.

— Ne faites pas le gros méchant loup, Tony. Vous n'allez pas me laisser choir maintenant.

— Je vais le faire, gente dame.

Elle ne répond rien. Je crois qu'elle boude, mais j'aperçois deux grosses larmes qui dégoulinent sur ses joues. Les désespoirs muets m'ont toujours ému. D'ordinaire, quand une poupée rouscaille et fait des épates, je lui mets une paire de mornifles sur la tranche, histoire de guérir ses fluxions dentaires si elle en a. Mais des larmes silencieuses m'épouvantent.

— Bon Dieu, quoi ! Soyez raisonnable, Gigi. Jusqu'ici, je vous ai emmenée avec moi parce qu'il n'y avait aucun danger. Mais maintenant ça va peut-être changer d'aspect. Remarquez que je n'en suis pas certain. Seulement si par malheur il vous arrivait un pépin, j'aurais bonne mine...

— Vous voulez que je vous signe une décharge ?

Du moment qu'elle le prend à la rigolade, je suis d'accord.

— Eh bien, c'est entendu, je vous emmène. Tans pis pour votre santé s'il y a du vilain.

Je mets pleins gaz en direction de la rue de l'Arcade. Mon idée, je vais vous l'exposer par le menu. Laissez-moi au préalable vous affranchir sur mes sentiments intimes. Ce branle-bas de la soirée a déclenché mon besoin de bagarre qui couvait. Je sais bien que ma ressemblance avec le gars qui a été dessoudé est une simple coïncidence, mais tout de même, je voudrais bien connaître les tenants et les aboutissants de l'affaire. C'est mon droit, je crois, non ? Qui est-ce qui a bloqué de la ferraille dans la brioche ? C'est le petit San-Antonio ou c'est le duc de Windsor ? Je veux bien que le buteur se soit mis le doigt dans l'œil jusqu'à toucher le fond de son caleçon, c'est pas ce qui m'empêchera, si je le trouve, de lui montrer comment on s'y prend pour transformer un pékin en pâte à ravioli ; ne serait-ce que pour lui faire comprendre qu'avant de presser sur une détente il convient de s'assurer de l'identité du monsieur qui vous fait vis-à-vis.

Or l'occasion que j'attendais de pouvoir obtenir un entretien de ce macaque s'offre ce soir. Je viens, par un hasard miraculeux, de plonger mon grand blair dans l'assiette d'une drôle d'équipe. Dans cette aventure, il y a, jusqu'à présent, cinq mectons : je les énumère, d'abord bibi, le foie blanc aux tifs en brosse, mon sosie, lequel trône dans sa salle à manger, enfin le saxophoniste-radio et l'inconnu auquel s'adressait son message.

Procédons par élimination : mon sosie est aussi mort qu'un filet de hareng, le type qui attendait le message dans le restaurant, je ne le connais pas, reste, pour remonter à mon agresseur, le saxophoniste. Ce type a servi d'intermédiaire, c'est sur lui que je dois mettre la pogne, y a pas d'erreur !

CHAPITRE IV

Trêve de plaisanteries !

Les mariés à la noix sont partis en voyage de noces depuis belle lurette lorsque nous entrons dans le restaurant. Les garçons mettent les chaises sur les tables et commencent à balayer. Celui qui nous a servis me reconnaît et s'avance, la bouche en prose de poule, flairant un pourliche.

— Ces messieurs-dames ont oublié quelque chose, tout à l'heure ?

— Je voudrais dire un mot au gérant.

Il s'incline et me conduit aux cuisines. Sur une table, entre des arêtes de poissons et un restant de mayonnaise, le gérant fait ses comptes, il a un tas impressionnant de biftons devant lui et il les classe par paquets de dix. La recette a été bonne. Avec tout ce pognozoff, on doit avoir les moyens de se payer un porte-avions.

Ma visite n'a pas l'air de lui plaire. Vous pouvez remarquer que les gars qui morfilent, qui s'envoient en l'air ou qui comptent leur blé n'aiment pas être dérangés, ceci parce que la table, l'amour et le fricotin sont des choses sacrées pour la majorité des gnaces.

Il fronce le sourcil.

— Vous désirez ?

— Vous dire deux mots.

Il a un geste excédé.

— Il est minuit, objecte-t-il.

Je secoue la tête.

— C'est pas pour vous demander l'heure que je suis venu.

— Monsieur, rouscaille-t-il, je ne goûte pas beaucoup ce genre de plaisanterie.

Pour lui filer la traquette, je lui montre ma carte.

Si vous pouviez jeter un coup d'œil sur la physionomie du mec, vous rigoleriez tellement qu'on serait obligé de vous amener votre belle-mère ou votre percepteur pour vous faire passer le fou rire. C'est inouï ce qu'il a les flubes, ce pauvre endoffé.

— MMMMonsieur le co... coco..., monsieur le commissaire, bégaye-t-il, que se passe-t-il ?

Il jette un regard désespéré à son fric. Puis ses yeux cherchent les miens et me font une muette proposition. Je comprends que si le cœur m'en dit, je n'ai qu'à tendre la paluche ; immédiatement, il pleuvra des billets grand format. Gisèle sourit doucement. Elle s'est aperçue que le gérant me prenait pour un zig du contrôle et ça l'amuse autant qu'un film de Charlie Chaplin.

Je laisse mijoter le copain dans sa pétoche avant de secouer la tête.

— Ne vous cassez pas la nénette ; je ne viens pas ici pour vous emmouscailler, mais simplement pour que vous me passiez un tuyau.

Mon interlocuteur respire. Il s'empresse, il frétille, il bave. S'il continue, va falloir passer la serpillière sous sa chaise.

Il affirme qu'il est prêt à me donner tous les renseignements dont il peut disposer. Si ça pouvait me faire plaisir, ce zigoto me vendrait son vieux et sa vieille et il collerait sa petite sœur par-dessus pour faire le bon poids.

Il est cuit à point. C'est le genre de froussard qui se met à table et ouvre grande son usine à jactance sans qu'on ait besoin d'aller chercher un tire-bouchon.

— Tout à l'heure, au dîner... de mariage, il y avait deux musiciens. Vous les connaissez ?

Il secoue négativement la tête.

— Dites donc, baron, je lui fais, faudrait voir à pas prendre ma hure pour un bocal de poivrons rouges...

— Mais...

— Y a pas de mais. Enfin quoi, pour donner à briffer au populo, vous mettez en scène une histoire de noce perpétuelle. Pour entrer dans votre cirque, il faut prononcer un mot de passe, et vous voulez me faire croire que deux musicos que vous ne connaissez pas débarquent au milieu du coq au vin, du lapin à la moutarde et du saumon fumé comme ça... Vous interdisez l'entrée de votre boîte à des ministres, s'ils ne sont pas affranchis, et des cloches peuvent y entrer avec leur appareil à transformer le vent en musique sans que vous vous demandiez qui ils sont et d'où ils viennent, sans blague mon petit père !

Pendant ma péroraison, le gérant a essayé à plusieurs reprises de m'interrompre, mais, chaque fois que je lui ai vu ouvrir la bouche, je me suis mis à hurler si fort que la sirène d'un steamer ressemblerait, à côté de mes éclats de voix, au grignotement d'une souris.

Le pauvre diable profite de ce que je reprends ma respiration pour s'expliquer.

— Monsieur le commissaire ! Ces hommes avaient le mot de passe. Je les ai laissés jouer car je me méfie des rancunes.

Je me radoucis. Incontestablement cet homme est sincère.

— Et vous ne les aviez jamais vus auparavant ?

— Jamais ! Monsieur le commissaire, vous pouvez interroger mon personnel, vous verrez que je ne vous mens pas.

Gisèle me regarde. Je la regarde. Le type nous regarde. Comme vous le voyez l'éloquence n'est pas de rigueur. Nous nous sentons assez gourdes tous les trois. Mon enquête foire vachement. Est-ce que je perds la main ou quoi ? En tout cas, pour une fois que je joue au grand mec devant une fille, c'est gagné.

Le gérant qui, maintenant, est sûr que je ne lui chercherai pas de rognes, fait son petit fou.

— Me ferez-vous l'honneur d'accepter une coupe de champagne ?

Je lui fais cet honneur. Le gars donne des ordres et un sommelier s'empresse. Bientôt, nous sommes tous assis autour d'un seau en argent.

— Si, par hasard, ces musiciens revenaient, faudrait-il vous avertir, monsieur le commissaire ?

Ce serait une bonne idée. Je refile mon adresse au copain et je lui fais des compliments pour son champagne qui est épatant. Si c'est du pareil qu'il offre aux matuches, je comprends pourquoi ils lui fichent la paix avec le mariage quotidien de sa nièce Ernestine.

A la seconde coupe, mon cerveau se remet en mouvement. Au fond, ma centrale manque de carburant. Je suis persuadé que, dès que j'aurai repris ma cylindrée normale, tout ira mieux.

En attendant l'idée qui me travaille n'est pas mauvaise.

— Gisèle, est-ce que vous savez jouer d'un instrument ?

Elle me regarde et s'efforce de ne pas avoir l'air surprise.

— Non, me dit-elle, mais je sais tricoter des pull-overs.

Je fais la moue.

— Pour jouer au détective amateur, ça ne suffit pas. Savez-vous chanter ?

— Ma foi, je ne voudrais pas me vanter.

— Oui ou non ?

— Ce serait plutôt oui. Oh ! je ne suis pas Lily Pons.

— Je préfère. Si vous étiez Lily Pons, vous seriez en ce moment au Metropolitan Opera de New York.

Le gérant est de plus en plus ravi. Cette soirée est une des plus belles de sa vie de cloporte. Il est tellement heureux qu'il fait rapporter une autre bouteille. Ma tendre infirmière s'y met et comment ! Elle a des dispositions pour ce qui est d'appliquer le principe des vases communicants. Je ne me bilote pas car j'ai la bagnole. Si elle est blindée, je pourrai la ramener chez elle sans avoir recours aux pompiers.

Brusquement, je prends une décision. Je ne sais pas où elle va m'entraîner, mais ce que je sais, c'est qu'elle peut avoir des conséquences redoutables.

— Vous avez des musiciens ?

— Rarement.

— S'il s'en présente demain, envoyez-les au bain, compris ?

— Entendu, monsieur le commissaire.

— Par ailleurs, demain soir, je viendrai en compagnie de mademoiselle.

Il feint l'enthousiasme.

— Nous vous garderons une bonne table, monsieur le

commissaire. Et vous me permettrez de vous traiter à ma façon...

Je le stoppe net.

— Nous ne viendrons pas pour croquer, mais pour donner un récital. Vous entendrez mademoiselle dans son répertoire, et vous aurez l'honneur et l'avantage d'applaudir un solo de violon de ma composition.

La môme pousse un cri. Elle vient de piger. Ses yeux brillent comme des diams.

— Chéri ! s'exclame-t-elle. Chéri ! c'est merveilleux...

Quant au gérant, il ne dit rien, mais on comprend que son plus cher désir, c'est de se gaver de comprimés d'aspirine.

Ce que j'aurai pu en épater des gens au cours de cette soirée ! Je fais un sort à ma coupe et je me lève.

— Ne soyez pas trop surpris, dis-je à notre hôte, ce que je vous demande fait partie d'un plan d'action important.

— Mais... certainement, monsieur le commissaire. Tout à votre service.

Il nous raccompagne jusqu'à la voiture.

— A demain !

— Bonne nuit, messieurs-dames !

J'embraye et nous nous éloignons à fond de ballon. Une patrouille nous arrête, boulevard Haussmann.

— Papîr !

Je montre nos *ausweiss.* Pas d'anicroche. Deux minutes plus tard, je dépose Gisèle devant sa turne.

— Eh bien, me dit-elle, vous ne montez pas ?

— Je ne sais pas si c'est convenable...

Elle hausse les épaules.

— Ça n'est sûrement pas convenable ; mais, comme dit un homme que j'ai beaucoup aimé : « La raison et moi sommes séparés pour incompatibilité d'humeur. »

Ce qu'elle est choute, cette gosseline.

Je la suis dans l'escalier. Parvenu dans son studio, je téléphone à Guillaume pour lui dire d'envoyer chercher la voiture s'il en a besoin. Il me dit que je peux la conserver jusqu'à plus soif. Tout va donc pour le mieux.

— Et maintenant, me dit-elle, parlons un peu de ce plan d'action.

Elle a la bouche un tantinet pâteuse. Les mots ont de la peine à sortir. On dirait qu'ils sont englués dans du sirop de pomme.

— On ne parle plus boulot. Du reste, soit dit sans vous vexer, ça se bouscule au portillon. Vous allez me dire où se trouve la chambre d'ami.

— Comme j'ai un petit appartement, elle ne fait qu'un avec la mienne.

— La promiscuité de vous gêne pas ?

— Non, il n'y a que l'odeur de la pipe qui m'incommode.

— Alors, il n'y a pas d'empêchement à ce que je profite de cette chambre d'ami, car je ne fume que la cigarette.

A ce moment, le poste qu'elle a branché se met à jouer des machins tellement suaves que les saints du paradis confondraient les trompettes célestes avec celle d'Armstrong s'ils entendaient ce blues.

Je la chope par la taille et je l'emmène dans la chambre à coucher. C'est un endroit qui vaut la salle d'attente des troisièmes à Saint-Lazare, moi je vous le dis.

Et quand San-Antonio vous le dit...

CHAPITRE V

Je fais mon Paganini.

Je ne suis pas curieux, mais je voudrais savoir si vous entravez quelque chose à ma façon d'agir. Noix comme vous êtes, vous lisez ce que j'écris comme vous liriez votre déclaration d'impôts. Vous ne cherchez pas le mobile de mes actes. Vous attendez que je vous dise tout, depuis A jusqu'à N (qui est naturellement la lettre terminant ce bouquin). Ça vous liquéfierait la matière grise de faire un peu de psychologie, hein ? Bande de miteux ! Vous vous feriez sortir les boyaux de la tête en réfléchissant. Y aurait jamais assez d'aspirine chez votre pharmago pour dissiper votre mal de tronche... Tenez, vous me faites pitié. Je vous sens tous là, à mijoter dans votre petite sphère sordide ; encroûtés, veules, mal rasés et la coupole aussi vide que la conscience d'un général... Sapristi ! faites donc un effort. Je vous ai dit que j'allais donner une petite représentation au restaurant de la rue de l'Arcade, avec le concours bénévole de la toute charmante Gisèle, et l'idée ne vous a pas effleurés que si j'agissais de la sorte, ce n'était pas pour le plaisir de me produire en société ? Sans blague, vous croyez que j'ai un violon d'Ingres et que je vais en jouer dans les cours pour satisfaire mon besoin d'évasion ?... Non, mais des fois !...

Alors, écoutez-moi, au lieu d'ouvrir grands vos châsses comme si on allait faire défiler devant vous les girls des Folies confortablement vêtues d'une plume dans le prose. Écoutez-moi et laissez tomber vos préoccupations du moment — soyez tranquilles, elles ne se casseront pas.

En exécutant ce petit numéro, j'espère pouvoir trouver le fil conducteur qui me mènera au zèbre qui m'a tiré dessus. Car il doit y avoir dans le restaurant un habitué affilié à la bande des buteurs. Ce mec reçoit ses instructions de la façon que vous connaissez. Pour l'identifier, je ne vois qu'un moyen : lui filer un rancart par le truchement du morse symphonique. Ça peut prendre, comme ça peut foirer. Si ça prend, tant mieux, je lui mets la pogne au colbak et je lui joue « Lily Marlène » sur la pomme d'Adam jusqu'à ce qu'il me donne le moyen de trouver l'homme aux cheveux en brosse. Si ça foire, je serai quitte pour avoir fait le zouave en vain.

A l'heure dite, le lendemain soir, je passe prendre ma toute belle *at home.* C'est là que la partie de marrage commence. Nous nous déguisons avec des fringues que j'ai louées chez un vieux youde de mes relations, lequel se fait appeler Dubois depuis quelque temps.

En dix minutes, je nous transforme en chanteurs des carrefours. Gisèle est criante de vérité. Si vous la rencontriez dans la rue, vous lui refileriez une demi-jambe pour qu'elle aille s'acheter du gros rouge. Quant à moi, avec mes bacchantes vineuses, mes lunettes auxquelles il manque une branche, mon pardessus rapiécé, et mon instrument, j'ai l'air d'un ancien professeur de violon tombé dans la débine à la suite d'un attentat à la pudeur.

— Vous avez préparé votre message ? me demande ma petite infirmière.

— Et comment !

— Où avez-vous fixé le lieu de rendez-vous ?

— A l'angle de la rue de Clichy et de la place de la Trinité...

Elle hausse les épaules d'une façon méprisante.

— En plein air ! Et vous croyez que ça va être pratique pour le harponner. D'abord, ne pensez-vous pas que ça lui semblera louche ?

— Évidemment, mais où voulez-vous que je l'attire ?

— Ben... ici !

— Ici ?

— Pourquoi pas ? C'est tranquille, vous ne trouvez pas ?

Je repousse la tentation.

— Vous êtes dingue !

Mais ma voix sonne faux. Gisèle devine que je ne serai pas duraille à décider.

— D'abord, fait-elle, il faut prendre une décision quant à notre conversation : tantôt nous nous tutoyons et tantôt nous nous vouvoyons ; cette incertitude la fiche mal devant des tiers. Ensuite, vous savez bien que ce que je vous propose est correct. Ici, vous n'avez pas à redouter d'indiscrétion de la part des passants.

— Bien sûr, mais ça peut être dangereux.

— Allons donc...

Je me fais véhément.

— Sapristi, je sais mieux que toi où se trouve le risque. Si je te dis que ça peut être dangereux, c'est que c'est vrai. Nous ne connaissons rien des types en question, rien sinon qu'ils tirent dans le bide de leurs contemporains avec la facilité que vous avez pour vous mettre du rouge à lèvres...

» Avoue que ça donne à réfléchir...

— C'est tout réfléchi, je sais qu'avec toi je ne risque rien...

On a beau avoir l'habitude d'entendre les souris vous passer la pommade, des paroles pareilles vous font drôlement plaisir.

J'ai connu un mec qui a enjambé le premier étage de la tour Eiffel, sans prendre garde qu'il y avait une fameuse marche, simplement parce qu'une grognace platinée lui avait débité des salades comme quoi il était le Jules le plus extraordinaire de la création. Vous allez me dire que ce zig devait trimbaler une bath araignée au plafond, et je suis d'accord avec vous pour une fois. Il n'empêche que cette anecdote vous prouve que des boniments de poufiasse ont souvent plus d'effet sur nous, les gars de la reproduction, que les déclarations des droits de l'homme et du citoyen.

Je me sens galvanisé, comme la tôle servant à fabriquer les ustensiles ménagers.

Je ne doute plus de mes possibilités. Gisèle me dirait d'aller tirer un ramponneau dans la trombine du général allemand commandant la place de Pantruche que j'irais en courant et que Mimoun ne pourrait pas me rattraper.

Je me penche sur ma petite gosse.

— Très bien, chérie. C'est O.K., nous allons essayer d'attirer le gars chez toi. Mais s'il y a de la casse, je décline toute responsabilité.

Elle hausse les épaules.

— L'heure tourne. Vous êtes plus bavard qu'un perroquet.

Là-dessus, j'éclate de rire et lui raconte que mon oncle Gaston, l'instituteur en retraite, celui qui prend un bain de pieds le premier samedi de chaque mois, possède un cacatoès aussi muet qu'un tampon buvard. Cet oiseau n'a dit qu'un mot dans sa vie et ce mot était tellement salé que ma tante a gardé la chambre pendant deux mois en l'entendant.

Il ne faut pas longtemps pour arriver rue de l'Arcade. Le gérant joue son rôle de première. Il fait mine de ne pas s'intéresser à nous. Nous avançons dans la salle de restaurant qui est bondée. Au milieu de l'indifférence générale, Gisèle annonce qu'elle va pousser une goualante. Elle a choisi *la Rue de notre amour,* because les gonzes de l'autre jour l'ont jouée. Elle toussote un peu et démarre. Je l'accompagne comme je peux sur mon crin-crin. Je vous garantis que je préfère l'accompagner dans un dodo. La musique et moi, on est parents à peu près comme le sont une panthère noire et un canard de Barbarie. Néanmoins, mes leçons de jadis me reviennent en mémoire. Bien sûr, je fais des fausses notes ; pour être franc, je ne fais même que ça. Mais ça fait plus vraisemblable.

La petite a une gentille voix de soprano. Bien sûr si elle auditionnait à la Scala de Milan, tout ce que le directeur pourrait lui proposer, c'est un emploi au vestiaire ou aux waters, mais son petit filet suffit dans ce bruit de fourchettes et ces glougous. Comme elle est jolie, y a quelques vieux faunes qui la renouchent en loucedé. En sciant mon jambon, j'observe l'assistance ; je cherche à deviner qui, dans cette foule de convives, est l'homme qui m'intéresse. Mais s'y trouve-t-il, seulement ?

Je me fends la poire en pensant que nous sommes en train de faire les cornichons pour peut-être ballepeau.

Lorsque ma diva de divan a terminé sa beuglante, elle fait un petit salut et annonce que son camarade Antoine va interpréter un morceau de sa composition.

C'est à mon tour de tenir la vedette. Je prends une pose inspirée et je fais mon Paganini. Je ne sais pas au juste ce que je musique... C'est un air qui me revient, du plus profond de ma mémoire. Je crois bien que le mec Chopin a composé ce machin. Je m'en tamponne les amygdales. Le brave Polack ne risque pas de venir rouscailler. D'abord parce qu'il est clamsé depuis belle lurette, ensuite, parce que, de la manière dont j'exécute son morceau, il ne pourrait pas le reconnaître.

Au milieu du morceau, je marque un temps d'arrêt. Je me concentre et laborieusement je passe mon message. Voici ce que je transcris en morse :

Urgent — Rendez-vous — Ce soir dix heures — Maudin — 24, rue de Laborde.

Après quoi j'achève mon récital.

Quelques applaudissements parcimonieux retentissent. Nous remercions l'honorable société et nous passons à la manœuvre. La recette est bonne.

— Décidément, me dit Gisèle, j'ai de plus en plus envie de lâcher l'hôpital et de me consacrer au lyrisme de restaurant.

Nous faisons un clin d'œil au gérant et nous nous taillons sans plus attendre.

Je regarde l'heure à Saint-Lago : neuf heures.

Je propose à Gigi de torcher un grog dans une brasserie avant de regagner ses pénates. Il faut boire la recette. C'est curieux comme les types sont généreux avec les cloches, quand ils s'empiffrent dans un truc à marché noir...

— Vous croyez « qu'il » viendra ? demande-t-elle.

— S'il était dans la salle, y a pas d'erreur...

— Mais y était-il ? J'ai bien regardé, je n'ai pas vu un seul type correspondant au portrait d'un assassin.

Je lui caresse le poignet.

— Petite fille ! Les assassins ne ressemblent presque jamais à des assassins. Moi aussi, j'ai biglé les dîneurs... Et je n'ai pas pu me faire une idée.

— Alors ?

— Alors, attendons.

— Je suis frémissante.

Je souris et commande deux autres grogs.

— Ne vous bilotez pas. Ce sont vos premières armes dans

les services secrets. Il s'agit de ne pas flancher. Le meilleur moyen de se doper est encore de pinter un bon coup.

» C'est le secret de mes succès.

Au bout du quatrième grog, elle est bien à point. Je la finis par un verre de calvados. Le froid fait le reste. Lorsque nous pénétrons dans son appartement, elle est aussi guillerette qu'une tranche de veau. Je la couche et elle se met à pioncer. Ouf ! J'ai le champ libre. De cette façon, je vais pouvoir manœuvrer à ma guise. La môme est la crème des filles, d'accord ; mais ça n'est pas une raison pour l'avoir sur les fumerons d'un bout à l'autre de l'affaire. Pendant qu'elle cuvera sa malouse, je m'occuperai du mec, si, comme je le souhaite, il se pointe à mon rancart...

Je regarde ma montre. Ça colle, j'ai encore le temps. Le temps de quoi faire, allez-vous penser ? Pardine ! le temps de mettre la paluche sur la bouteille de raide de Gisèle. Elle n'est pas duraille à trouver. Je la débouche et je m'en téléphone un vieux coup dans l'estomac. Illico, je me sens enclin à l'optimisme. Je sors mon Lüger et je le glisse sous un journal jeté sur le divan.

Plus que cinq minutes. Viendra ? Viendra pas ?

Mon palpitant se met à cogner. Je me sens intimidé comme lors de ma première enquête. C'est nerveux, faut attendre que je sois rodé. Voilà ce que c'est de se laisser aller. On devient ramolli de l'intérieur et de l'extérieur...

Le niveau baisse dans le litron. L'heure tourne. Mon cœur bat... Voilà les caractéristiques du moment. Sans relâche, dans mon boîtier, les mêmes pensées vont et viennent, au point de me donner le mal de mer : viendra ? viendra pas ?

Un pas dans l'escalier. Est-ce pour moi ?

Oui, le pas s'arrête devant la lourde. On sonne.

Alors mon palpitant se calme comme par enchantement. Je retrouve tout mon calme, comme l'acrobate qui va accomplir le saut de la mort... San-Antonio est un mec entier. Je sais me récupérer le moment venu. Or, pour être venu, il l'est, le moment. Je liquide la bouteille de cognac pour dire de ne pas avoir de remords s'il m'arrive quelque chose. Je vais ouvrir la lourde.

Je ne sais pas si vous avez jamais vu de film d'épouvante. De ces films qui vous flanquent les flubes pendant une semaine... Si vous en avez vu, vous avez dû remarquer que l'impression d'effroi provient souvent d'un contraste entre l'intensité de la peur redoutée et l'aspect innocent de celui qui la provoque. Je ne sais pas si je me fais bien comprendre... Vous êtes tous tellement pochetés que pour vous faire entrer quelque chose dans la matière grise, il faudrait un marteau-pilon. Ce que je veux dire, c'est que ce qui transforme la peur en épouvante, c'est qu'elle est provoquée par quelque chose d'insolite. Ainsi, il est normal d'avoir peur d'un gros caïd en colère, mais quand au lieu d'un gros caïd, c'est un petit vieux bien propre qui vous fout les jetons, ce qu'on éprouve n'est plus de la peur, mais de l'épouvante. Cette fois, est-ce que vous mordez ?

J'ouvre la lourde.

Je ne peux réprimer un sursaut. Dans l'encadrement de la porte il y a... un petit garçon. Ce petit garçon, je l'ai aperçu tout à l'heure au restaurant de la rue de l'Arcade. Vous vous en doutez, je ne lui ai pas accordé la moindre attention. Je suis tellement ahuri que je reste là, la bouche ouverte, les bras ballants.

Le petit garçon peut avoir une dizaine d'années. Il est trapu avec une tête d'hydrocéphale. Son regard est candide...

— Bonjour, m'sieur, fait-il.

Je bouge la tête.

— Bonjour...

Il n'est pas pressé de rentrer. On dirait qu'il est timide.

— Qui êtes-vous ?

Avant de me répondre, il s'assure qu'il n'y a personne dans le couloir.

— La pluie du matin n'arrête pas le pèlerin, murmure-t-il.

Aïe ! ma douleur ! C'est un mot de passe. S'il faut répondre quelque chose je suis marron.

Pour gagner du temps, je prends un air extrêmement rassuré.

— Parfait, parfait, murmuré-je.

Je m'efface et il entre.

Entre nous, je suis sérieusement empoisonné. Qu'est-ce que je vais bien pouvoir raconter à ce loupiot ? Tant que je croyais avoir affaire à un homme, tout était réalisable. Mais quelle ressource puis-je avoir avec un morbach ?

Je referme la porte et j'indique le studio au bibace. Il y pénètre sans se faire prier. Alors je pige tout : ce petitout n'est pas un gamin mais un nain. Bien qu'il porte un costume marin et un pardessus de premier communiant, il a une démarche d'homme. Une démarche de nain, massive, trébuchante ; la démarche d'un nain aux jambes arquées.

Quand nous sommes dans le studio, je m'assieds nonchalamment.

— Une cigarette ? proposé-je.

Il secoue sa grosse tête d'anormal.

— Alors, un sucre d'orgue, peut-être ?

Je le vois blêmir. Un nuage sanglant passe dans ses yeux de chat.

— L'habit ne fait pas le moine, dit-il d'un air méfiant.

Ces simagrées commencent à me fatiguer. Je vois bien qu'il me pousse une colle, mais la moutarde me monte au nez.

Je lui dis :

— Tant va la cruche à l'eau qu'à la fin elle se casse. Un tiens vaut mieux que deux tu l'auras. En mars et en avril, ne te défais pas d'un fil...

Il est suffoqué.

— Enfin quoi ! éclaté-je. Tu ne vas pas passer en revue tous les proverbes... Si c'est une anthologie que tu fais, je vais te donner un coup de main.

Soudain, je ferme ma grande gueule : cette demi-portion tient un feu dans la main. Un bath rigolo à crosse de nacre.

— C'est un piège, grince-t-il.

— Ne t'excite pas, géant, et rengaine ton soufflant, tu pourrais te blesser.

Il a un rictus abominable. Je n'ai jamais rien vu de plus immonde que ce nabot. Je voudrais pouvoir l'écraser à coups de talon. En tout cas, l'instant critique est arrivé plus tôt que je ne le pensais. M'est avis qu'il va falloir jouer serré.

— Comment avez-vous eu notre code ? demande le nain.

— Par un vieux système d'information.

— Lequel ?

— Mon petit doigt, figure-toi. Je le branche de temps à autre, et il me raconte un tas de choses qui ne sont pas dans les journaux.

Je vois son doigt se crisper sur la détente.

— Ne fais pas le pierrot, je te dis !

Il paraît ne pas entendre. Le pistolet tremble dans sa menotte.

Ce qu'il doit être nerveux, ce chérubin !

— Parle ! fait-il, et sa voix émet un bruit de girouette rouillée.

Je hausse les épaules.

— Tiens, veux-tu que je te dise ? Tu me fais marrer... Je te convoque ici pour avoir une discussion avec toi et voilà que tu me flanques ton artillerie sous le nez en me disant de parler. Tu ne trouves pas ça crevant, toi ?

Son visage reste impassible.

Je me dis qu'il vaut mieux ne pas contrarier ce loustic. S'il remuait un tant soit peu l'index droit, placé comme je suis, je dégusterais du plomb brûlant dans la poitrine.

— Après tout, si tu y tiens, je peux bien t'affranchir.

Je lui raconte toute l'affaire, vue sous mon angle, depuis l'attentat dont j'ai été victime en octobre jusqu'à la cérémonie de ce soir, en passant par ma découverte du morse musical.

Il a un rire mauvais.

— Compliments, siffle-t-il. Tu n'as pas la tête dans ta poche.

— Tu saisis, dis-je, conciliant. J'en ai ma claque de dérouiller. Je viens de me tasser deux mois d'hosto et je voudrais au moins trouver le zig aux crins en brosse pour lui dire ce que je pense de lui...

Le nain réfléchit.

— T'es trop marle... Alors, tu te figures que j'allais allonger mon pote ? Poulet, va !

— Poulet ?

Je m'applique à faire l'étonné.

— Dame ! Tu viens de me dire que c'est sur toi qu'on a tiré la première fois, à cause que tu ressemblais à Manuel. Or les journaux ont assez répété qu'on avait tiré dans le métro sur San-Antonio, l'as des as... On s'est même assez marré d'avoir failli dessouder un flic par erreur.

Je feins de prendre la chose du bon côté.

— D'accord, c'était un hasard curieux...

— Je regrette qu'une chose, affirme le nain.

Je lève un sourcil pour marquer ma curiosité.

— C'est que tu ne sois pas claqué...

Je m'incline.

— Trop aimable...

Ce nénuphar d'urinoir tord ses lèvres.

— Heureusement qu'il est temps de réparer cette malfaçon...

Qu'est-ce à dire ? Je regarde mon petit bonhomme et je me

rends compte qu'il est vachement déterminé. Si je n'agis pas prestement, je risque fort de me réveiller dans un coin plein d'anges et de roses odorantes. Maintenant, si vous désirez que je vous révèle à quel signe on reconnaît le gars déterminé à vous envoyer dehors, ouvrez grands vos plats à barbe. Le type qui va tuer, je vous l'ai dit plus haut, a un quelque chose dans les yeux d'assez particulier. Mais y a pas que ses châsses pour annoncer le casse-pipe ; y a toute sa poire. Ses lèvres sont tirées comme les babines d'un chien enragé, son nez est pincé et sa pomme d'Adam monte et descend comme l'ascenseur d'un hôtel le jour où il y a la foire dans le patelin. Ce magot m'a l'air rusé. Si je peux attraper mon feu qui se trouve sur le divan, cela ne me servira à rien, car il tirera avant que j'aie eu le temps de repousser le cran de sûreté.

Que faire ? Mon Dieu...

J'ai la bouche sèche. Soudain j'ai une idée. Ça me vient sans que je veuille, c'est comme la sonnerie d'un réveille-matin, elle se déclenche dans ma montgolfière à tout berzingue. Pour ce que je veux tenter, il me faut de l'alcool. Hélas ! j'ai sifflé le restant de la bouteille, mais il y a sur l'entourage du cosy, un flacon d'eau de Cologne. L'étiquette est tournée du côté du mur, par conséquent, mon nain ne peut connaître la nature du liquide.

Je prends la moue désabusée du polyte qui s'apprête à trinquer.

— Tu ne vas pas me bousiller, dis donc ?

— Je vais me gêner...

— C'est pas possible.

Je réprime des sanglots. Il s'agit d'offrir des sensations rares à ce faux petit garçon afin qu'il prolonge notre tête-à-tête. Pour moi, le jeu consiste à attraper le flacon de parfum sans que le nabot prenne ombrage de mon geste.

— Ne fait pas ça, supplié-je en haletant. Enfin, tonnerre ! je n'ai rien fait. Vous m'avez mis en l'air une fois...

Je roule des bigarreaux hallucinés. Lentement, je porte la main vers la bouteille vide, comme si j'avais besoin de m'en aligner une giclée. Puis je feins de m'apercevoir qu'elle est vide. Il faut absolument que l'autre ne se doute de rien. Toujours tremblotant, je me détourne légèrement afin d'empoigner l'eau de Cologne. Ce que j'appréhende... je peux pas vous l'expliquer. Il me semble que le feu va cracher épais. Du plomb dans les tripes, y a rien de plus gênant. Vous ne pensez plus à grand-chose lorsque c'est dans le prosper que ça vous arrive. Rien que le choc vous coupe net le sifflet... Il ne se passe rien.

Faut pas croire que ces faits et gestes se déroulent au ralenti. Seulement, la pensée va si vite ! Entre la pensée et le mouvement, il y a quelquefois la même différence de vitesse qu'entre la lumière et le son.

Enfin je tiens mon flacon.

— Je veux pas que tu me butes !

— T'avais qu'à tenir tes pieds au sec. Qu'est-ce que c'est que ce poulet qui vient jouer au petit soldat et qui se plaint quand on en a marre de sa gueule ?

Mon tremblement s'accentue. Je débouche le flacon et me le colle sous le tarin.

— C'est ça, approuve le nain, à ta santé !

— Peut-être que dans votre garce d'existence, il vous est déjà arrivé de boire de l'eau de Cologne par erreur. Alors vous devez savoir que ça ne vaut pas du chambertin. Pour ma part, je ne connais rien de plus tocasson. Je précise cependant que cette eau de Cologne, je ne l'avale pas. Je m'en emplis la bouche seulement, comme si je voulais m'en gargariser... Je combine bien mon petit truc et vlan ! Je la recrache dans les mirettes du gnome. Mince de binz ! Le gars Mabotte hurle comme un goret auquel on vient d'enfoncer une barre rougie dans le rectum. Il se frotte les châsses et les écrase sous ses poings miniatures.

Si vous pensez que je me tire les cartes pendant ce temps, vous vous gourez comme quinze poux les uns sur les autres. Rapidos, je le désarme et récupère mon Lüger. Avec un pulvérisateur dans chaque paluche, on se sent quelqu'un, surtout lorsqu'on n'a en face de soi qu'un monsieur d'un mètre trente.

— T'es encore trop jeune pour vouloir dorcer San-Antonio, mon chéri. Tu devrais rester chez toi pour y jouer avec ton Eurêka à fléchettes. Dis donc, tu croyais avoir affaire à quel branque ?

Il commence à ouvrir les yeux. Il pleure comme si on avait fait partir sur ses genoux une bombe lacrymogène.

— Sale poulet ! grince-t-il.

— T'excite pas, ma beauté. La roue tourne, tu le vois. Par moments, elle tourne tellement vite qu'on ne peut plus apercevoir les rayons. Ainsi, il n'y a pas une minute, tu jouais à Nick Carter avec ce flingue, et maintenant, c'est moi qui tiens les brêmes. Conclusion ? Tu vas jacter... C'est d'une telle simplicité qu'il n'y a pas besoin de te faire un dessin.

— Tu peux toujours courir.

— Si tu ne réponds pas à mes questions illico, je te casse les ailes.

Il hausse ce qui lui sert d'épaules.

— Tu peux toujours y venir.

La rage me prend. Je pose les deux feux sur un rayon de bouquins hors de la portée du nabot et je m'avance sur lui. Ce macaque m'a assez couru sur l'haricot comme ça. Je vais, sans plus attendre, lui passer une danse de première. Je tends ma main, vers lui, mais il fait un saut de côté. Avant que j'aie eu le temps d'agir, il fonce sur moi comme un bélier et me rentre dans l'œuf la tronche la première. J'en ai le souffle stoppé net, d'autant que mon ventre est encore très fragile. Lui ne perd pas de temps : profitant de ce que je suis courbé par la douleur, il me fait un truc japonais lequel consiste à m'enfoncer deux doigts en fourche dans les châsses. Je hurle à mon tour. Je suis aveuglé, débordé, pigeonné. Une grêle de coups s'abat sur ma tête. Ça carillonne sous mon dôme comme dans un clocher un jour de Pâques. Une nausée me noue la gorge.

« Sacré tonnerre de bon sang, par un nain ! Par un nain ! Par un bon Dieu de nabot... »

Voilà ce que je me répète tandis que je rue désespérément. Je défaille. Je me liquéfie. Le petitout va sortir mes tripes et les aligner sur le parquet pour voir si le compte y est.

Bing !

Un bruit de verre brisé. Le grêle de coups s'arrête. Que se passe-t-il ? J'ouvre les yeux tant bien que mal. Juste assez pour apercevoir Gisèle, debout au milieu de la pièce avec, dans la main, un tronçon de bouteille.

Sa présence me dope. Je me mets sur mon séant.

— C'est... vous ? dis-je bêtement.

A mes pieds, il y a le nain. Il a son compte, le salopard, un chouette œuf d'autruche pousse sur son crâne.

— Gisèle...

Je suis prêt à débloquer. Alors elle se met à se marrer comme une folle. Jamais mon orgueil n'a été mis à si rude épreuve... Ah ! il est balaize, le commissaire San-Antonio ! Se laisser filer une rouste par un bonhomme ne mesurant pas un mètre trente ! Si mes collègues apprenaient ça, ils rigoleraient vachement et ils auraient raison. Je suis tellement humilié que pour un peu je décrocherais la suspension et je me pendrais à la place...

— Je suis arrivée à temps, hein ?

Je la regarde et je me sens incapable de parler.

— Il vous a bien arrangé, continue-t-elle. Venez dans la salle de bains... Je vais vous mettre du collyre dans les yeux, on dirait que vous avez deux escargots sur la figure.

Je la suis docilement. Je me laisse soigner.

— Gigi, murmuré-je enfin. Gigi, je suis le plus fameux tocasson de la police. Ma carrière est finie ! M'être laissé filer une trempe par un nain ! Je vais en crever de rage.

— Allons, me dit-elle. Ne soyez pas si pessimiste. J'ai vu comment les choses se sont passées. Il vous a eu par surprise. Justement, Tony, vous n'avez pas l'habitude des adversaires de ce format...

— Vous avez tout vu ?

— Oui, enfin presque. Ce sont ses cris à lui qui m'ont réveillée. Dites, vous m'aviez salement saoulée. J'étais ronde comme trois Polonais...

Elle m'embrasse. Moi, j'ai autant envie de lui faire un mimi mouillé que d'ouvrir une épicerie fine au pôle nord.

— Pouah ! Vous avez bu de l'eau de Cologne !

Je la mets au courant des chapitres précédents et elle me félicite pour ma présence d'esprit.

Un peu réconforté, je m'ébroue.

— Occupons-nous de ce démon, Gigi. Je vais lui dire ce que je pense de ses procédés.

Nous sortons de la salle de bains. Ma compagne pousse un cri.

— Il est parti !

Je me précipite.

— Quoi ?

Le studio est vide. Je vais à la porte du palier et j'arrive juste à temps pour entendre claquer celle de l'entrée.

L'oiseau s'est envolé. San-Antonio vient de connaître la plus grosse défaite de sa carrière.

CHAPITRE VI

La tuile.

Un chien qui vient de recevoir un seau de flotte sur le râble file dans sa niche et se tient peinard. C'est ce que je fais. Gisèle insiste pour que je passe la nuit chez elle, mais je refuse.

— Fermez votre lourde à double tour, lui dis-je et mettez un meuble derrière. Si vous entendez quelque chose d'insolite, téléphonez à la P.J., vous demanderez Guillaume ou quelqu'un de son service de ma part.

Je l'embrasse et je me taille sans écouter le dernier disque de ses récriminations. Je n'aspire plus qu'à une chose : piquer un roupillon maison. J'ai besoin de m'anéantir pendant un moment afin d'oublier mes humiliations de la soirée.

Arrivé chez moi, j'embrasse Félicie et je vais prendre du gardénal dans la pharmacie. Si je m'écoutais, je goberais tout le tube... Je me domine et c'est quatre comprimés que j'avale. Puis je me pieute.

Le sommeil ne tarde pas à rappliquer. D'abord mon corps devient léger ; puis un grand calme se fait dans ma tête. Je ne tarde pas à flotter dans un univers doré.

Quand j'ouvre les mirettes, je suis obligé de les refermer, car le soleil est installé dans ma chambre comme chez lui. Mon réveil marque midi. Des odeurs de frigousses filtrent sous la porte. Je passe ma robe de chambre et vais prendre un bain. Je ressors de l'eau, rose comme une côtelette de porc. Je suis d'attaque. Rien de tel qu'une bonne drume pour vous remettre le caberlot sur la longueur d'onde voulue...

J'entre dans la salle à manger où s'active Félicie.

— Jour, m'man.

— Bonjour, mon grand.

Je ne sais pas comment ma brave vieille se débarbouille, mais, malgré les restrictions, nous avons toujours une table convenable. Aujourd'hui, il y a du pâté de tronche et de la grillade avec des œufs bourguignons. Je prends ma fourchette d'une main, mon lardoir de l'autre, et j'attaque.

La bouffe finit par me restituer mon optimisme. Au sortir de la table, je m'inhume dans un fauteuil-club et je grille une gauloise.

Au moment où mes idées s'ordonnent, on sonne. Ma mère introduit Guillaume.

Sa visite ne me fait qu'un plaisir mitigé car j'ai besoin de solitude et de silence. Il entre avec une mine aussi sombre que celle d'un charbonnier. Je m'efforce à sourire.

— Hello, quel bon vent ?

On s'en serre dix. Je m'attends à ce qu'il se déride, mais il continue à être aussi folichon qu'un constipé en grand deuil.

— Vous avez lu les journaux, commissaire ? me demande-t-il.

— Quels journaux ?

— Ceux de midi.

— Non.

Il sort un canard de sa poche et me le tend.

J'ouvre la feuille et la parcours rapidement. Je n'ai pas à chercher longtemps. C'est là, en première page. Un titre sur deux colonnes :

« UNE INFIRMIÈRE KIDNAPPÉE
PAR DES TERRORISTES ! »

— Gisèle !

Guillaume secoue affirmativement la tête.

L'article du journal explique comment l'enlèvement s'est opéré.

Ce matin, en quittant son domicile, elle a été assaillie par deux hommes. Kidnapping classique. Les deux types l'ont encadrée quand elle a passé la porte cochère. Ils l'ont empoignée chacun par un aileron. Une traction attendait, moteur au ralenti. Ils l'ont obligée à prendre place. Le rapt a eu lieu devant tout le monde. Personne n'est intervenu, car les assistants ont pensé à une arrestation par la Gestapo. C'est le concierge de l'immeuble qui a eu l'idée de prévenir la police, à tout hasard. Les poulets se sont rencardés auprès des Chleuhs et ont eu l'assurance que les sulfatés n'étaient pour rien dans l'affaire.

Guillaume m'apporte ses conclusions.

— Par hasard, j'étais dans le bureau de mon collègue chargé de l'enquête. On venait de lui apporter une photo de la petite. J'ai aussitôt reconnu la personne qui vous accompagnait avant-hier.

» Je n'ai rien dit avant de vous prévenir ; voyez-vous, monsieur le commissaire, j'ai l'impression que vous êtes embarqué dans une vilaine affaire.

— Vous pensez à une histoire politique ?

— Justement... Je ne parviens pas à me faire une idée...

Il est gêné. Mon collègue, la chose est sûre, est persuadé que je travaille pour une puissance étrangère. Je n'ai pas le courage de le dissuader. D'abord à quoi bon ? Tant que nous n'avons pas de renseignements précis sur les agissements bizarres de cette bande, toutes les suppositions pourront être faites...

— Je vous remercie de m'avoir prévenu, mon vieux. Je vais m'occuper de ça sérieusement. Jusqu'ici ces crapules m'ont eu comme un enfant de chœur. J'ai un compte à régler avec eux.

Il semble soulagé.

— Vous connaissez les difficultés que nous rencontrons en ce moment. Nous marchons dans le noir. Nous avons toujours peur de faire une blague. D'un côté, nous ne voulons pas ennuyer les gars de Londres et de l'autre, nous ne tenons pas à nous mettre à dos ces messieurs du Gross Paris...

Je m'habille pendant qu'il me parle.

— Écoutez, lui dis-je, prenant une brusque décision ; donnez-moi huit jours.

— Qu'entendez-vous par huit jours ?

— Je veux dire que je vous demande, ainsi qu'à tous les copains de mettre cette affaire en sommeil. Je ne veux pas voir compliquer mes recherches par leur enquête personnelle, vous saisissez ?

» Laissez-moi la bride sur le cou. Huit jours. Et je vous passerai la main si je n'ai rien de nouveau.

Ma proposition a l'air de lui être particulièrement agréable... Mon petit doigt — qui décidément est un informateur de première — me dit que ce sacré Guillaume n'avait pas d'autre désir que de me charger officieusement de l'enquête en venant chez moi.

Comme il l'a dit, lui et les copains veulent tenir leur nez propre... Ces fumelards préfèrent que ce soit le petit San-A. qui trinque...

— Parfait, parfait, murmure-t-il.

A mon regard, il comprend que je ne suis pas dupe et il toussote.

— Dites-moi, cher homologue, avez-vous sorti le macchab de la rue Joubert de son domicile ?

— Oui.

— Vous avez laissé un planton devant la porte ?

— Oui, j'allais supprimer la surveillance ; vous tenez à ce que je la maintienne ?

— Du tout, bien au contraire.

Je consulte ma montre.

— Il est deux heures ; eh bien, à trois heures, donnez des instructions pour que les matuches s'en aillent.

— Entendu.

Guillaume prend son chapeau et me tend la main.

— Au revoir, monsieur le commissaire. Si vous avez besoin d'aide, n'hésitez pas...

Alors, qu'est-ce que vous dites de ça ? Hein, mes petites têtes de veau au formol ? Ma gosse enlevée, c'est-y pas le fin des fins, le comble des combles ? Ces pourris me tirent dans la babasse ; ils envoient un nain me faire une démonstration de lutte libre et voilà qu'ils kidnappent ma poulette. Cette fois j'en ai ras le bol. Va falloir que ça claque ou que ça dise pourquoi.

Une demi-heure plus tard, je suis rue Joubert. J'aperçois les deux bignolons devant l'immeuble de mon sosie. Je rentre dans la maison et grimpe à l'appartement. Je constate que les scellés sont posés, mais un cachet de cire n'est pas un obstacle pour moi. Je descends à la loge du concierge. Je montre ma carte et demande la permission de téléphoner.

J'ai Guillaume au bout du fil. Il vient de rentrer à l'instant.

— Un premier service, ma vieille, lui dis-je après m'être fait connaître. Envoyez quelqu'un pour poser les scellés sur la lourde de l'appartement.

— Mais il y sont !

— Ils n'y sont pas pour longtemps, car la première chose que je vais faire après avoir raccroché, c'est de les enlever.

— Bon !

— Autre chose, je tiens à ce que le type qui viendra ne pénètre pas dans l'appartement.

— Très bien, monsieur le commissaire.

Je raccroche. Dans la pièce voisine, la concierge me regarde d'un air épouvanté. Je me souviens alors que son locataire assassiné me ressemblait comme un frère.

— N'ayez pas peur, lui dis-je en riant, je ne suis pas un

fantôme. C'est par simple coïncidence que le policier et la victime se ressemblent.

Elle est un peu soulagée. Je lui demande :

— Parlez-moi un peu de mon sosie...

Elle n'a pas grand-chose à en dire. Elle ne m'apprend rien que je ne sache déjà. Le mort ne faisait que de brèves apparitions dans l'immeuble. Il payait régulièrement son terme et ne lésinait pas sur la question des pourliches.

— Recevait-il du courrier ?

— Jamais il n'a reçu la moindre lettre !

Je dis « Merci, vous êtes bien aimable », et je fais mine de sortir de la maison ; mais il ne s'agit que d'une feinte. Je ne sors pas de l'allée. Au contraire, je me jette à genoux et repasse devant la loge de la pipelette. Je préfère qu'elle ne me sache pas dans l'immeuble...

Jusqu'ici, je suis assez content. Mon grand pif, je le crois fermement, a reniflé une piste. Voyez-vous, bande de pégreleux, le raisonnement est une belle chose pour un flic. J'ai pensé que l'appartement du dessoudé de la rue Joubert pouvait être un élément d'enquête intéressant. Ce type ne l'utilisait presque pas, même pour recevoir du courrier ; alors, dans quelles intentions l'avait-il loué ? Pour se cacher ? Drôle de quartier : le centre de Paname ! Je suis persuadé qu'une étude approfondie des lieux me révélera leur destination. Je suis également persuadé d'autre chose, mais il est trop tôt pour vous en parler...

Je fais sauter les cachets de cire et j'entre dans la place. Je me repère vite et entre dans la salle à manger où l'on avait entreposé le corps. Une odeur fade flotte dans la pièce. J'ôte mon pardessus et mon chapeau. Un observateur invisible pourrait supposer que je suis chez moi. Y a de ça... Ma décision est prise je ne bougerai pas de cette carrée avant d'avoir pu attraper l'extrémité du fil qui me conduira aux ravisseurs de la môme.

Je commence mes investigations. Guillaume et ses archers ont fouillé en détail ; mais il existe parfois des cachettes hermétiques... Je soulève les tapis, décroche les tableaux, déplace les meubles... Centimètre par centimètre, je poursuis mes recherches... J'entends un bruit de voix devant la porte, aussitôt je m'interromps. Il faut absolument que ma présence dans l'appartement soit ignorée de tous. Les tordus avec lesquels je suis en guerre m'ont l'air rudement fortiches ; maintenant nous n'avons pas de gâteries à nous faire, c'est la guerre des nerfs. Le premier enflé qui porte la main à ses fouilles je l'assaisonne. En tout cas, pour ce qui est du nabot, si je le retrouve, ce qui doit être relativement facile, étant donné sa taille, je vais lui cogner dessus jusqu'à ce qu'il prenne les apparences d'une tortue de mer. Dorénavant, tout individu qui sera à la hauteur de mon nombril me semblera suspect.

Les bruits de voix disparaissent. Les scellés sont posés à nouveau.

Ayant exploré la salle à manger, je passe dans la chambre à coucher. Celle-ci ressemble à une piaule d'hôtel. Les meubles sont tocards et sans style. Le pieu n'est pas défait. Il ne comprend pas de draps, ce qui indique une fois encore que mon sosie ne pensait pas se planquer ici. Je fouille désespérément. Je ne trouve rien. Cet appartement est aussi mort que son locataire. Pas moyen de lui arracher le moindre indice. En désespoir de cause, je pénètre dans la minuscule cuisine. Elle est en ordre ; le compteur à gaz est plombé... Si j'étais dans la vitrine d'un grand magasin, je trouverais peut-être davantage de traces. Pourquoi le Manuel a-t-il loué cet appartement si ce n'est même pas pour y planquer quelque chose ?

Je reviens à la salle à manger et me laisse choir dans un fauteuil. Gisèle ! Cela fait six heures qu'elle est dans les pattes de ses ravisseurs. Peut-être qu'ils l'ont rayée des listes d'état civil... J'ai beau réfléchir, je ne pige pas pourquoi ils se sont emparés d'elle. Si c'était pour se venger du coup de bouteille qu'elle a flanqué sur le dôme du nain, hier, ils n'avaient qu'à la descendre dans la rue sans se faire de mouron, suivant leur bonne habitude.

Je ne comprends pas ! Je ne comprends pas. Je dois avoir une betterave à sucre à la place du cerveau.

Bonté divine, je n'ai plus qu'à m'engager à l'Armée du salut pour laver les nougats des clochards.

Quelle tuile !

CHAPITRE VII

Je suis canonnier.

Une glace à trumeau située en face de mon fauteuil me renvoie ma gueule catastrophée. J'ai tout du minable. Je suis comme le jongleur aérien qui viendrait de renverser sa tasse de café sur la robe de la souris qu'il cherche à se farcir. Je prépare une collection de noms susceptibles de me résumer, j'en retrouve quelques-uns et j'en invente d'autres, ça me soulage, mais ce n'est pas ce qui rend la liberté à ma douce infirmière.

Il est huit heures du soir et il ne s'est rien produit. Je me tâte : faut-il passer la nuit ici, ou bien dois-je aller me geler les cloches dans les rues avec l'espoir d'y rencontrer un des loustics que je connais ?

Avant que ma décision soit prise, j'entends un frôlement dans le couloir. Une clef fouille la serrure. Vous pouvez croire que mon petit cœur fait toc toc... Je me glisse derrière mon fauteuil. Comme il est placé dans un angle de la pièce, je ne crains d'être découvert que si le visiteur nocturne vient fureter dans ce coin-là.

J'attends, le sang aux tempes, mon Lüger à la main...

Une mince silhouette s'insinue dans la pièce. Je réprime un sursaut d'allégresse : le gars qui entre n'est autre que mon agresseur aux cheveux en brosse. Il s'avance tranquillement. Heureusement que je me suis retenu de fumer, car il aurait éventé ma présence.

Qu'est-ce que vous feriez à ma place ? Vous braqueriez votre soufflant dans la direction du copain et vous appuieriez sur la détente jusqu'à ce que votre magasin de quincaillerie soit vide. Bien sûr, ce serait le parti le plus sage, mais je ne peux plus me permettre d'être prudent. Si cette crapule est venue dans l'appartement, c'est qu'elle a l'espoir d'y prendre quelque chose... Vraisemblablement ce que Manuel y avait caché. Mon plan est donc de lui laisser trouver ce quelque chose. Mais, allez-vous m'objecter, rouscailleurs comme je vous connais, mais si vous n'avez rien trouvé, vous, pourquoi serait-il plus chanceux ?

Eh ben, mes kikis, vous en tenez une couche à ce point épaisse que si un autobus vous rentrait dedans il ne vous ferait pas mal. Mon agresseur a sur moi un avantage écrasant : *il sait, lui, ce que mon sosie a planqué* ; tandis que le gonze San-Antonio ignore la nature de l'objet qu'il devait découvrir. Peut-être que c'est une tringle à rideau et peut-être que c'est une baleine adulte, vous pigez ?

L'arrivant se dirige vers le lampadaire situé à côté du divan. Il ôte l'ampoule électrique et l'examine par transparence à la lumière d'une petite lampe de poche.

Mais il n'est pas satisfait et la remet en place. Ensuite il grimpe sur la table et enlève toutes les ampoules du lustre. Une à une il les regarde. Il a dû trouver ce qu'il cherchait car il pousse un petit sifflement satisfait. Je le vois sortir une boîte en carton de sa poche et y déposer sa trouvaille.

Puis il remonte sur la table et branche les autres dans les douilles réceptrices. Je n'attends pas qu'il soit descendu de son perchoir. Profitant de ce qu'il tourne le dos je sors de ma planque et balance un coup de pompe magistral dans la table. Elle bascule et mon rascal se casse superbement la margoulette. Comme il a remis les lampes en place, je tourne le commutateur. Un lumière intense éclate dans la salle à manger. Une scène bidonnante m'apparaît : Tifs-en brosse est étendu sur le parquet avec la table sur les jambes en guise de couvre-pieds. En dégringolant, il s'est cogné le donjon contre le coin du buffet, ce qui lui a produit une entaille aussi large que la fente d'une boîte aux lettres. Il n'a pas perdu connaissance, mais il n'est pas gaillard du tout.

— Coucou ! fais-je. Poisson d'avril !...

Ses lèvres remuent faiblement. Sa main plonge dans sa veste. Seulement si un homme averti en vaut deux, un mec deux fois couillonné en vaut toute une tripotée. Avant qu'il ait achevé son mouvement, je lui mets un pruneau bien sec dans le gras du brandillon.

— Tiens-toi tranquille, tête de lard !

La fureur le ranime. Bien qu'il soit plutôt en forme pour une excursion Cook au pays des rêves, il réussit à se mettre sur son séant.

— Encore toi, poulet ! grommelle-t-il.

— Encore moi, oui, mon amour. Toujours moi. Tu ne pensais p't'être pas que j'allais m'engager dans les Waffen S.S. pour me consoler du kidnapping de ma gosse d'amour ? Mais trêve de boniments, je suppose que tu es assez intelligent pour te rendre compte de la différence qu'il y a entre un pauvre mannequin comme toi dans la bidoche est ouverte à tous les vents et un garçon écœuré par ce qui te sert de physique, bien armé, d'aplomb sur ses gambettes et pas maladroit ? Alors, réponds à mes questions :

» Primo : qu'avez-vous fait de Gisèle et où se trouve-t-elle ?

Il me regarde avec des yeux de loup enragé. Deux plis mettent entre parenthèses ses lèvres serrées.

— Tu ne veux pas répondre ?

Pas un muscle de son visage ne bouge.

— Tu es ballot comme un jeune chien. Si tu ne parles pas, je vais commencer sur ta carcasse une de ces séances à grand spectacle dont tu me diras des nouvelles. Tu en seras tellement enthousiasmé que tu voudras que je te note la recette sur un morceau de papier afin de pouvoir l'emporter en enfer.

Je m'approche de lui et lui prends le feu qu'il porte sous le bras. Il est ruisselant de sang. J'ai la frousse qu'il ne tourne de l'œil.

— Fais pas ta gâcheuse ou je vais te sucrer !...

J'aime pas chapoter les gnaces blessés, mais la vie de la petite est en danger... Aussi, triomphant de ma répulsion, je lui mets le canon de mon Lüger contre le pouce de son bras malade.

— Si tu ne réponds pas, d'ici dix secondes, ton pouce sera pulvérisé.

Il est pâle comme un lavabo.

— Tu sais que je suis décidé au pire.

Un mauvais sourire se dessine entre ses parenthèses.

Je tire. Il sursaute et pousse un cri rauque. Son pouce a disparu, à la place, il y a une bouillie rouge abominable.

— Quand on a commencé un tapin de ce genre, lui dis-je d'une voix faible, on ne sait pas où il peut s'arrêter, tu comprends ?

» Les hommes sont plus féroces que les plus féroces animaux. M'oblige pas à te disloquer, voyons ! Ça t'avance à quoi, de te laisser transformer en dentelle ? T'as jamais entendu parler des bourreaux chinois ? C'est des mecs qui savent travailler. J'en ai vu un qui avait coupé un jules en cent morceaux et le patient a continué à vivre dans un tonneau de sel.

Il me regarde et, malgré sa souffrance, je découvre avec stupeur de l'ironie dans ses yeux.

— Bavard ! murmure-t-il.

Alors, là, c'est le bouquet ! On m'y reprendra à faire du sentiment avec un charognard pareil ! Je trotte à la cuisine et je trouve — pour une fois — ce que je cherche : du sel. Mon histoire du bourreau chinois m'a donné une idée.

— Rien de tel pour cicatriser les blessures !

J'en verse sur l'entaille de sa tranche. Il pousse des hurlements.

— Tu jouis, petit ?

Je lui en balance une seconde poignée sur la plaie de son bras.

Il se tortille comme une famille de serpents enfermée dans une taie d'oreiller.

— Où se trouve Gisèle ?

S'il ne répond pas, je lui écris mon nom dans la peau du ventre avec un couteau.

Il me vient une idée. Je retourne à la cuisine chercher une cuvette d'eau.

— De la flotte sur tes blessures et tu ne ressens plus la douleur causée par le sel...

— Oui ! Oui ! halète-t-il. De l'eau, de l'eau !

— Où est la môme ?

— Au Vésinet.

Je n'ose lui montrer mon allégresse de peur qu'il n'interrompe ses révélations.

— L'adresse ?

— Avenue de la Gare, 11...

— Que lui avez-vous fait ?

— Rien ! De l'eau !...

C'est fou ce qu'un homme peut faire pour un litre d'eau.

Je lui tends la cuvette, mais je feins de me raviser et la pose loin de lui.

— Pourquoi l'avez-vous kidnappée ?

— Pour avoir un otage, au cas où tu aurais trouvé l'ampoule.

Je n'y pensais plus à cette damnée ampoule. Je la prends dans la poche de Tifs-en-brosse.

Je la sors de son carton et l'examine attentivement. C'est, à première vue, une ampoule d'apparence innocente.

— Qu'est-ce que c'est que ce truc ?

Il détourne la tête et se tait.

— Bon, je sais être discret et je n'insisterai pas, mais dis-moi à quelle organisation tu appartiens...

Ce disant, je joue avec une poignée de sel.

— Les kangourous, balbutie-t-il.

Je pousse un cri.

— Les kangourous !

Au cas où vous ne seriez pas affranchis, je dois vous dire qu'on appelait ainsi, avant la guerre, une bande internationale spécialisée dans le trafic de documents. Son chef avait été abattu à la mitraillette dans les rues de Chi en 38 et, depuis lors, la bande n'avait plus fait parler d'elle.

Cette révélation bouleverse toutes les suppositions que j'avais faites jusqu'ici. Moi qui croyais à des manœuvres plus ou moins politiques !

Je passe la cuvette de flotte à mon gangster. Il la prend dans sa main valide et me la renverse sur la tête. Je suffoque. Pendant ce temps, il se relève. Je vois briller une lame dans sa pogne ; je me baisse ; le couteau lancé avec une extraordinaire maîtrise se plante dans le buffet, après avoir arraché un morceau de mon faux col.

— Bon Noël ! dis-je.

Mon feu crache des glaves épais. Tifs-en-brosse les collecte consciencieusement.

Je m'approche de lui. Il a été foudroyé.

— Tu vois, pauvre bidon, mon flingue est encore plus bavard que moi.

Évidemment, il ne peut plus m'entendre et c'est bien dommage parce que je me sens en verve. Je pense à la façon dont il m'avait canardé dans le métro. Je voudrais pouvoir lui expliquer que : tout se paie, bien mal acquis ne profite jamais, etc. Puisque dans leur organisation, ils ont un faible pour les proverbes...

Je le fouille et mets la main sur son portefeuille. Outre une liasse de biftons assez importante, il contient des papiers au nom de Ludovic Farous, entre autres un permis de conduire et une carte grise. Je retiens le numéro de la voiture pour le cas où je verrais une bagnole rôder dans ma périphérie. C'est la 446 RN 4. Ce numéro est inscrit dans ma mémoire pour le restant de mes jours. J'empoche le portefeuille et l'ampoule, j'éteins et gagne la sortie. Heureusement, mes coups de pétoire n'ont alerté personne. Mon Lüger produit des détonations assourdies, semblables au bruit d'un bouchon de champagne qui saute. Je l'aime beaucoup pour sa discrétion.

Me voilà dans la rue. Je tourne sur la droite. En bordure du trottoir est rangée une auto ; son numéro me saute dans les yeux comme une nuée de moucherons : 446 RN 4.

Il n'y a personne au volant, sans doute Tifs-en-brosse est-il venu seul. J'appuie sur la manette de la portière : la lourde s'ouvre sans hésiter. Comme je suis un citoyen sans façon, je prends place au volant.

Hue cocotte ! En route pour le Vésinet !

CHAPITRE VIII

Salut la compagnie !

Au moment où je m'engage dans l'avenue de la Grande-Armée, je me dis qu'il n'est pas prudent du tout d'aller serrer la pince aux copains de Tifs-en-brosse avec la fameuse ampoule dans mes vagues. Ce machin peut être, en cas d'échec de ma tentative pour libérer Gisèle, un précieux atout.

Qu'est-ce que je pourrais bien en faire ? Je n'ai pas le temps de la carrer chez moi ; d'autre part, ce n'est pas prudent.

J'arrête la voiture et me mets à réfléchir. Si les bureaux de poste étaient ouverts, je me l'enverrais poste restante, ce qui est le meilleur système à employer dans ces cas-là, mais il n'y faut pas songer. Alors ?

Alors je souris. Je remets mon toboggan en marche et je vais au commissariat de l'Étoile. Je me fais connaître au brigadier de garde et lui donne la boîte de carton.

— Vous allez me planquer ça jusqu'à ce que je vienne le reprendre. Si dans deux jours vous ne m'avez pas revu, remettez ce paquet au commissaire Berliet. (Je note l'adresse du Vésinet sur la boîte). Écoutez, brigadier, vous ajouterez que mon cadavre sera vraisemblablement enterré dans le parc de la propriété qui se trouve à cette adresse.

Le pauvre flic est béant de stupeur. Je lui file une claque dans le dos.

— Faites pas cette tranche, collègue, on dirait que vous

venez d'obtenir la communication avec l'ectoplasme de votre trisaïeul...

Je me sauve avant que son râtelier lui soit tombé du bec.

Après la Défense, la circulation est nulle. Je fonce comme un météore. J'ai assez perdu de temps comme ça. Je traverse Nanterre à une telle allure que les piétons croient avoir eu un étourdissement. Puis c'est Chatou et enfin le Vésinet avec ses crèches somptueuses. Je demande ma route à un pégreleux et en deux temps trois mouvements je me trouve devant le pavillon des kangourous.

C'est une grande bâtisse en brique avec, aux quatre angles, des semblants de tours qui donnent à la taule une allure rupinos. Y a du feu aux fenêtres du premier. Je planque la carriole dans une allée transversale et je m'approche de la grille. La porte de fer est fermée à clef ; je m'amuse à la bricoler. Rien ne me distrait davantage qu'une serrure. Je sens tourner le pêne. Mon petit instrument à crocheter les lourdes est une fameuse invention. Soudain une masse de viande bondit contre la porte. Je me félicite de ne pas me trouver de l'autre côté car il s'agit d'un danois un peu moins gros qu'un éléphant. A la clarté de la lune, je vois briller ses gros yeux. Ce clébard est doux comme un tigre du Bengale. Il a des crocs du format extrême. Quand il vous les plante dans le prose, on ne doit plus pouvoir s'asseoir avant plusieurs générations.

Pour essayer de le fléchir, je lui susurre des mots tendres. Peine perdue, j'aurais plus de chances d'amadouer un huissier que cet animal. J'hésite à lui filer une dragée dans la gueule. Mon Lüger a beau être timide, dans le silence nocturne il s'entend ; d'autant que les bandits ne doivent pas se mettre du coton dans les oreilles.

Je retourne à la bagnole et je fouille dans le coffre à outils. Je trouve ce qu'il me faut : une puissante clef anglaise.

Le danois est toujours à la grille ; heureusement que, pareil à tous les chiens féroces il est silencieux. Je tente une coquette manœuvre. De la main gauche je présente mon galure au toutou. Ce qu'il peut être gland, ce molosse ! Mon chapeau l'excite au point qu'il passe sa bouille à travers la grille pour l'attraper. J'y vais de bon cœur : v'lan !

Son crâne éclate comme une noisette dans le derche d'un soldat italien. J'ouvre la grille et tire le cadavre du chien pour dégager l'entrée.

Une belle allée se présente à moi. Je l'emprunte en prenant soin de ne pas faire crier le gravier. A mesure que je m'approche de la cabane, des chants me parviennent. Mes oiseaux s'apprêtent à fêter Noël dignement. Je pense qu'un convive de plus ne les contrariera pas...

Je contourne la maison car l'expérience m'a appris qu'il vaut mieux, dans des cas semblables, dédaigner les entrées principales. La moindre petite porte de service convient parfaitement à mon bonheur. Justement j'en trouve une. Je l'ouvre sans la moindre difficulté. Me voici dans un couloir étroit qui conduit aux cuisines. Je suis obligé de les traverser pour accéder au reste de la maison. C'est embêtant parce que j'entends chantonner un mec à l'office.

Je m'annonce sur la pointe des pieds. Je vois un gros type à l'air pas bileux qui se prépare une tranche de veau aussi large que la place de la Concorde. J'entre le gueulard à la main.

— Ça marche, l'appétit ?

Il sursaute et laisse tomber sa barbaque.

— Lève vite tes pognes et essaie d'attraper les nuages !

Jamais j'ai rencontré un gars plus docile. C'est un plaisir que de jouer au gendarme et au voleur avec lui.

— Où se trouve la jeune fille ?

— Là-haut !

— Qu'entends-tu par là-haut ?

— Avec eux...

Mort au taureau ! C'est la tuile... Je commençais à espérer que les choses se passeraient en douceur. Eh bien, puisqu'il faut du bigornage, ils vont en avoir.

— Tourne-toi face au mur ! ordonné-je au gros baffreur.

Il s'exécute, après quoi c'est moi qui l'exécute. J'exagère : je me contente seulement de lui casser une bouteille de champagne pleine sur le cassis.

Il s'écroule dans un bruit d'avalanche.

Je quitte la cuisine et trouve l'escalier conduisant au premier étage. Je grimpe les marches quatre à quatre. Les rires et les cris me guident. Je parviens devant la porte de la pièce où festoient les crapules. Dans le meilleur style des valets de chambre de comédie, je me penche afin de bigler par le trou de la serrure. Ils sont une floppée là-dedans. Ils braillent à qui mieux mieux et pintent comme des chancres. Dans un angle de la pièce, il y a Gisèle. La pauvre mignonne est attachée sur une chaise et trois ou quatre tordus lui pelotent les roberts en rigolant.

Je tourne doucement le loquet et je pousse la porte. Je reste dans le couloir, prêt à esquisser un saut de côté si un de ces pourris prend fantaisie de me dire bonjour à coups de tromblon.

— Joyeux Noël ! les enfants...

Tous se retournent.

Quelques-uns gueulent : « Manuel ! c'est Manu ! »

Il y a un instant de flottement. Je les regarde les uns après les autres dans l'espoir d'en identifier au moins un, mais toutes ces tranches alignées devant mes yeux me sont inconnues.

— Ça n'est pas Manuel ! dit une voix.

C'est mon nabot qui parle. Il était assis dans un fauteuil et je ne l'avais pas aperçu.

— Voilà le type que Farous a failli buter, le commissaire San-Antonio ! Tu viens pour une deuxième leçon de lutte ? me demande-t-il.

— Je viens pour chercher mademoiselle.

J'avance en direction de Gisèle et lui enlève son bâillon.

— Tony, ô mon chéri ! vous m'avez retrouvée... C'est merveilleux.

Si je l'écoutais, je lui ferais un mimi vorace (ce qui dans la progression de ma technique amoureuse, vient immédiatement après le mimi mouillé). Les poupées sont toutes plus ou moins sinoquées. Suffit que je sois là, elle croit que tout est rentré dans l'ordre.

— Minute ! dit un des bonshommes. Minute, commissaire ; vous ne croyez pas que vous allez un peu vite en affaires ?

Je continue de la délier.

— Qu'est-ce qu'il raconte, ce grand duconneau ? demandé-je au nain. Si tu connaissais un peu les convenances, tu nous présenterais.

Ma tranquillité leur en bouche un coin.

Il n'y a que le nabot qui soit tendu. Il tire un pétard de je ne sais où et l'agite dans ma direction.

— Les mains en l'air ! glapit-il.

Je le toise avec suffisance.

— Calme-toi, le géant des Flandres, tu veux pas manger le linge, non ?

Le grand pain qui m'a adressé la parole et qui doit être le chef intervient :

— Vous avez un rude toupet, mon vieux. Moi, à votre place, je rédigerais mes dernières volontés au lieu de plastronner.

— Pourquoi que je les écrirais, mes dernières volontés, eh, saucisse ? Y a que ceux qu'ont des idées noires qui font leur testament...

— Alors, ajoute l'autre en souriant, moi, à votre place, je me dépêcherais d'avoir des idées noires...

Il commence à me les briser, ce grand cucul, avec son ton emphatique.

— Confidence pour confidence, lui répliqué-je, moi, à ta place, je la bouclerais et je me ferais poser des points de suture pour ne plus être tenté de l'ouvrir.

— Très drôle...

— Dis donc, Fred, fait le nabot, tu veux que je réussisse le plus bath carton de ma vie ?

— Attends un peu !

Le nain se fout en renaud.

— Attendre quoi ? Maintenant tout va bien. Il est venu se ficher dans la gueule du loup. Tu vois que j'avais raison de vouloir enlever la petite...

— Auparavant, tranche Fred, je veux savoir comment il a trouvé notre planque. C'est de quelque importance, non ?

Les autres types ont un murmure approbateur. Je me concentre : c'est le moment d'avoir sa tête à soi.

— Comment je suis venu, je vais vous le dire, mes petits, c'est si simple ! Figurez-vous que même le bébé qui s'agite dans son fauteuil va comprendre... C'est votre ami Farous qui m'a rencardé.

Ils bondissent.

— Menteur !

— Voyons, réfléchissez, leur dis-je, comment voulez-vous que je sois parvenu jusqu'ici si personne ne m'a fourni l'indication ?

Je tire le portefeuille de Tifs-en-brosse de ma poche intérieure.

— Voici ses papiers...

Fred réagit sec.

— Il a été arrêté ?

— Non. Il trouvait que la vie n'est pas marrante à notre

époque, alors je l'ai envoyé en vacances chez un ami à moi qui travaille comme chauffeur chez Satan.

— Tu l'as tué ?

— Allons, Fred, te caille pas le sang, dis-je en souriant. Ton acolyte était un type impossible. Même avec dix tonnes de plomb dans les tripes, il voulait encore me faire des misères. Sois logique : moi je ne vous ai jamais rien demandé.

— Je le bute ? insiste le nabot.

Je me fâche :

— Toi, le bouchon de carafe, tu commences à me faire tourner le sang en jus d'ananas.

Je me tourne vers le grand Fred.

— Fais taire ton pékinois ou je lui casse le crâne comme je viens de le faire à ton gros veau de danois...

» Je suis venu ici pour discuter le bout de gras et pas pour reconstituer la bataille de Verdun. J'en ai ma claque de pérorer devant tes boy-scouts ! Dis-leur d'aller prendre l'air ; justement y a dehors un clair de lune splendide, c'est le moment d'en profiter...

Ce conseil n'a pas l'air d'être du goût des bonshommes. Ils ronchonnent en me regardant haineusement.

— L'écoute pas ! dit un zèbre aux sourcils broussailleux, il va te mettre en l'air comme il a mis en l'air Farous. C't'une épidémie que c't'enflure-là.

— Personne ne sera mis en l'air si vous ne jouez pas aux gougnafiers. La preuve, c'est que voilà mon feu.

» C'est du culot, hein, les enfants ? Ce serait vous, vous auriez déjà changé deux fois de calcifs. Mais j'ai appris à jouer les grosses parties sur un coup de dé.

Mon geste semble avoir ébranlé Fred.

Il va à la commode et extirpe d'un tiroir un amour de mitraillette. Il la pose sur la table et lève le système de sécurité.

— Sortez ! ordonne-t-il à ses hommes.

— T'es cinglé, Fred ? proteste le nain.

Fred, sans mot dire, pousse le fauteuil du petit homme en avant comme on pratique lorsqu'on veut chasser un chat d'un siège.

En roulant les épaules ils quittent la pièce.

Nous restons tous les trois. L'atmosphère s'est nettement détendue. Fred me fait signe d'accoucher. Alors, tout en caressant les cheveux blonds de Gisèle, je m'installe à la tribune.

— Mon vieux Fred, je vais commencer par le commencement. Ce que je vais te dire sera la vraie vérité du Bon Dieu. Bien entendu, libre à toi de me croire ou non... Je te fais simplement remarquer que je me suis pointé chez toi, tout seul, comme un grand garçon. Ça n'est donc pas pour y faire un coup d'État, tu le conçois facilement ?

Il hoche le bocal cordialement. Allons, j'ai idée que ça va bien se passer.

— Pour commencer, je te donne ma parole que je ne fais plus partie de la rousse pour l'instant. Je ne jette pas le froc aux orties, mais ça ne me dit rien de gratter pour le compte du gouvernement actuel. J'ai la prétention de pouvoir choisir mes patrons. Donc, le type que tu as devant les châsses n'est pas un condé mais un gnace comme tout le monde.

» Cela étant dit, quel est votre chef ?

— Je suis le chef, répond-il.

— Tu es le chef de cette collection de tocards, d'accord, mais je voudrais connaître le chef de votre organisation.

Il ne dit rien. Ses mâchoires sont serrées, ses yeux sont durs et luisants.

— Je te dis que je dirige tout le cirque !

— Et moi je te dis que non, et moi je te dis que tu es un fieffé menteur ! Et moi je te le prouve, tête de pioche ! Si tu étais le patron, aurais-tu besoin de passer les consignes par le truchement des musicos, étant donné que tu vis avec ta bande ?

Mon argument l'étend raide comme un direct du droit.

— Ta bande n'est pas celle des kangourous, *because* les kangourous ont été anéantis, mais elle est au service d'un des rescapés de la fameuse équipe. C'est ce gars qui tient les guides de loin. Il ne veut pas se mouiller, c'est pourquoi il préfère être ignoré même de ses hommes. Il choisit les coups et donne les instructions et les consignes par des moyens savamment combinés. Je suis certain que toi-même tu ne le connais pas. Tu n'es que le juteux de service. Enfin, puisqu'il n'y a pas d'autres possibilités de correspondre avec le boss, je vais faire comme si c'était toi le tout-puissant.

» Vois-tu, c'est le hasard qui a fait que nos routes se sont croisées. Farous m'a tiré dessus par erreur, ce qui m'a donné envie de le retrouver. J'ai surpris, en briffant, un message en morse ; de fil en aiguille je n'ai pas tardé à comprendre que tout se tenait et, comme mon cerveau n'est pas toujours déficient, j'ai eu l'idée d'envoyer un message à mon tour, puisque c'est la mode en ce moment...

» Bref, une chose en amenant une autre, j'ai hérité de l'ampoule.

Le gars Aladin avec sa lampe merveilleuse et ses paroles magiques n'obtenait pas de meilleurs résultats. Voilà mon grand Fred qui se lève comme si on jouait l'hymne national. Il est blême et il tremble.

— Qu'est-ce... qu'est-ce que tu dis ?

— Oui, j'ai l'ampoule. Ça t'épate ? Avec moi, tu sais, on peut s'attendre à tout.

J'ouvre une parenthèse : tout à fait entre nous, à partir de maintenant, je marche dans un brouillard vachement épais. Ceci, pour la raison très simple que j'ignore ce que contient la fameuse ampoule. J'ai beau remuer la question, je ne parviens pas à me faire une idée. Seulement je ne puis révéler mon ignorance à Fred, car alors il aurait beau temps pour me mener en bateau. Il pourrait, si le cœur lui en dit, me jurer que l'ampoule contient la photo de Tino Rossi, et je n'aurais pas d'autre ressource que d'essayer de lui rentrer ses croquantes plus à l'intérieur de la bouche. Donc, la seule façon de conduire ma trottinette, c'est de faire comme si je savais tout. Vous mordez ? Gi go ! je referme ma parenthèse pour éviter les courants d'air.

Il répète :

— T'as l'ampoule...

Du même ton qu'il dirait « t'as la chatouille ». Il commence à me courir. Jamais je ne pourrai me rencarder sur ce binz s'il débloque.

— N'en fais pas un chabanais. J'ai le machin, d'accord. C'est ce qui me permet de débarquer les mains dans les profondes au milieu d'une bande de foies blancs. Cette ampoule est en lieu sûr. Si par hasard il m'arrivait un pépin, simplement que je glisse sur une peau de banane, elle irait tout droit chez les matuches. Pour te la procurer, il faudrait que tu mobilises un corps d'armée. Autre chose, faut pas compter non plus me faire dire où elle est par des moyens violents. Même si j'avais un moment de faiblesse, le tuyau ne vous servirait à rien. J'ai porté le petit paquet chez les bourres. Je ne leur ai pas indiqué la nature de son contenu, mais je leur ai seulement dit que moi seul avais le droit de venir le reprendre et que, même si un messager se présentait avec un mot authentique de moi, la meilleure chose qu'ils auraient à faire serait d'encabaner le zig et de lui filer une bonne danse histoire de lui faire dire l'endroit où je me trouve.

Fred contemple d'un air pensif.

— En somme, demande-t-il, tu exiges quoi ?

— Parle pas comme ça, tu rends la conversation difficile.

— Combien ?

Je hausse les épaules :

— Minute, blondinet ! Avant de parler affaires, il me faut certains renseignements. Tout d'abord, je veux savoir à qui vous avez fauché ce truc.

Il paraît on ne peut plus surpris par ma question.

Puis son visage s'éclaire ; il s'imagine que c'est pour le charrier que je lui ai demandé ça.

— Fais pas l'âne pour avoir du son, San-Antonio. Tu sais parfaitement que nous avons attrapé ça dans l'usine d'Alsace où les Frisés mettent l'invention au point.

Je fais l'astucieux :

— D'ac, j'étais rencardé à peu près, mais ce que j'ignore, mon vieux patachon, c'est la destination que vous comptez lui donner. Je suppose que si vous avez crevé ça aux vert-de-gris, c'est pas pour l'exploiter vous-mêmes. Je doute aussi qu'un particulier s'intéresse à la question...

Fred se gratte le blair.

— P't-être que le patron a l'idée de fourguer l'ampoule aux Ricains...

— Bon, je m'en doutais. Dans ces conditions, tout peut s'arranger. Voici mon point de vue : vous me rendez la liberté ainsi qu'à Gigi et c'est moi qui remets l'ampoule aux intéressés. Je ne demande rien pour mon dérangement, seulement je veux m'assurer que l'intervention va du côté qui me plaît...

Je suis sincère en lui bonnissant tout ça. Il le comprend, mais il veut fouiller mon argumentation.

— Qui nous prouve qu'une fois dehors tu n'iras pas rendre le truc aux Frisés en leur réclamant un pourliche ? Tu pourrais te faire pas mal de blé dans une chaise longue et ils te flanqueraient la croix de fer par-dessus le marché...

— Si j'avais voulu agir ainsi, pourquoi serais-je venu ici, eh, corniaud ! Pour risquer de bloquer encore des pralines dans la boîte à bouffe ?

— Non, mais pour délivrer ta poule...

— Soyez poli ! recommande Gisèle.

Ce qui prouve bien que dans les circonstances les plus périlleuses, les grognasses tiennent à leur standing.

Je m'approche de Fred, et je lui pose la patte sur l'épaule.

— Me fais pas rire, j'ai les lèvres gercées, lui dis-je. Si je m'étais mis copain avec les sulfatés en leur rendant l'ampoule, tu sais ce que j'aurais fait, grand lavement ? J'aurais fait cerner ta crèche par des renforts de police, après quoi j'aurais amené ma forte gueule derrière un haut-parleur et j'aurais dit...

Alors, les petits endoffés, ce qui se passe est plus curieux que les histoires de sortilèges, plus fortiche que le gars Samson qui filait la peignée à ses ennemis avec une mâchoire d'âne, plus fort que de jouer à la main chaude dans un frigo situé au pôle nord...

Avant que j'aie le temps de finir ma phrase, voilà qu'une voix s'élève du dehors, une voix énorme et caverneuse : la voix d'un mec qui débloque dans l'embouchoir d'un pavillon, et elle hurle, cette voix, avec un accent à découper au sécateur en suivant le pointillé :

— *Attention, attention ! Nous vous prévenons que la propriété est cernée. Vous avez trois minutes pour vous rendre. Passé ce délai, nous incendierons la maison.*

J'aime mieux vous dire tout de suite que si le fantôme de Napoléon venait s'asseoir sur mes genoux en jouant de l'harmonica, je serais moins surpris que par cette intervention.

La porte s'ouvre. Toute la clique de Fred, nabot en tête, entre en vociférant. Comment ils sont mauvais, les copains...

— Les Allemands ont cerné la maison ! beuglent-ils. Il y en a plus de cent. Nous sommes ficelés !

C'est bien mon avis aussi, car voilà le bouquet : les doryphores ! Tant qu'il s'agissait de lutte sourde contre un gang, je pouvais foncer de bon cœur ; les armes s'avérant à peu près égales, de par mes attaches solides à la police. Mais, maintenant, tout est changé. Sans blague, si j'avais su que les choses tournent ainsi, je me serais tenu peinard. Parce qu'avec les Frisés, il n'y a pas d'espoir à avoir. Découverts au milieu d'une bande de loustics accusés de vol de documents secrets, Gigi et ma pomme sommes à point pour le pardessus de sapin.

— C'est ce tocard qui nous a donnés ! glapit le nain en me désignant.

Ils se tournent vers moi. Fred sort son flingue et me le pointe sur le buffet.

— Salaud ! gueule-t-il. Sale poulet, tu nous as bien eus...

D'un geste énergique, je lui fais signe de la boucler.

— Bon Dieu ! faites fonctionner vos méninges, tas de cloches ! Vous avez entendu ce qu'il vous a dit, le mec au porte-voix ? Si, dans trois minutes, nous ne sortons pas de la crèche avec les paluches en l'air, ils vont foutre le feu. Vous pensez p't-être pas que j'ai envie de jouer à Jeanne d'Arc, non ?

Ils se taisent. Fred baisse son flingue de quelques centimètres. Je poursuis, furieusement :

— Les lopettes qui veulent se rendre n'ont qu'à sortir. Si elles aspirent à ce qu'on leur carre des fers rouges dans le prose pour les faire chanter, c'est leurs oignons, si j'ose dire. Moi, j'aime mieux, à la dernière seconde, me filer un pruneau dans le bocal que d'aller me faire découper en tranches par la Gestapo.

Du coup, Fred rambine son feu.

— Il est réglo, les gars, dit-il.

Dehors, le type du haut-parleur s'impatiente :

— *Attention, attention ! plus qu'une minute,* dit-il.

Le nain grimace de rage.

— Qu'est-ce qu'on fait, Fred ? demande-t-il.

— Essayons de nous tailler par la cave !

C'est la débandade. Chacun se rue dans l'escadrin. Je fais un signe à la petite et nous les suivons.

Ma môme a un peu moins de couleurs qu'un bol de lait. L'épouvante la fait trembler.

— Ma pauvre choute, je lui murmure en gagnant la cave, le jour où vous avez accepté ce rendez-vous de moi, vous auriez mieux fait de vous embaucher comme garde-barrière à Fouilly-les-Oies.

La cave est immense. Elle n'abrite qu'un tonneau et une caisse de champagne. Par contre, on y trouve une quantité d'armes automatiques.

— Eh bien, les gars, crié-je, v'là de quoi soutenir un siège.

— Sur qui veux-tu tirer ? questionne le nain. Dehors, il fait aussi sombre que dans le derche d'un nègre.

— Tirons au jugé, simplement pour leur montrer nos intentions. Il y a des soupiraux sur les quatre faces de la maison, en balayant à la mitraillette, nous les empêcherons d'approcher.

Le grand Fred hausse les épaules d'un air las.

— Mon pauvre vieux, ça ne vous avancera pas à grand-chose...

Évidemment, il a raison. Justement parce qu'il a raison, je me fiche en renaud.

— En tout cas, ça passera le temps. Tu voudrais p't-être jouer à la belote ou quoi ?

Je cramponne une mitraillette et prends une brassée de chargeurs. Cette arme me semble excellente. Je m'approche d'un soupirail et bigle un peu l'extérieur. Il n'y fait pas si sombre que le nain veut bien le dire. M'est avis que ce zigoto n'a pas pu hisser son pif à la hauteur de la croisée. A la clarté blafarde de la lune, j'aperçois des silhouettes qui s'affairent derrière la grille. Je fais signe aux autres de fermer leur clapet. Quelques ombres pénètrent dans la propriété.

— Allez, les enfants, chopez-moi une seringue et tirez dans le tas ! dis-je.

Quelques bonshommes, dont Fred, obéissent et vont se poster aux autres ouvertures. Ces soupiraux forment des échauguettes épatantes.

Soigneusement, je choisis mon lot. Puis je passe le museau de la mitraillette à l'extérieur et j'appuie sur la détente. Une brève rafale déchire la nuit. Deux ombres dégringolent en hurlant. Mon canardage déchaîne un concert d'imprécations. En même temps, il décide les kangourous à se manifester. Rien de tel que l'odeur de la poudre pour déclencher des énergies.

De tous les côtés, la bataille s'engage.

Surtout, ne croyez pas que les Chleuhs restent à ne rien faire...

Pardon ! si vous pouviez assister à leur réaction, vous demanderiez où se trouvent les toilettes.

Je ne sais pas avec quoi ils nous tirent dessus, mais tout ce que je peux vous dire, c'est que ça fait un drôle de boum... Oh, ma douleur ! Bientôt la cabane est environnée de flammes. Ces fumelards ont apporté de quoi rire et s'amuser en société et ils s'en servent ! Des jets de feu de dix mètres dardent sur la maison. Bientôt, ça crépite autour de nous. La baraque s'embrase. Ça cocotte le roussi, et la température s'élève sensiblement.

— Nous sommes fichus ! gémit le nain.

Pour le faire taire, je lui balance mon 44 dans le pétrus ; et je n'ai pas besoin de lever beaucoup la jambe pour accomplir cette œuvre de salubrité publique.

— Tu la boucles, gamin ! Si t'as les foies, t'as qu'à aller te faire plomber.

Fred, qui décidément est un type relativement sympa, me regarde d'un air interrogateur.

— A quoi sert cette lourde ? lui demandé-je en désignant une porte en fer.

— Elle donne dans le jardin et doit servir à rentrer le charbon...

— Au fond du jardin, y a-t-il une issue ?

— Y a pas de porte, mais y a une brèche dans le mur...

— On tente une sortie ?

— Il me semble que c'est une solution désespérée, mais je ne vois pas d'autre chance à courir...

Je m'approche de Gisèle défaillante.

— Reste à côté de moi. Surtout, ne perds pas le nord, on va essayer de s'en sortir.

Je lui dis ces mots dans un souffle. Ils suffisent à lui redonner un peu de courage.

Nous ouvrons la porte de fer. Un vent embrasé nous pousse au visage une haleine de four à chaux.

Un à un, nous sortons par l'étroite ouverture. Aussitôt une rafale de balles nous accueille. Quelques hommes de Fred s'abattent. Les autres foncent désespérément. Je saisis ma souris par un bras.

— Laisse-les tenter leur chance de ce côté, lui dis-je.

Je l'oblige à se coucher à terre. Moi-même, je m'allonge à ses côtés. Nous entendons le bruit de la fusillade. Des flammèches pleuvent sur nous.

— Tu aperçois ce garage sur la droite ? lui demandé-je.

— Oui.

— Essayons de ramper jusque-là. J'ai vu que la porte était ouverte et qu'il y avait une bagnole à l'intérieur. Ces salopards se sont lancés aux trousses de la bande. Ils se contentent de surveiller les portes pour le cas où nous ne serions pas tous sortis. Nous disposons de quelques minutes de flottement. C'est le moment d'en profiter.

Doucement, nous rampons dans la direction que j'ai indiquée. Nous sommes à deux mètres du garage. Malédiction ! Deux Fritz se trouvent devant l'entrée. Si je leur tire dans l'œuf avec la mitraillette que j'ai eu la bonne idée de conserver, ça va déclencher une de ces émeutes dont les zigs de la Gesta ont le secret. C'est le moment de convoquer mes méninges pour une assemblée plénière.

— Tu sais conduire ?

— Oui, me dit-elle.

— Bon ! alors ouvre grandes tes oreilles : je vais retourner en arrière pour assaisonner les deux gars. Si je les liquidais ici, les autres nous enverraient tellement de pruneaux que deux types pourraient se serrer la main à travers nos carcasses.

— Mais, chuchote-t-elle, ils vont te tirer dessus.

— Je serai protégé par l'angle de la maison. Sitôt que les deux Frizous seront dans la poussière, tu te précipiteras dans le garage et tu mettras la calèche en marche. Moi, je bondirai.

» Surtout, laisse bien la portière ouverte, sans quoi je vais déguster dur !

Sans attendre son opinion je repars en arrière. Je suis dans les lueurs de l'incendie. Ce brasier est un truc épatant, car il tient les Allemands à distance. Je me mets sur un coude et j'arrose les deux soldats. Ils tombent comme dans un film de Peaux-Rouges. Pourvu que Gigi ne perde pas les pédales ! Je me ratatine derrière un massif de fleurs. Y a pas de fleurs parce que nous sommes en plein hiver, mais ce monticule me dissimule suffisamment.

J'ai rudement bien fait de me planquer là. Les Allemands situés sur le devant de la taule m'envoient des baisers à répétition... La terre vole autour de moi. J'ai une trouille noire de voir démarrer Gisèle à cet instant. Car je ne pourrai pas sortir sous cette artillerie. J'entends le ronflement d'un moteur. P't-être que les Frisés ne l'entendent pas à cause du boucan qu'ils font en me tirant dessus... Je le souhaite ; il vaut mieux les avoir à la surprise ! Une balle dans le réservoir et on peut se l'arrondir pour ce qui est de se faire la paire... Bon Dieu ! je donnerais n'importe quoi pour être changé en taupe. Comment que j'irais faire une balade dans les profondeurs. Je me marre, en songeant que, pour ce qui est d'aller sous les bégonias, je peux pas rêver mieux. Car, tout à fait entre nous et la rue Lepic, si je me tire de cette aventure, c'est que mon ange gardien est vachement dans les papelards du père Bon Dieu.

L'automobile bondit du garage. C'est une Panhard grande comme un cargo. Huit dixièmes de seconde et elle parvient à ma hauteur. A bibi de donner les brêmes ! Je recommande mon âme à qui de droit en le suppliant d'en faire bon usage au cas où ma carte de tabac deviendrait vacante, et je bondis hors de mon massif.

Y a une balle qui me passe sous le nez en sifflant ; une autre qui traverse le revers de mon pardessus...

Je saute dans le cargo et referme la portière.

— Poussez-vous ! dis-je à Gisèle, et accroupissez-vous.

Elle m'obéit avec une docilité qui rendrait rêveurs tous les pauvres glands de votre espèce qui ont les grelots dès que leur souris élève la voix.

Je biche le volant. Si vous n'avez jamais vu une bagnole se baguenauder dans un potager, amenez-vous ! Ça vaut le prix des places. Ces minables comme des crèmes de toquards s'attendent à ce que je fonce illico vers la sortie. Alors ils se mettent sur un rang perpendiculaire à la grille et m'attendent. Ils pensent nous démolir à bout portant. Mais le petit San-Antonio les enchetibe violemment ! Au lieu de me ruer vers la liberté, je braque derrière la maison. Ils pensent comprendre l'astuce et, comme un seul homme, viennent à ma rencontre. Alors je fais une manœuvre express : c'est-à-dire que je fais demi-tour et, en définitive, pédale comme précédemment en direction de la grille. Pour être feintés, ils le sont. Quand ils reviennent de leur surprise, je suis déjà à leur hauteur. Le temps qu'ils relèvent leurs armes et je passe la grille. Bons baisers, à bientôt !

Il pleut des balles sur la carrosserie ; les glaces volent en éclats, mais nous sommes sur la route.

Et la route, n'est-ce pas ? eh ben, c'est presque la liberté.

CHAPITRE IX

Les deux pieds dans le même sabot.

Le canardage dure quelques instants encore, puis cesse brusquement. Je comprends que les Frizous sont en train de sauter dans leurs voitures. Va y avoir une drôle de corrida, moi je vous le dis.

En effet, une caravane de phares balaie la route derrière nous. Je mets toute la sauce et, fort heureusement, avec une bagnole comme celle-ci, ça signifie quelque chose... Parvenu au croisement de la grande route de Paris, je vire à gauche du côté de Saint-Germain. Je préfère virer en direction de la nature car les risques d'encombrement sont moins grands que du côté de la capitale.

A cent dix à l'heure, nous franchissons la Seine et nous nous ruons dans la montée du Pecq. Saint-Germain est atteint en moins de temps qu'il n'en faut pour faire cuire un œuf dur. Dans le dédale des petites rues, ça va être du sport pour mouler ces gougnafiers ! Seulement, les poursuivants ne peuvent pas nous bombarder à leur aise... Mais j'ai beau écraser le champignon au point d'attraper des fourmis dans les tartines, sans cesse les phares puissants réapparaissent derrière nous. Inutile de vous dire que les doryphores ne perdent pas une occasion de nous tirer dessus.

— Plus vite, plus vite ! trépigne Gisèle qui s'est relevée.

Je n'ose pas lui dire ma façon de penser parce que j'aurais peur d'être injuste. Si elle pense que je me crois à une surprise-partie, elle se met les salsifis dans les châsses ! pardon...

Une grave question se pose : où cette poursuite va-t-elle aboutir ? Je ne sais pas si notre tank comporte suffisamment d'essence pour nous mener de l'autre côté de la planète... De plus, les balles qui cinglent l'arrière de l'auto ne doivent pas tellement la réparer et, à chaque instant, elle peut se mettre à genoux. Par exemple, si un des pneus éclate, à l'allure où nous marchons, ça va donner quelque chose d'extrêmement gracieux en fait de trajectoire.

Toutes les deux secondes, je me retourne afin de voir où en sont nos affaires : chaque fois, je constate que l'écart qui nous sépare a tendance à diminuer.

Nous retrouvons la route, celle de la forêt. Elle est large et plate : une vraie piste pour course automobile...

Je me mords les lèvres. Sur cette voie, ils vont avoir beau jeu pour nous donner la chasse. Mais il est trop tard pour modifier la direction. Nous ne sommes pas en promenade avec une carte Michelin sur les genoux... Le mieux que j'aie à faire, c'est d'essayer de dépasser la vitesse du son, tout en réfléchissant pour trouver une solution quelconque...

Désespérément, je bigle le tableau de bord pour voir où en est le niveau d'essence, mais le compteur est détraqué.

— Écoute, petit, lui dis-je. On va tenter de te tirer de là. Je vais tourner dans une des grandes allées de la forêt, j'arrêterai et tu sauteras, puis tu te planqueras sans traîner dans le fossé. Compris ? Les frisés continueront à me cavaler au derche...

— Je ne veux pas te laisser !

Elle est décidément au poil, cette gamine.

— Obéis et ne débloque pas ! A quoi ça servira si on se fait passer au presse-purée tous les deux ? Au contraire, toi hors de cause, c'est un atout sérieux. Tu as entendu ma conversation avec Fred, tout à l'heure, au sujet d'une certaine ampoule ? Bon, eh bien, dès ton retour à Paris, va trouver mon ami Berliet, celui que tu as vu à l'hôpital. Raconte-lui tout ce que tu sais et dis-lui que l'ampoule est déposée au commissariat de l'Étoile...

Je regarde encore dans le rétroviseur. Les phares sont toujours là.

— Tu vois le chalet, là-bas ? Il y a un chemin juste derrière, je le connais parce qu'un de mes amis s'était arrêté là un jour pour s'expliquer avec une langouste récalcitrante. Je vais le prendre, commence à ouvrir ta portière.

— Tony !

— Du cran, chérie !

Voilà le chalet champêtre pour bal musette ; le chemin...

— Cramponne-toi aux rideaux, cocotte !

Je vire sur les bouchons de roues ! Les pneus miaulent comme une centaine de chats en chaleur.

Les phares quittent mon rétroviseur. Je freine :

— Saute et cavale dans le fossé ; il ne faut pas qu'ils se doutent de quelque chose, sans cela tu vas la sentir passer...

Elle saute boulée, comme les parachutistes. Je ne perds pas mon temps à lui envoyer des baisers... Je referme sa portière à toute volée et redémarre comme un fou. Je n'ai pas parcouru deux cents mètres qu'à nouveau les sacrés phares apparaissent. Ils ne s'arrêtent pas, en conséquence Gisèle s'est tirée de l'aventure...

Je me sens plus léger. Ça me faisait transpirer le cerveau de risquer la peau de cette petite. Maintenant, me v'là en tête à tête avec le gars mézigue. Si mes carottes sont cuites, tant pis : je vais les grailler... Mais du moins je vais pouvoir jouer ma pièce à ma façon...

Le chemin zigzague à travers bois. L'air de la forêt siffle plus fort que des serpents à sonnette. Si je savais, je foncerais dans le sous-bois, arrêterais l'auto et me taillerais à pince dans la forêt... Ça ne serait pas si stupide que ça en a l'air, mais ça présente l'inconvénient de stopper mes poursuivants non loin de l'endroit où j'ai débarqué Gisèle. Pour peu que le hasard s'en mêle, elle est chiche de se faire pincer. Non, tant pis pour moi, je dois continuer afin d'entraîner les poursuivants le plus loin possible...

Je vire dans une autre allée, puis dans une autre encore, et je finis par me retrouver sur la grand-route. Une descente s'amorce. Une pancarte indique : Poissy. Les phares se rapprochent... Une grêle de balles s'abat sur la carriole. Je fais une embardée terrifiante... Ma direction devient toute raide. A ce train-là, dans quatre minutes, je serai rejoint.

Jamais j'ai pensé à tant de choses à la fois. Mon dôme ressemble à un hall de gare : y a un brouhaha du tonnerre là-dessous !

Je traverse Poissy et emprunte le grand pont qui traverse la Seine. Les voitures allemandes ne sont plus qu'à une vingtaine de mètres. Je me rends compte alors combien cette fuite est stérile. Ils sont entêtés comme des morbachs et ne me lâcheront que lorsque j'aurai le gésier rempli de plomb. Alors, à quoi bon lutter davantage ? Dois-je me laisser assaisonner sur cette route, ou bien au contraire, dois-je me rendre ?

Me rendre !

J'arrête la voiture pile au milieu du pont ; je sors en levant les bras.

Vous pouvez croire que je n'en mène pas large... Supposez que ces tocassons soient énervés par la promenade que je leur ai fait faire et qu'ils me règlent mon compte sans attendre ! Mais ils sont bien trop vicelards pour m'expédier en vitesse. Prestement, ils descendent de leur calèche. Non, décidément, leurs trompettes ne me reviennent pas !

Les bras toujours levés, je recule vers le parapet. Puis, avec une rapidité dont je suis le premier ébloui, j'enjambe le garde-fou et pique une tête dans le bouillon...

CHAPITRE X

Je suis le type
qui remplace le beurre.

Et comment que je suis le type qui remplace le beurre ! Y a que dans les romans de Maurice Leblanc ou de Max-André Dazergues qu'on voit des zèbres grand format. Des zigs qui se taillent d'une île en feu entourée de crocodiles élevés à la quintonine... Dans la vie, ces faits sensationnels sont beaucoup plus rares. La preuve, c'est que lorsqu'un petzouille a les flics à ses trousses, même des bignolons de sous-préfecture, neuf fois sur dix, il se fait choper.

La façon dont je me tire de l'impasse est magistrale. Les Chleuhs sont tellement ahuris qu'ils en oublient de faire marcher leur moulin à café. Quand ils réagissent, je tire ma brasse en direction de la rive où sont amarrées une cinquantaine d'embarcations. De petits jets d'eau poussent autour de moi comme des champignons. Ils peuvent tirer ! maintenant je les enchose à pied, à cheval et en dirigeable. Même s'ils me butent, je leur échapperai. Néanmoins, comme j'aime mieux leur échapper vivant que mort, je me remue. Je nage entre deux eaux et n'émerge que de loin en loin pour respirer. Enfin j'atteins les barques. Je me glisse au milieu d'elles de façon à ne plus craindre les balles, puis je me glisse sous le ventre d'une espèce de chaloupe et j'attends. Un morceau de chaîne pend de l'embarcation. Je m'y cramponne. Maintenant, me voilà paré du côté allemand. Ce n'est plus avec eux que je dois me bagarrer car, où je suis, il est impossible qu'ils me trouvent, mais c'est avec le général Hiver. Il fait un froid de canard. Une tranche de thon congelé est plus à son aise que moi... Pourtant il faut que j'attende, y a pas ! Tant que les sulfatés n'auront pas gerbé, je courrai le plus grave danger. Le plus grave danger est une expression toute faite qui signifie que votre peau ne vaut pas le prix d'une coquille d'escargot vide... Au bout de dix minutes, je ne sens plus le froid. Un lent engourdissement m'envahit. Mon sang bourdonne dans mes oreilles. Mes doigts sont soudés à la chaîne. Ma poitrine est prise dans un corset d'acier qui se resserre. Et pas moyen de bouger ! D'ac, je dis adieu à la vie. Dans quelques jours, un patron de bistrot découvrira le gars San-Antonio en brisant un bloc de glace. Je serai bien conservé. A la minute présente, toute ma sympathie va à Paul-Émile Victor... Voilà un copain qui a un drôle de cran pour aller faire des virées dans les solitudes glacées de l'Antarctique, comme disent les actualités... Bon Dieu ! dire qu'en ce moment il y a des mecs qui sont bien au chaud avec leurs os, en train de chanter *Minuit, chrétiens* en s'embrassant à pleine bouche. Je donnerais la moitié de la rue de Rivoli pour un petit brasero en état de marche. Je jure que si je me tire de là, je cavalerai au plus proche hameau pour y prendre un bain de vapeur. J'envie Jeanne d'Arc : une môme qu'avait froid nulle part, pas même aux yeux ! A bas l'hiver ! Vive le Sahara ! Voilà que je fais un mirage à rebours. En général ce sont les méharistes qui ont des visions de fromage fort, quand le soleil leur a filé un coup de barre sur la noix, ils croient voir des glaces à la pistache et de la flotte partout. Eh ben, dans mon cas, c'est exactement le contraire qui se produit ; j'ai l'impression que l'eau glacée dans laquelle je marine se transforme en sable brûlant. Je vois des grogs vachement corsés et des brasiers...

Combien de temps resté-je dans cette position ? Je n'en sais rien. Le bourdonnement qui déclenche un moteur Diesel dans mon caberlot s'accentue. Mon souffle se paralyse, je suffoque... je...

....

Arrêt buffet ! Je descends à la prochaine...

Une fois de plus, je sors du néant comme on sort d'un tunnel. Je vois du feu dans une cheminée. Une odeur de marc chaud caresse mes trous de nez. Je cligne des yeux.

— Il revient à lui, dit une voix.

Je regarde, j'aperçois un type d'une cinquantaine d'années, vêtu d'une canadienne, deux jeunes gens et une jeune femme.

Cette prise de contact effectuée, je pose la question traditionnelle :

— Où suis-je ?

— Ne craignez rien... Chez des amis, murmure gentiment le type à la canadienne.

Il ajoute, après s'être emparé d'un bol fumant que lui tend la femme :

— Buvez ça, vous vous sentirez mieux.

Ça, c'est de la gnole brûlante dont j'ai reniflé l'odeur. Je m'en laisse transfuser un godet et je sens qu'il va falloir appeler les pompiers parce que ça flambe à l'intérieur de ma panse.

— Encore !

— A la bonne heure, exulte un des jeunes gens. Roland remets-lui ça.

Je suis à poil dans un dodo confortable. Je n'en reviens pas.

— Bonjour messieurs-dames, dis-je. Je suis enchanté de faire votre connaissance. Si c'était un nouvel effet de votre bonté, j'aimerais savoir comment il se fait que je sois parmi vous au lieu de flotter en direction de Rouen dans les eaux tant chantées de la Seine.

Le type à la canadienne me met au courant de la situation ; lui et ses deux fils appartiennent à un réseau de résistance. Ce soir, ils sont allés s'embusquer dans les joncs bordant le fleuve afin de surveiller un convoi de vedettes que les Fritz descendent vers l'Atlantique. Ils ont assisté à la fin de la poursuite en automobile, à mon plongeon, à ma fuite sous les barques. Ils ont attendu que les Allemands, me croyant mort, aient cessé leurs recherches pour entreprendre les leurs... Ils m'ont déniché et m'ont ramené chez eux.

Je les remercie comme il se doit. Je leur donne quelques explications, mais ils sont discrets comme des Anglais.

— Nous n'avons pas aperçu de convoi, disent-ils, mais nous n'avons tout de même pas perdu notre soirée.

C'est aussi mon avis.

— Vous avez le téléphone ? demandé-je soudain.

— Mais oui.

— Pouvez-vous me le passer ? car dans la tenue où je me trouve, je ne puis me déplacer...

La jeune femme sourit languissamment et sort. Les deux jeunes gens me tendent une robe de chambre et une serviette chaude. Je me lève et me dirige vers un guéridon où repose l'appareil téléphonique. Je compose illico mon numéro.

Félicie commençait à se manger la rate.

— Je te souhaite un bon Noël, m'man. Mais ça n'est pas pour te dire cela que je te passe ce coup de tube. J'ai les Allemands au derrière et je ne puis rentrer à la maison, car ils trouveront sûrement ma trace. Fais ta valise et pars quelques jours chez la tante Amélie... Je t'écrirai. Surtout ne reste pas chez nous et ne perds pas une seconde : c'est plus que grave. Je t'embrasse.

Vous saisissez la raison pour laquelle j'agis de la sorte ? Je viens de penser que les membres de la bande à Fred n'ont peut-être pas tous été flingués. Il suffit que l'un d'eux soit tombé vivant aux mains des Frisés pour que ceux-ci apprennent mon identité...

Comme le danger est valable également pour Gisèle, je passe un fil à Guillaume.

— Je ne peux pas vous raconter ce qui vient de se produire, mon vieux, car il faudrait une conférence avec projections pour que vous compreniez. Toujours est-il que les Allemands me recherchent ainsi que la petite qui a été kidnappée... C'est une pure coïncidence *(atchoum).* Je venais de trouver leur piste lorsque les Frisés ont rappliqué. J'ai pu m'enfuir... La gosse aussi, seulement je n'ai pas pensé à lui recommander de déserter sa crèche pendant un bout de temps. Pourriez pas mettre un planton devant sa porte ? Un débrouillard... Qui ? Votre mammouth ? Alors O.K... Qu'il lui dise de se planquer chez une copine ou à l'hôtel et de ne pas en bouger avant de m'avoir vu ! Elle n'aura qu'à vous téléphoner sa nouvelle adresse... Parfait ! Au revoir, vieux.

Voilà ce que je débite, en robe de chambre trop étroite devant la cheminée.

— Comment vous sentez-vous ? me demandent mes hôtes.

— Un peu dégelé.

Ils éclatent de rire. Ce sont des types au poil et, cette nuit, j'aime autant avoir rencontré ces braves gens plutôt que le père Noël... ou que les employés de M. Himmler...

CHAPITRE XI

Changement de décor.

Le lendemain, c'est la sonnerie des cloches qui me réveille. J'ouvre les yeux avec peine. J'ai la gaudiche. Si je prenais ma température, je ferais sûrement sauter le thermomètre... Quelque chose remue sur mon édredon : c'est un greffier. Il me regarde en miaulant comme si j'étais une saucisse fumée. Vous avez pas idée combien ce chat peut mettre dans la pièce une allure douillette... La cheminée où brûlait cette nuit un grand feu est éteinte mais la piaule sent la cendre chaude.

Je ferme les yeux et me mets à penser aux événements de la veille... Je suis heureux d'avoir blousé les Fritz. Seulement c'est une chose passée et moi, le passé c'est comme un mouchoir sale : je n'y fourre plus mon nez. Au fond, y a que l'avenir qui soit meû-meû ; les mous-de-la-tronche qui pleurent de la vaseline en ruminant des souvenirs sont tout juste bons à balayer les waters.

Mon avenir à moi se présente mal. Sur la douzaine de tordus qui composaient la bande de Fred, y en a certainement deux ou trois qui ont dû être queutés vivants et qui ont ouvert grand leur bec à la première tarte qu'ils ont prise sur le museau. Comme de bien entendu, ils ont allongé mon blaze. Les Allemands vont enquêter sur ma pomme dans mon entourage. Ils vont apprendre que le fameux San-Antonio appartenait aux services secrets. Ils vont faire un rapprochement entre ma présence parmi les soi-disant kangourous et la disparition de l'ampoule magique. Mon grand atout c'est qu'ils me croiront noyé... mais cet atout ne me donnera pas longtemps l'avantage car ils vont remuer la France entière avec une cuillère à café pour remettre la main sur Gisèle. Il la leur faut. Puisqu'ils savent qu'elle était ma poulette, donc qu'elle est susceptible de savoir où j'ai caché l'ampoule. Le plus urgent, c'est de mettre la môme Gigi en lieu sûr.

Facile à dire... Une gonzesse est plus duraille à planquer qu'un bouton de jarretelle. Je me mords de plus en plus fort les doigts d'avoir embarqué cette tourterelle dans une pareille épopée. Vous allez me faire remarquer qu'elle s'est bien comportée ; c'est exact. Mais si je n'avais pas le constant souci de sauver ses os, j'aurais les pensées plus organisées. Et croyez-moi, tas de bidons, un cerveau bien huilé, c'est l'A.B.C. du turbin.

Où vais-je pouvoir la mettre pour qu'elle soit en sécurité ? C'est alors qu'il me vient la plus épatante idée qui ait jamais germé entre les deux oreilles d'un flic : et si j'allais faire un tour à Londres avec Gisèle et l'ampoule ? Je parie qu'on serait bien accueillis tous les trois... Ce sont mes copains de l'*Intelligence Service* qui seraient épatés de me voir radiner. Enfin, y a pas, cette saloperie d'ampoule, je peux pas la conserver comme trophée. Je doute que sur une cheminée elle soit tellement décorative... D'autant que j'ignore de plus en plus ce qu'elle contient... Si les Frisés tiennent tant à elle, c'est qu'elle présente un intérêt certain... Tellement certain que la bande des kangourous n'a pas hésité à risquer la vie des ses membres pour s'en emparer. Au lieu de lâcher la forte somme pour entrer en possession de l'invention, les Alliés l'auront à l'œil. Ça me fera plaisir de retourner en Angleterre car j'ai justement envie de voir un film de Laurel et Hardy. Gisèle étant infirmière elle est assurée d'y trouver un job ; quant à bibi, si les Angliches ne se chargent pas de ma note d'hôtel, c'est qu'ils n'ont pas un poil de reconnaissance...

O.K. Me voilà tout regonflé. Il ne me reste plus qu'à trouver un filon pour passer le Chenal...

La porte s'ouvre et la belle jeune femme entre dans ma turne. Je ne sais pas comment je me remue le nombril, mais toutes les fois que je suis dans une paire de draps afin de me rebecter, y a une poupée blonde qui vient rôder autour de mon plume en tortillant du dargeot comme une négresse à plateaux...

Celle-ci me botte parce que c'est tout juste le genre de beauté à laquelle je pense, le soir, dans mon dodo, lorsque j'ai bu une trop forte dose de café dans la journée.

Elle est blonde, donc, et elle a des yeux noirs et veloutés sous des cils de trente-quatre centimètres. Sa peau est ocre pâle, et toute sa personne est empreinte de distinction.

— Bonjour !

Oh cette voix, madame ! Si j'étais quelque chose à la radiodiffusion, je la ferais enregistrer illico ! Quand elle parle, c'est comme si elle vous caressait le tympan avec un gant de chevreau.

Je lui réponds :

— Bonjour, petite madame.

— Mademoiselle !

— Alors bonjour, petite demoiselle. J'étais en train de me dire que l'aube est un truc épatant, mais vous m'apportez la preuve qu'il y a mieux qu'un lever de soleil.

Je me sens furieusement ballot. Mais le plus grand cul-d'ail de la création ne se fera jamais traiter de chancre mou par une déesse lorsqu'il lui débitera des balivernes de ce genre.

— Flatteur !

Je la regarde d'une façon appuyée. Ses yeux ne se mettent pas sur une voie de garage, alors, je m'offre une tranche de culot grande comme ça !

— Mademoiselle, figurez-vous que ma maman vient toujours m'embrasser au lit le matin de Noël. Ça vous choquerait de la remplacer au pied levé ?

Encore un truc de choix pour amadouer les colombes : le coup du sentimental qui larmoie en parlant de sa vioque !

Elle hésite puis s'approche de mon page. Elle se penche et j'en profite pour glisser un regard de sympathie à ses roberts. Un regard amical qui signifie à bientôt ! Je sens ses lèvres se poser sur ma joue. Ça me fait plus d'effet qu'un cataplasme de farine de lin. Je la saisis par le cou et je lui paie ma tournée. Après un bécot comme ça, elle peut aller sur la terrasse faire des mouvements respiratoires.

— Vous allez vite !

Elles n'ont pas pour dix ronds d'imagination, car elles disent toutes ça. Vache à lait ! elles sont assez contentes qu'on aille vite.

Je me souviens d'une poupée que j'ai connue à Amsterdam qui me faisait le truc du je-ne-serai-à-personne. Quand je lui filais une claque sur le train, elle parlait d'aller chercher son vieux père... Pour vous dépeindre le genre de ce lotissement.

Elle a fini par tellement me courir sur les moyeux que je m'en suis désintéressé. Eh bien ! c'est elle qui est venue un matin à mon hôtel sous le prétexte de me demander si la tour Eiffel se trouvait bien en face du palais de Chaillot.

— Maintenant, dis-je à la petite, ce serait tout à fait bien si je savais quel prénom sert à désigner un châssis comme le vôtre...

— Je m'appelle Florence.

— Je referais bien un petit voyage dans votre banlieue.

Elle ne s'approche plus du lit et le baiser que j'escomptais est remis à plus tard. Comme elle regarde fréquemment du côté de la porte, je comprends qu'elle redoute l'entrée d'un des hommes.

— Dites donc, m'selle Florence, j'aimerais connaître certains détails sur vous et les vôtres. Tout ce que je sais, c'est qu'ils m'ont repêché et qu'ils s'occupent de machins dangereux...

Elle ne répond pas tout de suite car elle est en train de faire dissoudre quelques cachets dans un verre d'eau chaude.

— Tenez, avalez ça, vous devez faire un peu de température...

Quand j'ai englouti sa pharmacie, elle s'assied à mon chevet.

— Maman est morte. J'habite avec mon père et mes deux frères. Notre nom est Renard. Papa est un ancien architecte retiré des affaires. Mes deux frères préparent — disent-ils — une licence de quelque chose. Moi je prépare les repas... Ça vous suffit ?

— O.K., votre fiche est mise à jour dans mon cœur !

Le papa Renard fait une entrée discrète. Souvenez-vous qu'il n'a pas les châsses dans un parapluie. Tout de suite il renifle du flirt dans l'air et il dissimule un petit sourire amusé.

— Vous avez bien dormi ?

— Comme le petit Jésus dans sa crèche...

— A la bonne heure. Florence, veux-tu nous laisser un instant ?

Ce dab a une fameuse autorité dans sa tribu. Ma seconde infirmière sort immédiatement comme si on l'appelait au téléphone.

— Monsieur, commence Renard, j'ai appris par les communications téléphoniques que vous avez passées cette nuit, que vous êtes le commissaire San-Antonio. Comme beaucoup, j'ai entendu parler de vous. D'après la scène à laquelle j'ai assisté, je suppose que vous travaillez en étroit contact avec Londres ?

— Pas encore...

Il hausse un sourcil.

— Je vous demandais ça, parce que c'était la déduction que j'avais tirée de vos démêlés avec les Fritz. Je voulais vous dire qu'au cas où vous auriez voulu passer un message de l'autre côté, je suis à votre disposition...

— Merci. Vous m'intéressez prodigieusement. Jusqu'ici je m'étais tenu en marge des événements, mais le moment est venu où il faut agir. En voulant régler un compte, je suis entré en possession de quelque chose susceptible de remplir de joie les Alliés. Ma décision est prise. Il faut que j'aille à Londres, vous avez un poste émetteur ?

— Oui.

— En ce cas, soyez assez bon pour me donner de quoi écrire, je vais vous préparer un message.

Il me tend un bloc et un crayon.

Je suce un instant la mine, puis je me décide. Voici le texte qui va être transmis à Londres :

Montlew, I.S., London.

Commissaire San-Antonio désire deux passages. Urgent. Pour remettre documents d'une extrême importance.

— Tenez, monsieur Renard, transmettez ça au plus tôt et demandez une réponse rapide.

Il prend la feuille de papier et se dirige vers la porte.

— Monsieur Renard...

Il tourne vers moi son visage ouvert de brave homme.

— ... merci.

— C'est moi qui vous remercie... au nom de la bonne cause !

Ces paroles historiques dûment échangées, nous reprenons nos occupations respectives. Les miennes consistent à me caler contre mon oreiller et à attendre le retour de la ravissante Florence. Il ne tarde pas... Comme dans un ballet bien réglé, dès que son daron les met, elle entre côté jardin.

— Ce qu'il y a de contrariant avec vous autres, les hommes, fait-elle, c'est que vous avez toujours un tas de mystères à cacher. Vous êtes de vrais gosses. Vous jouez toute votre vie à Nick Pinkerton.

— Et vous, ma douceur, à quoi aimez-vous jouer ?

Elle laisse tomber la question comme un objet trop lourd.

Cette gosse est une des merveilles de la nature. Rappelez-vous, bandes d'eunuques ! que j'en ferais bien ma bergeronnette. Vous devez penser que je suis un bougre bien instable et que j'oublie facilement la môme Gisèle... Là, vous vous gourez ! Vous souvenez-vous de cette vieille chanson française qui raconte le blaud d'un pauvre mougingue qui faisait tout un chabanais parce que son daron s'était remarié ? Il disait qu'il n'avait pas le palpitant assez mahousse pour pouvoir aimer deux mômans. P't-être qu'il n'avait pas tort, le gosse ; mais en ce qui me concerne, mon cœur à moi est grand comme une caserne et je peux y faire tenir autant de persilleuses que je veux. C'est bien commode ! Florence s'aperçoit que je la mouchaille et elle rosit. La pudeur lui va à ravir. J'adore les femmes pudiques, même si c'est du bidon. Je me mets à lui monter tout un chopin à celle-ci, lui racontant que ce Noël est le plus merveilleux de mon existence et que pas un petit gars de France n'a trouvé ce matin un pareil biscuit dans ses pompes. Elle boit mes paroles comme du muscadet. Je vous parie la photographie de Roosevelt contre un abonnement au *Chasseur français* qu'elle n'a jamais rencontré de pecquenot capable de lui chanter cet air-là... Dommage que son dabe soit dans la carrée parce que je lui ferais le grand jeu...

Mais il y est, le dabe... Le voilà qui revient, la mine satisfaite comme si on venait de le nommer commandeur de la Légion d'honneur.

— Tout va bien, me dit-il. J'ai envoyé votre message. Il ne nous reste plus qu'à attendre la réponse.

— Pensez-vous qu'elle tarde ?

— Je crois que nous l'aurons dans l'après-midi, tout dépend de la rapidité avec laquelle il parviendra à la personne que vous désirez contacter...

Je me sens en pleine forme. Les cachets de Florence ont fait dégringoler ma fièvre ; il ne reste en moi qu'une sorte de voluptueuse excitation.

— J'aimerais bien me lever, dis-je. Je ne voudrais pas troubler vos fêtes.

Le père Renard secoue sa belle tête grise.

— Il n'y aura pas de fête pour nous avant la victoire finale. Nous allons passer la journée ensemble. Il sera bien temps pour vous de regagner Paris demain matin, n'est-ce pas ?

C'est proposé de si bon cœur que je me sens incapable de refuser. D'autant plus que, derrière le dos de son paternel, Florence me supplie du regard.

— Vous êtes de bien braves gens...

— Allons donc !

— Je vais donner un coup de fer à vos vêtements qui doivent être secs, fait la jeune fille.

Renard s'approche de mon lit.

— Courage ! La lutte décisive va bientôt commencer...

Tu parles si j'en ai, du courage ! Je pourrais même en vendre un plein tombereau si c'était une denrée négociable...

Nous restons un long moment à discuter de la situation. Mon hôte est du genre patriotard.

En tout cas, il n'a pas froid aux châsses.

Sur le coup de midi, habillé comme un roi, je fais mon entrée dans la salle à manger rustique où règne une chaleur qui achève de me rebecqueter. Les fils qui étaient sortis toute la matinée sont de retour. On me dit leur nom : le plus vieux s'appelle

Roland et l'autre Maurice. Ils sont sympas. Je les sens émoustillés par ma présence. Ils m'attaquent illico pour que je leur raconte ma vie aventureuse. J'ai l'habitude d'être sollicité pour ce numéro de confidences palpitantes. Je ne me fais jamais tirer l'oreille. Pas que je sois particulièrement vantard, mais j'aime assez montrer au profane qu'un matuche n'est pas toujours un gros friquet, chaussé de godasses à clous et muni d'un parapluie d'escouade. D'autant plus que lorsqu'une pépée dans le gabarit de Florence fait partie de l'auditoire, c'est pas désagréable de poser au caïd.

Je relate succinctement certaines de mes enquêtes dont la presse a parlé en temps utile, mais en révélant des à-côtés ignorés des journalistes.

Les jeunes gens m'écoutent passionnément.

Le père Renard aussi est conquis. Quant à Florence, sa poitrine est gonflée par l'émotion...

Je fais mon petit mariole. Je dis tout et j'en rajoute. Je leur fais le bon poids... A mesure que je m'écoute parler, je me sens transformé en preux chevalier. Je suis le type du siècle ; le manche qui remplace l'huile d'olive, le héros fier et doux... Lorsque, épuisé, je me tais, il ne me reste plus assez de salive pour remercier le fils aîné qui me remplit mon glass.

Le papa Renard liquide sa cave. Il y a quelques vieilles bouteilles qui n'attendaient que moi pour être vidées.

Nous passons un Noël épatant. Nous sommes encore à table à l'heure du dîner. Les deux fils s'excusent parce qu'ils sont invités chez des copains. Je les vois partir sans tristesse... Moins il y aura de pégreleux autour de Florence, plus j'aurai des facilités pour lui faire comprendre que je m'intéresse davantage à elle qu'à la ligue des pères de famille vertueux.

Quand les garçons se sont taillés, Renard se lève et me dit qu'il est l'heure d'aller faire sa petite cuisine au grenier. Vous parlez si je l'excuse ! Il peut y passer la nuit, dans son grenier, à jouer au fantôme-à-la-jambe-de-bois ; tout ce que je vois dans l'histoire, c'est que me v'là en tête à tête avec ma petite Florence. J'ai idée de m'offrir mon cadeau de Noël... Dès que nous sommes seuls, je toussote. Un sourire naît sur les lèvres de la belle enfant.

— Alors, mon amour ? je lui fais.

Son visage s'éclaire comme l'enseigne d'un bar au crépuscule. Je m'approche d'elle, la main en gant de boxe. Elle se laisse empoigner la taille sans appeler police-secours.

— Je me souviens plus si votre rouge est à la groseille ou à la violette...

Elle me fait goûter... Il est à la pervenche. J'aime ce parfum et j'en reprends.

Surtout, croyez pas que cette mousmé soit une petite grue ! C'est au contraire la marquise qui doit défendre sa vertu par tous les moyens ; mais elle en pince tellement pour ma trompette que, si je voulais, je réussirais à la faire marcher au plafond.

Y a rien de plus docile que les filles farouches lorsqu'elles ont trouvé le jules de leur rêve.

Je vous jure qu'on ne s'embête pas tous les deux...

Quand le père Renard descend de son pigeonnier, nous sommes sagement en train de faire une belote. C'est un tableau familial charmant. De quoi fendre le cœur d'un crocodile !

— Hourra ! triomphe mon hôte. J'ai la réponse à votre message. Vous devez être rudement bien coté à l'I.S. car votre voyage est pour demain soir...

Il m'explique que la personne qui m'accompagnera et moi devons venir chez lui demain avant la nuit. Il nous conduira en automobile vers le Vexin où se trouve un terrain d'atterrissage clandestin.

Je suis tellement satisfait de la tournure que prennent les événements que je lui donne l'accolade. Ses yeux s'embuent de larmes.

L'instant est à ce point émouvant que si des gendarmes nous voyaient, ils nous feraient le salut militaire.

CHAPITRE XII

Je retrouve la môme Gigi.

Il s'agit de faire vite et surtout de ne pas se laisser mettre la patte sur le râble au moment où tout déguille bien.

Pour camoufler un peu ma remarquable physionomie, je me suis fait tailler les crins en brosse par un merlan de Poissy, le lendemain matin, et je m'affuble d'une paire de lunettes que m'a données Renard. Ainsi déguisé, je ressemble à un instituteur hollandais. Les verres des bésicles me gênent considérablement car ce ne sont pas des verres à la gomme. Ils grossissent terriblement mon entourage. Ainsi, j'ai tendance à prendre le chat de la maison pour un tigre du Bengale et la maison elle-même pour le palais du Louvre ; va falloir que je fasse gaffe de ne pas passer par les trous de rats dans un moment d'inattention.

Je dis au revoir à mes hôtes et je saute dans le premier train en partance pour Paris.

Deux heures plus tard, je suis dans le bureau de Guillaume. Je lui explique une partie de mes aventures. Je ne fais allusion ni à l'ampoule ni à mon imminent départ pour l'Angleterre. Je tiens à mettre le maximum de chances de mon côté ; par conséquent, il convient avant tout d'éviter la moindre indiscrétion.

— J'ai eu un coup de téléphone de votre petite, me dit mon collègue. Tout s'est bien passé. Ainsi que je vous l'avais dit, j'ai posté mon gros Bibendum devant sa porte et il lui a passé la consigne. Elle m'a tubé une heure plus tard en me priant de vous dire qu'elle se trouve au *Royal-Bretagne,* rue de la Gaîté.

Sans en entendre davantage, je me trisse, je me fais débloquer un taxi et je fonce au commissariat de l'Étoile. J'ai la chance de trouver mon brigadier lequel me restitue l'ampoule.

Ouf ! ça va mieux. Je me sens plus tranquille car je redoutais de ne pas trouver mon précieux dépôt. En cette fichue période d'occupation, on n'est sûr de personne. Y a même des moments où je doute de moi... Pourtant, je me connais depuis longtemps et je peux me fournir des références...

Je dis au chauffeur de mettre le cap sur Montparnasse.

Quelle joie de retrouver ma petite infirmière ! Faut pas croire que parce que j'ai fait du rentre-dedans à Florence, je me désintéresse de Gigi. Au contraire, l'avoir un peu doublée m'a permis de l'apprécier... Et puis ça n'est pas la peine que je me cherche des excuses : je suis comme ça et pas autrement. Moi, j'adopte la devise du tordu qui a dit : *Vivons l'instant !* je crois vous l'avoir dit. En voilà un qui en connaissait un brin sur la question. Il savait que ceux qui se cassent la prostate avec des histoires de fidélité, de remords, d'à-toi-toujours sont des locdus, des endoffés et des peigne-zizi.

Dans la vie, il s'agit pas de se changer le sang en sirop des Vosges pour les poupées ! Plus vous avez de la considération pour elles, plus elles ont tendance à prendre votre poire pour une carcasse de poulet usagée. Alors, le mieux, c'est de profiter des occases, vu que vous regretteriez de pas l'avoir fait en arrivant à l'âge où on sucre les fraises...

— Te voilà, te voilà, balbutie-t-elle en chialant.

» T'as pu t'en tirer. Oh, mon chéri, tu es un être fabuleux !

Je lui rends une partie de ses caresses parce qu'il ne faut pas tout garder pour soi.

— Comme tu le dis, je lui fais, y a pas de différence entre Arsène Lupin et moi. Si on m'enfermait dans un four crématoire, je me décarcasserais pour en sortir. Air connu...

Je l'interroge sur ses aventures à elle.

Ça s'est pas trop mal passé. Quand je l'ai quittée sur la route, elle est retournée à Saint-Germain. Là, elle est allée à l'hôpital où travaille une de ses collègues, lui a emprunté un peu de fric et est rentrée à Pantruche. On le voit, c'est pas tellement compliqué.

— Et toi, me demande-t-elle, comment t'en es-tu tiré ?

Je la mets au courant de mes tribulations. Dès que j'ai fini, avant de lui laisser pousser les exclamations d'usage, je lui pose la grande question :

— Dis donc, ça te botterait de faire un petit viron en avion ?

— Je comprends !

— Par viron, je ne veux pas parler d'un simple baptême de l'air, mais d'un vrai voyage.

Elle écarquille les yeux.

— Où veux-tu aller en ce moment ? En Suisse ?

— Non, en Angleterre.

— Tu parles sérieusement ?

— Et comment !

Sans la faire languir davantage, je lui donne des explications sur le départ pour Londres que j'envisage.

Elle est transportée.

— Nous y attendrons, toi du moins, la fin de la guerre. J'ai des copains là-bas qui te trouveront du boulot... Ce que je veux avant tout, c'est que tu sois en sécurité. J'en ai marre de t'exposer à la Gesta avec mes combines. Les petites filles sont faites pour le tricotage et le plaisir du guerrier. Pas pour jouer les Jeanne d'Arc. Des Jeanne d'Arc, y en a assez d'une. Si on en faisait une série, les hommes passeraient vite pour des ballots.

Elle approuve. Elle ne pense qu'à notre fuite en avion de ce soir et elle se laisserait dire n'importe quoi sur les bipèdes de son sexe.

Nous passons la journée dans sa piaule, inutile de se faire remarquer. Je téléphone à ma banque, dont je connais le directeur, pour qu'on m'apporte le solde de mon compte. Je ne tiens pas à ce que les Frizous mettent leur nez dans mon blé et l'utilisent pour payer l'apéro à Adolf... Un employé de la banque s'amène avec mon bon osier. Je le divise en deux parties : l'une, la plus grosse, je l'envoie à ma mère, en y joignant une longue bafouille. L'autre, le la garde pour faire le gandin à London.

Nous voilà parés. Il ne nous reste plus qu'à attendre l'heure de reprendre le train pour Poissy.

On essaie de passer le temps. Si vous n'avez pas une tomate farcie sous la perruque, vous devez imaginer notre jeu favori.

CHAPITRE XIII

Au temps pour les crosses.

Nous arrivons chez les Renard à la grosse nuit. Un bombardement de la région parisienne nous a mis en retard et j'ai peur que nous ne rations le coche.

Une voiture stationne devant la porte.

— Entrez vite ! nous dit Renard. Tout est prêt, nous allons nous mettre en route dès que possible.

Je suis un peu gêné de présenter Gisèle à Florence. Je redoute une réflexion ou un mouvement désagréable, mais, décidément, la fille de mon hôte est de première. Elle ne sourcille pas et ferme son joli bec. Du reste, je présente Gigi comme étant une collaboratrice.

— Nous vous accompagnerons tous les quatre, déclare Renard. Les voisins pourraient s'étonner que nous sortions la voiture la nuit pour véhiculer des inconnus. Il faut être d'une grande prudence.

Je l'approuve pleinement. On s'entasse tous dans une vieille Renault et en route !

C'est le fils aîné qui conduit. Renard et son cadet sont devant. Le mec San-Antonio fait son pacha derrière, entre les deux poulettes. Je soupire d'aise. Comme il fait noir dans l'auto, je prends la main à chacune des petites. De cette façon y a pas de jalousie possible. Je me hasarderais bien à leur faire une séance de mimis mouillés, mais elles pourraient ne pas trouver cette distribution collective à leur goût et elles déclencheraient un quatorze juillet carabiné.

Trois quarts d'heure plus tard, nous stoppons.

— Terminus ! s'écrie Renard.

Je songe seulement à examiner le paysage et je sursaute : nous sommes dans une vaste cour pavée entourée de hauts murs.

Des silhouettes s'approchent de la voiture et l'entourent.

Je crois rêver : ce sont celles de soldats allemands. Et comment ils sont armés, les messieurs !

Je ne dis rien parce qu'il est des cas où il vaut mieux se mettre un autobus sur la langue. Gisèle ne sourcille pas non plus. J'examine les Renard et je les vois qui se marrent comme des bossus.

Si le tonnerre me tombait en boule sur la gonfle, je ne serais pas plus surpris.

Je cherche à attraper mon feu, mais Florence me dit de sa voix céleste :

— Si c'est ton pistolet que tu cherches, j'aime mieux te dire qu'il est dans la poche de mon manteau. Je te l'ai fauché pendant que tu me pelotais.

Avouez que c'est du beau travail... Du cousu main ! Jamais au grand jamais je me suis laissé enchetiber de cette façon. Voilà qui renverse toutes mes idées sur la confiance, la sympathie et autres couenneries !

Y a de quoi s'engager comme asticot dans une tête de mouton daubée. De quoi se faire académicien ! De quoi se faire trépaner les genoux et le reste ! De quoi se frotter le prose sur un morceau de glace jusqu'à ce que ça fasse des étincelles...

— Descendez ! m'ordonne durement Renard.

Je n'ai qu'une pensée : l'ampoule. Il faut sauver l'ampoule. Tant pis pour mes abattis et ceux de la gosse mais il faut pas que les sulfatés récupèrent leur invention. En un cent millième de seconde, j'échafaude cent trente-sept combinaisons. Toutes aussi solides qu'une portion de yaourt.

Je suis cuit, Gisèle est cuite, l'ampoule est cuite. Ces vaches vont nous déguster aux petits oignons. J'ai idée que lorsqu'ils auront fini de faire joujou avec nous, nous ressemblerons d'une façon magistrale à de la compote de pommes.

— Descendez ! répète Renard.

Déjà Florence a mis pied à terre et me tient la portière ouverte.

Les soldats s'approchent mitraillette en main. Ils se rendent compte qu'ils n'ont pas affaire à un rosier. Ça me flatte. Je descends, les bras levés. Gigi me suit. Nous sommes immédiatement entourés.

Renard, ou du moins le salopard qui prétend se nommer ainsi, dit quelque chose aux soldats en allemand. Ils lui font le salut militaire et nous entraînent en direction des bâtiments.

Pour nous faire avancer, ils ne prennent pas de ménagements ! Comme infusion de bottes, ça se pose là. Moi, des coups de pompe, j'en ai dérouillé tant et tant que mon derme ressemble à de la peau de chagrin ; seulement, ce qui me met le foie en trèfle, c'est de voir molester cette pauvre choute... S'il n'y avait pas un corps d'armée pour nous garder, je ferais une petite séance de moulinets massacreurs... Vous ne savez pas ce qu'est le moulinet massacreur ? Je vais vous le dire : c'est une recette qui peut vous être plus utile que celle de la blanquette de veau. Lorsque plusieurs endoffés ont de mauvaises intentions à votre endroit, vous piquez au milieu du lot une sorte de crise d'épilepsie. Au lieu de vous laisser choir sur le plancher vous vous accroupissez et billez dans les brioches qui se présentent à vous. Les gars sont déconcertés, car la scène a lieu au sous-sol. Ils ne savent pas par quel bout vous empoigner... C'est très divertissant, je vous le jure !

Mais, pour le moment, il y a une forêt de mitraillettes pointées dans nos reins et il vaut mieux attendre les événements.

Les Allemands nous font entrer dans un bâtiment lugubre et nous emmènent dans une salle qui ressemble à une salle de classe. P't-être même que c'en était une avant guerre.

Nous attendons chacun à une extrémité de la pièce, sous la surveillance d'une demi-douzaine de soldats. Il fait un froid de canard dans cet endroit. Nous n'avons pas le temps de trembler. La trouille nous accroche un petit radiateur portatif au dargeot, tout ce qu'il y a de mignon.

Soudain, il se fait un remue-ménage et la porte s'ouvre devant le pseudo-Renard. Ce fumelard est accompagné de sa soi-disant fille, et de deux officiers allemands.

Ce joli monde s'assied à une table et se met à discutailler à voix basse. Puis Renard, qui paraît commander la séance, se tourne vers les soldats et leur ordonne de me fouiller. Un grand blond, qui ressemble à un lavement, vide mes poches. Il sort leur contenu et le porte à ses chefs. Renard ne met pas longtemps pour sauter sur le paquet précieux. Il le déplie fébrilement et ouvre la boîte de carton. Une exclamation jaillit de ses lèvres. La boîte ne contient qu'un verre dont on se sert pour poser les ventouses.

Rappelez-vous que le plus ahuri, c'est bibi.

J'ai assisté aux tours de passe-passe de Bénévol, mais ce verre à ventouse occupant la petite boîte de l'ampoule, c'est ce que j'ai vu de mieux jusqu'à présent en matière de prestidigitation. Si vous êtes un tout petit peu plus malins qu'une paire de sabots, essayez de me donner une explication valable, tas de branques ! Moi, je suis flic, mais si la magie noire se met de la partie, alors j'aime mieux m'engager dans le corps d'élite des déboucheurs d'éviers...

En attendant, un qui fait une drôle de tronche, c'est Renard. Il est tout pâle et me regarde avec des yeux blancs.

— Approchez, me dit-il.

Je fais quelques pas en direction de l'aréopage.

— Ainsi, vous avez voulu nous jouer ! grince-t-il.

Alors là, je fais un vache barnum :

— Non mais dites donc, qui est-ce qui a joué l'autre ? Sans blague ! Qui est-ce qui fait le bon sauveur, le vieux patriotard, le père de famille qui va dégommer Jeanne d'Arc ? Hein, qui est-ce qui se conduit comme un bougre de fumelard et qui, par la plus tocarde des comédies, attire les pauvres mecs confiants dans un guet-apens ?

» Vois-tu, Toto, à la guerre, on peut employer bien des moyens et y a beaucoup de sales coups permis, mais pour utiliser celui-ci, faut avoir un piège à fouine à la place du cœur. Faut être l'enfant d'un loup et d'une vipère rouge... Je vais te dire une bonne chose : un pays qui s'amuse de la sorte se prépare les pires ennuis : ses carottes sont cuites...

Renard ne m'a pas interrompu une seule fois. Son visage est aussi impassible qu'un ouvre-boîtes.

— Karl, murmure Florence, ne pensez-vous pas que ce garçon mérite une correction ?

Je lui fais un gentil sourire.

— Toi, la grue maison, je vais te flanquer une fessée...

Elle rougit et s'approche de moi, le regard brillant.

Elle me gifle à toute volée. Les soldats sont obligés de me contenir parce que si je suivais mon penchant naturel, cette grognasse, je la transformerais en paillasson...

— Calmez-vous. Greta, ordonne Renard.

Il s'approche à son tour et me parle très calmement :

— Mon cher commissaire, je comprends votre indignation ; elle est très naturelle... Avec vous, je reconnais que nous avons usé d'un moyen très particulier. Lorsque nous vous avons découvert l'autre nuit, près du pont de Poissy, accroché à une barque, vous étiez évanoui... Comme nous avions des amis dans la région, nous vous avons conduit chez eux pour vous ranimer, car nous tenions à votre petite santé. Vous avez lentement repris connaissance, alors l'idée nous est venue de vous jouer la petite comédie qui a l'air de tant vous déplaire... Nous espérions obtenir plus de renseignements par la confiance que par la force. Il faut croire que j'ai commis une erreur. Seulement, il y a une chose que je ne m'explique pas, monsieur le commissaire : si vous vous étiez rendu compte que nous vous roulions, ou même si vous aviez eu un doute, vous n'auriez pas risqué votre vie et celle de cette jeune fille en revenant ce soir, n'est-ce pas ? Donc, vous aviez pleine confiance ; alors, pourquoi n'avez-vous pas pris l'ampoule avec vous ?

Je réfléchis.

Je suis dans un drôle de pastis, mes pauvres gars, parce qu'il ne faut pas perdre de vue que je suis le premier blousé. Quelqu'un est allé prendre l'ampoule au commissariat de l'Étoile. Comment se fait-il que le brigadier ne m'ait rien dit ? Est-il complice ? Mais surtout, qui, QUI a pu savoir que j'avais planqué l'ampoule à cet endroit ?

Autant de questions insolubles auxquelles il est vraisemblable que je ne pourrai jamais répondre. J'ai toujours été plutôt optimiste, vous le savez, mais cette fois, je ne me fais pas pour vingt-cinq grammes d'illusions...

— Écoutez bien, dis-je à Renard. J'ignore ce qu'est devenue l'ampoule. Je l'avais planquée chez moi, on a dû l'y prendre. Je n'ai pas songé à vérifier le contenu du paquet...

— C'est tout ce que vous avez à déclarer ?

La question me surprend.

— C'est tout !

— Vous savez parfaitement que vous n'êtes pas allé chez vous...

Aïe ! Je suis le roi des tordus en affirmant ça. Évidemment, j'ai été suivi et ils se sont bien rendu compte que je n'ai pas mis les pieds dans ma crèche...

Renard (je continue à lui donner ce nom) ordonne à ses hommes de fouiller Gisèle. Malgré les protestations de la pauvre gosse, elle est palpée sous toutes les coutures.

La fouille, bien entendu, est négative.

Les Frisés se concertent. Pas longtemps. Un officier fait un signe à ses hommes, et nous sommes entraînés dans des couloirs glacés. Je voudrais pouvoir murmurer des paroles de réconfort à la môme. Mais ces brutes nous séparent à un croisement des couloirs.

Je suis poussé dans un réduit obscur, sans fenêtre, et la porte se ferme derrière moi.

CHAPITRE XIV

Comme des rats.

On me laisse pourrir pendant vingt-quatre heures dans ce placard, sans m'apporter à briffer. Ces gars-là ont dû entendre parler des méthodes de Louis XI. Quand ils m'ouvrent la porte, je tombe en digue digue, étourdi par la faiblesse et la lumière. Je suffoque, car mes poumons sont anémiés. Je ne me rends plus compte de ce qui se passe autour de moi. On me pousse et je marche... Me revoici dans la salle de classe. Je retrouve Renard et Greta — je me souviens que c'est ce prénom que mon traître a donné à Florence.

Ils sont seuls derrière la table. Lui est vêtu en colonet de la Gestapo. L'uniforme lui sied à ravir.

— Bonjour, monsieur le commissaire !

Je leur fais un petit signe de la main. Ça commence à mieux aller. Le grand air m'a fait du bien. Si je pouvais me taper une entrecôte et un litre de vin, je serais vite en état de marche...

— Alors, questionne Renard, vous êtes revenu à de meilleurs sentiments ?

— Pardon ?

— Vous avez parfaitement entendu ma question.

— De quels sentiments voulez-vous parler ?

— Allons, ne faites pas l'innocent. Dites-nous où vous avez caché l'objet que nous cherchons et vous avez ma parole que je vous envoie en prison jusqu'à la fin des hostilités, vous et votre amie.

Y a pas, son offre est raisonnable, seulement, deux raisons majeures m'empêchent de lui donner suite : primo, je n'ai pas plus confiance en ce triste sire qu'en un couple d'ours bruns ; secundo, et c'est un argument sans réplique, j'ignore absolument où se trouve leur sacrée ampoule.

Je dis tout ça à mon interlocuteur, mais il n'a pas l'air de me croire.

— Au cas où vous vous entêteriez à garder le silence, fait-il, je tiens à vous préciser que vous vous exposeriez à un châtiment extrêmement sévère.

— Je crois que nous perdons notre temps, interrompt Greta. Vous devriez employer d'autres arguments, mon cher.

— Soit !

Sur un signe de Karl-Renard, son grand lavement de l'autre jour me ligote sur une chaise. J'ai les mains attachées au dossier et les chevilles entravées.

Greta s'avance : elle tient une cigarette et l'approche de mon visage. La chair de ma joue grésille ; une atroce douleur me mord le cerveau. Je serre les dents pour ne pas crier...

— Que pensez-vous de ça, cher ami ? questionne-t-elle en riant.

— C'est pas mal, mais tu manques d'imagination, ma colombe. Je peux te garantir sur papier timbré que si tu me tombes un jour entre les bras, je te ferai voir des trucs beaucoup plus sensationnels. Sans blague ! le coup de la cigarette, c'est vieux comme le sadisme des gonzesses de ton format.

— Karl ! Il me nargue...

Elle halète de rage.

— Ne vous excitez pas, recommande son compagnon ; c'est un garçon très courageux et qui ne cédera pas tout de suite.

— Écoutez, Fritz, je lui dis. Au Moyen Age, il existait un truc magnifique pour faire avouer les prévenus : on leur travaillait les membres avec des tenailles rouges ou bien on leur faisait faire trempette dans de l'huile bouillante... Dix fois sur dix, les gars se mettaient à table. Ils avouaient tout ce qu'on voulait. On leur aurait demandé qui avait poussé Ève à croquer la pomme, ils auraient juré sur la tête de leur grand-mère que c'était eux. Par la torture, on fait en général avouer n'importe quoi à un type. Seulement, on n'a jamais pu faire dire à un mec ce qu'il ignore, vous saisissez ?

— Parfaitement, parfaitement, mon bon commissaire, si vous le permettez, je vais tirer la conclusion de votre raisonnement : on n'a certainement jamais pu faire dire à un homme ce qu'il ne sait pas ; mais on peut faire dire à celui qui sait ce qu'il sait. Par exemple, en ce qui vous concerne : ou vous savez où est l'ampoule, ou vous ne le savez pas.

— Tu l'as dit, bouffi !

— Si vraiment, et j'en doute, vous l'ignorez, notre... insistance sera vaine, d'accord, mais si vous le savez, vous avouerez. C'est une chance à courir. Je risque de triompher ; dans le cas contraire, vous souffrirez en pure perte. C'est très regrettable mais je dois vous imposer cette épreuve...

Je hausse les épaules.

— Tais-toi donc, tu me fais pleurer.

Renard me balance un coup de poing en pleine poire.

— Ceci pour vous apprendre la politesse, fait-il.

Je pique une crise de rage, mais je suis vite calmé par le lavement, qui m'assaisonne aux petits oignons.

Je suis dans de beaux draps ! Avec quelle volupté je viderais mon magasin de quincaillerie dans les tripes de ce joli monde ! Ils me font pour commencer une séance de sac de sable, mais je la boucle toujours. Je suis trop bourré de haine pour sentir leurs coups.

Ensuite, ils me tambourinent le cervelet avec une matraque en caoutchouc. Je crois devenir fou. Y a des types qu'on a enfermés pour moins que ça. J'ai l'impression qu'on fait courir le Grand Prix de Longchamp dans ma tête. Des éclairs rouges zèbrent mon regard, les objets dansent devant mes yeux...

— Parlerez-vous ? demande Karl.

Cette voix ! C'est elle, je crois bien, qui me fait le plus souffrir. Je vis une sorte de terrible cauchemar.

— Parlerez-vous ?

— Et ta sœur ?

Ils stoppent la séance.

Renard ordonne quelque chose à ses archers. L'un d'eux quitte la salle et revient avec Gisèle.

— Puisque vous êtes aussi têtu, nous allons tenter notre chance sur mademoiselle...

— Bande de lâches !

Ils la ligotent comme ils l'ont fait pour moi. Au bout de deux gifles, elle éclate en sanglots.

— Courage, ma chérie ! je lui hurle.

Du courage, elle en a une bonne provision, cette gosseline, moi je vous le dis. A sa place, pas une pépée ne supporterait ce qu'elle supporte. Elle est toute bleue de coups et elle se tait. Je lui tire mon chapeau !

— Ces damnés bougres sont en marbre ! s'exclame Karl.

— Employez les grands moyens, les super-grands moyens ! conseille l'infâme Greta.

Karl hausse les épaules et se dirige vers un placard dont il ouvre la porte. Il en sort une minuscule cage à oiseau dans laquelle remue quelque chose de sombre. Il apporte la cage sur la table et, la désignant du doigt, questionne :

— Vous voyez ce que contient cette cage ?

Nous regardons : un rat !

— Oui, c'est un rat ! murmure Karl. Un bon vieux rat d'espèce ordinaire. Je vais vous expliquer son rôle, car il en a un à jouer. C'est une petite recette qui vient de Chine. Les Chinois sont des gens pleins d'imagination et de psychologie...

Il s'arrête pour regarder l'effet que ses paroles produisent sur nous. Nous faisons bon visage. Cette cage et ce rat apportent comme une détente dans la pièce.

— Ce rat, reprend Renard, est affamé. Nous allons appliquer la cage sur une certaine partie du corps de mademoiselle ; nous l'arrimerons au moyen de courroies et nous ôterons la porte de la cage, laquelle est coulissante. Ce qui se passera alors, je vous laisse le soin de l'imaginer...

Gisèle pousse un grand cri et s'évanouit.

Je contiens ma colère de mon mieux et je m'adresse à Karl :

— Dites-donc, colonel, vous êtes un officier ou un sadique ? Un humain ou un fauve raffiné ?

Il hausse les épaules.

— Seuls comptent les résultats...

Je le sens déterminé. Comment éviter cette ignominie ? Si je savais où se trouve l'ampoule, je crois bien que je le dirais. Et si... Mais oui, c'est la seule solution...

— C'est bon, fais-je d'un air accablé, je vais tout vous dire, l'ampoule est cachée rue Joubert, au 14, troisième étage, porte de gauche.

— Pourquoi ne l'aviez-vous pas prise ? interroge Karl, plein de méfiance.

— Parce que je voulais au préalable négocier sa vente en Angleterre.

Mon truc a pris. Je vois s'éclairer le visage de nos tortionnaires.

— Où est-elle cachée ?

— Elle est placée après le lustre de la salle à manger...

— Nous allons vérifier...

On nous reconduit à nos cellules respectives... Je me demande comment tout ça va finir...

CHAPITRE XV

Un de ces quatre.

Il doit être midi. La porte de ma cellule-placard s'ouvre et un soldat me tend une gamelle de soupe. Faut une fameuse dose d'imagination pour appeler soupe cet infâme brouet. En vérité, il s'agit d'eau chaude à la surface de laquelle flotte une mélancolique carotte. Dans l'état où je me trouve, je n'exige pas un repas de chez Larue... J'avale cette eau de vaisselle et je fais quelques mouvements pour me désankyloser...

A peine ai-je achevé cette sommaire culture physique que Karl fait son apparition.

Il fulmine. Je me dis qu'il va reprendre sa série de démonstration des tortures chinoises, mais il n'en est pas question pour le moment.

— Nous avons perquisitionné rue Joubert, éclate-t-il, et en fait d'ampoule, savez-vous ce que nous avons trouvé ?

» Un cadavre !

Si je lisais les révélations de San-Antonio j'aurais pas plus envie de me bidonner qu'à cette minute précise. Je n'avais plus pensé au gars Farous dit Tifs-en-brosse, que j'ai refroidi dans l'appartement de mon sosie. Mieux ! j'ai complètement oublié, avant-hier, de signaler la chose à Guillaume... Cet oubli va peut-être sauver la mise ; en effet, ce cadavre donne de la vraisemblance à mon prétendu aveu.

— Malédiction ! m'écriai-je. La bande des kangourous a remis la main dessus.

Je profite de la confusion qui règne dans l'esprit de Karl pour demander :

— Vous ne les avez donc pas tous abattus, l'autre soir, au Vésinet ?

Notez que cette question est risquée car elle peut donner à Renard l'idée d'interroger les rescapés, s'il y en a. Ainsi il saura que Farous a été tué par moi, bien avant ma capture...

— Hélas ! non, répond Karl. Trois de ces crapules ont pu s'enfuir... Les autres étaient mortes...

Tiens, tiens, tiens ! Il y a des kangourous en liberté : voilà qui m'ouvre des horizons sur la disparition de l'ampoule ; en tout cas, Karl vient de m'offrir sans le savoir une porte de sortie.

— Quel malheur ! fais-je. L'autre nuit, avant que vous n'arriviez ils venaient de me faire avouer où se trouvait l'ampoule... Ils ont dû se précipiter à l'adresse indiquée pour la prendre et ils se sont battus pour se l'approprier... Il ne vous reste plus qu'à mettre la main sur les fugitifs.

Karl médite.

— Nous allons voir ça.

» Venez avec moi ! ordonne-t-il.

J'ai la frousse qu'il me mette un pruneau dans la nuque ; en somme je ne sers plus à rien désormais puisque je suis dépouillé de l'invention. Il ne faut pas trop compter sur la clémence de Renard.

Nous pénétrons dans une sorte de salle à manger où des officiers dégustent des liqueurs en fumant des cigares gros comme des mâts de misaine. J'aperçois des femmes parmi l'honorable société, dont Greta.

Y a pas à dire, elle est bath, cette gosse, et on a beau être son ennemi intime, on ne peut se défendre de l'admirer. Elle porte un tailleur noir avec un corsage blanc et un collier d'ivoire. Elle fume, en prenant une pose languissante, une longue cigarette à bout doré.

— Voilà le commissaire de mon cœur, murmure-t-elle. Venez donc vous asseoir près de moi, commissaire.

Je suis ahuri par cet accueil, auquel j'étais loin de m'attendre. Vous savez que je suis l'homme qui s'adapte à toutes les situations. Sans sourciller, je m'assieds à ses côtés.

— Vous prendrez bien un verre d'alcool ?

— Vous voulez dire que j'en prendrais une pleine bonbonne, baronne...

Elle rit et me verse du cognac.

Ah ! ils se soignent, ces chimpanzés ! Pour être du bon cognac, c'est du bon cognac... Si je m'écoutais, je prendrais une petite biture gentillette, dans cette ambiance distinguée.

— Alors, je lui demande, comme ça, ma chère tendre amie, vous avez campos aux abattoirs aujourd'hui ?

— Mon Dieu, oui.

Elle a l'air bien décidé à ne pas se fâcher. Les autres nous écoutent, impassibles.

— Vous savez que vous êtes en beauté ?

— Pas possible !

— Comment ! m'exclamé-je en feignant la surprise. Y a pas un de ces arracheurs d'ongles qui vous l'ait dit ! Ah ! chère Greta, la bonne vieille galanterie allemande se perd !

Elle se penche pour arrêter une maille qui file à son bas. Machinalement, je respire son parfum et jette un coup d'œil à ses roberts. C'est une habitude qui est presque un réflexe chez moi. Seulement, je suis de la revue parce que son corsage est fermé très haut par une broche. Je regarde donc la broche et je me mets à baver de surprise. Il y a une inscription sur ce bijou, une inscription qui m'en rappelle une autre...

Personne ne s'aperçoit de mon trouble ; c'est heureux...

— Vous avez devant vous, mesdemoiselles et messieurs, le fameux commissaire San-Antonio, des services secrets français, déclare Karl. C'est un garçon qui nous a causé bien des misères avant guerre. Et qui continue ! Entre autres prouesses, il a réussi à prendre à ces crapules de kangourous notre BZ 22 ; il est à noter toutefois que ces derniers ne sont pas restés sur cette défaite et qu'ils ont réussi à s'approprier à nouveau notre invention.

Karl saisit un verre de cherry et se le téléphone dans le cornet. Après quoi il clape de la langue avec une réelle satisfaction et poursuit :

— Normalement, ce bon commissaire n'étant plus en cause, il ne nous resterait plus qu'à l'adosser contre un mur et à lui donner les douze balles auxquelles il a droit...

Il prend un temps.

— Mais, enchaîne-t-il, il m'est venu une autre idée : pourquoi n'utiliserions-nous pas les merveilleuses qualités de cet homme ? Il a déjà réussi une fois à mettre la main sur l'ampoule de BZ 22 ; il n'y a pas de raisons pour qu'il ne renouvelle pas son exploit...

Ces messieurs hochent le chef d'une façon dubitative. L'un d'eux dégoise un truc en allemand, mais Karl l'interrompt.

— Soyons fair-play, mon cher commandant, dit-il. Je préfère que cet homme suive notre conversation...

— Eh bien, reprend le commandant avec un accent aussi épais que du goudron, il me semble, monsieur le colonel, que ce serait dangereux de libérer le commissaire... Rien ne nous donne l'assurance qu'une fois hors d'ici, il ne cherchera pas à passer en Angleterre... Si, avant de partir, il parvenait à remettre la main sur le BZ 22, ce serait une vilaine affaire. Évidemment, nous avons toutes facilités pour le surveiller de très près, mais, de votre affirmation il ressort que nous avons affaire à un être rusé...

Karl sourit.

— Rassurez-vous, von Schtible, si j'ouvre les portes de cette prison à San-Antonio, c'est que j'ai un argument de valeur pour le tenir à la raison.

— Peut-on connaître cet argument, monsieur le colonel ?

— C'est un rat.

Je comprends son raisonnement.

— Nous gardons sa bien-aimée comme otage, explique Karl.

» Nous avons la preuve qu'il lui est très attaché. Il ne voudrait pas qu'il lui arrivât de gros, gros malheurs, n'est-ce pas, cher commissaire ?

Faut-il vous dire, bande de tocards, que cette proposition me botte vachement ? Tout est préférable à la détention dans cet abominable réduit. Une fois à l'air libre, je trouverai certainement une combine pour tirer Gisèle de là. Vous allez me trouver exagérément optimiste, mais je m'en tamponne l'abdomen avec un fer à friser ; une de mes devises favorites, c'est : Tant qu'y a de la vie, y a de la joie.

Je finis mon glass et je réponds gracieusement à Karl :

— Ça me paraît faisable. Seulement, je voudrais savoir ce qui se passera après les résultats que j'aurai obtenus.

» Est-ce que vous allez me transformer en engrais azoté ou me balancer la croix de fer ?

Karl remplit son verre.

— Entre ces deux solutions, ne croyez-vous pas qu'il y a une compromission possible ? Vous savez, ma proposition d'hier tient toujours. Vous avez ma parole d'officier que si vous me remettez l'ampoule, vous aurez la vie sauve, vous et votre amie. Je donnerai même des instructions pour que votre internement s'effectue dans les meilleures conditions possibles pour vous.

— Vous êtes gentil.

— Je ne voudrais pas trop faire de projets, dit-il encore, mais peut-être pourrons-nous envisager, si vous nous donnez satisfaction, une plus ample collaboration. Notre gouvernement se plaît à utiliser toutes les énergies...

Ce que je peux avoir envie de me boyauter, c'est rien de le dire. Ce Karl est décidément un rigolo. A l'en croire, il peut me fournir un petit emploi de gauleiter !

— Alors ? demande-t-il. Quelle est votre réponse ?

— Mon Dieu, il me semble que je n'ai pas le choix... Par exemple, je mets à mon acceptation deux... je n'ose pas dire conditions ; mettons que je formule deux vœux.

— Je vous écoute.

— Eh bien, je voudrais que vous ne me jetiez pas dans les jambes une compagnie de panzers sous prétexte que je ne suis libéré que sous condition. La partie que je vais avoir à jouer sera délicate, je ne tiens pas à ce que ma liberté d'action soit entravée par quelques anges gardiens. Vous me comprenez ? Je vous parle franchement... sans la moindre arrière-pensée...

— Et le second vœu ?

— Il est modeste : en ce moment, le rêve de ma vie serait de me taper un sandwich... Depuis deux jours, je n'ai absorbé qu'une carotte et un bol d'eau chaude...

Karl sonne un larbin et lui ordonne de me servir un repas froid.

— A la bonne heure ! dis-je, je préfère discuter dans une ambiance cordiale.

Je me mets à croquer en évitant de me laisser aller à la gloutonnerie. Je ne veux pas que ces pignoufs aillent raconter que San-Antonio s'est conduit comme un chien affamé. Je lève le petit doigt en mangeant et je tâche de mettre à profit toutes les recettes du guide des bonnes manières que j'avais trouvé dans le tiroir de la table de nuit d'un faux baron.

Tandis que je me restaure, ces messieurs-dames reprennent leur conversation en chleuh.

Je me tourne vers Greta.

— Dites, ma princesse lointaine, vous ne savez peut-être pas que, malgré nos petits différends et même bien qu'il vous arrive de prendre ma joue pour un cendrier, j'en pince terriblement pour votre carrosserie. Je crois vous avoir prouvé antérieurement que votre ligne ne me laissait pas insensible... Si vous vouliez, on signerait un petit armistice tous les deux, hein ?

Elle me regarde derrière la fumée de sa cigarette. Ses yeux sont presque verts... Entre ses lèvres sensuelles, j'aperçois ses dents éclatantes.

— Si je vous filais un petit ranque pour demain, vous viendriez ?

— Ce serait à voir.

— Notez, poursuis-je, afin de dissiper ses hésitations, que si la chose se savait par ici, ça n'aurait aucune importance. Vous pourriez dire que vous me faites du charme afin de mieux me surveiller. Le plus marrant, c'est que ça doit être vrai. Mais tant pis ; j'ai trop envie de vous serrer dans mes bras pour analyser les raisons qui vous poussent à m'accorder certaines faveurs.

— D'accord, chuchote-t-elle.

— Rendez-vous au Pam-Pam de l'Opéra ?

— Si vous voulez...

— On dit quatre heures de l'après-midi ?

— On le dit.

Satisfait par ce résultat, je morfile un steak-cresson. Bon, les choses se mettent au beau fixe.

Dans le milieu de l'après-midi, rasé de frais, je quitte les sulfatés. Karl m'a fait rendre une partie de mon pognon. Avant que je sorte, il me montre la cage à oiseau où le pauvre rat tourne en rond inlassablement.

— N'oubliez pas cette petite bête, surtout...

— N'ayez pas peur.

— Voici notre numéro de téléphone. Au cas où vous auriez besoin de renfort, n'hésitez pas.

— Entendu.

— Une dernière mise au point, déclare le faux Renard, je vous donne huit jours pour réussir. Ce délai passé, le rat aura de quoi se satisfaire...

Je ne réponds que par un geste vague. Et je sors.

A un de ces quatre !

CHAPITRE XVI

Des entêtés.

Ça fait du bien de retrouver l'air de la capitale. Je m'en mets plein les trous de nez.

Je parie que vous avez des idées bien arrêtées sur la conduite que je vais tenir ? Vous pensez que je vais emboucher le cor de chasse pour sonner l'hallali... Vous me voyez déjà bousculer les pots de fleurs pour retrouver le solde de la bande des kangourous... Eh bien, si vous pensez tout ça, vous vous faites des idées de midinettes. De retour à Paris, je rentre dans un bar pour boire quelques grogs très costauds, après quoi je vais au cinéma. Parfaitement, au ciné ! et si quelqu'un trouve à redire, il a qu'à amener son menton, je m'en vais le lui rectifier d'urgence.

Ce que je joue en ce moment, c'est ma peau et celle de Gisèle. Ça mérite qu'on prenne des précautions, non ? C'est pas en faisant du zèle qu'on obtient des résultats plus probants. Je veux agir à coup sûr. J'ai une idée qui me trotte dans le caberlot, et il faut que je la laisse éclore convenablement. C'est quand elle sera bien mûre que je la cueillerai.

Je vais grailler au Dupont Montmartre, puis je me mets en quête d'un hôtel où les puciers sont confortables. J'en dégauchis un du côté de la porte Saint-Martin. C'est plein de tapineuses dans ce coin, mais tant pis, je suis pas conformiste. Une vieille morue pensionnée de l'État me demande si une piaulette au troisième me va. Je lui dis que oui, règle ma chambre et grimpe l'escadrin. La vieille me rappelle pour me demander à quelle heure on doit me réveiller demain. Je lui dis de ne pas perdre ses globules rouges à ce sujet et de me laisser roupiller trente-quatre ans si c'est nécessaire.

Je ne mets pas longtemps pour me désaper et piquer une tête dans les plumes. Le lit est la plus belle conquête de l'homme après le cheval et le chewing-gum.

Je ronfle bientôt comme une escadrille.

Et voilà que je me mets à rêver. Je me vois dans un train avec la môme Gigi. Je lui explique le principe des vases communicants. On ne s'ennuie pas ! Tout à coup, y a un tamponnement. Nous sommes engloutis sous une montagne de ferraille.

Je me débats... Je ne sais pas bien si je viens de me réveiller ou bien si mon rêve prend une tournure. Je n'hésite pas longtemps : pour être réveillé, je le suis, mais savoir si je le resterai longtemps, *that is the question,* comme dirait mon pote Shakespeare. Figurez-vous qu'y a un gnaf dans ma piaule qui est en train de me taper sur la calbasse avec ce que le médecin légiste appellera demain un instrument contondant. Heureusement pour ma praline, je l'avais carrée sous l'oreiller. Dans l'obscurité, l'agresseur ne s'en est pas rendu compte. Tout étourdi, je me remue. J'y vais avec les pieds, avec les mains... Je ne veux pas me laisser posséder de cette façon-là. Moi, j'aime bien voir les types qui essaient de me refiler des billets de repos éternel. Enfin j'arrive à me dégager. Au moment où je peux sortir la tête de sous ce providentiel oreiller, j'en prends un dans le naze qui me fait voir la Croix du Sud. Ça se met à pisser sur ma bouche. Je saigne comme un goret à l'abattoir. Un autre coup arrive à bon port sur ma pommette droite. Cette fois, c'est une Constellation qui s'épanouit sous ma voûte. Un feu d'artifice. Oh, la belle bleue ! Vive M. le Maire ! Le cannibale doit se servir d'un fer à repasser, je peux garantir en tout cas qu'il ne cogne pas avec une fleur en papier gaufré. C'est inouï tout ce qui vous passe dans la tête en pareil cas. Des choses ahurissantes, parole ! Je me dis que je dois être solide comme le granit pour tenir le coup sous un tel martelage. Oh ! ma douleur ! quelle distribution ! Je vais finir par me fâcher. Je me protège des deux bras afin de me donner le temps de surmonter ce knock-down. Je respire un grand coup, je renifle mon raisiné et je me jette en avant.

Me voilà enfin hors du lit. Le gars ne s'arrête toujours pas de frapper. Je le reconnais à sa taille : c'est le nain !

Alors, je me dis qu'il y a une pointe d'abus ! Je ne vais pas toute ma vie encaisser des danses de ce petit truc hargneux. S'il a échappé aux Fridolins, il n'aura pas eu la possibilité d'utiliser longtemps sa liberté. Bougre ! Je lui bondis sur le poil et le culbute. Il lâche l'objet qui lui sert de pilon. Je m'en empare à tâtons. Il s'agit d'une clef de fer dont se servent les balayeurs pour ouvrir et fermer les conduites de flotte. Il profite de cet effort que je fais pour me mettre un coup de pompe dans le creux de l'estomac. Une nausée effroyable me noue la gorge. J'ai le souffle coupé. Je tiens une des branches de la clef mais je suis incapable de la soulever. Ce serait une cuillère à café, je ne pourrais pas davantage.

Le nain se couche sur moi et me saisit le cou. Je le laisse faire. Ses mains de gamin ont une puissance effrayante. Il va me pulvériser le larynx ! Alors, si je comprends bien, c'est le moment d'essayer quelque chose. Je me laisse aller et m'applique à devenir tout flasque. Il relâche son étreinte. C'est ce que j'attendais avec une impatience facile à deviner. D'une suprême détente je le repousse, après quoi je lève la clef et l'abats de toutes mes forces sur le nabot. Je n'ai pas visé, mais je pense que, sur quelque partie que ce soit qu'il reçoive cette beigne, elle lui donnera matière à réflexion.

Un choc sourd, puis plus rien !

Je me relève et j'allume. Le spectacle n'est pas des plus beaux. Le nain est bon à jeter à la poubelle. Son crâne a éclaté comme une coquille de noix. J'y suis allé de trop bon cœur. Néanmoins, je n'ai pas de regrets. C'était lui ou moi. Je préfère que ce soit lui.

Je vais à la porte et examine la serrure : elle est intacte et la targette est tirée. Je me dirige du côté de la fenêtre et je constate qu'elle est ouverte. Elle donne sur le balcon qui longe la façade. Je suis ce balcon et m'arrête devant chaque fenêtre. Enfin je trouve ce que je cherche : une chambre vide. Justement, sa fenêtre est ouverte, ce qui n'est pas commun au mois de décembre. Je pénètre dans la pièce. Une paire de souliers m'indique qu'il s'agit bien de la chambre du nain. Je fais un paquet des effets du petit homme et j'emporte le tout dans ma chambre.

Pas besoin de se gaver de phosphates pour comprendre que le nain m'a suivi dans l'après-midi et s'est débrouillé pour obtenir une chambre au même étage que moi. Il faudra que j'éclaircisse cette question demain. Ou plutôt tout à l'heure, car il est près de deux heures du matin.

Je roule le nain et ses effets dans la carpette et je repousse le tout sous mon lit. Ensuite, je ferme soigneusement la croisée et la bloque avec une chaise. Puis je mets du papier journal froissé devant la porte, afin de ne pas être surpris, au cas où un autre mec essaierait de me dessouder.

Je me recouche et me rendors.

CHAPITRE XVII

Pas tant de manières !

Je pionce sans escale jusqu'au matin. Ça vous la coupe parce que vous pensez au cadavre du nain sous mon paddock. Il vous semble qu'il est impossible d'en écraser avec un passager de cette nature sous son dodo ; mais détrompez-vous : je n'ai pas plus peur d'un macchabée que d'une petite fille coiffée à l'ange. L'avantage que les morts offrent sur les vivants, c'est qu'ils ne vous brisent pas la nénette. Y a rien de plus tranquille... Quant aux fantômes, si jamais y en avait un à qui il prenne fantaisie de venir me faire tartir, je gueulerais si fort qu'il se sauverait en courant et qu'il irait se barricader dans un bon vieux château écossais.

Je fais ma toilette et je me réunis pour statuer sur la situation. Ce cadavre ne me trouble pas, mais il m'encombre.

Si jamais le garçon d'étage le découvre en passant l'aspirateur, il va attraper une jaunisse tellement carabinée que les clients le prendront pour le mikado. Bien sûr, j'aurais la ressource de prévenir Guillaume, mais je ne tiens pas à entrer en contact avec mes collègues. Ce qu'il me faut avant toute chose, c'est la tranquillité et le repos.

Je décroche le bigophone et je demande le numéro de la

tante Amélie chez qui maman s'est réfugiée. Justement, c'est Félicie qui répond.

— Ah ! c'est toi, mon grand, elle fait. J'étais en soucis, tu sais... Tu devrais me donner signe de vie plus souvent.

Je lui explique que je n'ai pas pu et que, du reste, il vaut mieux que les Allemands ignorent mon adresse. Or rien n'est moins sûr que le téléphone en ce moment.

— Dis donc, m'man, tu as la grande valise chez tante ?

— Oui.

— J'en ai besoin ; un besoin urgent.

— Tu pars en voyage ?

— Ça se pourrait, mais je te donnerai de mes nouvelles, n'aie pas peur. Pourrais-tu me faire livrer cette valise tout de suite ?

Elle acquiesce et je lui refile l'adresse de mon hôtel.

— A bientôt, m'man, te fais pas de mouron.

Il ne me reste plus qu'à attendre l'arrivée de la valise. Si au moins j'avais une cigarette pour passer le temps !

Je fouille dans les poches du nabot et je découvre un paquet de sèches égyptiennes.

— C'est vilain de fumer quand on est un petit garçon, lui dis-je en empochant le pacson.

Une heure plus tard, on frappe à ma porte. J'ouvre : c'est Félicie avec sa grande valtouse.

Je lui fais une sortie du diable.

— Dis, m'man, t'es complètement sinoquée de t'amener ici. Je t'ai dit...

Elle me saute au cou et le reste de mes protestations se perd dans la fourrure de son renard. Ce renard, je le lui ai toujours vu sur les épaules l'hiver. C't'un vieux copain. Il est rigolo avec ses yeux de verre et son museau pointu. Je l'appelais Alfred quand j'étais lardon.

— Tu ne penses pas que j'allais manquer cette occasion de t'embrasser, mon grand.

— Mais y a du danger !

— Il n'y a jamais de danger pour une maman qui veut voir son garçon.

Ce qu'elle est chouillarde. J'en ai le palpitant tout déglingué.

Elle pose la valise sur le lit.

— Tu vas où ? demande-t-elle.

— Ben...

— Dis donc, tu n'as pas l'air d'être très fixé sur la direction...

— C'est-à-dire, maman...

C'est fou ce que je peux me déballonner facilement devant ma mère... Je suis le petit mougingue.

— Allons, fait-elle en soupirant, puisque tu ne veux rien me dire, je n'insiste pas. Où sont tes effets ? Je vais te préparer ta valise car, comme je te connais, tu vas tout mettre en vrac.

Ça, c'est le coup dur.

— Te donne pas cette peine, m'man, d'abord il faut que j'achète des fringues...

— Mais tu n'y penses pas ! s'exclame-t-elle. Tu as deux costumes tout neufs à la maison. Je vais les faire prendre...

Alors je me décide à la mettre dans la combine. J'ouvre la valise et je me penche. Je ramène de sous le lit ce que vous savez... Félicie écarquille les châsses comme si on lui montrait la tête d'Adolf accommodée avec du persil.

— Te trouve pas mal, petite mère. C'est pas un gosse, c'est un salopard de nain qui a cherché à me buter cette nuit.

Je lui raconte par le menu l'attentat dont j'ai été victime.

— Tu comprends, dis-je pour conclure, il faut absolument que j'évacue ce truc-là de l'hôtel sans provoquer un attroupement ; alors je me suis dit que cette valise ferait bien l'affaire.

Tout en parlant, j'y fourre le corps du nain. Il tient au petit poil. Y a des cercueils sur mesure qui vont moins bien à leur propriétaire !

— Maintenant, sauve-toi !

Je l'embrasse et elle se tire sans protester. Elle est toute chavirée, la pauvre.

— Fais bien attention ! supplie-t-elle en s'éloignant.

J'attends qu'elle ait pris du champ et je sors de ma piaule à mon tour.

Comme je passe devant la caisse, la vieille morue pensionnée de l'État m'arrête.

— Vous savez qu'un de vos amis, un tout petit monsieur, est venu vous demander, hier au soir ?

— Oui, je sais.

— Il a voulu que je lui donne une chambre à proximité de la vôtre.

— Oui, oui. Il est reparti ce matin.

Elle me regarde, incrédule.

— Mais, je n'ai pas bougé de ma caisse, je l'aurais vu passer...

— Il a dû filer en douce : c'est sa grande astuce. Que voulez-vous, avec son infirmité, il faut bien qu'il se distraie un peu...

— Bien sûr, reconnaît-elle en torchant une larme.

» Vous conservez votre chambre ?

— Évidemment.

Je me taille en vitesse. Où vais-je bien pouvoir déposer mon colibar ? Je peux pourtant pas faire de la représentation avec ce que contient ma valise...

D'autre part, je ne veux pas m'en débarrasser tout de suite, car il peut m'être utile.

Le mieux est que je cherche un autre hôtel où je déposerai ma valise. J'ai dit à la vieille-morue-pensionnée-de-l'État que je conservais ma piaule, mais c'est du flanc ! Si j'ai agi de la sorte, c'est pour dépister les recherches que ne manqueront pas d'entreprendre les autres kangourous en ne voyant pas revenir leur lilliputien.

Je prends le métro et, dans le quartier de la Bourse, je trouve une crèche convenable où je laisse mon corbillard portatif après l'avoir soigneusement fermé à clef.

Je m'inquiète de l'heure : il n'est pas loin de midi. Va falloir que je me remue le panier si je veux mettre au point mon petit numéro. Cette fois, il s'agit de travailler avec tact et méthode.

Je me regarde dans la vitrine d'un chapelier et je fais une grimace qui pourrait servir pour l'annonce des pilules contre la constipation. Ma pommette est enflée et luisante comme une aubergine ; mon nez ressemble à celui de Joe Louis. Qu'est-ce que le nabot m'a collé dans la physionomie !... C'est maintenant, au froid, que ça commence à prendre des proportions inquiétantes. Faut pas que je compte faire virer le dôme des grognaces aujourd'hui, car elles auront un drôle d'argument pour m'envoyer peigner la girafe... Ça me tarabuste parce que j'ai la ranque avec cette enfant de garce de Greta et qu'elle va se gondoler en voyant que mon renifleur ressemble à celui d'un hippopotame.

Mais tant pis, un amphibie dans mon genre a, Dieu merci, d'autres arguments que son physique pour charmer.

Je passe un coup de tube à Bravard. Bravard est un pote à

moi à qui j'ai rendu un vache de service autrefois et qui se déguiserait en échelle de pompier si ça pouvait me faire plaisir.

— Mince ! s'exclame-t-il. C'est vous, monsieur le commissaire ? Qu'est-ce que je peux faire pour vous ?

Avant que je vous fasse assister à notre conversation, faut que je vous apprenne que Bravard travaille à la radio comme ingénieur du son.

— Ma petite tête de hareng fumé, je lui fais, j'ai besoin, pour tantôt, d'un appareil à enregistrer le son, ni plus ni moins. Ce machin-la, j'aimerais qu'il soit un peu moins gros qu'une locomotive parce que c'est dans ma chambre que je voudrais l'installer. Est-ce que tu pourrais me trouver ça dans tes tiroirs ?

Il me répond parfaitement, bien sûr. Il va prendre un des appareils qui lui servent pour les interviews à domicile et il va amener ses os et son matériel.

Je lui refile l'adresse de mon hôtel et je demande confidentiellement au garçon d'étage si, moyennant une honnête rétribution, il pourrait me dégauchir une bouteille acceptable.

Il secoue la tête d'un air douloureux et s'éclipse.

Je le vois revenir avec le litre. Ce zigoto a dû être baptisé au sécateur car il s'y connaît question commerce. Je paie la bouteille d'apéro le prix d'un vélo de course et je commence illico à lui dire deux mots. On s'entend si bien, elle et moi, que je l'ai à moitié tuée lorsque Bravard arrive.

Il trimbale une valtouse aussi grande que la mienne. Seulement il y charrie avec elle du fret d'une autre nature. C'est un dégourdi. On carre la valise sous mon plume et on installe le micro dans un vase de fleurs. Le fil est habilement camouflé.

Bravard m'explique comment il faut s'y prendre pour déclencher ce bastringue. C'est aussi facile que de faire des ronds dans l'eau. Je lui fais finir le litron et lui dis qu'il pourra repasser prendre l'appareil dans la soirée.

On se sépare et je me dirige vers le plus proche restaurant car, on a beau dire, mais midi est une heure qu'il faut respecter comme son vieux grand-père.

CHAPITRE XVIII

Greta la trouve mauvaise.

Viendra-t-elle ?

C'est la question qui se tortille dans mon cerveau comme un ver coupé en deux.

Cette gosse Greta, malgré sa nature sadique — ou peut-être à cause d'elle — me charme. C'est une sirène de première à laquelle je ne me lasserais jamais de faire le grand jeu.

Je suis la rue du 4-Septembre jusqu'à l'Opéra et je rentre au Pam-Pam. J'ai un vertige : ma souris y est déjà, et comment qu'elle est fringuée, la donzelle ! Afin de ne pas me gêner, elle a laissé de côté son uniforme gris et elle porte un manteau de fourrure éblouissant. Si c'est pas du vison, c'est de la peau de toutou !

Je lui fais un baisemain qui sent sa vieille noblesse bretonne de loin et je m'assieds à ses côtés.

— Dites donc, Greta, c'est rudement chic à vous d'être venue.

— Sans blague, elle me fait, vous ne me croyiez pas de parole ?

— Sait-on jamais, avec les jolies femmes...

Le compliment est facile, mais ça n'empêche pas qu'il lui fait monter le rose aux joues. Avec les gonzesses, c'est pas la peine de se mettre en frais... Les grands trucs à la Valéry, elles s'en balancent, seulement tous les madrigaux à la godille les font se pâmer d'aise.

Puisque ça a l'air de lui plaire, je mets une rallonge et je lui débite un chapelet de couenneries. Elle aurait pour deux ronds de jugeote, elle hausserait les épaules et courrait acheter du sparadrap pour me le coller sur le bec ; mais pensez-vous ! Elle déguste mes boniments comme elle dégusterait de la crème de cassis.

— Vous ne trouvez pas qu'il fait un froid de canard ?

— Tiens ! fait-elle, ironique, vous vous intéressez à la météorologie ?

Je prends la mine du collégien assis pour la première fois sur les genoux d'une rombière.

— C'est pour amener une petite proposition, dis-je de mon air le plus piteux.

— Dites toujours...

— J'aimerais vous montrer ma collection d'estampes japonaises...

Elle se met à rigoler et à tortiller du contrepoids d'une telle façon que si on lui carrait une cuillère de bois dans le prose on pourrait battre une mayonnaise.

Je demande :

— Alors, bien-aimée, c'est oui ?

Elle ne répond pas tout de suite, et j'ai un pincement au cœur. Si elle refuse, je vais avoir la plus grosse déception de ma vie. Pas une déception d'ordre physique... Enfin, vous pigerez un peu plus tard.

— Vous n'avez pas beaucoup de suite dans les idées, murmure Greta. Je croyais que vous aviez donné votre petit cœur à cette jeune fille qui vous accompagnait...

Je soupire. Du moment qu'il s'agit d'une simple question de jalousie, on va pouvoir régler cette question en moins de deux.

— Gisèle ? lui dis-je, c'est tout à fait à part. C'est une amie. Ne riez pas. Elle m'a soigné, m'a aidé... Bref, je me jetterais au feu pour elle, je crois vous l'avoir prouvé, mais sur le terrain amoureux, c'est une autre paire de manches. Si je vous dis que j'en pince ferme pour vous, c'est que c'est la vraie vérité du Bon Dieu... Parole d'homme. Pour Gisèle je ferais n'importe quel sacrifice, mais pour vous je ferais toutes les folies... Vous saisissez le distinguo, belle Andalouse aux seins brunis ?

Elle secoue la tête. Elle boit du petit lait. Je pense que mes actions sont en hausse.

— Allons, fais-je, persuasif. Venez et comme disait un vieux pote à moi : n'attendez à demain, cueillez dès aujourd'hui les roses de la vie...

— Même si elles ont des épines ?

— Même si elles ont des épines, oui, ma déesse.

Elle se lève. On file jusqu'au boulevard des Capucines où des fiacres sont stationnés.

— Ça fait très romantique, glousse Greta.

— Justement, je suis pour le romantisme à tout berzingue, lui dis-je. Si je m'écoutais, je me baladerais à vos côtés avec une redingote et un haut-de-forme.

Le fiacre s'en va en trottinant comme dans la chanson. Je

cramponne Greta par le mannequin et je commence à lui faire un mimi mouillé...

— Dites donc, fait-elle lorsqu'elle a repris sa respiration, et l'ampoule BZ 22, que devient-elle dans tout ça ?

J'ai un geste en chasse-mouches.

— Écoutez, Greta, mon vieux maître d'école disait toujours qu'il ne fallait jamais renvoyer au lendemain ce qu'on pouvait faire le jour même. C'est un truc qui fait bien sur un manuel mais qui est contestable dans la pratique. Pourtant je l'applique rigoureusement. Comme je ne sais pas si je pourrai vous revoir demain, je profite de ce que vous êtes en ma compagnie aujourd'hui pour vous faire le coup de l'enchanteur Merlin.

— Ce que vous êtes amusant...

Elle ajoute après quelques minutes de réflexion :

— Au fond, ça m'ennuierait qu'il vous arrivât malheur...

— Et moi donc !

Nous voilà devant mon hôtel. Nous prenons l'ascenseur et ma chambrette nous accueille.

Je sonne le garçon et lui demande une bouteille de porto. Je devine combien elle va me coûter, mais il est des circonstances où il ne faut pas lésiner sur de basses questions matérielles.

Quand il revient, Greta a posé son manteau et regarde par la croisée le mouvement de la rue. Je lui sers un verre de porto et elle ne fait aucune manière pour l'avaler.

Ces préliminaires franchis, je pousse le verrou de la lourde et je m'assieds dans un fauteuil. Sans que je le lui demande, elle vient se blottir contre moi. Je vous jure qu'à cette minute on ne croirait jamais que cette poupée est la plus enragée des tigresses. Elle est douce comme un gâteau au miel.

— Bonjour, me gazouille-t-elle.

Je ne lui réponds rien, mais je lui fais une petite séance d'auscultation qui la fait glousser. En moins de temps qu'il n'en faut pour déclarer la guerre, nous sommes à l'horizontale et on se fait tous les tours de passe-passe qui ne sont pas indiqués dans les bouquins de la bibliothèque rose.

— Quel beau voyage ! soupire Greta lorsque nous nous retrouvons sur le fauteuil.

— Tout à votre service pour une seconde croisière...

Cette proposition l'amuse.

— Mais dites donc, au fait, et vos estampes japonaises ?

Voilà le moment de jouer mon petit opéra.

Je sors ma valise du placard et je la mets sur le lit. Je fais jouer la serrure et je me retourne, sans avoir ouvert le couvercle.

— Tenez, amour, si vous aimez les choses exotiques, amusez-vous.

Ce disant, je branche en douce l'appareil enregistreur.

Greta s'approche de la valtouse sans la moindre méfiance. Elle l'ouvre et pousse un cri d'effroi.

Elle tourne vers moi un visage couleur de mousse.

— C'est vous qui l'avez tué ?

— Un petit peu...

— Bandit !

Je me lève et lui flanque une beigne sur le museau.

— Ah non ! ça suffit comme ça... J'en ai marre d'être traité comme un chien malpropre. Vous envoyez ce pygmée pour me lessiver, il me réveille en me cognant dessus avec de la ferraille, ce qui est plus efficace qu'un réveille-matin, croyez-moi, et vous me traitez de bandit parce que c'est moi qui l'ai envoyé se faire inscrire chez saint Pierre ! Écoutez, Greta, faut être logique ; au moins logique ! Je ne vous demande pas d'être correcte, faut pas réclamer l'impossible...

Elle fulmine :

— Qu'est-ce que vous dites ?

— La vérité, Greta. Je dis que vous travaillez pour le Grand Reich et pour votre compte. Surtout pour votre compte...

Elle hausse les épaules et tend la main vers son sac. Je suis plus prompt qu'elle. Je cravate le réticule et l'ouvre. Il contient un bath soufflant que je mets dans mes vagues.

— Maintenant, Greta, on va pouvoir causer sérieusement. Si tu le permets, je vais te raconter les choses telles que je les conçois « grosso modo »...

» Tu es une fille dégourdie et qui n'a pas froid aux châsses. Il faut reconnaître que les fées qui présidaient à ta naissance n'ont pas regardé pour ce qui est de la jugeote. Elles t'ont fait la bonne mesure. Alors tu as tenu le raisonnement de beaucoup. Tu t'es dit que la guerre était une très vilaine chose, mais que c'était aussi une occasion unique pour assouvir ses passions rentrées et pour gagner du fric.

» Tu as attendu ton heure, et elle a fini par arriver. Ta combine était de taille : faucher une invention aux Frisés et la revendre aux Ricains qui sont bourrés de dollars et qui s'intéressent à tout. Seulement tu ne tenais pas à te faire blouser et tu as préféré faire agir une bande. D'une façon que j'ignore, tu es entrée en contact avec quelques petzouilles qui voulaient manger le linge et se prétendaient membres actifs des fameux kangourous. Ton trait de génie, ç'a été de ne pas traiter avec eux directement. Ils ne te connaissaient pas, donc, en cas de coup dur, tu gardais tes pieds propres. Faut être une gonzesse pour penser à ça, mes compliments ! Tu les tiens dans ta pogne et tu leur donnes tes ordres par des moyens impossibles à déceler. En somme, tu les diriges comme qui dirait par radio... Ils fauchent l'invention et tout serait O.K. si le chef de ces gars, un certain Manuel, ne prenait pas la fantaisie de te blouser en négociant soi-même l'ampoule. Comme c'est un mec qui ne se casse pas la nénette, il propose de vendre le BZ 22 aux Allemands. Bien entendu, tu es une des premières à le savoir. Tu fais suivre Manuel et tu découvres la crèche qu'il a louée rue Joubert en cas de coup dur.

» Comme le temps presse, tu fais descendre Manuel par le nabot. Tu te tiens à proximité et tu entres dans l'appartement pour fouiller. Mais t'as pas de chance : ce nabot a descendu le mec dans l'escalier, ce qui fait que le corps est découvert presque immédiatement. Tu es obligé de te faire la paire car l'immeuble est plein de bignolons...

» Dans ta précipitation, tu perds le canif dont tu t'es servie pour ouvrir la porte. C'est un petit couteau espagnol sur lequel est écrit « vengeance ». C'est lui qui me permettra de découvrir la vérité...

Comme elle sourcille, je m'explique :

— Hier, j'ai vu ta broche. C'est un cercle d'écaille sur lequel on peut lire « Amor ». Encore une inscription espagnole, ma chérie, ça pouvait n'être qu'une coïncidence, je te l'accorde, mais ça a déclenché ma matière grise et en mangeant cet excellent steak sous tes yeux, j'ai tout reconstitué. Au lieu de chercher qui était le meneur de jeu, ce qui paraissait impossible à découvrir, j'ai cherché si ça pouvait être toi, tu saisis la différence ? Et j'ai trouvé.

» Ouvre toutes grandes tes feuilles de chou, je poursuis. Donc, les circonstances du meurtre t'empêchant momentanément de fouiller l'appartement, tu t'éclipses. Tu te dis que Manuel a certainement bien caché l'ampoule et que la police ne la découvrira pas, car elle ne sait pas, la police, qu'il y a quelque chose à découvrir. Ce qui l'intéresse, c'est le meurtrier, et seulement le meurtrier... Donc, tu pourras récupérer le BZ 22 dès que les flics auront évacué les lieux. Seulement, tu prends peur. Tu prends peur parce qu'il y a un gars qui se trouve pour la seconde fois en travers de ton chemin et ce gonze, c'est le sosie de Manuel, c'est-à-dire le petit San-Antonio. La première fois, c'était accidentel ! comme tu ne voulais pas charger un des kangourous d'abattre leur chef, tu avais confié ce travail à Farous (entre parenthèses, il faudra que tu m'expliques comment tu t'es approvisionnée en gangsters). Mais Farous ne travaillant que d'après photo s'est gouré et j'ai été victime de ma ressemblance avec Manuel.

» Tu as compris alors qu'il fallait agir en plein accord avec la bande et tu as envoyé Farous comme messager. C'est lui qui a ouvert les yeux aux complices de Manuel. Il a travaillé le grand Fred, lui faisant entrevoir qu'après la mort de Manuel c'est lui qui prendrait la direction de la bande... Bref il a été le corrupteur. Pour être bien certaine d'avoir l'ampoule, tu as attendu que les pourparlers entre les Allemands et Manuel arrivent dans une phase décisive et, c'est seulement à la veille du jour où l'ampoule devait être remise que tu as fait tuer le zigoto. Comme ça, tu étais sûre qu'il ne pouvait pas avoir planqué le BZ 22 bien loin, étant donné qu'il devait le remettre le lendemain matin.

» Est-ce que je ne mets pas dans le mille, ma cocotte en sucre ?

— Continue ! ordonne-t-elle sèchement.

— Je continue, t'impatiente pas... La mort de Manuel annule donc les pourparlers avec les Frisés. Ceux-ci enquêtent, apprennent qu'il s'est fait mettre en l'air et se remuent le panier pour mettre la pogne sur ses complices qu'ils supposent être les ravisseurs du BZ 22. Toi, tu suis l'affaire sur les deux tableaux ; seulement si sur le second, c'est-à-dire côté crapules, tu fais la pluie et le beau temps, sur le premier tu ne peux pas intervenir. Tu sais que la bande est prise en filature, que le repaire va être découvert et qu'il va y avoir un de ces pastis du tonnerre du Bon Dieu. Tu pourrais prévenir Fred et ses hommes, mais tu laisses gauler le mérinos. C'est une occasion unique pour toi de te débarrasser de la bande qui ne te sert plus à rien.

» Maintenant, revenons à bibi : tu apprends par le rapport du nain que j'ai découvert ton système de code. Tu prends peur. Tu te dis : « Qu'est-ce que c'est que ce tordu qui vient mettre son pied dans mon assiette ? » Et tu donnes l'ordre de kidnapper Gisèle, non pas pour avoir un moyen de pression contre moi, mais pour m'occuper, car tu as la frousse que je cherche à mettre la main sur l'ampoule. Puis, comme tu as peur de moi malgré tout, tu charges Farous d'aller perquisitionner...

» Je suppose que, connaissant l'expédition de la Gestapo contre le repaire du Vésinet, tu lui avais dit de ne plus y porter ses pieds et tu lui avais filé rendez-vous ailleurs.

» Bon, l'expédition a lieu. Elle s'achève par ma capture alors que je faisais trempette dans la douce Seine... Tu t'es déguisée en infirmière, tu m'as veillé et j'ai dû salement délirer... P't-être même que tu m'as filé une drogue pour me pousser aux confidences, car j'avais une fièvre de cheval le lendemain matin, et cette fièvre est partie comme par enchantement après que tu m'as donné un cachet. Tu as agi ainsi, car tu savais que je devais avoir l'ampoule. Tu le savais, mon ange adoré, parce qu'en arrivant au Vésinet, tu avais repéré la bagnole de Farous à proximité de la crèche. Quand tu as eu la preuve que j'étais en conversation avec la bande, lors de votre arrivée, tu as fait travailler ton citron et tu as compris qu'il était arrivé quelque chose à Farous. Tu t'es souvenue que je le connaissais puisque c'est par lui que j'avais été démoli dans le métro. Bref, pendant la fameuse nuit de Noël, tu m'as fait jacter et tu as su que j'avais l'ampoule et où je l'avais planquée, hein, Greta ? Le lendemain, tu as pris quelques hommes avec toi et tu as fait officiellement une perquisition au commissariat de l'Étoile. Tu as trouvé ce que tu cherchais... tu l'as prise en douce, et tu as laissé l'emballage... Personne ne s'est douté de rien, pas même le brigadier auquel j'avais confié ce précieux dépôt.

» Est-ce que je me goure, mignonne ?

— Tu es un type fantastique ! murmure-t-elle. Comment peux-tu reconstituer tout cela avec une telle vraisemblance ?

— Question de déduction, chérie. Je procède par élimination d'hypothèses. Je ne conserve que celles qui sont vraisemblables et qui permettent un enchaînement minutieux des faits que je contrôle avec les quelques menus indices dont je dispose... Dois-je conclure ?

— Je t'en prie.

— Eh bien, tu as su qu'il y avait eu deux ou trois rescapés après l'opération du Vésinet. Tu savais sans doute où les contacter en cas de coup dur, et tu les a repris en main, de loin, toujours fidèle à ta prudence... Tu n'avais qu'un désir : me liquider au plus tôt, car j'aurais pu avouer où j'avais caché l'ampoule, ce qui aurait pu provoquer une enquête au commissariat et t'aurait mise en danger. C'est toi, je suppose, qui as conseillé à Karl de me mettre en liberté sous condition afin que je déniche l'ampoule. Il a marché. Tu allais pouvoir me faire descendre. A l'intérieur de la prison c'était impossible. Tu as donné auparavant les ordres qu'il fallait, et le nain m'a suivi à ma sortie de tôle. Il a tenté de me buter pendant que je ronflais, mais ça lui a joué un sale tour, comme tu peux le voir...

» Hein, doux trésor, oiseau de mes nuits, qu'est-ce que tu dis de cette belle histoire ?

— Merveilleuse ! soupire cette garce en m'enfonçant un stylet dans la poitrine.

CHAPITRE XIX

La main passe.

Je tousse un bon coup.

Je peux vous assurer que lorsque vous avez une lame de douze centimètres dans la viande, ça vous gêne pour faire les pieds au mur. Son geste a été si prompt que je n'ai pas pu le prévenir. Néanmoins comme j'ai des réflexes épatants, j'ai pu le parer quelque peu, ce qui fait que le stylet a dévié et, au lieu de me chatouiller l'aorte, a glissé en biais sur une côte.

Je l'arrache de ma poitrine et un flot de sang gicle à deux mètres. Greta recule. Les gonzesses ont toujours peur de tacher leur pelure.

— T'as raison de te tirer de devant, lui dis-je, tu sais, Greta, le sang ne s'en va pas comme ça.

Elle est haletante. On dirait une hyène.

Je fais un tampon avec mon mouchoir pour arrêter l'hémorragie.

— T'es ben une grognace importée de Teutonie, je lui dis. T'as de ces coups fourrés, pardon. C'est à l'école qu'on vous apprend ça ?

— Tais-toi ! ordonne-t-elle durement.

— Ma petite, c'est toi qui vas te taire. Non, mais qu'est-ce qui m'a foutu une môme pareille ? Ça vient faire une partie de jambe en l'air avec des coupe-choux plein sa culotte !... Trêve de discours, tu vas me dire où tu as planqué le BZ 22 et puis non ! Auparavant, tu vas me dire ce que c'est que ce BZ-là.

— Comment, s'exclame-t-elle, tu n'en sais rien ?

— Puisque je te le dis... Tu ne crois pas que j'aie envie de jouer aux devinettes, non ?

— Tu as entendu parler de l'énergie atomique ? C'est un truc qui désagrégera la matière. Oui, cette ampoule contient un gaz qui hâte le travail de désagrégation. Ce gaz est d'une extrême rareté. Il n'existe pas plus de quatre ampoules comme ça dans le monde, et c'est l'Allemagne qui les a.

— Moins une...

— Oui, moins une. Les Alliés font les mêmes recherches, mais ils n'ont pas de ce gaz et ils donneraient gros pour l'avoir.

— Si je comprends bien, t'es pas tellement patriote ?

Ma remarque la cingle comme un coup de cravache.

— Je te dispense de tes appréciations.

— Entendu. Dis-moi où tu as mis l'ampoule et nous ferons des projets d'amour...

Elle éclate de rire.

— Tu es tombé sur la tête ! sourit-elle.

— Pas tellement...

Je tire la valise de Bravard de sous le lit. Je débranche le micro et j'écris l'adresse de mon copain sur une feuille de bloc-notes. Ensuite je sonne le garçon.

— Voilà mille balles, lui dis-je. Il faut que dans un quart d'heure cette valise soit parvenue à destination.

Il m'assure qu'il va s'en occuper, toutes affaires cessantes. Je le congédie d'un geste et je me verse un verre de porto. Puis j'ouvre ma veste que j'avais fermée pour que le garçon n'aperçoive pas ma blessure. Le sang s'est arrêté de couler.

— Sais-tu le tour que je t'ai joué, douce horreur ? J'avais placé dans cette pièce un microphone et tout ce que nous avons dit a été enregistré. Je te jure que ton ami Karl donnerait une petite fortune pour avoir le disque. Il le préférerait à un disque de Tino Rossi, crois-moi.

Elle n'en mène pas large.

— Maintenant, l'appareil est en route pour regagner sa base.

Un de mes amis va tirer deux copies de notre charmante conversation. Il les mettra en lieu sûr.

» Pas mal combiné, n'est-ce pas ?

Elle est tellement suffoquée qu'on peut contempler tranquillement ses amygdales.

— Tu espères quoi ? dit-elle dans un souffle.

— Tout...

— C'est-à-dire ?

Je m'attribue une nouvelle rasade de porto :

— Il me faut trois choses essentielles : l'ampoule, Gisèle et la possibilité de filer en Angleterre.

— C'est trop ! ricane-t-elle. Tu peux, enfin, tu pourrais peut-être avoir le BZ et prendre la fuite... Remarque que c'est improbable. Mais ne compte pas récupérer ta poule, puisque Karl ne lui laissera la vie sauve qu'en échange de l'ampoule.

Elle réfléchit :

— J'ai beau remuer la question, je ne vois qu'une solution possible.

— Dis toujours...

— Je t'offre la liberté et c'est tout. Rends-moi les disques et je te laisse filer en Angleterre, mieux, je t'en donne le moyen !

Je hausse les épaules.

— Je ne reviendrai pas sur ma décision, cocotte, il me faut les trois choses précitées ou rien. Maintenant je suis jusqu'aux sourcils dans cette histoire et je n'ai pas l'habitude d'ergoter quand je suis engagé dans une aventure de cette envergure.

» Ou je réussirai, ou bien j'y laisserai mon bulletin de naissance. Y a pas de milieu.

— Tu n'as pas une cigarette ? demande-t-elle.

Je sors une roulée de ma poche et la lui allume.

Elle tire quelques bouffées, voluptueusement, et soupire : « Merci ».

— Tu es un garçon vraiment gonflé, susurre-t-elle.

— Une vraie montgolfière...

— Seulement, le cran ne fait pas tout. Si tu permets, je vais, MOI, reprendre l'exposé de la situation. Tu te crois bien malin à cause de cet appareil d'enregistrement, mais au fond il n'a d'importance que pour moi.

— Explique-toi !

— Eh bien, pauvre innocent, il peut me mettre la Gestapo à dos, d'accord, mais comme je suis la prudence même, je vais sans plus attendre m'embarquer pour Londres. En somme, tu ne fais que brusquer les choses.

Je me glisse un grand verre de porto dans le bec afin de m'éclaircir la voix :

— Dans ces conditions, chérie, j'emploie les grands moyens. Je téléphone à Karl de rappliquer. Je lui explique la vérité et je lui fournis le petit enregistrement comme preuve de ce que j'avance. Il se chargera de te faire avouer où tu as planqué l'ampoule, crois-moi. Tu connais les arguments qui sont de mise chez toi ? De cette façon, j'obtiendrai la vie sauve, ainsi que ma petite amie.

Elle ne répond pas tout de suite, puis elle tousse à cause de la fumée qui lui picote le nez.

— Allons, dit-elle, ne fais pas l'enfant. Tu sais bien que nous n'avons jamais eu l'intention de te laisser la vie sauve, non plus qu'à ta donzelle. Les promesses de Karl...

Je fronce les sourcils. Je me doutais bien qu'on ne pouvait se fier à la parole de ces gens-là... Je suis bien aise d'en avoir la confirmation. De la sorte, je suis face à la situation. Elle n'est pas merveilleuse, mais p't-être que si je sais m'y prendre tout peut être sauvé.

— Tu as bien fait de me dire ça, fais-je. Puisqu'il le faut, je vais employer la méthode qui s'impose.

Je m'approche de Greta et je lui mets un formidable taquet à la pointe du menton. Elle se répand sur le tapis en émettant un petit gloussement discret.

Il y a un bon moment que j'avais envie de me payer ce petit crochet du droit.

Je me penche : la môme Greta roupille comme un lion. Je lui ai mis un de ces somnifères dans le portrait qui compte dans la vie d'une souris grise. Oh ma douleur ! Pendant qu'elle navigue du côté du septième ciel, je l'attache solidement aux montants de cuivre du lit. Après quoi, je ramasse sa cigarette qui est tombée et je la finis en attendant qu'elle revienne à elle... et à moi.

La chose ne tarde pas à se produire. Elle ouvre les yeux et me regarde comme une tigresse regarde le boa qui va la morfiler.

— Le temps presse, Greta. Tu vas immédiatement me dire où tu as caché l'ampoule !

Elle ne répond pas.

Je dégrafe ma ceinture de cuir et j'arrache les vêtements de la môme. Je n'aime pas beaucoup jouer au père fouettard, mais je me dis qu'une séance de martinet ne serait pas volée. La blessure causée par le stylet saigne encore et me rappelle cruellement quel genre de poupée est Greta. Je commence donc à lui administrer quelques coups de ceinture. Elle les supporte très bien. Je comprends rapidement que cette cérémonie n'est pas suffisante pour la pousser dans la voie des aveux. Je la déchausse et brûle quelques allumettes sous la plante de ses pieds, histoire de lui faire comprendre que je suis prêt à me montrer méchant. Elle hurle comme une chienne. Je la bâillonne pour éviter que police-secours ne rapplique. Mais je ne suis pas en forme. Il y a des besognes que je ne peux me résoudre à accomplir. J'ai beau me dire que cette fille est ce qu'on a fait de mieux jusqu'ici comme ordure ménagère, qu'elle me crèverait les yeux avec volupté si les rôles étaient inversés et qu'elle m'a déjà causé pas mal d'ennuis, je renonce à poursuivre mes voies de faits sur sa trop charmante personne. Pourtant il doit exister un moyen indolore pour rendre cette souris loquace...

Je me frappe le front. Voyez-vous, espèces de foies blancs, quand on est dans l'embarras, il faut toujours revenir à la bonne vieille psychologie. Il n'y a qu'elle qui puisse sauver les populations laborieuses... Par exemple, prenez mon cas : je suis dans une impasse, car j'ai affaire à une femme que je suis incapable de tabasser. Normalement, vous estimez que je n'ai plus qu'à la détacher et à lui acheter un bouquet de violettes pour essayer de rentrer dans ses bonnes grâces ! Eh non ! le salut vient précisément de ce qui causait la perte. Je suis dans la mouscaille parce qu'il s'agit d'une gonzesse : je vais avoir satisfaction parce que c'en est une. Si la force est inemployable, j'ai d'autres moyens... Des moyens qui ne seraient pas efficaces avec un homme.

Je fouille dans le sac de Greta et j'y trouve ce qui doit se trouver dans tous les sacs à main de toutes les femmes civilisées : un nécessaire à ongles. Dans ce nécessaire il y a une paire de ciseaux. J'ai de la peine à passer mes gros doigts dans les minuscules boucles mais j'y parviens tout de même.

— Rassure-toi, dis-je à Greta qui surveille mes faits et gestes avec angoisse, je ne veux pas te crever les yeux. Dis-moi, tu as dû visiter des camps d'internement, dans ton beau pays ?

» Tu as dû remarquer alors que tous les détenus, hommes ou femmes, avaient les cheveux tondus ? Je vais te déguiser en détenue...

Ce disant, j'attrape une grosse mèche dans sa chevelure et je la coupe le plus ras possible.

J'ôte le bâillon de Greta afin de lui permettre de me donner son appréciation.

— Pas ça ! supplie-t-elle. Pas ça !

Sans répondre, je coupe une seconde mèche.

— Non ! non ! Je ne veux pas... Arrête !

— Où est l'ampoule ?

Elle pince les lèvres.

— C'est dommage, dis-je d'un air navré, en coupant une troisième mèche. Une chevelure comme la tienne, ça ne se voit pas tous les jours. Il va falloir au moins six mois pour que ça repousse un peu.

» Il paraît que ça fortifie le cuir chevelu, alors t'inquiète pas. L'ennui pour toi, c'est que tu vas être privée de ton sex-appeal pendant un bout de temps. Tu n'auras du succès que chez les lopettes parce que tu ressembleras à un garçon...

— Plus ! plus ! Je t'en supplie...

— Où est le BZ 22 ?

— Dans la doublure de mon manteau.

Je saute sur sa fourrure et je palpe fiévreusement. Je sens une protubérance à l'intérieur d'une manche. En vitesse je découds la doublure à cet endroit. Victoire ! l'ampoule s'y trouve.

Voilà donc l'un de mes trois vœux réalisé. Il me reste à délivrer Gisèle et à m'embarquer pour London. Si je ne suis pas déguisé en poêle à marrons après tout ça, c'est qu'il y a un gars qui s'occupe à fond de mon dossier là-haut !

CHAPITRE XX

Ce vieux Fred.

Il ne faut pas cent trente-trois ans pour arrêter un plan d'action.

— Tu m'excuseras, dis-je à Greta, mais je suis obligé de te

laisser seule pour une heure ou deux. Comme je tiens absolument à te trouver à mon retour, je te laisse attachée. Et puis je vais te remettre ton bâillon, pour le cas où tu serais tentée d'ameuter les paisibles locataires de cet hôtel. Mais ce sont des précautions superflues, car si tu n'étais pas sage, j'enverrais aussitôt à l'ami Karl ce que tu sais.

Cela mis au point, je lave ma blessure, je me panse tant bien que mal et je descends. Avant de quitter l'hôtel, j'interpelle le garçon d'étage.

— Vous avez fait ma course ?

— Depuis un moment déjà, oui, monsieur.

— O.K. Dites donc, la petite dame qui m'a rendu visite pique un somme. *(Je lui fais un clin d'œil.)* Donc, laissez-la se reposer tranquillement.

— Certainement, monsieur.

Je prends le large.

Dix minutes plus tard, je débarque rue des Saussaies et je demande à parler à Berliet. Il me reçoit dans son vaste bureau presque ministériel. Il est en train de caresser un gros lézard vert, car Berliet a la passion de ce genre de bestioles.

— Je n'y comprends rien, me dit-il, avant que j'aie eu le temps d'ouvrir la bouche. Théodore ne s'est pas endormi cette année. Habituellement il hiverne début novembre...

— Mon grand, lui dis-je, si ça ne te tracasse pas trop, remise ta ménagerie et écoute-moi.

Je lui raconte par le menu toute l'affaire. Il m'écoute sans m'interrompre ; sans cesser non plus de me fixer.

Quand j'ai terminé :

— En somme, dit-il, tu es déjà dans la poêle avec un morceau de beurre et tu attends que ces messieurs te fassent cuire ?

— Y a de ça, oui... Alors j'ai envie de jouer mes cartes dans l'ordre. Pour cela, j'ai besoin d'un coup de main.

— Je ferai l'impossible, mais j'ai peur que ce ne soit pas grand-chose...

— J'ai à te demander deux choses très précises : primo, peux-tu faire parvenir d'urgence cette ampoule à Montlew de l'*Intelligence Service*, avec un mot que je vais faire, et deuxio, connais-tu une combine pour passer en Angleterre ?

Berliet prend l'ampoule et la glisse dans un tiroir. Puis il me tend un bloc de correspondance et une enveloppe.

— Écris ta lettre, mon petit père. C'est d'accord. Quant à ton coucou, il te le faut pour quand ?

Je réfléchis.

— Pourrais-tu m'indiquer un terrain clandestin où un avion se poserait toutes les nuits à partir de demain soir ? Je ne sais comment je vais sortir Gisèle de ce merdier ; je ne suis même pas sûr que la chose soit possible... En tout cas, cela peut se faire très vite comme cela peut traîner en longueur...

— Je comprends... Eh bien, je vais demander des instructions à Londres. Où puis-je te toucher ?

— Je préfère t'appeler d'un taxiphone...

— Entendu.

Pendant que j'écris ma lettre à Montlew, mon ami fouille dans ses tiroirs. Il empile sur son fauteuil un tas d'objets auxquels je ne prête pas attention. Il en fait un paquet et me le met sous le bras avant que je parte.

— Je te dis merde ! murmure-t-il en me serrant la pogne. A bientôt.

Greta n'a pas bougé.

— Tu ne t'es pas trop fait tartir ? demandé-je en la détachant. Tu vois que je suis fidèle à mes promesses : je n'ai pas mis plus d'une heure. Tu as tiré des plans sur la comète ?

Elle frotte ses poignets meurtris.

— Fils de chien ! grommelle-t-elle.

Je la prends par la taille et lui colle un gros baiser vorace dans le cou.

Elle me repousse comme si j'étais un crapaud.

— Ben quoi ! lui dis-je, tu es fâchée ?

Elle secoue la tête et porte son index à sa tempe.

— Ma parole, tu dois être jojo ! Tu me brûles la plante des pieds, tu m'attaches pendant des heures à des barreaux de lit et tu voudrais que je te presse contre ma poitrine en t'appelant mon cher amour !

— Les affaires n'empêchent pas les sentiments... Revenons donc à nos moutons : le BZ 22 est en route pour Londres. J'espère qu'il ne fait que nous précéder, Gisèle et moi...

— L'espoir fait vivre...

— T'as raison : l'espoir fait vivre. Si tu tiens à ta peau, on va p't-être pouvoir collaborer.

Elle hausse les sourcils.

— Parfaitement ! c'est un mot qui te choque ?

— Allez, accouche !

— Eh bien, je te propose le fameux enregistrement et... une grosse prime en argent liquide en échange de la liberté de Gisèle.

Elle éclate de rire.

— Tu me prends pour une petite fille ?

— Pas du tout. Je te répète que le BZ 22 est en sûreté. Ni toi, ni moi, ni Karl ne pouvons espérer lui remettre la main dessus. Donc, je suis dans une impasse. C'est une évasion qu'il faut mettre sur pied. Il n'est plus question de transactions quelconques — lesquelles d'ailleurs se seraient terminées de la même façon pour la petite et pour moi — tu l'as dit tout à l'heure. Si je sors la petite du trou, je file de l'autre côté de la Manche. J'aurai la possibilité, grâce à l'ampoule, d'avoir tout le fric que je voudrais. Je te propose un million de francs contre ton aide. De cette façon, tu n'auras pas tout perdu...

— Quelle garantie puis-je avoir que tu m'enverras l'argent ?

— Aucune garantie, dis-je très loyalement, aucune garantie, mon oiseau des îles. Tu devras te contenter de ma parole. Si tu ne marchais pas et qu'il arrive malheur à Gisèle, Karl recevrait aussitôt les disques. Ce qui fait que tu passerais un sale quart d'heure. Si tu fuis, tu seras traquée par une police extrêmement habile, tu le sais mieux que personne, et qui aura l'avantage de te connaître à fond. Tu n'auras pas de pognon, ce sera très triste et ça finira très mal.

— C'est bon, je marche, soupire-t-elle.

Elle paraît soudain très lasse...

— A la bonne heure... Tu vas me donner des renseignements sur la boîte. D'abord, où Gisèle est-elle enfermée ?

— Dans un des cachots du sous-sol.

Je lui donne un crayon et du papier.

— Fais-moi un plan.

Je repère facilement car je connais les lieux.

— Par où faut-il passer pour parvenir à elle ?

— Par l'entrée principale, puis emprunter l'escalier qui prend dans le poste de garde.

— En somme, c'est d'une facilité...

Elle sourit.

— Oh, nous faisons bien les choses... Si tu crois la sortir de chez nous comme d'un couvent, tu te fourres les dix doigts dans l'œil !

— Il faudra bien cependant que je trouve une combine... Dis-moi, il y a beaucoup d'hommes dans le poste de garde ?

— Une cinquantaine.

— Et en bas, dans le sous-sol ?

— Il y a deux gardiens en permanence.

Décidément, il n'y a pas de quoi être optimiste.

— Quels sont les civils français qui ont une chance de pénétrer librement dans le bâtiment ?

— Les fournisseurs. Et encore sont-ils fouillés à l'entrée.

— Ouais... Enfin, je vais réfléchir à tout ça. Il va me falloir du personnel. Est-ce que le grand Fred s'est tiré les pattes du Vésinet ?

— Oui, lui et le gros Tom.

— Je n'ai pas souvenance de ce dernier, mais passons. En ce moment ils doivent se terrer quelque part. Donne-moi leur adresse et un mot d'introduction afin que je ne sois pas accueilli à coups de canon. Tu n'as plus besoin d'eux maintenant et ils peuvent m'être utiles, moyennant finances, bien entendu.

Greta m'apprend que les zouaves sont terrés dans une papeterie de la rue du Chemin-Vert. Elle écrit sur une feuille de papier les chiffres suivants :

19-21-9-22-18-5
9-14-19-20-18-21-3-20-9-15-14
19-1-14-1-14-20-15-14-9-15

Je me penche par-dessus son épaule.

— Tu ne te casses pas l'aorte pour tes codes, dis donc. Tu te contentes de remplacer les lettres par les chiffres auxquels elles correspondent dans leur ordre alphabétique ; c'est un truc vieux comme l'obélisque !

— Ce qui importe, objecte-t-elle, ça n'est pas que le code soit compliqué, c'est que les types sachent qu'il vient de moi.

— D'accord. Mais dis-moi, comment as-tu trouvé ces tueurs ?

— C'était Hans Strein...

— Qui ?

— Farous, si tu préfères, qui s'était chargé de trouver l'équipe qu'il nous fallait.

— Et où avais-tu déniché Farous ?

— Il était mon ami... Il avait déserté l'armée allemande à la suite d'un vol...

— Ah ! très bien... Alors comment se fait-il qu'il m'ait pris pour Manuel s'il le connaissait ?

— Il ne le connaissait pas. Manuel n'était pas le chef, contrairement à ce que tu crois, mais c'était lui qui avait exécuté le coup. Ensuite, ainsi que tu l'as deviné, il n'a plus voulu donner l'ampoule. Nous avons découvert qu'il avait loué un appartement sous un faux nom ; nous avons compris que c'était pour y cacher le BZ 22. Alors nous avons voulu agir sans la bande pour éviter de nouvelles complications... Mais il s'est produit la confusion que tu sais...

— Je comprends que je sais...

— Après cela, il y a eu ta photo dans les journaux. Manuel a pigé ce qui se passait et a pris le large. Nous n'avons eu de ses nouvelles que lorsqu'il est entré en contact avec nos services pour la rançon du gaz. A peu de chose près tu as tout deviné ; excepté toutefois que le canif, ça n'est pas moi, mais Strein qui l'avait perdu... Nous avions acheté ces objets pendant la guerre d'Espagne...

— Tu ne rates pas un bigornage ! gouaillé-je.

— Pas un...

— C'est bon, taille-toi ! Et tâche de jouer franc jeu, sans cela, le dernier bigornage auquel tu assisteras sera le tien, et je te jure que tu seras aux premières loges pour la cérémonie.

» Demain matin, débrouille-toi pour me téléphoner. Je te refilerai mes instructions. Si par hasard tu as envie de me jouer un nouveau tour de garce, mets le contact avec ta mémoire et essaie de te souvenir des termes de notre conversation enregistrée.

Je l'aide à passer son manteau et je la mets dehors.

Une fois seul, je défais le paquet que Berliet m'a remis. Il contient deux grenades à main et un pistolet automatique avec de la quincaillerie de rechange.

Ce sacré type a de ces cadeaux de nouvel an pas ordinaires.

J'enfile mon pardessus et je file du côté de la Bastille. J'ai hâte de revoir Fred... Ce bon vieux Fred !

CHAPITRE XXI

Plan de campagne.

Je n'ai aucune difficulté à trouver le magasin de journaux-papeterie où, paraît-il se terre le solde des kangourous. Une petite vieille enveloppée dans un fichu me reçoit. Sa boutique est aussi crasseuse qu'elle.

— Salut, mémé, je lui fais, j'aurais deux mots à dire à des messieurs qui ne doivent pas être loin.

Elle prend l'air étonné d'une génisse qui assisterait à la projection d'un film sur les chemins de fer.

— Qu'est-ce que vous dites ?

— Voyons, mémé, ne vous donnez pas la peine de jouer à Cécile Sorel, je suis pas le directeur du Français...

Je suis en renaud parce que cette sacrée Greta a oublié de me donner le mot de passe. Comment vais-je procéder pour convaincre cette vieille toupie ?

— Je veux voir Fred, j'ai un mot pour lui.

— Fred ?

Je sors le message de Greta et le pose sur la banque à journaux.

— Puisque vous doutez de moi, voilà un mot d'introduction. Je vais prendre un peu d'air. Montrez-le à Fred.

Je sors avant qu'elle ait eu le temps de me raconter des boniments.

Ce que les gens sont méfiants à cette époque !

Quand je ramène ma rognure, elle est souriante.

— Venez, me dit-elle.

Elle m'entraîne dans son arrière-boutique. C'est plein de journaux ficelés et de vieux bouquins poussiéreux dans ce coin. La vieille soulève une tenture et un escalier en colimaçon apparaît.

— Je vous laisse descendre seul ? fait-elle.

— Mais bien entendu, mémé, vous cassez pas l'arête dans ce toboggan. Je trouverai bien, allez !

Je m'engage dans l'escalier en tortillon. Il fait un bouzin du diable. On dirait un hippopotame qui se baladerait sur un toit de zinc.

Parvenu au bas des marches, je tire mon briquet car il fait

plus noir là-dedans que dans la culotte d'un nègre en grand deuil.

Je l'allume. Juste comme la minuscule flamme s'agrippe à la mèche, j'entends un petit bruit derrière moi. Je me retourne. La seule chose que je vois, c'est un poing. Mais par exemple, je le vois bien. Il m'arrive droit dessus. Je fais un mouvement de côté mais il me photographie salement. Je le prends sur la joue, il me semble qu'il me traverse le bocal. Je parie que ma tête va servir de bracelet à ce puncheur inconnu.

Je laisse tomber mon briquet et je me mets à quatre pattes. Moi je n'ai plus besoin de briquet pendant un bon moment ! Le type m'a installé dans le but un de ces éclairages au néon qui ferait siffler tous les chefs d'îlot de Paris et d'ailleurs. J'entends le bruit profond d'une respiration.

— Eh, Fred ! dit une voix. Éclaire ! Je l'ai eu.

Une ampoule électrique jaillit au plafond, corsant mon illumination personnelle. Je vois devant moi le gros caïd qui faisait partie de la bande du Vésinet.

— Alors, c'est toi, Tom ?

Il me regarde et paraît ne pas comprendre.

— Tonnerre de Dieu ! ce qu'il a la tête dure, ce mec-là ! s'exclame-t-il.

— M'en parle pas, je réponds, pendant qu'elle m'attendait, ma mère ne mangeait que des cailloux...

— C'est ce qu'on va voir !

Il s'avance.

— Laisse-le, ordonne la voix calme du grand Fred.

— Le laisser ! Je vais d'abord lui filer une de ces roustes comme il en a jamais reçu.

— Allons ! intime Fred.

Fred se tient dans l'encadrement d'une porte. Il est également vêtu d'une veste d'intérieur et un foulard de soie jaune enserre son cou.

— Rien à faire ! proteste Tom. Un salaud qui a liquidé Finfin !

Il ajoute :

— Finfin était mon pote, je l'aimais bien, moi, ce puceron !

Je comprends que Finfin était le surnom du nain. Je comprends aussi un tas d'autres choses. Par exemple que la môme Greta m'a eu une fois de plus. Y a pas d'erreur, elle a passé un coup de fil à ces types puisqu'ils savent que j'ai tué le nabot.

Ils ne peuvent, en effet, déduire de son absence que je l'ai tué, d'autant plus que la presse n'a pas parlé de sa mort pour la bonne raison qu'il est encore dans le placard de ma chambre. Si Greta les a prévenus, c'est sans aucun doute pour donner contrordre à son message. Elle a dû charger les deux hommes de me faire avouer où se trouvent les disques compromettants et de me régler mon compte... Pas mal combiné. En tout cas, elle a une promptitude de décision très rare chez une femme...

Je pense ces trucs-là en une fraction de seconde. Je ne suis pas constipé de la matière grise comme vous l'êtes, tas de tronches ! Seulement le gros Tom ne perd pas son temps. Il retrousse ses manches et m'allonge un taquet. Fred proteste.

— T'excite pas, dis-je à Fred. Puisque ton *bulldog* veut se faire étriller, il va être servi... Laisse-moi lui montrer deux ou trois petits trucs marrants qui compléteront son beau physique de vieux chaudron.

Je me mets en garde. J'attends que Tom prenne l'initiative de l'engagement. Il ne traîne pas. Il lance un formidable direct du droit que je contre comme un champion. Il se met en boule et tente une série à la face. Je laisse passer l'orage, bien abrité derrière mes poings. Ce gaillard est costaud comme un bœuf, mais il s'essouffle rapidos. J'attends qu'il se soit un peu fatigué ; alors je recule d'un pas. Le crochet du gauche qu'il balançait va se perdre dans la rampe de l'escalier. Prompt comme l'éclair je lui fais cadeau d'un direct au foie qui le casse en deux. Je le relève avec un gauche-droit sous le menton. Il essaie de reprendre l'initiative, mais il ferait mieux de s'inscrire pour un abonnement à la lecture ! Maintenant il est à moi et je me régale un brin.

Je lui éteins un de ses cocards, puis je lui fends une arcade sourcilière. Le sang coule. En moins de deux il est aveuglé. Ses bras de déménageur font des gestes désordonnés. Je rigole sauvagement.

— Hein, Toto, qu'est-ce que tu dis de ça ? Je suis pas champion, réponds ?

Il me crie une injure. Je lui tire un parpaing de cent kilos dans les badigouinsses ; il crache trois dents sur le plancher et s'écroule.

Je me masse les doigts et je dis à Fred :

— Tu crois que ça ira, la démonstration ?

— Ce sera suffisant pour aujourd'hui, reconnaît le grand Fred.

» Allons, Tom, relève-toi !

Mais Tom ne répond pas.

— Faudra qu'il aille se faire repaver la gueule s'il veut s'engager comme jeune premier à Hollywood, dis-je à Fred.

— Viens par ici ! ordonne mon interlocuteur.

Nous pénétrons dans une petite pièce sobrement meublée d'un lit, d'une table et de deux chaises dépaillées.

— Alors, tu t'en es tiré, l'autre jour, mon vieux Fred ?

— Tu vois...

— Comment avez-vous fait ?

— Figure-toi qu'il y avait deux hommes en armes de l'autre côté de la brèche. Ils ont ouvert le feu sur nous mais, grâce à Tom, nous nous en sommes tirés... Il a grimpé sur le mur et, de là, il a sauté sur un des Frizous, l'a assommé et lui a fauché sa mitraillette. Il a abattu le second et nous avons filé... Les autres ont rappliqué, mais le nain, Tom et moi avons eu un pot terrible ; figure-toi que nous avons grimpé sur la passerelle qui enjambe la voie ferrée près de la gare, juste au moment où passait un train de marchandises. Nous avons sauté dans un wagon ouvert. Les Frisés n'y ont vu que du feu...

» Et toi ; comment que t'as fait ?

Je lui raconte la poursuite en bagnole.

— Mes compliments ! s'exclame-t-il.

— Rengaine-les, Fred. C'est pas encore l'heure de se jeter des fleurs en criant au génie. Il y a du boulot.

Il ricane.

— Quel boulot ?

Je le vois sortir un pistolet de sa poche grand comme un canon à longue portée.

— Tu vas à la chasse au chamois ? je lui demande.

— Si tu appartiens à cette sorte de mammifère alors, d'accord, c'est bien à la chasse au chamois que je vais.

Bon, c'est le temps de s'annoncer nos couleurs.

— Eh, Toto, pas de blague ! Avant de jouer au tir au pigeon, laisse-moi monter à la tribune, tu veux ?

Je m'assieds sur le lit et j'attaque :

— Je connais toute l'affaire et toi tu n'en connais pas la moitié ; vous m'avez l'air aussi dégourdis, Tom et toi, qu'un plat de spaghetti... Vous vous laissez fabriquer comme des puceaux par une rombière... Y a des petzouilles qui rêvent de voir Naples avant de calancher ; moi, mon rêve, ce serait de faire entrer pour cinquante grammes d'intelligence dans votre caboche en ciment armé.

» Vous vous êtes embauchés comme tueurs à la petite semaine dans les pattes de gens que vous ne connaissez pas... Sais-tu seulement que le grand patron n'est autre qu'une femme ? Et une femme qui est de la Gestapo ?

Il paraît prodigieusement intéressé.

— J'ai assez usé de salive aujourd'hui. Je préfère t'affranchir à fond sur la question et te donner les preuves de ce que j'avance.

» Il y a quelques minutes, tu as dû recevoir un coup de fil de la part du grand patron, n'est-ce pas ? Oui ? Bon ! Eh bien, c'est la gonzesse qui tient les guides qui t'a parlé ; une souris, mon grand, qui n'a pas froid aux châsses... Elle t'a dit que j'allais me pointer avec un mot d'introduction, mais qu'il ne fallait pas tenir compte de celui-ci. Que par n'importe quels moyens vous deviez me faire avouer où sont planqués certains disques, et qu'une fois en possession de ceux-ci il fallait me buter.

— Exact ! murmure-t-il, surpris.

A ce moment, la porte s'ouvre et Tom fait son entrée. Il est déguisé en pomme de terre. Il faut un examen approfondi pour se rendre compte de quel côté se trouve son visage. Il fait quelques pas en vacillant et se laisse choir sur une chaise.

— T'es gracieux, je lui dis. On dirait que tu t'es disputé avec un troupeau d'éléphants...

Fred se marre aussi. Tom est groggy.

— C'est la première fois que je prends une danse de cette ampleur, reconnaît-il. Comme cogneur, tu te poses là.

J'aime l'entendre parler ainsi. Ces buteurs ne comprennent que la force. Celui-ci a trouvé son maître et il le reconnaît loyalement. Il ne cherche plus à faire des magnes...

— Je suis bien content que tu rentres en piste, dis-je. Je parlais de choses qui t'intéressent aussi...

Alors je leur explique toute l'affaire depuis A jusqu'à la place de la Nation. Ils ouvrent des mirettes en bouches d'égout. Quand j'ai terminé, je leur dis :

— Je vais téléphoner au copain qui détient l'enregistrement

pour lui demander de vous le faire entendre. Où se trouve le tubophone ?

Fred me le désigne et je communique avec Bravard.

On grille des cigarettes en attendant mon copain.

Une heure plus tard, Fred et son acolyte ont auditionné le fameux enregistrement. Ils sont enfin dûment convaincus et ils ne sont pas contents du tout. S'ils pouvaient tenir Greta dans un coin, on assisterait à un très joli spectacle de vivisection.

— Bon, alors, vous êtes d'accord avec moi, les enfants ?

Et comment qu'ils le sont ! Si je leur demandais de marcher au plafond, ils le feraient.

— Il n'y a rien à tirer de cette fille. Je vous propose de lui jouer un sale tour. Maintenant, il n'est plus question de l'ampoule, donc vous perdez tout espoir de faire du blé avec ce filon. Mais si vous marchez avec moi et consentez à risquer le paquet à mes côtés, foi de San-Antonio, je vous emmène en Angleterre et vous y ferai verser une coquette somme d'argent.

Ils n'hésitent pas.

— Commande, on te suit ! déclare Fred.

— Ça va être coton...

— Tant pis, de toute façon, nous sommes sciés par ici, hein, Tom ?

Tom pousse un grognement de sanglier enrhumé.

— Pour sûr !

— O.K. Alors voici ce que je vous propose : quand Greta va nous téléphoner pour savoir où en sont ses affaires, vous lui direz que vous avez les disques et que je suis mort. Si elle vous demande de les porter quelque part, répondez-lui que vous avez les foies et qu'il vaut mieux qu'elle les fasse prendre.

» C'est trop gros de conséquences pour elle pour qu'elle charge quelqu'un de la commission. Donc, elle viendra elle-même, que ça lui plaise ou non ; c'est sa seule chance. Alors nous essaierons de donner une petite sauterie en son honneur.

Un double éclat de rire est la seule réponse.

CHAPITRE XXII

Au forcing !

C'est le lendemain matin, à la première heure, que Greta téléphone. Elle est vachement anxieuse, la gamine. Moi qui tiens le second écouteur, je jubile... Fred joue sa saynète pour patronage à la perfection. Il dit qu'il a manœuvré comme un roi et qu'il a les disques. Il demande ce qu'il doit en faire ; Greta répond que le grand patron les fera prendre dans la matinée. Elle est extraordinaire, cette môme : on jurerait qu'elle n'est qu'une simple intermédiaire ; elle parle d'une voix indifférente et il faut la connaître comme je la connais pour déceler son angoisse, puis son soulagement.

La vieille marchande de journaux, qui est la mère d'un pote au gros Tom, nous descend du vin blanc chaud. C'est une riche idée. Nous nous en tapons quelques pichets. Avec une rondelle de citron, il n'y a rien de mieux pour vous mettre en train les matins d'hiver...

A neuf heures, la vieille nous crie, du haut de l'escalier :

— Quelqu'un !

C'est le signal. Je me place derrière la porte. Tom s'allonge sur le lit, dans le plus pur style des films américains. Le grand Fred s'assied devant la table.

Greta entre ; elle est habillée d'une façon neutre et elle s'est affublée d'un chapeau « miss » à large bord et d'une paire de lunettes noires.

— Salut, fait-elle. Je viens prendre livraison de ce que vous savez.

Elle ne m'a pas vu. J'arrive par-derrière sur la pointe des pieds et je lui fauche son sac à main.

Elle sursaute.

— Qu'est-ce que cela signifie ?

— Ça signifie que tu as trop tiré sur la corde et que celle-ci est sur le point de se casser. Greta, il faut pas croire que tous les coups sont permis.

— Vous n'avez donc pas exécuté mes ordres ? fait-elle à Fred.

Fred ne répond rien. Tom ricane et, s'adressant à moi, demande :

— Dis donc, San-Antonio, c'est cette môme, la grognace qui veut jouer à Hitler ? Ce que j'aimerais lui flanquer une fessée. Oh, dis, laisse-moi me régaler ! Y a longtemps que je n'ai pas dérouillé une grenouille.

Je regarde Greta en riant :

— On dirait que tu n'as pas grande autorité sur tes troupes ? Elle est toute pâle.

— Vous vous exposez à un sort bien pénible ! fait-elle. Vous m'entendez tous les deux ? Si vous ne m'obéissez pas immédiatement, je vous fais arrêter et fusiller.

— Te fatigue pas, déclare Fred. Le commissaire nous a fait écouter le disque ; nous savons à quoi nous en tenir à ton sujet.

Tom, auquel le farniente pèse sur le tempérament, s'approche et administre une paire de gifles retentissantes à la fille.

— Les souris qui me manquent, s'excuse-t-il, j'y transforme la tronche en potiron.

Nous le calmons car, pour la réussite de mon plan, il ne faut pas que la donzelle soit trop détériorée.

Je l'expose, ce plan, sans plus attendre, à mes interlocuteurs.

— Greta, c'est le moment de faire ton tour de piste. Cesse de faire des bêtises si tu veux voir le soleil se coucher ce soir. Voilà ce qui va se passer ! Tu vas téléphoner à Karl pour lui dire qu'il aille avec du renfort dans la région de Fontainebleau. Tu lui diras que je suis sur le point de mettre la main sur l'ampoule. Il se dérangera. L'essentiel, c'est qu'il ne soit pas à la prison lorsque nous irons pour faire évader Gisèle.

— Tu veux aller à la Gestapo ! s'exclame-t-elle.

— Oui. Et nous irons tous les quatre ensemble.

— Ensemble !

— Parfaitement. Tu as ta voiture ?

— Oui, mais...

— Alors tout va bien. Nous prendrons les disques sous notre bras, tu saisis ? Si bien que dans le cas où nous nous ferions prendre, les copains captureraient ta confession par la même occasion...

Elle a l'air de la trouver mauvaise. Cette fois, elle a compris que c'est le moment de faire chauffer la colle.

— Tu feras libérer Gisèle et nous nous taillerons. Si tout marche au poil, je te promets que nous briserons les disques devant toi et que nous te ligoterons pour te donner le moyen de leur faire croire que tu as agi sous la contrainte.

» Le temps presse, tu as bien tout saisi ?

Pour hâter sa réponse, le gros Tom lui aligne une seconde beigne qui la catapulte contre le mur.

Nous la conduisons au téléphone. Je sors le feu que Berliet m'a donné et je le lui applique sur l'estomac.

— Si tu déraillles, ma colombine, aussi vrai que je m'appelle San-Antonio, tu prends une dragée juste à l'endroit où ça chatouille. T'en auras pour au moins deux heures à rendre ta jolie âme au diable. Et ce que tu éprouveras te fera regretter d'avoir vu le jour...

Elle compose un numéro et parle en allemand. Bon Dieu ! je me mets à transpirer comme une portion de gruyère. C'est que je ne jaspine pas un traître mot de chleuh. Elle peut dire ce qui lui passe par la tête et même que j'ai une bille de cocu, sans que je me rende compte de quoi que ce soit. Fred se campe derrière Greta et murmure lui aussi quelques mots dans cette langue. Puis il me regarde en clignant de l'œil :

— Deux précautions valent mieux qu'une, chuchote-t-il.

La conversation téléphonique est assez brève.

— Ça a marché ? demandé-je à Fred qui n'a pas perdu une syllabe de chacun des correspondants.

— Il me semble que oui...

— Bon, alors allons-y !

Greta conduit et met toute la sauce. On sent qu'elle est pressée d'en finir... Pas tant que nous ! Une demi-heure plus tard, nous parvenons devant la Gestapo.

— Vous êtes en forme ?

Fred et le gros Tom poussent un grognement.

— Alors gi go !

Parvenue devant la grille, Greta klaxonne sur un rythme convenu. La porte s'ouvre. Une sentinelle s'approche et parlemente un bref instant. Nous pénétrons dans la vaste cour pavée où se baguenaudent quelques officiers.

Greta décrit un vaste virage et vient se ranger devant le perron. Nous descendons à sa suite. Personne ne nous demande rien. Nous marchons d'une allure normale le long des vastes couloirs. Quelques mètres encore et c'est le poste de garde. Greta pousse la porte. Des soldats qui jouaient aux cartes se lèvent et saluent.

La môme Greta leur ordonne d'aller chercher Gisèle. Elle parle sec. C'est une grognace qui sait se faire obéir. Les sulfatés se dégrouillent. La petite surgit de l'escalier. Elle est si affaiblie qu'elle tremble. Elle a autant de couleurs qu'une purée de pommes de terre. Je mets un doigt sur ma bouche pour lui intimer le silence. Ça la foutrait mal qu'elle me saute au cou à cet instant. Les doryphores ont beau avoir la tête plus dure qu'une enclume, ils pourraient penser qu'il se passe quelque chose...

Nous ressortons du poste de garde, suivons le même couloir en sens inverse et débouchons sur le perron. Là, une petite surprise nous attend : vingt hommes en armes sont rangés en demi-cercle dans la cour, la mitraillette à la main. Karl est planté devant eux. Un doux sourire éclaire son visage de brave homme.

— Vous partez en promenade ? questionne-t-il.

CHAPITRE XXIII

Un sale moment.

De saisissement, nous nous arrêtons. Je ne m'attendais pas à celle-là !...

J'essaie de comprendre, mais il se forme un grand entonnoir dans ma matière grise. Si on me montrait un pain de deux livres en m'ordonnant de dire ce que c'est, je serais capable de déclarer que c'est le soutien-gorge de Greta Garbo.

Karl est en tenue d'officier. Il tient une badine de cuir tressé et frappe ses bottes brillantes.

— Eh bien, fait-il, vous semblez surpris.

Greta s'avance vers lui.

— Laissez-moi vous expliquer, Karl.

— Inutile !

— Mais...

— Taisez-vous !

Il bombe le torse.

— Greta Monheister, vous avez trahi votre patrie !

— Voyons, Karl...

— J'ai fait mon enquête et j'ai appris que vous aviez, de votre propre initiative, perquisitionné dans un commissariat.

Un brigadier de police m'a parlé du dépôt qu'avait fait San-Antonio. Je me suis alors souvenu de sa surprise, lorsque nous avons ouvert devant lui le paquet devant contenir le BZ 22. C'est vous qui vous êtes emparée de l'ampoule et vous l'avez fait passer en Angleterre !

— C'est faux ! hurle-t-elle.

La petite môme n'a pas un poil de sec. Elle comprend que ce qui va lui être fait est moins rigolo qu'un film de Laurel et Hardy. Voilà ce que c'est que de vouloir enviander tout le monde ! A force de se croire mariole, on finit par se faire endoffer comme une reine...

— Je vous ordonne de vous taire ! Nous savons que le BZ 22 est maintenant aux mains des Alliés ; nos services de repérage radio ont capté un message de l'I.S. annonçant la réception de l'ampoule.

Il se fait un silence.

— Vous m'avez infligé le plus cruel échec de ma carrière. Greta, je n'aurais pas pensé expérimenter mon rat sur votre personne...

La môme se met à pousser des cris d'otarie hystérique.

— Non, non ! pas ça, Karl ! Pitié !

Elle se jette à ses genoux, mais il la relève d'un coup de botte.

— Chienne ! grince-t-il.

Alors elle devient jojo et elle se précipite en direction de la grille d'entrée.

Karl crie un ordre et quelques soldats se précipitent à sa poursuite. L'un d'eux la ceinture. C'est à ce moment-là que ça commence à être rigolo. Désespérée, Greta arrache le pistolet qu'il porte à sa ceinture et elle se met à arroser son monde. Interdits, les soldats marquent un temps d'hésitation. Pareille à une furie, Greta continue de tirer. Chose curieuse, malgré son affolement, elle tire méthodiquement. Elle abat deux Frisous, puis elle fait un pas en avant et, sans trembler, vide son magasin dans l'estomac de Karl. Comment qu'il lâche sa badine, le gars ! Il lâche aussi la rampe par la même occase. Ça fait plaisir de le voir se tortiller par terre comme un serpent coupé en deux !

La minute de confusion qui suit est extraordinaire. Les soldats tirent tous à la fois sur Greta. En moins de temps qu'il n'en faut pour avaler une huître, elle ressemble à ces cartons perforés qui font de la musique sur les anciens manèges de chevaux de bois.

Fred me fait signe.

Je pige tout de suite. C'est inouï, ce que je peux être intelligent dans les circonstances difficiles !

En deux enjambées, nous sommes à la voiture qui est toujours rangée devant le perron. Je pousse Gisèle dedans. Fred se glisse derrière le volant et Tom se met à côté de lui. Bien entendu, tout ça se déroule en moins de temps qu'il ne m'en faut pour vous le raconter. Je passe les deux grenades à Tom.

— Fais-en bon usage, mon trésor.

Il est à la hauteur. D'une main preste, il balance une pomme de pin dans le groupe des soldats et il colle l'autre à l'intérieur du bâtiment car du renfort arrive par là. Pendant ce temps, je fais fonctionner mon pistolet mitrailleur. Fred décrit un virage maison et fonce hors de la grille. Il y a plusieurs voitures en stationnement devant la prison : au passage, je tire une rafale dans les pneus, histoire de prévenir une poursuite immédiate.

La route est large et l'air pur ! Fred, qui a un joli coup de volant dans les pattes, fonce dans le brouillard.

Il accélère puis se met à bifurquer dans toutes les rues qui se présentent. Au bout d'un instant, il arrête l'auto devant un terrain vague.

— Allez ! ordonne-t-il, taillons-nous à pinces, car les poursuites ont dû commencer et nous ne pouvons espérer aller plus loin avec cette voiture. D'ici dix minutes, une souris elle-même ne pourrait plus sortir de Paris...

Il a raison.

— T'as une idée sur la façon de nous envoler à Londres ? demande-t-il.

— Oui, mon collègue m'a dit qu'un avion nous attendra ce soir du côté de Versailles.

— Il s'agit d'y aller... Avec le patacaisse qu'on a déclenché, ils vont mettre le couvre-feu à huit heures et il va y avoir des patrouilles dans tous les coins !

Nous marchons en direction de la porte de Versailles. Pour ne pas former cortège, nous avançons deux par deux, sur chacun des trottoirs.

Tout à coup, une auto allemande débouche dans la rue. Elle est montée par quatre militaires. Nous continuons d'avancer comme si de rien n'était, mais la bagnole s'arrête et les militaires nous interpellent.

— Mon chéri, murmure Gisèle.

— Ne t'affole pas ! lui dis-je.

Les occupants de la voiture sortent des mitraillettes par les portières et nous mettent en joue.

— Avancez ! crie l'un d'eux.

Nous obéissons parce qu'il n'y a vraiment rien d'autre à faire. Comme nous parvenons à la voiture, deux coups de feu retentissent. Nous avons la surprise de voir deux des Chleuhs piquer du nez. Les deux autres se retournent, j'en profite pour m'en farcir un d'un coup de crosse sur la nuque. L'autre tire dans la direction de nos copains. Je vois le gros Tom chanceler. Fred tire une fois de plus et le dernier survivant s'abat à son tour.

Le grand Fred se pointe en courant.

— Et Tom ? demande Gisèle.

— Mort ! cette vache l'a presque coupé en deux avec sa seringue.

Je regarde autour de moi et je constate que nous sommes dans une rue tout ce qu'il y a de tranquille. C'est une voie assez étroite qui sinue entre deux murs d'usine. Personne ne nous a vus.

— Dis donc, Fred ?...

Il comprend et sourit :

— Oui, ce serait une bonne idée...

Nous entassons les cadavres à l'arrière de la bagnole, y compris celui de gros Tom. Mais nous avons soin de nous emparer de la veste et du casque de deux des militaires.

— C'est bath que tu parles l'allemand, fais-je à Fred.

— Tu disais que c'était du côté de Versailles, ton terrain clandestin ?

Cette fois, s'il n'y a pas d'anicroches, on va p't-être voir la fin de nos peines.

CHAPITRE XXIV

Dernière séquence.

Le pilote se tourne vers nous et baragouine quelque chose.

— Tu as entendu ce qu'il a dit ? demandé-je à Fred.

Fred me répond :

— Il nous demande d'attacher nos ceintures, car nous allons atterrir.

— Sans blague, tu parles aussi l'anglais ?

Un sourire apparaît sur les lèvres minces du grand Fred.

— AUSSI !

Gisèle rêvasse.

— Alors, ma poupée, je lui demande, ça ne te dit rien de débarquer au pays du pudding ? On va fêter le nouvel an mieux que Noël. Eh, dis, Fred, on réveillonne ensemble, hein ?

— Tu parles !

— Les gars, je vous offre un de ces gueuletons dont vous vous souviendrez. Je connais un coin pépère dans Trafalgar Square... Ça s'appelle le *Lion couronné.* On y bouffait avant guerre des steaks hachés qui étaient splendides !

— Cette boîte n'existe plus, déclare Fred. Elle a été réquisitionnée par l'armée pour faire un club aux Amerlocks...

— Ah !...

Et puis je fais un saut d'un mètre.

— Tu ne vas pas me dire que tu connais Londres ?

— J'y suis né, fait tranquillement Fred.

— Tu y es né ?

— Parfaitement... Il faut bien naître quelque part. J'y suis demeuré jusqu'au moment où j'ai fait partie de l'*Intelligence Service.*

» Alors, je me suis mis à voyager...

Notre stupeur est immense, à Gisèle et à moi. Elle est si forte que nous ne nous apercevons pas de l'atterrissage.

Nous sursautons lorsque la porte de l'avion s'ouvre et que mon ami Montlew passe sa tête chauve dans l'encadrement et dit :

— Hello, les garçons, vous avez fait bon voyage ?

Il nous aide à descendre.

— Heureux de vous voir sur la bonne vieille île, commissaire, et enchanté de vous connaître, mademoiselle.

Puis, se tournant vers Fred :

— Alors, *old bean*, vous vous êtes laissé battre par ce damné San-Antonio ? C'est en définitive par lui que nous avons eu le BZ 22... Mais, ajoute-t-il en lui claquant le dos, mon petit doigt m'a dit que vous avez fait un drôle de travail tout de même, lieutenant.

Si vous êtes pas abasourdis, bande de noix, c'est que vous êtes aussi amorphes qu'un morceau de boudin. En ce cas, il n'y a qu'à mettre des fourmis rouges dans vos culottes pour exercer vos réflexes !

FIN

LE SECRET DE POLICHINELLE

PREMIÈRE PARTIE

CHAPITRE PREMIER

Réalisation d'un SECRET désir.

NOUS nous déployons dans la plaine — ce qui permet une plus grande liberté de mouvements — Pinaud, Bérurier et moi. Nous avançons à la façon espagnole, c'est-à-dire en éventail. Olé !

Mais, avant d'aller plus avant dans ladite plaine et dans l'action de ce remarquable ouvrage[1], il faut que je vous décrive un peu la troupe, mes pauvres enfants.

Je vous campe les personnages par ordre d'ancienneté. A savoir : primo, Pinuche. Il a roulé son falzard dans des bottes de caoutchouc qui sentent le fond de barque à pêche. Il porte un chandail tellement troué qu'un pain de gruyère en pleurerait de jalousie, une limace au col déchiqueté, une cravate écossaise (manière de se donner un côté sport) dont chacun des carreaux comprend une tache de graisse aux reflets moirés et par-dessus (et par surcroît) un suroît en toile jaune huilée qui le fait ressembler à une mayonnaise réussie. A chacun de ses mouvements, le suroît produit un bruit de brindilles cassées. Quand Pinaud marche, on dirait un troupeau d'éléphants en visite dans une fabrique d'allumettes. Pour couronner ce harnachement, il s'est coiffé d'un vieux chapeau de feutre dont Mme Pinaud a découpé le bord avec de mauvais ciseaux à broder

1. En dernière, que dis-je, en suprême minute, comme l'imprimeur mettait sous presse et comme l'éditeur se mettait à table, nous avons appris qu'on parlait de ce livre pour le Nobel ! C'est comme je vous le dis ; appelez-moi Maître et prêtez-moi mille balles !

sans doute ! Avec cette toiture, il ressemble à un vieux Tyrolien dans la débine.

A sa dextre avance Bérurier. Mordez l'homme : chaussures de ski, chaussettes de laine très montantes sur un bénard de velours côtelé. Il s'est noué autour de la brioche une ceinture de flanelle. Et il s'est confectionné une veste de chasse en coupant le bas d'un imperméable hors d'usage. Ainsi loqué, il fait moujik en diable. D'autant qu'il s'est coiffé d'une casquette à trapon. Pour faire chasseur d'élite, il a noué à son cou un immense mouchoir à carreaux dont il s'est, hélas ! servi auparavant pour épancher un mauvais rhume. Quand on a vu ces deux types ainsi fringués, on ne peut plus les oublier, même si on a le bulbe qui se met à couler. Je me marre tout en les escortant dans l'immense plaine annoncée à l'extérieur. Ça n'est pas celle de Waterloo, mais elle est aussi morne. Nous sommes dans les environs de Briare et le terrain que nous arpentons constitue la chasse privée de M. Pardérière, des chaussures Pardérière et Co[1].

M. Pardérière marche par côté. C'est un grand bonhomme qui serait roux s'il avait des tifs et pauvre s'il n'avait pas une fortune évaluée à plusieurs centaines de millions. Le gars Béru se trouve être le cousin de son garde-chasse. Il lui a rendu un grand service récemment, pas au garde-chasse, mais au marchand de pompes. M. Pardérière s'était attrapé avec un poulardin, le cogne et lui avaient échangé des paroles blessantes, puis des gnons qui l'étaient davantage car ce bienfaiteur du pied humain a la main leste. Bref, l'affaire aurait eu des conséquences fâcheuses si Bérurier n'était intervenu. Pour le remercier, Pardérière a exaucé le plus cher désir du Gros : il l'a invité à une partie de chasse sur ses terres. Béru s'est débrouillé pour faire inviter son supérieur hiérarchique, c'est-à-dire votre San-Antonio bien-aimé, ainsi que son coéquipier Pinauchaud ! Et voilà pourquoi vous avez présentement trois *gentlemen* de la maison parapluie sur le sentier de la guerre.

Une gentille armada, croyez-moi. Les garennes sont tellement impressionnés qu'ils annulent leurs rendez-vous de la journée pour rester planqués dans leur abri-refuge. Voilà une bonne heure que nous marchons sans avoir aperçu la queue d'un...

1. Ne pas confondre avec le slip Pardevan, celui qui fait parler le bédiglas !

Le Gros transpire déjà comme un chandelier à cinq branches, et Pinaud commence à avoir de la peine à coltiner son fusil...

Nous poursuivons cependant notre marche forcée... Nous arrivons à la lisière d'un boqueteau où Pardérière nous a signalé du faisan.

Les chiens reniflent à tout-va en faisant gnouff-gnouff.

— Ça m'étonnerait que ces cabots lèvent quelque chose, prédit Bérurier qui se prétend sagace en matière de chasse.

— Tout ce qu'ils vont lever, c'est la patte, geint Pinuche qui n'en peut plus.

» Moi, ajoute-t-il, je vous préviens : je ne vais pas plus loin que le bois. Ce matin, justement, j'ai mon rhumatisme qui me fait mal dans l'épaule. Voulez-vous parier que le temps va changer ?

Personne ne se hasarde à miser contre une éventualité aussi probable. Le vieux gland continue de trimbaler son arquebuse en gémissant.

Béru se met à tirer une langue de gargouille. Il se rapproche de moi et murmure :

— Je la pile. T'as pas un flacon de quelque chose sur toi ?

— Non ! Comment se fait-il que tu n'aies rien pris ?

— Je pensais que Pardérière aurait ce qu'il faut. Tu te rends compte ? On a fait au moins cinq bornes en zigzag, non ?

— Pas loin !

— Jamais je n'ai parcouru une telle distance sans boire. Pourvu qu'il y ait ce qu'il faut au gueuleton de midi...

Il se met à rêvasser sur ce mystère. Soudain, M. Pardérière s'écrie :

— A vous ! A vous !

Nous levons la tête dans des directions multiples. J'avise un superbe faisan posé en plein champ. Je tire. Des plumes volent et le faisan choit sur la terre grasse en attendant que ce soit sur un canapé[1].

1. Je profite de l'occasion pour vous donner la recette du faisan rôti. Prenez un faisan assez tendre, ou, à défaut, un corbeau adulte. Plumez, videz et flambez votre faisan (ou votre corbeau). Lorsqu'il est carbonisé, mettez les plumes dans un édredon pouvant aller au four. Ajoutez cinquante grammes de poudre à éternuer, un bandage herniaire, une année bissextile, du poivre, du sel et le dernier roman de San-Antonio. Mettez cuire pendant un an et un jour. Si, au bout de ce laps de temps, personne n'est venu le réclamer, vous pouvez jeter le tout à la poubelle.

Pendant que je braquais mes batteries sur cette cible, le Gros, un peu miro, a foudroyé l'un des setters irlandais du marchand de lattes qui pleure à chaudes larmes son gaïe pulvérisé.

Béru est très embêté.

— Mande pardon, murmure-t-il, j'ai cru que c'était un lièvre. De loin, la perspective, hein ?

— On peut se tromper, décrète Pinaud, magnanime.

Moi, je vais ramasser mon bestiau et je le glisse dans ma gibecière. Félicie va être contente quand je vais déballer ce monsieur.

On console Pardérière et on continue les hostilités.

Bérurier promet de regarder à deux fois avant de tirer. Ses performances me prouvent que j'ai eu raison de me placer en retrait par rapport à lui. C'est, en effet, plus prudent. La dernière fois qu'il a chassé, c'est dans le prose d'un péquenot qu'il a tiré et le bonhomme n'a pas pu s'asseoir pendant deux mois. Vous allez me dire qu'un paysan, ça vit surtout debout ? D'accord... N'empêche que si c'était arrivé à Charpini, il était obligé de se faire mettre à l'assurance !

Parvenu au petit bois, Pinuche s'écroule au pied d'un arbre. Il se relève très vite car l'arbre en question est un châtaignier et, sous ses rameaux, le sol est tapissé d'écorces piquantes. Il vient de se planter une série d'épines dans le valseur. Sans l'ombre d'une hésitation il tombe le grimpant et demande à Béru de lui ôter ces corps étrangers. Bonne âme, le Gros s'agenouille devant les fesses maigrichonnes et flétries du père Lajoie. Avec ses gros ongles cassés et porteurs d'un deuil cruel, il plume le dargeot de notre honorable collègue, lui arrachant des morcifs de bidoche dans son désir de bien faire.

Pardérière et moi poursuivons notre chasse après un bref regard à l'intermède affligeant. Une faisane s'envole d'un arbre. Le commerçant la flingue sans rémission. Il fait un peu la gueule à cause de son setter, pourtant son magistral coup de fusil le défige un brin...

Nous avons parcouru une demi-borne environ lorsqu'un coup de feu éclate derrière nous. Je me retourne pour voir si c'est Pinaud que Bérurier a tué, mais non, les deux compères cavalent entre les troncs. Au pas gymnastique je les rejoins.

— Je viens de tirer une faisane, me crie Pinuche. Superbe volatile en vérité !

— Seulement on la retrouve pas, déplore le Gros.

— Tu es certain de l'avoir touchée ?

Ce doute déprime le vieux qui renaude méchamment.

— Apprends, San-Antonio, que j'ai été l'un des meilleurs fusils de mon régiment. Médaille de bronze, s'il te plaît ! Quand j'avais vingt ans, je coupais une carte à jouer à cinquante pas !

— Seulement maintenant tu ne serais même plus capable de couper la parole à un muet !

Cette boutade, d'un humour discutable, j'en conviens[1], le laisse aussi froid qu'une expédition dans l'Arctique[2].

Tout à coup, le Gros qui fouillait un buisson pousse un cri de trident. Il se baisse et ramasse un tas de plumes qu'il brandit en hurlant :

— V'là l'animal !

Nous nous approchons et faisons cercle, ce qui à deux représente une certaine performance. En fait de faisane, c'est un pigeon que Pinuche a bousillé. Si cela enlève à la valeur du gibier, ça donne du prix à celle de son coup de flingot, un pigeon étant plus petit qu'un faisan et son vol moins lourd.

Le père Pinuche se saisit de sa victime et se met à la palper dans la région du jabot.

— Il n'est pas tout à fait mort ? interroge Béru.

— Comment est son pouls ? demandé-je : agité, capricant, concentré, critique, cymatode, dicrote, fébrile, filiforme, formicant, fourmillant, fréquent, inégal, intercadent, intercurrent, intermittent, irrégulier, misérable, myure, ondulant, récurrent, serratile ou vermiculant ?

Pinaud hoche la tête.

— Il est arrêté, tout simplement !

Il va pour enfouir sa proie dans la boîte à masque à gaz qui lui sert de gibecière, mais quelque chose retient à deux mains mon attention pour l'empêcher de glisser sur une bouse de vache.

Et le quelque chose en question n'est autre qu'un minuscule étui de métal fixé à la patte du pigeon par une bague spéciale.

— Attends voir !

1. Je suis toujours le premier à reconnaître mes faiblesses, de toutes mes nombreuses qualités, la modestie étant la principale.

2. Ces expéditions sont dangereuses. Ne parle-t-on pas fréquemment de « l'Arctique de la mort » ?

J'examine l'objet.

— Dis, Pinuche, c'est un pigeon voyageur que tu as abattu.

— Penses-tu !

— Ben, regarde ! Ou alors çui-là était vaguemestre dans son unité !

Je m'empare de la bague et de son étui. A l'intérieur de ce dernier, je découvre une petite feuille de papier pelure couverte de signes et de caractères bizarres.

— Qué zaco ? fait Béru, lequel parle couramment l'italien.

— Un message chiffré...

Pinaud n'en revient pas.

— Nom d'un chien, se lamente-t-il, j'ai intercepté une communication de l'armée ! Pourvu qu'on ne me fusille pas !

Je le rassure.

— Voilà belle lurette qu'on n'utilise plus les pigeons dans l'armée, sauf avec des petits pois et des croûtons frits.

— Alors ? s'inquiète Bérurier, qu'est-ce que ça veut dire ?

— Aucune idée. C'est peut-être un concours entre colombophiles, et c'est peut-être un truc louche. Je passerai ça au Vieux, il avisera.

— Tu crois que c'est comestible, un pigeon voyageur ? s'inquiète Pinaud qui revient en galopant à des considérations gastronomiques.

— Pourquoi pas ? ironise Béru. Un facteur c'est un homme comme les autres, après tout.

C'était là un argument convaincant, que Pinaud crut[1].

CHAPITRE II

Je n'ai pas de SECRET pour vous.

Quatre jours après cette partie de chasse mémorable qui se solda par l'hécatombe ci-avant décrite, le Vieux me fait appeler dans son burlingue secret. La pièce est triste comme un vieux

1. Qu'on ne cherche pas un jeu de mots approximatif dans cette fin de phrase. Elle m'est venue à la plume au fil de mon inspiration. Comme dirait M. Médecin, député des Alpes-Maritimes : « Oh ! Niçois, qui mal y pense. »

numéro de la *Revue boursière*, et le maître des Services paraît aussi joyeux qu'une catastrophe minière.

Il est droit devant son bureau d'acajou lorsque j'entre. Ses poings sont posés à chaque extrémité de son sous-main et son front relié pleine peau de fesse brille à la lumière de son réflecteur.

Il n'ouvre presque jamais ses fenêtres, sauf quand la femme de service vient passer l'aspirateur. Le reste du temps, pareil à un animal du vivarium, aux mœurs délicates, il se contente du soleil tarifié par Électricité de France.

Sa bouche ressemble à celle d'un lézard. Elle est sans lèvres et on s'attend toujours, quand il l'ouvre, à en voir jaillir une langue fourchue.

Il me regarde pénétrer dans son antre avec des yeux aussi placides que ceux d'un potage Maggi.

— San-Antonio, vous ne devinerez jamais la raison pour laquelle je vous ai mandé.

« Mandé » ! C'est tout lui. Quand il jacte, on se croirait à une réception chez le marquis du Trou-Fignon.

— Je n'en ai, en effet, pas la moindre idée, chef !

Il sort alors de son tiroir de droite l'étui que j'avais piqué sur la patte du pigeon.

Avec une adresse de jongleur, il le lance en l'air, essaie de le rattraper, n'y parvient pas et regarde tomber le petit tube métallique dans son encrier.

Il l'y repêche avec dextérité, l'ouvre avec non moins de dextérité en le tenant à travers un buvard, et sort le feuillet qui s'y trouvait initialement.

— Savez-vous ce que c'est que ça, San-Antonio ?

— Je reconnais le document, chef, mais j'ignore ce qu'il concerne...

Il masse sa rotonde ivoirine en laissant sur son crâne poli une traînée d'encre du plus bel effet.

— C'est une formule...

— Ah ?

Le Vieux se met à faire du Jean Nohain de la bonne année.

— Oui. Elle concerne un produit que nos savants mettent au point pour parer aux radiations atomiques. La France est sur le point de découvrir, sinon l'antidote de ce fléau, du moins un puissant palliatif... Une personne ayant le derme enduit du produit en question ne souffrira pratiquement pas des méfaits de la radioactivité !

— Pas possible !

— Si.

— Bravo ! c'est sensationnel.

— L'invention n'est pas encore au point, mais nos savants sont à la veille d'aboutir...

Je ricane.

— Et déjà la formule s'envole vers d'autres contrées !

— Comme vous le dites ! Sans ce coup de fusil de Pinaud, nous n'en aurions rien su ! Le hasard est grand !

— Il est non seulement grand, il est providentiel, complété-je.

Il y a une minute de silence comme dans toutes les cérémonies d'envergure. Le Vieux tourne dans ses doigts le petit rectangle de papier mince.

— Nos labos ont failli ne pas découvrir le pot aux roses, poursuit-il. Au moment où ils allaient abandonner les recherches, l'un des savants qui travaillent à l'invention est venu ici pour des raisons de service. On lui a montré ceci à tout hasard et il est tombé des nues en reconnaissant l'une de ses formules.

— Le pigeon aussi, murmuré-je. Tout le monde tombe des nues dans cette histoire.

Ma boutade n'est pas du goût du Vieux. Pourtant c'est de la boutade extra-forte qui pourrait être signée Amora[1].

Le Boss s'assied, tire sur ses manchettes, chasse un grain de poussière sur le revers de son veston et enchaîne.

— Cette fuite est d'autant plus surprenante que des précautions sévères ont été prises pour garantir le secret aux savants.

— En France, fais-je, les précautions sévères ne le sont jamais ! Nous ne savons pas être des gardes-chiourme.

— C'est bien dommage pour nos intérêts, soupire le Vieux.

Il croise ses paluches et fait craquer ses jointures.

— Enfin, essayons pourtant de nous défendre.

» Les recherches ont lieu dans un laboratoire privé gardé par des policiers en civil. Afin d'éviter — du moins le croyait-on — des fuites, les savants qui travaillent dans ce laboratoire ont consenti à passer à la fouille chaque soir avant de partir.

1. C'est une publicité Jean Majeur, le cousin de l'homme qui a failli ne pas avoir le téléphone.

Thibaudin, le professeur à qui on doit la découverte en question, est un maniaque du secret. Il surveille lui-même la fouille de ses collaborateurs... L'opération se passe de la façon suivante : chaque jour en arrivant, les assistants du professeur se déshabillent entièrement et traversent un couloir de verre pour se rendre du vestiaire où ils ont laissé leurs effets à un second vestiaire où ils revêtent des vêtements de travail...

— Bon, ceci est un point.

Le Vieux promène une langue étroite et pâle sur son absence de lèvres.

— Second point, Thibaudin est le seul à connaître les formules de son invention. Celles-ci sont consignées naturellement par écrit pour le cas où il lui arriverait malheur avant la mise au point de l'antidote atomique (auquel il a déjà donné le nom provisoire d'Antiat). Les documents sont enfermés dans un petit coffre mural très perfectionné dont il est seul à posséder la combinaison... Aucun de ses collaborateurs, même les plus directs, n'est capable de transcrire la formule qui se trouvait sur ce papier... Voilà le problème...

Je me gratte l'occiput.

— C'en est un, en effet !

— Bon ; eh bien ! puisque vous avez levé le lièvre, ou plutôt le pigeon — très satisfait, il prend un temps pour me faire apprécier la saillie[1] — c'est à vous que je confie le soin d'élucider ce mystère, San-Antonio...

Mince d'honneur. Je lui octroie une courbette à quatre-vingt-dix degrés.

— Le laboratoire a été aménagé dans une grande propriété située près d'Évreux, dans un coin isolé de la forêt... J'ai prévenu Thibaudin, il vous attend avec impatience... Je crois que vous devrez procéder en souplesse, car il serait maladroit de donner l'éveil au traître...

— Faites-moi confiance, chef !

— Je sais...

Il a un aimable sourire qui en dit long comme Bordeaux-Paris sur l'estime en laquelle il me tient.

Avant de calter, je voudrais lui poser une question délicate. Je crains qu'il ne la prenne en mauvaise part.

— Dites, patron...

1. Comme on dit dans les haras.

— Oui ?

— Avant de démarrer l'enquête, je voudrais me libérer le cerveau d'une vilaine idée qui viendrait à l'esprit de n'importe qui.

Avant que je n'aie fini de parler, il a pigé.

— Thibaudin ?

— Voilà. Je n'ai jamais vu un homme plus psychologue que vous !

Le compliment tiré à bout portant se traduit sur sa surface corrigée par une vague de rougeur. Il devient plus rouge que les locataires du Kremlin.

— Écartez carrément Thibaudin de votre liste des suspects. Je le connais depuis longtemps. C'est un grand patriote...

Le voilà qui part dans le panégyrique du savant. Capitaine d'active au cours de la guerre 14-18, médaille militaire, croix de guerre... Des citations longues comme ma jambe ! La France lui doit des flopées de découvertes utiles, telles que la crème contre le feu du rasoir et le sérum parabellum contre la maladie des serins, *et cœtera, et cœtera...* Il a perdu deux fils à la dernière guerre, il a fait de la résistance, il a une Légion d'honneur qui lui descend jusqu'au mollet ; bref c'est un grand Français, d'ailleurs il mesure un mètre quatre-vingt-cinq. Et puis, argument massue, s'il avait voulu cloquer sa découverte à une nation étrangère il pouvait le faire sans que personne en sache rien avant de ficher son pays dans le coup, pas vrai ? C.Q.F.D., comme on dit au M.R.P., au P.S.U., à la S.F.I.O., au P.M.U. et à l'U.M.D.P.

Je prends congé du Vieux, nanti des renseignements complémentaires. Je fonce dans mon bureau pour y récupérer mon imper, car dehors il sauce comme dans la cour d'une caserne de pompiers un jour de grande manœuvre.

Pinuche est en train d'écrire à sa table. Il tourne une ronde agrémentée de petits motifs tout plein zizis. On dirait que ses lettres sont velues.

Devant lui, sont étalées une vingtaine d'étiquettes comportant toutes le mot « COING ».

Je me penche sur son œuvre.

— Tiens ! fais-je, tu n'utilises que l'alphabet à poil long ?

Il secoue la tête.

— Ma femme fait ses confitures aujourd'hui... Je prépare les étiquettes pour les pots.

Il pose son porte-plume et se masse le poignet.
— T'as la crampe de l'écrivain, Pinuche ?
— La ronde, ça fatigue, explique-t-il.
Il se lève pour exécuter quelques mouvements de décontraction. Ce faisant il renverse son encrier sur les étiquettes calligraphiées.
Comme il ne s'est pas aperçu du sinistre, je m'abstiens de le lui signaler ; il est cardiaque sur les bords, et ça me ferait de la peine de le voir mourir !
Je m'aperçois avant de sortir qu'il a boutonné son pantalon suivant une manière qui lui est chère, c'est-à-dire qu'il a fixé le bouton du bas à la boutonnière du haut. Je lui désigne le tunnel ainsi ménagé.
— Ferme ça, Pinuche, il ne faut jamais trop aérer la chambre d'un mort !
Il bougonne en rétablissant l'ordonnance de sa mise.
— A propos de mort, fais-je, il était bon, le pigeon ?
— Non, trop coriace... On l'a donné à la concierge.
— Tu as trop bon cœur, Pinaud ; ta générosité te perdra !

CHAPITRE III

J'entre dans le SECRET.

Apparemment, rien ne signale le laboratoire de Thibaudin à l'attention du promeneur, si ce n'est le nombre des voitures rangées autour de la propriété. On dirait qu'une réception y est organisée en permanence. Et pourtant, ce qui frappe, en second lieu, c'est le silence qui y règne.
La maison est une construction de deux étages, bâtie pour un ancien B.O.F. prétentiard qui a voulu une tour, histoire de se donner des airs de noblesse. C'est fou ce que le blason torturait les gars au siècle dernier. Au point qu'ils souhaitaient tous s'appeler Dupont, afin de se cloquer une particule.
Le bâtiment est niché au milieu d'un parc aux pelouses négligées. Le tout est cerné de murs rébarbatifs. C'est, je pense, ce qui a décidé Thibaudin à y installer son centre de recherches.

Je stoppe ma tire le long du mur et d'un pas allègre je franchis la grille.

Je n'ai pas fait quatre enjambées qu'une voix hargneuse me pétrifie.

— Hep, là-bas !

Je fais volte-face, comme on dit au Fiacre, et je découvre une sorte de vieux parapluie à mine rébarbative.

C'est le gardien. Ancien truand, je vous le répète, ça se voit à sa frime rapiécée comme une vieille chambre à air, à son naze écrasé, à ses étiquettes en haillons et plus encore à son regard en virgule.

Je le défrime complaisamment.

— Où allez-vous ? s'informe-t-il en s'avançant vers moi d'une démarche chaloupée.

— J'ai rancart avec le professeur Thibaudin.

Je produis un laissez-passer en bonne et due forme. Il l'étudie scrupuleusement, comme un général de corps d'armée le fait d'une carte d'état-major avant d'envoyer ses zouaves au casse-pipe. Puis il hoche sa tête sans cou et me fait signe qu'il est d'accord.

Croyez-moi, les meilleurs anges, ce sont les anciens démons. Mordez Vidocq, par exemple. Ancien bagnard, truand patenté... Pedigree à plusieurs feuillets, mais le jour où il s'est mis à en croquer il est devenu chef de la poule ! Voilà comment on fait les bonnes grandes maisons. Le mal par le mal, c'est la thérapeutique reine.

Je philosophe ainsi tout en remontant cavalièrement l'allée, puisqu'il s'agit d'une allée cavalière.

Ensuite j'escalade lestement un perron de quatorze juillet[1] et je me trouve dans un vaste hall carrelé façon échiquier où un autre mironton rêve d'aller à dame en se secouant les couennes sur une chaise dépaillée.

D'après mes calculs[2], ce zouave pontifical est le dernier bastion fortifié avant le burlingue du professeur Thibaudin.

Je produis mon ausweiss et il fait un petit mouvement de hure assez gracieux.

— Le professeur, s'il vous plaît, demandé-je en ponctuant

1. Entendez par là qu'il s'agit d'un escalier à double révolution.
2. Comme dit toujours un de mes amis qui souffre des reins.

ma phrase d'un aimable sourire qui mériterait la première page de *Cinémonde.*

— On va vous conduire.

Il appuie un index en grand deuil sur un bouton électrique. Quelque part dans la casba, une sonnerie retentit et je vois se radiner une fort gracieuse personne dont le soutien-gorge n'est pas gonflé au gaz de ville.

Elle est blonde platinée, elle porte une blouse blanche, des bas clairs, et son petit air fripon flanquerait des idées salaces à un congrès scientifique.

Elle me regarde, me jauge, m'inspecte, me détaille, m'évalue, me dissèque, me considère, m'apprécie et me prie de la suivre, ce que je fais volontiers en regrettant toutefois que ce soit dans le bureau d'un vieux bonze et non à l'hôtel du Pou-Nerveux où la piaule numéro 22 m'est réservée en permanence.

Elle quitte le hall pour emprunter[1] un étroit couloir dont la moquette est usée jusqu'au plancher. L'endroit n'est éclairé que par une ampoule poussiéreuse qui pend bêtement au bout de son fil, comme une poire d'automne cramponnée à sa branche effeuillée[2].

Avant que nous n'arrivions au bout du corridor, je questionne en prenant ma voix timbrée à 30 centimes :

— Vous êtes la secrétaire du professeur ?

— Oui, monsieur, fait-elle.

— C'est un homme qui sait choisir son personnel, apprécié-je.

Elle produit un petit rire qui me va droit au vague à l'âme. Enhardi, je pousse mon avantage :

— Que faisiez-vous de vos heures de loisir avant de me connaître ?

Elle me file alors le super-regard destiné à liquéfier le bonhomme.

Des coups de périscope pareils, ça vous court-circuite la moelle épinière et le bulbe rachidien.

1. Ce genre d'emprunt n'est pas garanti par l'État. Comment en serait-il autrement du reste ? Lorsqu'on emprunte un couloir, un chemin ou un escalier, on ne les rend jamais !

2. Je me permets d'attirer votre attention sur la force de cette comparaison et sur la poésie mélancolique qui s'en dégage. Si je me relisais, je crois que je me décernerais le prix Goncourt, pour une fois ce serait un homme de talent qui l'aurait !

— Je vous attendais, vous voyez, gazouille la pépée.

J'ai idée qu'elle se fait un peu tartir dans cette propriété. Elle en a sa claque, du savant antiatomique. Les cérébraux, c'est chouette dans la *Revue des Deux Mondes,* mais dans un pageot les cours s'effondrent !

Je me promets de la travailler au foie, et ailleurs, et je lui file le train dans une grande pièce meublée de classeurs métalliques, d'un bureau métallique aussi et de sièges en tubes.

Ces différents éléments contrastent avec l'architecture rococo des lieux. Il y a des lambris, des moulures et de la moquette usée partout, et même un fauteuil Voltaire déprimant qu'on a oublié là et qui bave son crin dans un angle.

Miss Dunlop me montre ce siège austère.

— Asseyez-vous, je préviens le professeur.

Elle décroche le bignou posé sur le burlingue. Une voix d'homme annonce qu'elle est en ligne. La souris se met alors à parler de moi. Tout en jactant, elle décrit des arabesques avec son valseur pour m'inspirer. C'est le genre de fille qui, comme les girls de Mme Arthur, sait rendre son dos éloquent.

Lorsqu'elle raccroche, elle me distribue pour changer des œillades de cinq cents volts. Ou je me trompe, comme disait le monsieur qui croyait ne pas s'être rasé parce qu'il se regardait dans une brosse à habits, ou mon séjour dans ce laboratoire comportera des compensations de choix.

— Vous êtes la seule femme ici ? demandé-je, mine de rien.

— Oui.

— Eh bien ! dites donc, il doit vous falloir une armure pour circuler, non ?

Elle hausse les épaules d'une manière qui porte préjudice aux habitants de la propriété.

— Vous savez, les occupants de cette maison pensent plus à leur travail qu'aux femmes...

— Les pauvres gens, comme s'il y avait plus important dans la vie que le sourire d'une jolie fille.

Elle me toise d'un œil tout plein gentil.

— Vous semblez singulièrement entreprenant, vous, alors !

— C'est de naissance, j'ai eu pour nourrice la Lollobrigida de l'époque et ça m'a foutu des complexes pour toute la vie !

Elle rigole. Pas longtemps, car le professeur Thibaudin vient d'entrer. En l'apercevant, je n'ai plus la moindre envie de conter fleurette à la délicieuse enfant blonde. Celle-ci du reste s'esbigne sur la pointe des mocassins.

Je me consacre alors à l'examen de Thibaudin. C'est un grand vieillard gris. Quand je dis qu'il est gris, ce n'est pas une image mais une description réelle. Il est grand, maigre, décharné, osseux... Il a la peau grise, les cheveux et la moustache gris, une chemise grise, un costar gris, une cravate grise, des souliers gris et pour se gratter il se met sûrement de longs gants gris[1].

Il me regarde et je note en passant l'intelligence de son visage. Ce bonhomme-là a quelque chose dans le citron, ça se voit tout de suite.

Je me présente et il m'adresse une petite grimace furtive qu'il croit être un sourire.

— Heureux de vous accueillir ici, commissaire... C'est grâce à vous qu'on a découvert ces fuites, n'est-ce pas ?

— Du moins grâce à l'un de mes subordonnés...

— Cette histoire est insensée. Depuis que je sais cela, je ne vis plus. Vous rendez-vous compte de ce que représente mon invention ?

— Le salut de l'humanité, professeur...

— Du moins une protection certaine... Si ma découverte était connue de ceux qui projettent d'utiliser la bombe — et ils sont, hélas ! de plus en plus nombreux —, ils se hâteraient d'inventer quelque chose qui annihilerait la puissance protectrice de mon produit...

— Vous avez raison, monsieur le professeur. Ce serait catastrophique.

— Grâce au ciel, enchaîne l'homme gris, mon invention n'est pas achevée, on peut donc être certain que le traître qui me pille n'a rien saisi d'irréparable... Du reste, la formule que transportait ce malheureux pigeon concerne ce que j'appellerai la phase A de mes travaux...

Il aborde le vif du sujet. Je commence à me sentir des fourmis aux articulations.

— J'aimerais que vous me montriez les lieux, professeur.

1. Bien que ce jeu de mots se suffise à lui-même, je me permets d'attirer votre attention sur lui. Il serait dommage qu'une lecture hâtive vous empêche de savourer une telle prouesse de style.

Seulement je voudrais demeurer ici incognito afin de ne pas donner l'éveil au traître.

» Pouvez-vous me charger de fonctions subalternes qui me permettraient de circuler sans me signaler à l'attention de celui-ci ?

Il réfléchit.

— Si. Vous passerez pour un nouveau garçon de laboratoire...

— Attention ! je ne suis pas un scientifique... Si vos collaborateurs me posent des colles...

— Ils ne vous en poseront pas. Chacun ici a un travail déterminé et ne s'occupe pas de ce que font les autres...

M'est avis que le père Thibaudin a l'esprit d'organisation. Ça doit être un drôle de juteux dans son job. Un vrai maniaque qui casse les tartines à son monde.

Je ne sourcille pas.

— Très bien, monsieur le professeur, ce sera comme vous voudrez...

— Vous demanderez une blouse blanche à Martine, elle en a un stock !

— Il s'agit de votre secrétaire ?

— Oui. Une fille très sympathique, vous l'avez vue, c'est elle qui vous a introduit ici...

« A charge de revanche », pensé-je.

— Très sympathique, en effet, monsieur le professeur. Puisque vous me parlez de cette jeune fille, abordons la question des suspects. Combien de personnes vous entourent ?

— Cinq, plus ma secrétaire...

Je sors un papier de ma fouille et je cramponne un stylo.

— Nommez-les-moi, je vais faire un petit topo pour m'aider à les situer...

— Eh bien ! par ordre d'importance, j'ai les docteurs Minivier et Duraître qui sont mes élèves. J'ai en eux la plus entière confiance...

Je laisse flotter les rubans... La question de confiance, je connais ça mieux qu'un président du Conseil.

— Ensuite ?

— Trois manipulateurs qui ont des diplômes de pharmacien flambant neufs...

— Et qui se nomment ?

— Berthier, Berger et Planchoni.

— En somme, vous êtes entouré de jeunes ?

— Oui. J'ai foi en la jeunesse. C'est elle qui doit ouvrir la nouvelle route... J'avais deux fils...

Une ombre de tristesse, comme on dit dans les romans pour jeunes vierges en transes, passe sur sa figure. Mais il renonce à me déballer ses malheurs. D'un haussement d'épaules résigné, il rejette le passé dans son dos.

— Vous connaissez au moins ces trois jeunes gens ?

— Ils m'ont été recommandés par des collègues à moi qui furent leurs maîtres.

— Donc, *a priori,* tous sont également dignes de confiance !

— Mais oui, hélas !...

— La secrétaire ?

— Voilà six ans qu'elle est à mon service. Une gentille enfant. Elle n'a pas accès au coffre où sont enfermés les documents...

Il va pour parler encore, mais je l'arrête.

— Attendez, monsieur le professeur, procédons par ordre. Quels sont les travaux de chacun de vos assistants ?

— J'ai démultiplié en quelque sorte mon champ de recherches. Je dois vous dire que mon invention est basée sur l'utilisation de l'énergie solaire. Minivier et Planchoni font un travail d'astronomie selon les directives très précises que je leur donne. Duraître et les deux autres manipulateurs se chargent de l'aspect chimique de la question. Moi, je suis le lien ; le commun dénominateur...

— La nature de leurs travaux respectifs peut-elle amener les uns ou les autres à reconstituer l'ensemble de vos recherches ?

— Absolument pas. Si un élève des Beaux-Arts possédait la palette de Picasso, il ne peindrait pas des toiles de Picasso pour autant, n'est-ce pas ? Ceci pour vous faire comprendre...

— Oui, j'ai compris. Mon chef m'a dit qu'il existait une fouille très sévère ?...

— Ah ! oui. Ce n'est pas une règle absolue, cela concerne les chimistes seulement. Je leur confie certains produits extrêmement rares que j'ai découverts et auxquels je tiens comme à mes yeux. Étant d'un naturel méfiant, j'ai institué cette fouille minutieuse. Ils s'y sont pliés apparemment de bonne grâce, bien que ce soit injurieux au fond !

Tu parles ! Je me demande comment il s'y est pris pour

opérer sans que les gars aient envie de lui flanquer leurs éprouvettes à travers la terrine.

Je le lui demande, il s'explique.

— Mon cher, la diplomatie est l'art de savoir présenter les choses saumâtres. J'ai pris chacun à part en lui expliquant que je prenais cette précaution à cause des deux autres.

— Bravo !

Il secoue la tête.

— Voilà, c'est tout.

— Ces gens habitent où ?

— Mais ici... Il y a, au fond du parc, deux pavillons préfabriqués afin de loger tout le monde, je n'ai pris que des garçons libres à dessein, pour pouvoir les garder sous la main...

— La secrétaire ?

— Elle habite dans le pavillon même !

— Et vous aussi, naturellement ?

— Bien sûr... Je dors au-dessus de mon laboratoire.

— Qui s'occupe de votre ménage ?

Il rit pour de bon cette fois.

— Mon ménage ! J'habite une chambre de célibataire et je prends mes repas avec tout le monde au réfectoire... C'est Martine qui se charge de porter mon linge et de le ramener...

— Je vois. Maintenant, si vous voulez me montrer les lieux...

Il hésite.

— Attendez ce soir. Je vous ferai visiter l'installation en détail, ce sera plus facile. En attendant, installez-vous. Martine va s'occuper de vous.

— Avec plaisir, fais-je.

Et croyez-moi, les potes, je suis sincère !

CHAPITRE IV

Le SECRET de plaire.

Me voilà pris en charge par la môme Martine. Avec un guide commak, je suis partant pour Paris *by night* et la visite des châteaux de la Loire !

On réitère la balade dans les couloirs. Je remarque qu'elle est allée se recoiffer pendant que je discutais le bout de gras avec Thibaudin. De plus, elle a mis un col Claudine par-dessus son pull-over bleu... Elle est bien sanglée dans sa blouse blanche et on suit sa géographie comme si on y était.

— Où allons-nous ? m'enquiers-je, lorsque nous sommes à distance suffisante du bureau directorial.

— A la réserve...

— Méfiez-vous...

— Pourquoi ?

— Je serais capable de sortir de la mienne...

Elle me fait l'hommage d'un sourire pour ce bon mot[1] ; puis, sérieuse soudain, elle demande :

— Alors, vous êtes garçon de laboratoire ?

— Oui, pourquoi, ça vous surprend ?

Elle me coule un regard ardent qui liquéfierait le mont Blanc.

— Un peu... Vous ne faites pas du tout garçon de labo.

— Qu'est-ce que je fais, alors, garçon laitier ?

Elle secoue la tête. Son regard est de plus en plus goulu. J'ai idée que son séjour dans cette grande baraque perdue, où la science est souveraine, lui a crédité le pétrousquin d'un gros retard d'affection.

Nous parvenons à la réserve, une grande pièce triste au rez-de-chaussée, en deçà de l'escalier. L'endroit est encombré de caisses non ouvertes et comporte deux vastes placards. Martine en ouvre un et je découvre une pile de linge.

— On use beaucoup de blouses ici, dit-elle.

— Ah oui ?

— A la chimie, je ne sais trop ce qu'ils manipulent, mais ils en font une consommation effrénée.

Tout en parlant, elle a pris une blouse qu'elle déplie. J'ôte ma veste et enfile le vêtement de « travail ». Il est trop juste pour moi.

— Vous avez des épaules terrifiantes, admire la donzelle.

— Pas mal, merci.

— Ce que vous devez être fort...

— A votre service...

On essaie le modèle au-dessus. Il me va à peu près. Je

1. Car indéniablement c'en est un, n'est-ce pas ?

m'examine dans un méchant miroir piqué et je constate que je ressemble plus à un masseur qu'à un assistant chimiste.

La fille m'observe d'un œil attentif.

— On dirait que c'est la première fois que vous mettez une blouse, dit-elle. Vous semblez tout surpris...

Décidément, il va falloir que je me méfie de sa sagacité ; elle m'a l'air dégourdoche, la poulette. C'est fou ce que les bergères ont le renifleur aiguisé. Vous croyez leur vendre des salades et elles vous attendent patiemment au virage en ayant l'air de vous prendre pour de pauvres cloches.

Je m'abstiens de répondre à sa question.

Afin de donner le change[1], je m'admire complaisamment.

— Ça ne vous gêne pas sous les bras ? s'informe Martine.

Je lui chope la taille.

— Mais non, mon cœur, vous voyez, j'ai la complète liberté de mes mouvements.

Elle se débat.

— Laissez-moi, si on venait !

— Qui voulez-vous qui vienne ?

— L'un de ces messieurs... c'est ici que sont entreposés les instruments de rechange dont ils ont besoin...

— Y a-t-il un endroit tranquille où l'on ne craigne pas d'être surpris ?

Elle hésite. Je lui caresse la joue d'un tendre revers de main.

— A part ma chambre...

— Vous y recevriez un monsieur qui vous veut du bien ?

Elle se met à me jouer la scène deux de l'acte trois. Celle qui commence par la réplique : « Si vous me promettez d'être sage ! »

Je connais le texte par cœur. Musset s'est filé le médius dans l'orbite jusqu'à la clavicule en prétendant qu'on ne badinait pas avec l'amour. On ne fait au contraire que ça dans la vie française.

En conclusion, rendez-vous est pris pour cette nuit. Elle me dit qu'elle a une bouteille de crème de cassis en provenance directe de Dijon, ce qui constitue en soi un prétexte suffisant pour me recevoir nuitamment. J'accepte son aimable invitation en songeant qu'une bouteille de cassis n'a jamais constitué un rempart efficace pour protéger l'honneur d'une dame.

1. Pour le cours du change, prière de vous reporter à votre baveux habituel.

Ensuite elle me conduit à ma propre chambre. C'est une pièce minuscule sous les combles. Vraiment, c'est un comble[1] de loger un crack des Services secrets dans un endroit pareil. La môme Martine s'excuse, mais c'est la seule pièce habitable qui soit vacante. Elle ne comporte qu'un méchant lit de fer et un portemanteau. Un palace, vous m'en mettrez deux caisses. J'en ai sec, moi qui suis, vous le savez, claustrophobe sur les bords. C'est le Ritz amer, quoi !

Enfin, j'ouvrirai la tabatière...

Je regarde tour à tour mon lit et Martine, faisant une association d'idées qui lui est très perceptible. Mais visiblement elle craint d'être surprise en flagrant du lit et elle me laisse sur un sourire qui flotte longtemps après son départ dans la pièce exiguë.

Quelques minutes plus tard, c'est la fin du turbin. Dans le grand hall où moisit toujours un vieux mironton de la sourde, le professeur Thibaudin me présente à ses collaborateurs.

Les docteurs Minivier et Duraître sont des garçons d'une quarantaine d'années qui, par un curieux phénomène de mimétisme, se ressemblent étrangement. Cela doit venir de leurs cheveux taillés en brosse et de leur pâleur. Ils manquent d'exercice, c'est certain. Minivier est grand, avec un front bombé et un regard sombre... Duraître a un début de ventre et d'épais sourcils...

Quant aux assistants, ils sont au contraire fortement dissemblables. Berthier est presque obèse. On dirait le bonhomme Michelin, en plus dodu. Il est très jeune, très sale et sa lèvre inférieure pend comme un pétale de lis. Berger est petit, noiraud, agité, inquiet et pourvu de tics amusants pour son entourage. Son plus marrant consiste à fermer l'œil gauche en même temps qu'il ouvre grande la bouche et secoue la tête.

Ce cher garçon passerait dans un music-hall, il ferait fortune. Quant au dernier, Planchoni, c'est un cas. Il est long avec une tête aux oreilles décollées qui lui donnent l'air d'un porteman-

1. Excusez-moi, il m'a échappé.

teau. Oui, il ressemble à une patère... A une patère austère[1]. Sa blouse flotte sur son squelette comme un drapeau mouillé sur sa hampe.

En bref, les cinq personnages que voilà ne sont pas des don Juans. Leurs yeux ont tous le même reflet fatigué et fiévreux. Ces gars-là bossent trop. On devrait leur acheter un ballon et leur payer une fois la semaine une virouse chez la baronne, rue de la Pompe, la grosse qui tient le plus chouette clandé de Pantruche. Là-bas, y a un bétail de choix : des demoiselles de la *gentry* pour la plupart qui ne sont pas visibles entre cinq et sept parce qu'elles prennent le thé faubourg Saint-Germain. Même la négresse est fille de roi. Elle est très demandée à cause de ses attributs...

Je serre les louches de ces cinq messieurs. Tous m'octroient un coup d'œil évasif et, sans plus m'attacher d'importance, gagnent le réfectoire, ce qui est moins intéressant que de gagner à la Loterie nationale. Je les suis, encadré par Thibaudin et Martine.

Au fond du parc, s'élèvent les constructions dont m'a parlé le prof.

Ce sont deux grands bungalows préfabriqués, assez gentils d'ailleurs. Ils constituent cinq chambres et une salle de séjour avec télé, radio, tourne-disque, cave à liqueurs et sofa accueillant.

Une vague ordonnance, très cavalier Lafleur, fait la tortore et la sert sans trop se soucier des convenances. Le Cul-de-Singe en question n'a jamais appris l'existence du savon, malgré la publicité forcenée que font certaines marques. Il est cracra comme une poubelle et son accoutrement ferait merveille sur la piste de Medrano.

L'homme porte un pull à col roulé, avec, par-dessus, un gilet de laine. Ses manches sont retroussées et il a des gants en caoutchouc pour protéger ses menottes du contact de l'eau.

Il fume un vieux mégot en servant et n'hésite pas à tremper son pouce dans les plats pour véhiculer ceux-ci... Je me demande où le professeur a chopé cet épouvantail... Sans doute est-ce son ancienne ordonnance ?

Au menu, il y a bisque de homard aux croûtons... (conserves Liebig, j'accepte les envois en nature, merci) et du poulet froid

1. Mince, voilà que je parle latin.

conservé trop longtemps au frigo. Ses chairs sont molles. Mais la mayonnaise est la plus noble conquête de l'homme après le cheval, même lorsqu'elle est en tube.

On s'expédie les Bresse, plus une salade trop salée... Ajoutez un calandos en plâtre véritable, une banane triste, le tout arrosé de gros rouge, et vous aurez un bath gueuleton de cantine d'usine.

L'estom navré, je quitte la table. Ces messieurs se mettent à fumer dans les fauteuils. Duraître se met au piano (j'ai omis de vous dire qu'il y en a un, à queue, comme les langoustes) et commence à jouer du Chopin comme s'il tenait absolument à faire pleuvoir. Martine, pendant ce récital, me décoche des œillades prometteuses. Elle subit l'envoûtement de la musique ; elle vit l'instant, comme toutes les femmes. Ce sont elles qui ont assuré la fortune des Diarée Maréno, des Louise-Marianne Ho et autres vaselinés de la glotte. Un peu de musique au coin du feu, la fumée d'une cigarette et vous pouvez déballer votre boîte à outils pour brancher les canalisations. C'est gagné... Vive la carte postale en couleur !

Au bout d'une heure, au cours de laquelle ces messieurs s'emmavamaverdent avec distinction, on donne le signal du couvre-feu.

Le prof, Martine et moi-même, souhaitons un grand bonsoir circulaire et retraversons le parc pour gagner nos bases. En cours de route, on parle du temps qu'il a fait, de celui qu'il fera et de celui qu'il aurait pu faire. Le temps est le plus beau cadeau que le bon Dieu ait fait aux hommes en général, et aux Anglais en particulier. De quoi parlerait-on si nous existions dans un beau fixe perpétuel ? Hein, vous pouvez me le dire ? L'existence ne serait plus possible ! La civilisation ferait faillite. Il y aurait une recrudescence de criminalité. Tandis que grâce au temps on use le temps. C'est comme l'amour, on en parle pour se reposer de le faire.

Et tout le monde parle du temps, les grands hommes comme les petits. C'est le sujet universel. Le péché originel de la conversation. Il a ses techniciens : ceux qui trouvent les nuances, ceux qui se réfèrent à des rhumatismes, ceux qui se basent sur les baromètres (les positifs) ou le bulletin de la météo (les chimériques).

Il y a ceux qui lisent les présages dans le couchant ; ceux qui interprètent la face ahurie de la lune, ceux qui croient en leur carte postale qui change de couleur ; ceux dont les cors au pied sont infaillibles et puis les autres... Tous les autres, vous, moi, lui et le voisin d'à côté... qui en parlons pour en parler, parce qu'on ne sait pas quoi dire d'autre... Parce que, depuis des millénaires, depuis les cités lacustres, les Gaulois et Louis-Philippe, l'homme est enfermé entre les frontières de la pluie et du soleil, allant de l'une à l'autre avec un parapluie ou une ombrelle, avec un flacon d'ambre solaire ou un imperméable de chez C.C.C. !

Dans le hall, je remarque que le gardien de jour a laissé place à un gardien de nuit. L'homme diurne est rentré chez lui, et l'émanation de l'ombre a dressé un lit de camp en travers de la porte conduisant au laboratoire. Il fume une pipe en attendant que nous soyons de retour.

Le professeur répond à son salut et tend la main à sa secrétaire.

— Bonne nuit, Martine...

Il me frappe sur l'épaule.

— Venez donc avec moi, mon cher, je vais vous montrer un peu ce que vous aurez à faire demain...

Je le suis docilement après avoir indiqué à la jeune fille par un regard expressif que notre séparation sera de courte durée.

***

Au-delà du bureau de Thibaudin se trouve le vestiaire. L'une des parois en est vitrée, ainsi que m'avait prévenu le Vieux, ce qui permet de vérifier si l'un des hommes du laboratoire emporte quelque chose...

Après le vestiaire, c'est le haut lieu, le fin des fins, l'endroit barbare où s'élabore le fruit génial issu du cerveau non moins génial de mon mentor.

Le labo occupe presque la moitié de la maison. On a abattu les cloisons constituant plusieurs pièces, de façon à n'en faire plus qu'une très vaste et on a muré les fenêtres.

Pour pénétrer dans cette salle, il n'est que la porte. Celle-ci est en fer et elle ferme par une serrure spéciale dont Thibaudin est seul à avoir la clé.

Il donne la lumière. Une clarté intense, implacable, aveuglante, éclate, ne laissant subsister aucune ombre.

— Voilà, fait le professeur, c'est ici que ça se passe...

Je jette un regard pivotant sur les ustensiles bizarres qui encombrent cette pièce.

— Ma table de travail est au fond, me dit-il. Les autres disposent du reste...

— Et où se trouve le fameux coffre dans lequel vous logez vos formules ?

— Venez...

Je l'escorte au fond du laboratoire. Il y a au mur une sorte de bassin surmonté d'un réservoir. Sur le bassin, on lit, écrit en caractères imprimés : « EAU DISTILLÉE ». Thibaudin tourne l'un des écrous fixant le réservoir contre le mur. Ensuite il tire le réservoir à lui, et j'ai la surprise de voir le récipient pivoter comme une lourde, dévoilant ainsi une porte d'acier scellée dans l'épaisseur du mur. Il s'agit d'un coffre. La serrure de celui-ci est à système. Le professeur règle les boutons molletés et la porte s'ouvre, dévoilant une cavité à peine plus grande qu'une boîte à sucre...

— Vous voyez...

J'aperçois quelques paperasses posées dans la niche.

— Je vois... dites-moi, vous êtes certain d'être seul à connaître le secret de l'ouverture ?

— Et pour cause, dit-il, je le change tous les jours et personne ne le sait...

Je me gratte le crâne. Cette fois, je suis au cœur d'un sacré mystère. En fait de casse-tête chinetoque, on ne peut dégauchir mieux !

— Comment faites-vous pour vous rappeler la dernière combinaison, si vous en utilisez tellement ?

— J'ai une excellente mémoire...

— En effet. Mais...

— Oui ?

— Vous n'avez pas un truc, enfin une sorte de pense-bête ?

Il hoche la tête.

— Si on veut. Les jours pairs je me sers de chiffres, et les jours impairs de lettres...

— Ah ! voilà qui restreint quelque peu vos possibilités de confusion.

— N'est-ce pas ?...

— Il y a, je vois, un seul bouton, et vous avez pour ouvrir procédé à quatre changements de position...

— Exact...

— Vous ne l'avez jamais ouvert devant vos collaborateurs ?

— Jamais...

— Vous en êtes certain ?

Son regard est soudain mécontent.

— Puisque je vous l'affirme, commissaire !

Je passe la main dans le coffre pour palper le fond de la paroi.

Il sourit.

— Vous croyez qu'on a pratiqué un trou de l'extérieur ?

— Je vérifie...

Le coffre est en acier de quinze millimètres d'épaisseur, coulé d'un bloc... Pour le percer depuis l'extérieur, ce serait un fameux travail, sans compter qu'on devrait pratiquer un trou dans le mur du pavillon...

Un moment de silence s'établit. Je suis dérouté, incommodé aussi. C'est rageant de se retrouver devant un tel problème. En résumé : nous avons la preuve que quelqu'un a ouvert ce coffre, et nous ne comprenons pas comment ce quelqu'un a pu s'y prendre ! Parce que ça paraît impossible.

Préparez ma tartine au phosphore, j'arrive tout de suite !

— Écoutez, professeur, nous avons les pieds sur la terre, vous et moi. Il n'existe pas de tour de magie permettant de lire une formule à travers une plaque blindée... Il faut réfléchir avec minutie. Cette formule, lorsque vous l'avez rédigée, vous n'avez pas fait de brouillon ?

Il secoue négativement sa tête grise.

— Non, commissaire. j'ai procédé par tâtonnements. Lorsque mon expérience s'est révélée positive, j'ai écrit sur une feuille de bloc la liste des composants. Je travaillais seul, de nuit. J'ai mis la feuille dans le coffre et j'ai poussé la précaution — car je suis un obsédé du vol, m'étant fait déjà dérober des plans avant la guerre — jusqu'à détruire le bloc sur lequel j'avais écrit.

— Jamais personne n'a travaillé ici de nuit ?

— Jamais... Pour entrer, il faut tirer le lit du gardien, vous l'avez vu... Et il n'y a pas de fenêtres, seulement des conduits d'aération... Voilà pourquoi je suis anéanti. C'est INCROYABLE, commissaire !

— En effet.

Il me regarde. Ses yeux intelligents fouillent le tréfonds de ma pensée.

— Vous, vous avez la possibilité de croire que je mens, ou que ma mémoire a été prise en défaut, ou que j'ai commis une imprudence... Mais moi, je suis certain du contraire, comprenez-vous ?

» Je vous le redis, j'ai une mémoire exceptionnelle. Je pourrais vous réciter par cœur tous les bouquins de chimie et de physique que j'ai potassés jusqu'à ce jour. De plus, je suis d'une prudence maladive... Vous m'entendez, monsieur San-Antonio ? Ma-la-di-ve.

C'est la première fois que je le vois surexcité. Ça ne lui va pas. C'est l'homme du calme souverain... On dirait un vieux gamin en train de faire un caprice.

— Avez-vous parlé à vos collaborateurs de cette formule ?

— Non ! Je vous le répète, ils travaillent exactement comme des ouvriers sur une chaîne de montage. Chacun a ses fonctions... Même s'ils parlent entre eux de leurs travaux, ça ne peut fournir une cohésion suffisante. *Je suis* ma découverte, comprenez-vous ? Et c'est parce que je croyais en être le détenteur absolu que cette fuite m'a anéanti...

Il s'assied sur un tabouret et me regarde tristement. Soudain, je comprends que c'est un vieil homme fatigué par les travaux. Il ne méritait pas ce coup du sort.

— Refermez le coffre, monsieur le professeur...

Il le referme et se met à titiller le bouton molleté.

— Quel mot de passe venez-vous de choisir ? je demande à brûle-pourpoint.

Il me regarde sans répondre, les lèvres pincées. En effet, il est méfiant, le bougre.

— Vous changerez votre combinaison après, lui dis-je. Je veux me rendre compte de quelque chose. Soyez sans crainte, c'est dans votre intérêt...

Il se détend.

— Le mot que je viens de constituer est Nana.

— C'est charmant.

Il est en train de se demander si je me fous de sa fiole, mais je ne lui laisse pas le temps de cultiver ses complexes.

— Et celui d'hier ?

— C'était un nombre : 1683 !

— Mort de Colbert, fais-je aussitôt.

Il éclate de rire.

— Je n'avais pas songé à cela, mais dites donc, on est fort en histoire dans vos services...

— Simple réminiscence scolaire. Et puis j'ai toujours eu de la sympathie pour Colbert, à cause, je pense, de la dame qui s'était mise à genoux devant lui. Ça frappe l'imagination des enfants. Ensuite ils grandissent et ils mesurent mieux la valeur du geste...

Je l'amuse. Ça crée une heureuse détente...

— Poursuivons la remontée dans le temps, professeur. La combinaison d'avant-hier, s'il vous plaît ?

— Hugo.

— Et celle qui la précédait ?

— 0001.

— Comme Balzac ?

Il ne pige pas, n'allant jamais au cinoche.

Je me suis livré à ce petit test pour deux raisons, les gars : primo, j'ai voulu m'assurer de la mémoire prétendue infaillible du bonhomme, deuxio, je voulais voir quelle sorte de combinaisons il fait. Je m'aperçois qu'il compose des nombres au hasard, mais des mots cohérents. C'est humain, il a dû épuiser au début les dates connues de l'Histoire, seulement il continue à chercher des mots de quatre lettres... Il faudra que je voie ça de plus près.

— Eh bien ! ce sera tout pour l'instant, monsieur Thibaudin, allons nous coucher...

Il hoche la tête.

— Vous avez une idée quelconque sur notre énigme ?

— Pas la moindre. C'est le genre de devinette qu'on trouve avec un certain recul.

Nous quittons le laboratoire. Il ferme la porte à clé et dit au gardien de reprendre sa faction.

Arrivé à son étage, il me tend la main.

— Mon sort est entre vos mains, mon cher ami.

— Ayez confiance, professeur. Il n'existe pas de mystères... Mais des illusions passagères...

Je monte jusqu'à ma carrée, je me donne un coup de peigne et, mes targettes à la pogne, je pars en exploration vers la piaule de la gentille Martine.

Je fais toc toc à sa porte. Elle demande « qui est làga ? » tout comme la grande vioque du Petit Chaperon rouquinos, et courageusement j'avoue être le grand méchant loup.

Elle délourde sans plus attendre, au péril de sa vie, et je me glisse dans sa carrée.

La petite déesse a noué un bath ruban bleu, façon *Queen Mary*, dans ses tifs, et elle a changé sa tenue de travail contre un pyjama de conception flibustière, qui lui dénude les mollets et dont la veste est une casaque (si j'ose dire) assez ample pour permettre à la main de l'homme de s'y aventurer.

Un délicat abat-jour en soie répand une lumière orangée très tango-dans-vos-bras. J'avise la bouteille de cassis et deux petits verres sur la table.

— Vous avez une chambre ravissante, apprécié-je. Je parie que c'est la seule pièce habitable dans ce pavillon.

— Certainement. Je l'ai arrangée comme j'ai pu, avec les moyens du bord...

— Le vieux vous défend de loger en ville ?

— C'est un inquiet, il veut tout son monde à portée de voix !

Elle me montre un téléphone intérieur installé à la tête de son lit.

— Si je vous disais qu'il lui arrive de m'appeler en pleine nuit pour copier des notes ?

Je dresse l'oreille, façon Pluto.

— Des notes concernant son travail ?

— Enfin, celui de ses aides...

Tout en parlant, elle a empli deux minuscules verres à liqueur de sa fameuse crème de cassis. A dire vrai, je préférerais un coup de gnole, mais comme se plaît à dire Félicie, ma brave femme de mère : « A cheval donné on ne regarde pas la dent ».

Martine me désigne une chaise tapissée de velours grenat. On dirait un prie-Dieu et on a plus envie de s'y agenouiller que de s'y asseoir.

Je saisis le livre qu'elle avait posé dessus et je lui donne mon postère en guise de remplaçant.

Je bigle le titre du bouquin : « le Mystère Jeanne d'Arc. » Lecture élevée, est-ce que je serais tombé sur une intellectuelle ? C'est la fin des haricots ! Dès qu'une bonne femme a lu l'*Émile*, elle se prend pour une littéraire et elle vous fait tartir avec Rousseau ou Pascal[1], et toute la clique des grands bocaux qui ont perturbé l'intellect des gens au lieu de leur écrire des

1. Lequel, entre nous soit dit, aurait pu garder ses pensées pour lui.

œuvres divertissantes telles que « J'ai fait mon chemin ou les Mémoires d'un suppositoire » ou « les Quenouilles en bâton ».

— Tiens ! fais-je, montrant sa vie de Jeanne d'Arc, vous vous intéressez aux grandes pages de l'Histoire ?

— Oh non ! c'est un bouquin qui se trouvait ici, je n'ai jamais pu aller plus loin que la quinzième page !

A la bonne heure !

— Ça ne vous botte pas, la vie édifiante de notre sainte nationale ?

— Si, au cinéma, et encore lorsque ce sont les Américains qui ont fait le film.

Elle me plaît, cette souris blonde. Je suis prêt à vous parier un chien de fusil contre un chien de ma chienne, qu'on va devenir une paire de bons petits camarades, elle et moi.

— En ce qui me concerne, fais-je, tout ce que je sais d'elle, c'est qu'elle était pucelle et combustible...

— Je me demande comment elle a fait pour rester pucelle au milieu de tous ces guerriers !

— Comme vous pour le rester au milieu de tous vos savants !

Elle prend un fou rire carabiné.

— Vous avez vu les binettes qu'ils ont ?

— Oui, ils font un peu sinistre ; sur le plan copain, comment sont-ils ?

— Pff ! comme ça... Ils ne pensent qu'à leur travail.

— Sur les cinq, il n'y en a pas un qui ait cherché à vous faire un doigt de cour ?

— Non. Oh ! le gros Berthier me dévore bien du regard, mais ça ne va pas plus loin.

— Avec son bide en ballon de rugby, où voudriez-vous que ça aille... Ils ne travaillent pas la nuit, eux ?

— Rarement. Parfois le vieux décide une veillée générale, quand il est sur le point d'avancer dans ses recherches...

— Au fait, ça concerne quoi, ces fameuses recherches ?

Je l'observe à la dérobée, mine de rien. Martine ne sourcille pas. Elle fait un bruit disgracieux avec la bouche.

— Alors là, mystère et boule de gomme ! Ça peut être n'importe quoi, il est muet comme une tombe...

— Les autres le savent ?

— S'ils le savent, ils ne m'en ont pas parlé.

Inutile d'insister ; ou bien elle ignore vraiment tout de la découverte de Thibaudin, ou bien elle est assez fortiche pour la fermer.

Comme je n'ai rien de plus urgent à faire, je la cramponne par une aile et l'invite à s'asseoir sur mes genoux. Elle se laisse aller en douceur et, sans faire de magnes, me colle ses bras autour du cou. Je ne voudrais pas pousser le radio-reportage plus loin que la décence ne le permet, afin d'éviter une descente de police, toujours est-il que lorsqu'à vingt-trois heures cinquante-neuf minute soixante secondes, les douze coups de minuit dégringolent, je sais par cœur ses contours, ses réactions, la façon dont elle appelle sa mère, celle dont elle lui crie de ne pas se déranger, la souplesse de ses reins, sa pigmentation, sa carnation, sa texture, son savoir-faire, sa passivité, ses exigences, les limites de son abandon, son velouté, son duveté, ses facultés antidérapantes, son pouvoir préhensif et compréhensif et ses délicates manières lorsqu'elle effeuille une marguerite, donne des boutons de rose, cultive l'aubépine en branche, met les doigts de pied en bouquet de violettes et se livre au lancement du disque avec une couronne de fleurs d'oranger.

CHAPITRE V

Après les SECRETS d'alcôve...

Quand elle a repris ses esprits et moi mon bénard, nous échangeons quelques baisers et reprenons la conversation.

La petite séance de heurg-heurg-zim-boum[1] nous a fatigués et ravis. Franchement, je suis content de nous. Pour un peu, je me pincerais l'oreille pour me le dire. Je ne sais pas si vous êtes comme moi, vous qui n'avez peut-être qu'un point de suspension dans votre slip-kangourou mais, chaque fois que je viens de rendre mes devoirs à une personne du sexe diamétralement opposé au mien, je me sens meilleur. C'est un peu comme si j'avais justifié mon existence vis-à-vis du Créateur...

Je tends la main vers la bouteille de cassis.

1. En français dans le texte.

— Tu permets, tendresse ?

Elle me colle un mimi hydraté sur la poitrine. Ça me file une petite secousse agréable qui se répercute dans ma moelle.

— Tu es ici chez toi, fait-elle.

Du coup, je bois à même le goulot.

Ensuite, je vais me vider un verre d'eau fraîche dans le tube pour chasser le sirop...

— Dis, Martine, tu ne trouves pas que c'est sensas, nous deux ?

— Formidable, admet-elle, je n'ai jamais connu un tel bonheur, mon loup !

Le « mon loup » me fait renauder *in petto* ; j'aime pas les petits noms d'amour, ça fait mièvre. Quand une gonzesse me balance des « petit chou », des «grand fou» et autres «lapin joli », j'ai automatiquement envie de lui mettre une baffe dans la poire ; que voulez-vous, c'est physique. Je supporte pas la mièvrerie. L'amour, d'abord, ça ne se dit pas, ça se fait.

— Pff ! murmuré-je, tu ne trouves pas que la nuit est lourde ? Si on la pesait, on se rendrait compte qu'elle a pris du poids depuis tout à l'heure. J'ai bien envie d'aller faire un tour...

— Alors tu auras droit aux questions du gardien de nuit. Il ne peut pas supporter qu'on prenne l'air après le couvre-feu !

— Espère un peu, je lui dirai deux mots...

Je vais sortir lorsqu'une question me vient à l'esprit.

— A qui sont les voitures de l'entrée ?

— Mais aux collaborateurs du vieux, et il y a aussi la sienne.

— Ils ne vont jamais faire un viron la nuit, hors de la propriété ?

— Non. Ils ne s'en vont que pour le week-end, comme moi...

Ne voulant plus pousser l'interrogatoire après les merveilleux instants que nous venons de savourer, je la quitte sur un ultime mimi qui couperait la respiration à un spécialiste de la pêche sous-marine.

Le gardien de nuit n'est pas une sentinelle bidon. J'ai beau faire molo, ma présence le fait dresser sur son lit de camp.

Il me braque dans le portrait le faisceau d'une formidable torche électrique.

— Qui va là ? demande-t-il, suivant la plus pure tradition.

— Baissez votre calbombe, mon vieux, je rétorque, vous allez me causer un décollement de la rétine...

Il n'obéit pas pour autant. Il se lève et va actionner le commutateur. Son regard méfiant me jauge sans aménité.

— Où allez-vous ?

— Faire un tour dans le parc. J'ai une piaule de deux mètres carrés, faut que j'ouvre la porte pour enfiler ma veste, c'est vous dire... Moi qui ai tellement besoin d'oxygène pour subsister.

Mon baratin ne l'émeut pas. Ce gnafron-là a une figue sèche à la place du cerveau.

Il ricane à tout hasard parce qu'il a vu que ça se faisait dans les productions de Hollywood.

— Vous savez, ici, c'est un lieu de recherches. Pas un terrain de promenade.

— Voulez-vous dire que moi, l'assistant du professeur Thibaudin, je n'ai pas le droit de me balader dans le parc ?

— Ce que je veux dire, c'est qu'on m'a mis ici pour voir si tout était normal. Et je ne trouve pas normal qu'un employé se promène à des heures *induses.*

— Alors, écrivez à vos supérieurs un rapport circonstancié, mon petit, et cessez de me courir sur le grand zygomatique parce qu'alors je commence à voir rouge, n'étant pas daltonien, et je vous fais bouffer votre cravate sans boire.

Sur ce, sans plus m'occuper de lui, je tire le verrou de la porte d'entrée et je calte dans la touffeur de la nuit où flottent les parfums d'asphodèle.

Je mets le cap sur les bâtiments préfabriqués. Je voudrais me rendre compte *de visu* si tout est O.K. de ce côté. Ces cinq messieurs sont l'X majuscule de l'affaire. Pas de doute, je vous parie un coq au vin de messe que l'espion (j'appelle un chat un chat comme disait Casanova) se trouve parmi ces cinq personnages...

Tout en remontant le sentier herbu qui va du pavillon à ces annexes, je prends les mesures de la situation. Celui qui a chouravé la formule s'est servi d'un pigeon pour l'adresser à qui de droit. Pourquoi utiliser un mode de transport aussi périmé ? Hein ? Eh bien ! je vais vous le dire, bande de constipés des cellules... C'est parce qu'il était pressé, parce qu'il ne voulait pas sortir de l'enceinte de la propriété. Conclusion, il y a eu et il y a peut-être encore des pigeons voyageurs dans les environs...

Où ces bestiaux peuvent-ils être planqués ? Un pigeon ne passe pas inaperçu : il fait du ramdam avec ses roucoulanches... Donc, le colombier improvisé est éloigné des bâtiments...

Je fais le tour du parc, prêtant l'oreille pour étudier les multiples bruissements de la noye ; mais je ne perçois pas plus de roucoulades que de symphonie de Beethoven dans les couloirs du métro. En fait de volaille, je ne perçois qu'un rossignol qui s'égosille sous les frais ombrages...

J'arpente le parc une fois encore, m'arrêtant au pied de chaque arbre, mais c'est négatif... Maussade, je regagne ma chambre. En passant, le gardien, dont la rage fait peine à voir, me fustige d'un ton peu amène :

— Tout de même !

Je lui souris tendrement.

— Vous devriez vous méfier, mon vieux, je parie que vous prenez une encolure de chemise de deux numéros trop faible. Vous êtes tout rouge. Un de ces jours, vous claquerez étouffé et on mettra ça sur le compte de l'apoplexie.

Il crache un : « Faites pas trop le malin » qui donnerait des maux de tête à un éléphant. Je n'en ai cure[1].

Sur un salut plein de grâce et de désinvolture, je prends congé du bouledogue.

Ma chambrette d'amour paraît encore plus petite à la lumière électrique ; il y règne une chaleur étouffante.

Je me dépoile entièrement, j'ouvre en grand le vasistas[2] et je fume la suprême cigarette de la journée, le buste émergeant du toit.

A cette hauteur, il fait doux. Un vent léger comme une main de masseur caresse les frondaisons du parc. Le ciel est, comme dirait un écrivain sans imagination mais épris de poésie, « clouté d'étoiles », pourtant on ne voit pas la lune. Elle est

1. Expression qui vient de Vichy.
2. Mot allemand signifiant « qué zaco ».

partie sans laisser d'adresse, ou peut-être est-elle allée acheter des croissants dans son premier quartier ?

J'achève ma sèche à regret, mais je décide de ne pas m'en octroyer une autre. Allez, au dodo !

Comme je m'apprête à refermer le vasistas, mon attention est attirée par une forme blanche que je distingue à travers une trouée des arbres, sur la droite du parc. Cette forme est celle d'un homme qu'il m'est absolument impossible d'identifier, *because* l'obscurité et l'éloignement. Le quidam en question vient de franchir le mur de la propriété, sans doute se dirige-t-il maintenant vers les annexes ?

N'écoutant que ma curiosité, je me refringue en hâte et en civil, et voilà votre San-Antonio bien-aimé qui s'élance dans l'escalier pour la seconde fois.

Du coup, lorsque le matuche de nuit me voit radiner, il pense tomber mort de fureur.

— C'est pas fini, la comédie ? s'étouffe-t-il.

— Impossible de pioncer, lui fais-je, j'ai perdu ma Clé des songes. Je l'avais mise dans le tiroir de mes bretelles, mais quelqu'un l'avait laissé ouvert et en me penchant pour relacer mes pompes, vous comprenez ?

Il me saute sur le colback et me queute par le revers.

— En voilà assez, remontez vous coucher et tâchez de...

C'est un intransigeant.

Pensant qu'on peut lui faire confiance, je lui dévoile mon identité. Je préfère lui montrer ma carte pour le calmer plutôt que de le laisser ameuter la cahute !

Il se flanque alors au garde-à-vous.

— Si j'avais pu penser, monsieur le commissaire !

Je mets mon index à la verticale devant mes labiales.

— Chut ! Interdiction de parler de ma véritable identité à qui que ce soit, compris ? Pas même à vos collègues, sinon c'est la révocation pure et simple, compris ?

— Vous avez ma parole, monsieur le...

Je retrouve le parc, avec son ombre dense et capiteuse, son silence de cathédrale et sa forte odeur d'humus. Je bombe à l'allure d'une fusée téléguidée jusqu'aux bâtiments des assistants et je sonde leurs façades en espérant y trouver de la lumière. Mais tout est obscur, tout est silencieux, tout dort...

Alors je me dirige vers l'endroit où j'ai vu l'homme franchir le mur. A cet endroit, la muraille est à demi éboulée, ce qui constitue une brèche facile à enjamber. Je passe de l'autre côté et je me trouve dans un autre parc, beaucoup plus touffu que le nôtre. Visiblement c'est celui d'une propriété en friche.

A partir de la brèche, il y a, non pas un sentier, mais une sente produite par le passage répété de quelqu'un à travers les fourrés... Je suis ce chemin sinueux et j'arrive devant une espèce de grand hangar couvert de chaume. La construction est à demi effondrée. Le toit pend d'un côté comme l'aile cassée d'un canard. A travers une éclaircie des arbres, je vois une immense demeure, style Grand Trianon, qui semble aussi déserte que la mémoire d'un ministre.

Cette vaste propriété désertée a quelque chose d'angoissant, de tragique même. Il y a beaucoup de châteaux qui meurent en France... Lorsqu'ils sont près des agglomérations, on construit des H.L.M. autour, histoire de leur montrer qu'il est des époques révolues et que le peuple s'est emparé des Tuileries une fois pour toutes ! Mais quand leur situation géographique les rend inintéressants, ils clabotent, comme celui-ci. Et, comme l'a dit Henri Béraud, la pierre reste longtemps au pied du mur qui l'a portée !

Je commence à me diriger vers le château lorsque mon attention est sollicitée par un bruit menu que j'ai de la peine à identifier sur le moment. Je me rends compte que c'est celui que font des oiseaux dans une volière ; il ne s'agit pas de chant, simplement des frottements de pattes et des petits claquements d'ailes !

J'en ai un transport d'allégresse[1]. Ou je suis un sous-multiple de zéro, ou je viens de mettre le nez sur le colombier que je cherchais tout à l'heure.

Cette fois, je pige. Pas gland, le zouave aux pigeons. Il a placé la cage en-deçà des limites du parc.

Je prends ma lampe électrique et je m'approche du hangar en ruine. Je me guide au bruit. Je finis par découvrir, entre un éboulis du toit et le mur du fond, une grande caisse grillagée dans laquelle habitent deux pigeons. Ma lampe électrac m'apprend qu'on vient de leur apporter du grain et d'emplir d'eau leur abreuvoir de zinc. Le patron de ces animaux les

1. Ce qui est préférable à un transport au cerveau, mais moins rentable qu'un transport en commun.

alimente de nuit. Et c'est également de nuit qu'il les lâche, sans nul doute...

Éveillés par la lumière de ma lampe les pigeons se mettent à roucouler comme des perdus.

— Faites dodo, mes amours, leur dis-je. Ne vous tracassez pas, je suis votre ami.

Sur ces paroles intraduisibles en pigeon, je me casse, heureux de ma découverte et mijotant un tour de ma façon.

Maintenant, il est deux heures du matin. Pour réussir mon petit coup, je ne dois pas perdre de temps.

Je quitte la propriété et vais récupérer ma tire près de l'entrée. Je la sors à la main et, lorsque je me trouve à bonne distance, je démarre.

Direction : Évreux...

Il me faut vingt minutes pour y arriver. Je cherche le poste de police de la ville, parce qu'à ces heures c'est l'un des rares endroits d'où je puisse téléphoner. L'ayant trouvé, je me présente au brigadier de garde et je lui demande de m'appeler Paris.

En quelques minutes j'obtiens la permanence des Services. Chose curieuse, le Vieux n'est pas là. Pourtant il ne s'absente jamais et j'avais toujours pensé qu'il ne sortirait de son burlingue que pour se faire conduire au Père-Lachaise.

Je demande au standardiste de le sonner chez lui *illico* et de lui dire d'appeler le commissariat d'Évreux dans les plus brefs délais.

Je raccroche et j'offre aux bignolons de garde une tournée de cigarettes en leur demandant s'ils n'ont pas un petit coup de rhum en réserve. Le cassis de la môme Martine m'a poissé le tube et j'ai grand besoin d'un décapant.

On me file une boutanche de rhum dont j'use abondamment. Ces messieurs sont aux petits soins pour ma pomme. On parle boulot. Je leur dis que je suis sur une piste de trafiquants d'armes pour abreuver leur curiosité... Et le bigophone fait entendre son hymne grelottant.

— C'est pour vous, annonce le brigadoche.

En effet, j'ai le Vieux au tube.

— Ah ! c'est vous, San-Antonio...

— Oui. Patron, il me faut avant la fin de la nuit deux pigeons voyageurs...

Bien qu'il soit prêt à tout, il est un peu éberlué.

— Deux pigeons ?

— Oui. Mais envoyez-m'en une douzaine variée afin que je choisisse dans le tas, il s'agit de remplacer deux autres pigeons, vous saisissez ?

Il pige très bien.

— Oh ! oui, merveilleuse idée, San-Antonio. Vous avez trouvé le nid ?

— Oui. Naturellement, les bestioles que vous me remettrez devront rejoindre une base à nous, une fois lâchées...

— Ça va de soi[1] !

— D'ici à combien de temps pensez-vous que je puisse avoir ces zoziaux ?

Il réfléchit.

— Dans trois heures, ça va ?

— Au poil. Vous direz à celui qui les apportera de m'attendre à l'embranchement de la route menant au pavillon. Ou plutôt, c'est moi qui l'attendrai, vu ?

— Vu.

— Autre chose, patron, avez-vous fait faire une enquête sur le personnel du monsieur que vous savez ?

— Naturellement !

— Rien d'intéressant de ce côté ?

— Négatif sur toute la ligne, ces gens semblent mener une vie très normale.

— Bon, merci... A bientôt, patron, excusez-moi de vous déranger au milieu de la nuit, mais ça urgeait.

— On ne me dérange jamais lorsqu'il s'agit du travail, San-Antonio !

Et rrran-rrran-rrran ! Fermez le ban !

Il a trouvé le moyen de se gargariser un brin au passage.

— Bonne fin de nuit, chef.

Je raccroche.

Les bourdilles du guet sont médusés. Mon histoire de pigeons les laisse sur le prose. Le brigadier, un gros sanguin, me regarde en rigolant.

— Des pigeons, fait-il.

1. Comme on dit à Lyon.

— Oui, dis-je, des pigeons...
— Des vrais ?
— D'authentiques...
— Pour quoi faire ?
— J'ai une boîte de petits pois dans mes bagages, je voudrais l'utiliser...

Il n'est pas content de ma plaisanterie ; pourtant, impressionné par mon titre, il n'ose montrer sa mauvaise humeur.

Je leur serre la cuillère à tous et je m'esbigne.

CHAPITRE VI

... la botte SECRÈTE.

La province, la nuit... Quoi de plus mélancolique, de plus envoûtant aussi ?

Assis à mon volant, je regarde ces vieilles maisons silencieuses, ces édifices d'un autre âge, ces petites rues furtives aux pavés inégaux et je pense qu'il doit faire bon être épicier dans ce coin... Épicier ou n'importe quoi... Mais mener une vie tranquille dans les habitudes routinières... Dire bonjour aux voisins, suivre les défilés de la clique... Assister au banquet pour l'anniversaire du maire. Discuter de la construction des nouveaux lavoirs et se mettre sur son trente et un pour aller au cinéma...

Je me demande si, au fond, ce n'est pas ça, la vraie richesse, la vraie vie... Notre durée limitée exige ce train-train végétatif... Avons-nous le droit d'user notre sursis à de folles équipées au lieu de le savourer délicatement ?

Je traverse la ville et prends le chemin du retour. Parvenu à la bifurcation, je remise mon baquet sur le bord du fossé, je mets mon feu de position et je fais basculer le dossier de mon siège afin de pouvoir en écraser. Le sommeil commence à me gagner pour de bon et j'ai idée qu'une ronflette ne me fera pas de mal.

Il ne me faut pas longtemps pour sombrer dans les vapes. Je me mets à rêver que je suis à cheval sur un gros pigeon et que je cherche à saisir Martine par sa jupe, tandis que le professeur

Thibaudin me poursuit avec une seringue. Vous le voyez, c'est du cauchemar d'actualité.

Je ne sais combien de temps je pionce. Soudain, quelqu'un frappe à ma vitre... Je me soulève et j'aperçois Magnin, un type de nos services. Il rigole derrière ma vitre embuée.

J'ouvre la portière. La nuit a fraîchi. Une bouffée froide me saute dessus. Je me sens frileux et une vague nausée me tortille l'estom. C'est ce sacré cassis.

Magnin me salue d'un joyeux :

— Alors, patron, bien roupillé ?

Je fais quelques pas sur la route.

— J'ai mal aux cheveux, fils... Tu n'aurais pas un flacon de raide dans ta voiture ?

— Non, je n'ai que des pigeons et ils font un boucan du diable !

Ça me ramène au sens de la réalité.

— Bon, amène-toi.

Nous récupérons nos véhicules respectifs et, l'un derrière l'autre, nous prenons le chemin du pavillon. Mais avant d'arriver en vue du laboratoire, j'oblique sur la droite et je stoppe devant l'immense grille rouillée du château abandonné.

Magnin sort une malle d'osier emplie de battements d'ailes.

Je l'aide à la coltiner jusqu'au hangar. Parvenus là, nous cherchons dans son cheptel deux pigeons ressemblant aux deux qui sont en pension ici. Lorsque nous avons fait notre sélection, nous remplaçons les uns par les autres et le tour est joué.

Je lie un morceau de fil aux pattes des deux pensionnaires précédents.

— Tu diras au Vieux qu'on les soigne bien, ces deux-là, recommandé-je à Magnin.

— Soyez sans crainte, patron...

Nous retournons à nos voitures et chacun prend une direction opposée à l'autre.

Je me zone avec la satisfaction du devoir accompli. En agissant comme je viens de le faire, j'ai paré à tout nouveau risque de fuite. En effet, vous n'ignorez pas qu'un pigeon voyageur a une base. D'où que vous le larguiez, il la regagne...

Si l'espion du laboratoire confie un nouveau message à l'un des deux pigeons du hangar, celui-ci le portera *illico* à nos services. C'était simple mais il fallait y penser.

Cette fois c'est le vrai dodo... J'en écrase jusqu'à huit plombes le lendemain.

⁂

La première personne que j'aperçois en sortant de ma carrée, c'est — vous l'avez parié ! — ma petite pétroleuse. Elle s'est réussi une coiffure *wonderful* et arbore, sous sa blouse non boutonnée, une robe de velours beige dont le décolleté rendrait dingue l'archevêque de Canterbury. Nature, elle venait à la relance, cette petite goulue !

Je lui dis : « Entrez donc ; vous êtes chez vous » et je lui prouve en deux temps et un peu plus de trois mouvements que tout corps plongé dans un liquide reçoit une poussée de bas en haut égale au poids du liquide déplacé...

C'est du rapide, quelque chose dans le genre du coup de clairon matinal.

Mais ça donne une orientation à la vie.

The main *in the* main, nous descendons pour le petit déjeuner... Ce qui est poilant, c'est de traverser tout le parc pour aller avaler une tasse de caoua !

Tout le monde est là lorsque nous arrivons. Thibaudin donne des instructions aux deux toubibs. Les trois assistants nous regardent entrer avec un petit air ironique. Sans doute trouvent-ils que la secrétaire du vieux et moi faisons bon ménage...

Je salue mon monde avec la courtoisie qui fait mon charme, et je m'attable.

Ça fait un drôle d'effet de cohabiter avec un espion. Nous sommes huit dans cette grande pièce... Sur les huit, l'un est le traître, l'autre le flic et un troisième, en l'occurrence Thibaudin, constitue le destin. C'est lui qui a créé le problème... Oui, étrange situation à la vérité.

Par-dessus mon bol de café, je regarde tout le monde... Lequel des six est l'homme que j'ai vu de ma lucarne ? Ce n'est pas Martine à coup sûr, il lui était impossible de sortir du pavillon sans attirer l'attention du sévère veilleur. Alors qui ? Je tâche de me rappeler la silhouette confuse... Si au moins il avait fait clair de lune... Je ne crois pas non plus qu'il s'agisse de Berthier, il est trop gros pour franchir un mur... Et puis je crois que je l'aurais reconnu...

Bon, c'est l'un des quatre autres... Il leur est aisé de sortir la nuit sans donner l'éveil... Leurs chambres sont toutes au rez-de-chaussée puisque les constructions n'ont pas d'étage...

Ils n'ont qu'à sauter leurs fenêtres...

Il faut attendre...

La journée s'écoule sans le moindre incident. Chacun boulonne dans sa petite sphère et je donne le change en trimbalant des paperasses d'un air grave et compassé, sans oublier de faire du pince-mi et pince-moi à Martine chaque fois que je la croise dans un couloir...

J'attends la prochaine nuit avec impatience, car je suppose qu'alors l'homme aux pigeons ira soigner ses bestioles. Je me propose de faire le vingt-deux dans les parages car je donnerais le foie de mon propriétaire pour pouvoir identifier l'individu en question..

Les heures me paraissent interminables. Il y a le repas de midi... Calme plat. Cette équipe de savants me rend mélancolique... Ces gens-là sont soucieux comme des pingouins. C'est pas marrant de coexister avec eux. Ma parole, s'ils se mariaient, leurs nanas ne l'auraient pas belle. Ce serait ou la grosse crise de neurasthénie, ou les galipettes avec un rigolo du quartier.

Enfin le soir radine à pas de loup. Une ombre complice[1] s'étale en tapis noir sous les frondaisons.

Après le souper, la Martine jolie me file son œillade 17 *bis*, modifiée par l'arrêté du 3 avril dernier. Je lui réponds par un regard en cinémascope couleur... Très emmouscaillé, le petit San-Antonio radieux. C'est toujours idiot de décevoir une dame. La jolie poupée que voilà s'apprête à se faire reluire par mes bons soins, et moi, grosse truffe, je vais être obligé de lui dire « pas ce soir », comme une femme adultère à son époux.

Comme la veille, Thibaudin, sa secrétaire et moi rejoignons notre base après avoir tortoré un « velouté aux champignons » (conserves Liebig, je vous le répète, à ne pas confondre avec

1. Les romans policiers ont ceci de commun avec les romans d'amour, c'est que l'ombre y est toujours complice.

Cocorico, le potage qui a vraiment le goût de la merluche) et un bœuf gros sel.

Cette fois, il y a clair de lune, comme dans *Werther*, et tous les espoirs me sont permis.

Séparation dans le hall. Le vieux s'enferme dans sa carrée. Nous continuons notre ascension, la *pin-up* et bibi... Elle commence déjà à écrire ses Mémoires avec sa chute de reins en grimpant l'escadrin. Je glisse une paluche ascendante sous ses jupes et la voilà qui se met à rigoler sous prétexte que ça la chatouille.

Parvenue devant sa niche, elle délourde, entre, donne la lumière et m'attend.

Au lieu de franchir le seuil, je la biche par une aile et lui décerne le premier prix de patinage linguistique, avec mention spéciale du jury. Elle croit que le jour de gloire est arrivé, mais je la détrompe gentiment.

— A demain, mon ange, j'espère que tu viendras me réveiller, comme aujourd'hui ?

Elle n'ose pas présenter ses revendications avant d'en avoir parlé à son syndicat et referme sa lourde avec humeur.

Je m'éloigne, pose mes nougats, et redescends en souplesse en utilisant la rampe comme moyen de locomotion.

Le gardien de nuit est médusé. Il trouve ces façons peu compatibles avec mes fonctions et me le fait savoir par un regard sévère.

Je me rechausse.

— Si par hasard quelqu'un me cherchait, dis-je, n'oubliez pas de me prévenir en rentrant.

Il a un signe d'approbation.

— Entendu.

Je cours à la brèche, je la franchis et je me tapis dans un fourré tout contre le mur en priant ardemment le ciel pour que je ne soit pas assis sur une fourmilière.

Maintenant, il ne me reste plus qu'à attendre le passage du mec qui ira soigner ses pigeons. Décidément, toute l'affaire tourne autour de ces volatiles.

Si au moins je pouvais fumer ! Mais va te faire voir, c'est le cas de le dire. Rien n'attire autant l'attention, la nuit, que le rougeoiement d'une cigarette.

Je prends mon mal en patience, je m'exhorte au calme, je

ronge mon frein, je trompe le temps, je poireaute, je fais le pied de grue (assis), je croupis...

Et les heures de couler lentement, comme un flot de goudron... Pour comble de bonheur, v'là que des nuages malades se mettent à obscurcir les nues. La lune se dilue dans la grisaille, tel un comprimé d'aspirine.

J'attends toujours. La pluie commence à tomber, j'attends encore ! Qu'est-ce qu'il fout, le colombophile ! Il ne leur porte pas de la croûstance à ses zoziaux, cette nuit ? Après tout, peut-être qu'il ne les nourrit que tous les deux jours... A moins qu'un événement indépendant de sa volonté ne l'empêche de sortir de sa chambre...

Je patiente encore une paire d'heures. Lorsque la demie de trois plombes retentit au beffroi de ma montre, je décide de laisser tomber. Mes fringues sont trempées et je claque des ratiches comme un couple de squelettes qui danseraient la *Danse macabre* sur une banquise. Si je moisis encore une heure, je suis bonnard pour la congestion ou la pneumonie !

Je me lève et exécute quelques mouvements désordonnés, manière de rétablir la circulation. Je m'apprête à retourner dans ma soupente, mais je me dis qu'après tout, je pourrais aller jeter un coup d'œil aux pigeons.

Je fonce donc en direction du hangar effondré.

Ça roucoule à mon approche !

Je vais à la caisse grillagée et je plonge à l'intérieur le pinceau lumineux de ma Wonder : j'ai un sursaut, les mecs. *Il ne reste plus qu'un pigeon dans la cage !*

Pour une surprise, c'en est une ! Mon gars est venu dans la journée... Il a câblé un message... Et moi, j'étais icigo. Ce salaud-là a agi exactement comme si San-Antonio n'existait pas.

J'ai beau savoir que son message arrivera à nos services, je suis en renaud de m'être laissé feinter !

Dites, heureusement que j'ai pris mes précautions !

La flotte se met à lansquiner pour de bon. Je rentre tout crotté au pavillon.

CHAPITRE VII

Les ressorts SECRETS.

Parvenu dans ma piaule, je me déloque afin de me sécher, puis je passe un beau pyjama et je repars en expédition.

J'arrive devant la chambre de Martine. Je me mets à gratter le panneau de la porte pour l'éveiller. Au bout d'un instant de ce manège, un rai de lumière filtre sous sa lourde. Elle a reconnu ma façon de frapper, car elle ouvre sans demander à qui elle a affaire.

— A cette heure ! demande-t-elle.

Je l'enlace.

— Figure-toi, douceur extrême, que je rêvais de toi... J'ai voulu joindre la réalité au songe... Trop souvent, quand on sort d'un rêve, on est effroyablement déçu ; pour une fois que la réalité peut surenchérir...

Un tel langage attendrirait le cœur d'une statue de bronze. Il va droit à celui de Martine, et cette étape franchie, gagne d'autres endroits aussi sensibles de son académie.

Cette académie-là, croyez-moi, c'est du billard. Une *académie* qui donne la *faculté* de passer un bon moment[1].

Une gigantesque partie de *papa, maman, l'abonné et moi* s'organise, avec buffet froid, défilé en musique et chants choraux par les enfants des écoles.

Je lui joue « l'Enlèvement de Proserpine », « la Chevauchée fantastique », « la Fée Carambole », « Recto-Verso » et « Sans bourse délier » une œuvrette de mon cru.

Elle en devient dingue, elle crie « bis », et je remets le couvert jusqu'à plus soif.

Ensuite, je profite de son état vaguement comateux pour lui poser des questions. Vous le savez, avec moi le turbin ne perd jamais ses droits.

— Dis donc, chérie, après le repas de midi, nous avons pris le café chez les assistants, n'est-ce pas ?

— Mais oui, mon grand fou !

Grand fou ! Qu'elle ne recommence pas, sinon elle a droit à une dégustation de phalanges.

1. Quelle virtuosité !

— Te souviens-tu si l'un de nous s'est absenté pendant ce temps ?

Elle hausse un sourcil.

— En voilà une question, pourquoi me demandes-tu ça ?

Pour couper court et me donner le temps de trouver une explication, je fais :

— Je te dirai après...

Elle réfléchit.

— Ben, le vieux est parti avant tout le monde, je crois, non ?

Ça m'agace...

— Oui, je me rappelle, mais en dehors de lui ?

— Planchoni est allé chercher des cigares dans sa chambre...

— Il ne s'est pas arrêté... Qui d'autre encore est sorti ?

Elle fouille sa mémoire sans résultat.

— Personne d'autre, il me semble.

Je passe mes souvenirs en revue, de mon côté, et je ne trouve rien non plus... Donc, ça n'est pas pendant le repas qu'il y a eu le lâcher de pigeon... Sans doute cela a-t-il eu lieu le matin ? Oui, sûrement...

— Pourquoi me demandes-tu cela, chéri ?

— Pour rien...

— Méchant, tu m'avais dit...

Ah non ! Elle va pas jouer les tyrans, cette péteuse !

Je saute du lit.

— Dors bien, trésor, et à demain...

Le lendemain, à sept plombes, le gardien de nuit vient tabasser à ma porte.

— Téléphone, me lance-t-il, on vous demande de Paris...

Il m'apprend qu'il y a deux postes téléphoniques dans la *strass :* l'un dans le bureau du Vieux, et l'autre dans la réserve. C'est à ce dernier endroit que je me rends.

Je chope le combiné, le cœur battant. Sans doute est-ce le Vieux qui m'appelle. Et re-sans doute va-t-il m'apprendre du nouveau.

— Allô ?

— C'est vous, San-A. ?

— Oui.

— Arrivez immédiatement !

— Est-ce que le... ?

Il beugle dans l'appareil :

— Pas un mot ! Rentrez !

Et il raccroche.

C'est la première fois qu'il me parle sur ce ton. Qu'est-ce que ça veut dire ? Je reste avec le combiné à la main, complètement abasourdi...

Je monte faire ma toilette et je me nippe. Cela fait, je vais frapper à la porte du professeur Thibaudin.

Il est déjà prêt. Il y a une épingle à cravate en or piquée dans sa cravate... On dirait qu'il va rendre visite au pape. Mais il passe une blouse blanche.

— J'ai entendu le téléphone, me dit-il, c'était pour vous ?

— Oui, professeur, mon chef... Il me demande de rentrer ce matin...

— Oh ! Oh ! du nouveau ?

— Je l'ignore...

— Et, de votre côté, vous avez avancé dans votre enquête ?

J'hésite à lui parler des pigeons. A quoi bon le troubler encore avec cette rocambolesque histoire ?

— Heu ! couci-couça, monsieur le professeur... Je viens seulement d'arriver...

Il soupire :

— Et vous partez déjà !

— Sans doute ne s'agit-il que d'un aller et retour... Je vous serais reconnaissant, devant les autres, au petit déjeuner, de me charger de courses importantes à effectuer à Paris, ceci pour expliquer mon départ...

— Très bien.

Tout se passe suivant le plan prévu. Deux heures plus tard, j'atterris dans les Services. Je demande le Vieux, mais on me répond qu'il est en conférence chez le ministre de l'Intérieur. Il a dit que je l'attende. Je vais donc tuer le temps dans mon bureau.

J'ai le plaisir d'y rencontrer Bérurier. Le Gros est en train d'engloutir une formidable choucroute sur son bureau tout en lisant *Le Parisien.*

— Salut, me dit-il, où étais-tu passé ?

— Je faisais une cure de silence à la cambrousse.

Je montre avec épouvante sa choucroute.

— Qu'est-ce que c'est que ce tas de fumier ?

— Mon petit déjeuner... Je me la suis fait monter de la brasserie du coin. C'est eux qui font la meilleure choucroute du quartier.

— Tu peux pas te taper ça chez toi ou dans les chiottes ? C'est d'une indécence !

Il hausse les épaules et rageusement pique une fourchetée qu'il entend porter à sa grande gueule. Une saucisse de Francfort se fait la malle et lui dégringole sur la braguette. Il s'en saisit entre le pouce et l'index et me prouve qu'elle reste comestible en l'engloutissant d'un seul « happement ».

Je le considère, troublé, secrètement émerveillé aussi devant de pareilles prouesses boulimiques.

— T'es sûr de ne pas avoir le ténia, Béru ? je finis par questionner.

Il éructe non sans distinction derrière sa main en paravent.

— Et après, fait-il, faut bien que tout le monde vive... Qu'est-ce que ça peut me foutre que j'aie le ténia dans le baquet, hein ? Mes moyens me permettent de le nourrir !

Devant cet argument sans réplique, je ne puis que battre en retraite. Je le fais d'autant plus vite qu'on m'avertit du retour du Vieux.

***

Il est assis à sa table de travail, ses mains en peau de lézard posées comme des objets précieux sur le cuir de son sous-main.

— Ah bon ! soupire-t-il en me voyant entrer.

Je repousse la porte et m'approche du fauteuil destiné aux visiteurs.

— Vous avez du nouveau, patron ?

— Et quel nouveau !

Il s'empare d'un étui de pigeon, en tout point semblable au premier. De cet étui il sort un message rédigé sur le même papier pelure.

— Sans commentaire, dit-il en me tendant le texte.

Je lis. Et, au fur et à mesure, ma main tenant le papier se met à sucrer les fraises.

Premier pigeon intercepté. Vous ai adressé solde de l'invention par l'autre voie. Surtout ne pas me contacter jusqu'à nouvel ordre : agent des Services secrets ici.

Thibaudin.

C'est un zig complètement lavé qui rend le papier au Vieux.

— Comme quoi vous aviez raison de douter de Thibaudin, murmure le Vieux. Ceci nous prouve une fois de plus qu'il n'existe pas d'être définitivement digne de confiance... Le professeur est un traître, soit... Je m'incline devant l'évidence des faits. Mais je me demande comment cet homme, qui a consacré sa vie et sa carrière à la France, a été amené à passer sur une autre rive...

Qu'en termes élégants ces choses-là sont dites !

— Vous ne vous poserez pas cette question longtemps, chef. Il va falloir que ce sale type parle...

Le Vieux hoche la tête d'un air gêné qui ne lui est pas habituel. Il a visiblement une idée derrière la tête. Or les idées qu'il a à cet endroit ne sont pas des idées de derrière les fagots !

— Non, San-Antonio, il ne dira rien...

— Je me charge de le faire parler ! Ah ! j'aurais dû m'en douter... Il a été le seul à s'absenter hier pendant le repas...

Le Vieux ne m'écoute même pas. Il fait craquer ses jointures avec onction.

Un silence épais comme de la bouillie pour bébé s'établit[1]. Je prévois du vilain pour un avenir très rapproché. Mal à mon aise, je me tortille sur mon fauteuil comme si j'avais pris place sur une caravane de chenilles processionnaires.

— San-Antonio, je quitte à l'instant M. le ministre...

Pompeux, le Boss, M. le ministre ! Rien que ça...

C'est d'autant plus marrant que ledit ministre, tout le monde l'appelle Dudule dans les Services...

— Ordre d'étouffer l'affaire coûte que coûte. Un scandale de cette envergure serait désastreux pour le prestige de notre pays !

Il se masse la rotonde et poursuit :

— Thibaudin est un homme trop considérable. L'annonce de sa traîtrise créerait une panique... Et puis, en somme, on ne peut officiellement l'accuser de trahison. Il n'a pas mis au point

1. Ainsi que se plaît à dire mon menuisier.

une arme, mais un produit. Rien ne l'empêche de vendre ce produit à qui bon lui semble !

— En ce cas, pourquoi a-t-il mis son pays dans le coup ?

— Thibaudin était pauvre. Il s'est fait financer par le gouvernement...

— En ce cas, sa découverte appartient au gouvernement...

— Ce n'est pas à nous d'en décider. San-A., le professeur est vieux, malade, usé... Peut-être n'a-t-il plus toute sa raison et a-t-il cédé tardivement aux sollicitations d'une idéologie en laquelle il espère trouver le repos moral.

— Peut-être...

— Nous, c'est le repos éternel que nous devons lui accorder...

Je bigle le Vieux d'un regard intense. Je sentais bien qu'il me préparait un turbin de ce gabarit.

— Vous voulez dire... ?

— Oui, San-Antonio...

— Liquider le prof ?

— Il n'est pas d'autre solution !

Il en a de bonnes ! Et nature, c'est bibi qu'il charge de l'équarrissage. On voit bien que ça n'est pas lui qui marne ! Je voudrais le voir au turf, le Boss, avec ses paluches manucurées, son crâne en peau de fesse et ses manchettes amidonnées !

— La chose doit se conclure très rapidement.

— Et comment ?

— De façon... heu !... extrêmement naturelle !

— Je comprends... Ça permettra de faire à ce fumier des funérailles nationales ! Ce sont les *autres* qui vont rire sous cape !

— Peu importe. Thibaudin doit décéder dans des conditions normales...

— Vous avez prévu quelque chose ?

Ma question est superflue ! Le Vieux prévoit toujours tout. Il a un citron électronique, c'est pas possible autrement.

Il ouvre son tiroir. C'est inouï, le nombre insensé d'objets qui ont pu séjourner là-dedans ! Il sort un flacon sur lequel est écrit le nom d'un produit très connu[1].

1. C'est volontairement que je ne cite pas le nom de ce produit. Vous seriez chiches d'en faire gober à votre belle-doche ou à la dame de vos arrière-pensées !

Je sourcille !

— Qu'est-ce que je dois faire de ça ?

— Lui faire boire...

— Mais je croyais que c'était un remède...

— Pris à petites doses, oui. Mais si on en fait une forte consommation, c'est un poison parfait. Il ne laisse aucune trace à l'autopsie !

— Vous m'en direz tant !

— Tâchez de lui faire avaler ça, c'est pratiquement sans saveur...

— Et les résultats ?

— En quelques heures, l'intéressé défunte d'un arrêt du cœur.

— Très bien.

J'empoche la petite bouteille. Non seulement le liquide qu'elle contient est sans saveur, mais il est aussi incolore... Je me demande par exemple comment je vais pouvoir faire avaler ça à cette vieille guenille de Thibaudin. Ce foie-blanc est sobre comme un chameau.. C'est tout juste s'il boit un demi-verre de vin aux repas. Va falloir que je dise au cuistot de nous faire de la morue !

Le Vieux se lève pour m'indiquer que l'entretien est terminé. Je l'imite.

— Eh bien ! au revoir, chef... Mais franchement, c'est un sale boulot que vous donnez là. J'aime mieux jouer d'Artagnan que Mme Lafarge, vous savez... Le poison n'est pas une arme d'homme !

— Sans doute, mon cher ami, du moins est-ce une arme d'agent secret. C'est l'arme de l'ombre !

Jolie formule... Mais qui ne calme pas mes scrupules. Je veux bien gommer l'extrait de naissance d'un zig, mais à condition que ça se fasse dans un mouvement...

Enfin, puisque j'ai choisi cet infernal métier, tant pis pour moi !

— San-Antonio !

— Chef ?

— Je me permets d'insister pour que tout soit terminé demain !

— Bien, chef !

Vous parlez d'un capricieux ! Allez, bonhomme, en route pour la gloire !

Ah ! il a été inspiré, Pinuche, en flinguant ce pauvre pigeon !

DEUXIÈME PARTIE

CHAPITRE VIII

J'observe le SECRET.

Lorsque je suis de retour au laboratoire, tout le monde marne. Je monte à ma chambre, et je m'allonge un moment sur le pageot pour gamberger à la meilleure façon de faire avaler le bocon au vieux chnock... C'est triste de bousiller un vieillard, même lorsqu'il a mérité son châtiment. On aurait dû amnistier le savant, ne serait-ce qu'en considération de ses services passés. C'est fou ce que les hommes sont impitoyables. Ils sont leur propre malheur. Le mal de vivre vient des autres vivants...

Je me lève dix minutes plus tard et je mets ma belle blouse blanche immaculée. Cette fois je me suis décanté de mes scrupules pour ne plus m'attacher qu'à l'exécution[1] de ma mission.

Je me heurte à un petit problo d'un genre nouveau : faire avaler une certaine quantité de liquide nocif à un homme qui ne boit presque pas. La seule possibilité, c'est celle du déjeuner du matin. Seulement c'est le cul de singe qui fait le service et je ne vois guère la possibilité de placer ma bonne marchandise dans la tasse de thé du vieux... A moins que...

Ça y est : j'ai une idée... Une bonne.

Je me taille du pavillon sans crier gare[2]. Je vais à l'annexe et j'aperçois le cul de singe par la petite fenêtre de la cuisine. Il est occupé à essuyer la vaisselle. Il le fait de très bon cœur, à

1. Exécution est le terme qui convient, n'est-ce pas ?

2. Pourquoi du reste pousserais-je ce cri-là, vous pouvez me le dire, tas de nouilles moisies ?

preuve, il chante d'une superbe voix de fausset : *Que ne t'ai-je connue au temps de ma jeunesse.*

Je demeure derrière un arbre, un bon moment, à l'observer... Ensuite je contourne le bâtiment et j'entre dans le *living-room.* Ce que je supposais — à voir sa trogne — m'a été confirmé par mon quart d'heure de surveillance. L'ancien cavalier Lafleur biberonne comme une tonne de papier buvard. Il s'arrête parfois de chanter et d'essuyer la vaisselle pour s'entifler une lampée de picrate à même le goulot de la bouteille.

Je saisis mon crayon à bille et je me macule l'extrémité des doigts. Cela fait j'avance jusqu'à la cuisine.

— Salut, vieux, dis-je au ténor plongeur. Regardez ce que je viens de me faire. Vous n'auriez pas un détachant ?

— De l'essence, ça colle ?

— Parfait !

Il me donne sa bouteille d'essence. Je me frotte les doigts. Puis, tandis qu'il sort avec sa pile d'assiettes afin de la remiser dans le placard du réfectoire, je verse de l'essence sur le réchaud à gaz puis sur le sol en prenant soin que la coulée soit continue.

Cela fait, je passe dans le *living.*

— Dites, vieux, fais-je en lui « atriquant » un billet de cinq balles en haillons, vous seriez gentil de me faire chauffer un peu d'eau, j'ai un remède à prendre pour l'estomac.

Il accepte le billet et la mission de confiance dont je le charge. Je n'ai plus qu'à attendre.

Le temps de compter jusqu'à quatre et je perçois une clameur d'épouvante. Je me rue à la cuisine. Le bougre est environné de flammes. Il se croit déjà déguisé en Jeanne d'Arc à l'acte final, dernier tableau !

Je le chope en arrière comme pour le sortir de ce brasier bidon ! Mais je m'arrange de telle façon — je suis prof de judo à mes heures — que je lui démets l'épaule droite.

Ses cris redoublent, naturellement. Moi, très Pont-d'Arcole, j'éteins ce début d'incendie qui — soit dit entre nous et la cage d'ascenseur — mourait déjà de sa bonne mort...

Je reviens à ce brave cul de singe. Il se tient l'épaule en hurlant que ça lui fait mal.

— Ben, qu'est-ce qu'il y a, mon petit père ? Vous vous êtes gravement brûlé ?

— Non, c'est vous...

— Comment, c'est moi ? je renaude.

Je chique au gars très mécontent.

— Je vous tire d'un incendie et vous rouscaillez parce que je ne vous ai pas pris entre le pouce et l'index !

Il s'excuse, mais son bras le fait terriblement souffrir. C'est une mauvaise blague pour lui, j'en ai un peu honte, mais un petit coup d'assurance ne lui fera pas de mal.

On prévient Thibaudin de l'accident. Il est décidé que j'emmènerai le cul de singe chez lui, à Évreux, et qu'en attendant je m'occuperai de la bouffe. Très habilement j'ai proposé ça au prof, alléguant qu'il serait imprudent de faire appel à un remplaçant dont on ne serait pas sûr.

Donc, tout va bien de ce côté-là. Le soir je me charge de la jaffe, aidé par Martine qui saute sur l'occasion de se faire pétrir le balancier en loucedé. J'ai beaucoup pensé au cours de l'après-midi et je me suis injurié copieusement pour n'avoir pas pigé plus tôt que tout désignait Thibaudin comme coupable. L'impossibilité pour un autre d'avoir accès au coffre et aussi le fait qu'il gardait jalousement pour lui les fruits de ses recherches... J'ai même découvert, en musardant dans les étages, que sa chambre possède une seconde issue lui permettant de sortir du pavillon sans passer par le hall.

Dommage que ces Messieurs, en haut lieu, aient décidé d'un finir discrètement avec lui. J'aurais aimé lui poser certaines questions... Maintenant j'enrage à la pensée qu'il va claboter en croyant nous avoir floués !

Le dîner n'est pas plus mauvais que les autres soirs. Martine dessert la table et je lui file rambour pour un avenir très immédiat dans sa carrée.

Ensuite je harponne le vieux discrètement.

— Je voudrais vous parler, professeur.

Il a un vacillement dans les lampions.

— Ah oui !...

— Retrouvons-nous tout à l'heure dans votre bureau, d'accord ?

— Entendu.

Une heure plus tard, après avoir conseillé à la môme Martine de grimper la première, je passe dans l'antre du père Thibaudin. Il est assis dans le fauteuil Voltaire et ses paluches tremblent sur les accoudoirs.

Apparemment il est anxieux.

Je m'efforce de sourire.

— Mon chef voulait me voir aujourd'hui pour tenir un conseil de guerre, mais, hélas ! je dois avouer que nous n'avons guère avancé...

Il fait la grimace, cet hypocrite. Ah ! on peut dire qu'il cache bien ses brêmes.

— Je n'ai pas revu votre laboratoire depuis hier, j'aimerais y jeter un coup d'œil, maintenant que nous sommes seuls.

— Venez !

Il me lâche à regret. Visiblement, il ne tient pas à cette visite touristique.

Nous retournons dans l'immense pièce aux ustensiles barbares.

— Vous avez changé la combinaison du coffre, ce soir ?

— Non, pas encore...

— Ça vous ennuierait de le faire ? Je voudrais me rendre compte de quelque chose...

— Entendu...

Il écarte le bassin et tripatouille le bouton à système.

— Voilà, fait-il.

— Puis-je demander le mot de passe que vous venez de choisir ?

— Lido.

— Pas mal...

Je feins de me désintéresser de la question. Seulement je triomphe intérieurement, les potes ! Car, voyez-vous, je prévois tout, c'est le secret du travail bien torché. Je me dis que demain matin je lui ferai prendre sa potion calmante ; seulement après il faudra que je mette la main en douce sur tous les documents enfermés dans cette boîte d'acier. Conclusion, pour ne pas avoir à entreprendre de grands travaux, mieux vaut connaître la combinaison.

Nous repartons du labo, le vieux et moi.

Je le raccompagne, comme chaque soir, jusqu'à sa lourde. Ensuite je redescends trouver le veilleur de nuit, et je dis au bouledogue de me prévenir si, par hasard, le professeur retournait à son labo au cours de la nuit.

Ces dispositions arrêtées, je me consacre pendant une bonne

heure à Martine. Je ne sais pas où elle a fait ses classes, mais je peux vous affirmer qu'elle trouve toujours du nouveau. C'est une petite merveille que cette gosse. Elle aurait été élevée au *One two two* qu'elle n'en saurait pas davantage sur l'art et la manière de vous faire visiter le septième ciel.

Un feu d'artifice, mes z'enfants ! joint aux grandes eaux de Versailles ; multiplié par Paris *by night* ; majoré de la Kermesse aux Étoiles, avec la participation gracieuse des Petits Chanteurs à la croix de bois !

Quand on sort de sa couche, on se demande si on vient de passer à travers un engrenage ou si Sugar Robinson ne vous a pas confondu avec le type qui faisait du gringue à sa femme !

Lorsque je regrimpe dans mon pigeonnier[1] j'ai les cannes en coton à repriser. Au point que je suis obligé de m'agripper à la rampe pour ne pas m'affaler dans l'escadrin.

J'ai connu bien des escaladeuses, mais jamais des comme Martine.

Va falloir que je me fasse vulcaniser si je continue à la fréquenter, cette petite portion pour monsieur esseulé !

CHAPITRE IX

J'observe encore le SECRET, mais d'un peu plus près.

Aux aurores je m'éveille, ayant pris soin de remonter la sonnerie de mon Jaz !

Je lève *illico* le panneau vitré de ma tabatière, ce qui me permet de constater qu'une belle journée se prépare. Le ciel est rose praline, l'air est léger comme le compte en banque d'un producteur de films, et il ferait assez bon vivre si je n'étais pas obligé de tuer un homme ce matin.

Je vais faire ma toilette dans la salle de bains commune. Et, muni du flacon que vous savez, je me dirige vers l'annexe.

Deux de ces messieurs sont déjà levés : Duraître et Planchoni. Le torse nu, ils font de la culture physique dans le parc pour se maintenir en forme ! Le gros Berthier, qui n'a pas eu

1. Décidément c'est de l'obsession !

la patience de m'attendre, tortore une demi-douzaine d'œufs sur le plat. Il me rappelle Bérurier !

Promu cuistot par mes bons soins, comme vous le savez, je m'active dans l'office. Le flacon fatal[1] dans ma *pocket* pèse une tonne et me brûle la peau à travers l'étoffe de mon grimpant.

Je fais chauffer de l'eau et beurre les toasts en attendant que tout mon petit monde de poseurs et de résolveurs d'équations soit réuni.

Les uns prennent du café, d'autres — et c'est le cas du vieux saligaud — préfèrent du thé. Le jeu (si je puis dire) consiste à isoler la théière du père Thibaudin et à ne pas se gourer dans le service. Ce serait une bien sale blague à faire au pauvre zig qui ferait l'objet de cette erreur. Il aurait droit à sa paire d'ailes et à son luth doré, le frangin... Et le récital n'aurait pas lieu salle Gaveau, je vous le fais remarquer, mais chez saint Pierre...

Enfin, tout le monde est attablé. C'est le moment, c'est l'instant, musique, *please !* Que le maestro fasse gaffe, surtout ! Un coup de baguette malencontreux et on joue la « Pavane pour un assistant défunt » !

Le *hic*, c'est que les préséances m'obligent à servir Thibaudin le premier...

J'ai mon idée... Elle vaut ce qu'elle vaut, c'est à l'usage qu'elle prouvera si elle est bonne ou si elle ne mérite pas plus de considération qu'un billet perdant de la Loterie nationale.

Je sers les caouas en premier afin d'en être débarrassé. Ensuite je m'occupe des thés. Ici c'est « Thé et Antipathie » que je joue... Ils sont trois à en boire : le vieux, Martine (*because* la ligne) et Minivier...

Je leur verse trois tasses normales, bien fumantes, et, au moment où ils se sont sucrés, je leur présente un plateau de toasts... Mais ce faisant, je m'arrange de façon à renverser le bol du professeur...

Je m'excuse, j'éponge le sinistre et j'ai envie de gifler Martine parce que cette espèce de petite crétine propose sa tasse au Vieux. Heureusement, un reliquat de galanterie française incite Thibaudin à refuser la proposition. Minivier qui se fout quatre sucres dans son thé ne peut offrir un échange standard à son boss qui, lui, n'en met que deux...

1. Il faut bien sacrifier de temps à autre au vocabulaire de la plus pure tradition policière, pas vrai ?

Je retourne à la cuisine et je prépare moi-même une tasse de ma composition... la moitié du flacon y passe. Avant de servir, je renifle un grand coup pour voir si ce liquide étranger n'est pas décelable, mais non... Ça chlingue le thé, uniquement.

Frémissant tout de même, je porte ce petit déjeuner mortel à ma victime. Thibaudin parle d'abondance des travaux de la journée.

Je surveille attentivement sa tasse ; quand il la porte à ses lèvres j'ai un petit choc au cœur. Lui ne tardera pas à en avoir un aussi, mais beaucoup plus violent !

Il boit une gorgée et s'arrête un instant de parler. Le v'là qui tique car le breuvage a sûrement un goût. Puis il passe outre, s'étant sans doute dit que je suis un piètre cuistot intérimaire, et il finit d'avaler le contenu de sa tasse. Comme disait une couturière de mes amies qui avait abandonné le métier : « Cette fois les dés sont jetés. » Il est en route pour la terre glaise... Après-demain, les fleuristes vont travailler ferme !

Je regarde s'éloigner la caravane de savants. Martine reste seule avec moi pour m'aider à déblayer le terrain.

— Tu parais tout triste, observe-t-elle.

— Je pense à la vie, fais-je en haussant les épaules.

— C'est cela qui te déprime ?

— Oui. Je la trouve difficile à vivre par moments...

Elle me coule une de ses œillades friponnes qui flanqueraient des envies à un bonhomme de neige.

— Pourtant elle a ses bons côtés, mon chéri... Souviens-toi...

Allusion très nette à nos galipettes de la nuit précédente, mes z'enfants. Les femmes aiment bien vous émoustiller par des allusions qui vous vont droit au baigneur.

Je lui mets une caresse sur le popotin.

— Tu as raison, beauté brune, lui fais-je.

Elle secoue sa chevelure dorée.

— Pourquoi brune ? dit-elle avec un petit sourire pour hépatique guéri.

— Pourquoi blonde ? je rétorque d'une voix tellement lourde de sous-entendus que je suis obligé de laisser tomber la dernière syllabe.

Elle éclate de rire. Un quart d'heure plus tard nous retraversons le parc pour gagner le pavillon.

Grosse effervescence dans la casba... Nous trouvons le Vieux étendu sans connaissance sur les carreaux du hall. Tout son état-major fait cercle autour de lui avec des visages sinistres.

Les deux docteurs l'auscultent et s'interrogent du regard.

— Le cœur, fait Minivier.

Duraître approuve d'un hochement de tête.

Martine pousse les exclamations d'usage. J'ai tout de même un regard apitoyé pour ce pauvre bonhomme que je viens de rayer de la liste des vivants.

— Il vit toujours, déclare Duraître. Je pense qu'on devrait le transporter à l'hôpital d'Évreux, non ?

Minivier est sceptique...

— Il vaudrait mieux ne pas le bricoler... Je vais lui faire une piqûre d'huile camphrée...

Le voilà parti en courant. Les autres s'activent, trottent chercher des couvertures, des oreillers pour arranger Thibaudin... Le gros Berthier lui palpe le pouls d'un air navré...

— Ça bat encore, murmure-t-il.

— Crise cardiaque ? j'interroge.

— Oui.

Hypocritement je demande :

— Il y a de l'espoir ?

Le gros tas de lard fait la grimace...

— Faudra voir, après la piqûre... Mais je ne crois pas !

C'est alors que je pense au laboratoire. A mon avis, je dois profiter de la confusion et de l'inattention générales pour aller chouraver les documents du coffre... Mine de rien, je m'esbigne par le bureau du vieux. Il a eu le temps d'ouvrir la porte blindée avant de tomber... J'entre dans la vaste pièce et je galope droit au coffre. Je tourne l'écrou qui commande le déplacement du bassin, et je m'active sur la molette... LIDO... Facile... Ce n'est pas le premier coffre de ce genre que j'ouvre. Mais là : échec et mat ! Il reste bouclé. Le vieux a dû changer la combinaison du coffre. Je remets le bassin dans sa position normale.

Je regarde autour de moi ce laboratoire où est né l'un des plus beaux remèdes qu'un homme ait jamais mis au point. Et dire que, pour des nécessités de politique obscure, il a fallu que je liquide l'homme en question...

Un grand désenchantement s'empare de moi. Je pense au vieux Thibaudin qui clabote dans le hall... C'est rudement mochard !

J'ai un regard navré pour sa table de travail où s'est matérialisé son génie !

Quelque chose me fait froncer les sourcils... C'est une petite tache ronde au beau milieu du sous-main. Une tache qui se trouve être un reflet très pâle... Un reflet de jour... C'est d'autant plus curieux que, je l'ai dit ailleurs, la salle n'a pas de fenêtre... S'agit-il d'un trou ?

Je lève la tête et j'aperçois une pastille de lumière au plafond. Oui, juste au-dessus de la table de travail de Thibaudin, il existe un petit trou minuscule. La lumière qui tombe de là n'est pas perceptible en temps ordinaire *parce qu'on allume l'électricité !* Or, maintenant, voulant éviter d'attirer l'attention, je me suis servi de ma lampe électrique pour me mouvoir dans le labo...

Troublé par cette constatation, je mets une table sur le large bureau de Thibaudin, une chaise sur cette table, et j'escalade le tout au risque de me défoncer le cigare...

Juché sur cette pyramide, je parviens à la hauteur de l'orifice. Je constate alors qu'il ne s'agit pas d'un trou normal, mais d'une petite lentille... Et tout à coup je pige tout !

Au-dessus du labo, grâce à cette lentille placée dans le plaftard, on peut voir, grossie, la table de travail du vieux...

Il est possible de photographier le dessus de son bureau. Vous me suivez ?

Quelque chose de hideux, de glacé, de fou, de mortel, me choit dessus. La situation est si affreuse que j'ai envie de me filer une olive dans le chignon.

Et pourtant la réalité est là, tangible : il y a eu maldonne ! le prof a été victime des gens qui le trahissent. On a dû s'apercevoir de la substitution des pigeons, et on a retourné ma ruse contre moi ! Le salaud qui pillait le cerveau de Thibaudin s'est servi de notre machination pour transformer le pauvre homme en coupable !

J'ai empoisonné un innocent !

Voilà !

CHAPITRE X

L'escalier SECRET !

Comme la gonzesse qui avait filé un coup de périscope derrière elle, me voilà transformé en statue de sel ; ce qui donne soif, chacun sait ça et personne ne l'ignore !

Puis, brusquement, je prends une décision héroïque. Vite, je cavale hors du labo, jusqu'au hall...

Thibaudin est toujours allongé par terre. On l'a enveloppé dans des couvrantes et son personnel statue sur la conduite à tenir. Après tout ils sont toubibs, les gars, et je n'ai qu'à les laisser jouer...

— Il vit toujours ? je demande.

On répond à peine à ma question. Je vois la poitrine du vieux se soulever faiblement... Oui, il tient encore le choc peut-être à cause de la piquouse qu'on vient de lui faire pour lui soutenir le palpitant.

Je fonce dans le bureau du mourant et je demande en priorité la communication avec Pantruche. Je l'ai *illico.* Heureusement, mon chef n'est pas en conférence.

— Allô ! Boss ?

— Ah ! bonjour, mon cher... Alors ?

Je mugis :

— Alors j'ai fait le nécessaire, patron, mais je viens de découvrir qu'il y a erreur...

— Vous vous êtes trompé en administrant le...

— Non ! Erreur judiciaire. Thibaudin est innocent !

Pour la première fois il sort de sa légendaire réserve.

— Quoi ?

— Je vous raconterai tout par le menu... Il faut faire quelque chose pour essayer de le sauver, chef ! C'est horrible ! Il est étendu dans le hall, inanimé... N'existe-t-il pas un antidote à la saloperie que vous m'avez fait lui administrer ?

Il ne proteste pas.

— Restez à l'écoute, San-Antonio, je vais demander à notre toxicologue ce qu'il en pense...

J'attends en piaffant d'impatience. Je perçois faiblement la voix du Boss jactant sur une autre ligne. Vite ! Vite ! Oh ! mon

Dieu, faites qu'on puisse tirer Thibaudin de ce mauvais pas. Je me dis que s'il clabote je file ma démission au Vieux !

Il ne sera pas dit que j'aurai contribué à la mort d'un homme de bien et que je continuerai mon petit bonhomme de chemin ! Ah non alors ! J'en veux à mon supérieur. Moi qui l'avais toujours jugé infaillible... Les hommes qui se croient si malins, si fortiches, ne sont dans le fond que de pauvres animaux livrés à eux-mêmes...

Misère ! Il pourra aller se boucler à la Trappe, ce grand toquard de Chauve ! Ou bien s'engager comme caporal ordinaire à l'armue du salé ! Excusez, je suis troublé !

— Allô ! San-Antonio ?

— Oui...

— Passez-moi l'un des médecins qui entourent Thibaudin, on va lui donner des instructions...

— O.K.

Je cavale dans le hall. Là je marque un poil d'hésitation... Le sacré métier, toujours lui, qui reprend le dessus et me fait réfléchir.

Suivez le raisonnement de l'acrobate, tas de gnafs ! *Puisque le professeur n'est pas coupable, quelqu'un de son entourage l'est, ainsi que nous l'avions primitivement pensé.*

En appelant un des gars qui sont là, j'ai une chance sur six de tomber sur le vrai coupable ! Vous mordez le cas cornélien du San-Antonio joli ?

A moi de choisir... A moi de décider en trois secondes lequel est innocent...

Je regarde Minivier et Duraître...

— Docteur Duraître, m'entends-je appeler.

Voilà, je m'en suis remis à mon instinct. Tant pis s'il me fout dedans !

Duraître lève sa frite anxieuse. Il est plus pâlot que jamais...

— On vous demande au fil...

Il radine, l'air ennuyé et surpris...

— Qui ? me demande-t-il...

Je le pousse en loucedé dans le bureau et lui montre ma carte.

— Police ! ne cherchez pas à comprendre... Vous allez vous conformer exactement aux prescriptions qu'on va vous donner...

Hébété, il s'empare du bigophone sans me quitter du regard.

Je ne sais pas s'il joue les incrédules, en tout cas sa stupeur est bien imitée.

Il se présente :

— Allô ! docteur Duraître...

L'autre balance son blaze et ça paraît impressionner le jeune médecin, car il cesse de me regarder pour fixer respectueusement son combiné.

Il écoute attentivement en hochant la tête et répond par monosyllabes.

— Oui, oui, fait-il, j'en ai... Oui... très faible... Bon... Bien, monsieur le professeur.

Il raccroche et s'élance vers la porte. Je lui chope le bras.

— Motus en ce qui me concerne, hein ?

Il a une brève affirmation et s'en va.

Notez qu'il est inutile que j'espère conserver l'incognito. Le message trouvé sur le second pigeon prouve que l'espion est au courant de mon identité...

⁂

Le branle-bas continue à emplir le hall, transformé en infirmerie, d'une agitation échevelée. Cette fois, Duraître a pris la direction des opérations... J'espère ne pas m'être gouré en l'estimant innocent.

Je sors sur l'esplanade et je fais un examen approfondi de la casba pour essayer de voir à quelle pièce du premier correspond la lentille fixée dans le plafond du laboratoire.

Mon exercice topographique me permet de délimiter le secteur. Je pénètre dans la baraque et je grimpe à l'étage au-dessus... Au bout de quelques minutes de recoupements, je finis par dénicher le judas... Il se trouve tout simplement dans les gogues !

Il n'existe pas d'endroit plus anonyme et d'utilisation plus générale, vous en conviendrez.

Le trou à la lentille se trouve juste derrière la cuvette. On ne peut absolument pas le découvrir si on ignore son existence. Je m'accroupis au-dessus et j'aperçois le sous-main du professeur grâce à la clarté qui arrive par la porte ouverte du labo. Ce sous-main me semble être à cinquante centimètres de moi ! Je vous parie un deux cents de valets contre un valet de chambre qu'on peut presque lire d'ici ce que le bonhomme écrit. Les photos qui sont tirées doivent être agrandies...

Je me redresse : photo !

L'un des membres du personnel possède donc un attirail de photographe, la chose ne fait pas de pli !

Je me barre du pavillon au moment où l'on transporte le père Thibaudin dans sa chambre.

Au passage, je jette un regard éperdu à Duraître. Il me répond par une petite moue incertaine qui ne me dit rien qui vaille ! Pourvu qu'il arrive à sauver son patron !

Je suis peinard pour explorer les chambres de ces messieurs... Je commence par la plus petite annexe. Celle qui héberge les trois sous-fifres : Berthier, Berger et Planchoni.

J'entre dans la première carrée et je me rue sur une valise glissée sous le lit. Elle ne renferme que du linge sale... Aucune trouvaille digne d'intérêt non plus dans le petit placard... Je reconnais l'identité du locataire à l'ampleur des fringues.

C'est la piaule de Berthier, l'obèse...

Je ressors, bredouille, et j'entre dans la chambre de Planchoni. Pas d'hésitation, c'est bien la sienne, il y a, fixée au-dessus du lit, une photo qui le représente aux côtés de sa bonne vieille moman. Ils ont, l'un et l'autre la même frime chevaline. Ils pourraient servir d'enseigne à une boucherie hippophagique, c'est vous dire...

En explorant dans le placard, je trouve un appareil photographique, mais il n'est vraiment pas fameux. C'est un vieux machin carré, comme on en gagne dans les loteries de kermesse...

C'est certainement pas avec ce vieux 6 × 9 qu'il a pu photographier les documents... Pour faire ce boulot, on a utilisé sans doute un appareil perfectionné, avec flash...

Je quitte la seconde chambre pour pénétrer dans la troisième, à savoir celle de Berger. Mon attention est *illico* sollicitée par un attirail complet de photographe dans une sacoche de cuir accrochée à un clou.

Je farfouille avec délectation dans la sacoche. Pas de doute, je tiens le bon bout.

Tout à coup, un bruit de pas me fait tressaillir. Je vais pour me planquer, mais c'est trop tard, la lourde s'ouvre et Berger paraît. Le petit pruneau plein de tics a des yeux qui remplaceraient au pied levé un poêle par catalyse !

La chaleur qui s'en dégage me brûle le derme !

Au lieu de demander ce que je maquille chez lui, il me fonce dessus, bille en tête ! Il a agi avec tant de brusquerie que je n'ai pas pu éviter la charge, du reste je suis coincé entre le lit et l'armoire. Je déguste un formidable coup de boule dans le parc à huîtres ! J'ai l'impression de n'être plus qu'un mauvais estomac hors d'usage...

Je produis un couic lamentable et je glisse en avant. Il me met alors un crochet droit à la pointe du menton, tellement sec que j'en oublie qui je suis...

Je pars à dame sans avoir eu le temps de me demander quelle pouvait bien être la couleur du cheval blanc d'Henri IV ! *Good night*[1] !

Je m'écroule dans de l'opaque, tandis que le chœur céleste des vierges entonne : *Tu m'as donné le grand frisson, celui qui fait perdre la tronche !*

Je récupère très vite. Simple question de contact, vous le savez. La main délicate de mon ange gardien rétablit le circuit et l'électricité revient dans ma gamberge. Je me redresse péniblement en me massant le menton. Le noiraud, *furax* comme un péquenod qui trouverait un troupeau de mouflons dans son champ de luzerne, me considère sans parvenir à comprimer ses tics.

Son regard coagulé ressemble à deux morcifs d'ébonite.

— Votre gueule ne me revenait pas, dit-il, je me doutais bien que vous étiez un type pas catholique... Vous mériteriez que j'appelle les flics...

Je réfléchis aussi vite que le permet ma citrouille perturbée. Est-ce lui le coupable ? M'a-t-il filé une toise parce qu'il savait que j'étais le poulet maison et qu'il a vu là une occasion de s'innocenter en chiquant au cambriolé ; ou bien, au contraire, ressent-il vraiment l'indignation de l'homme qui surprend un monsieur dans sa chambre à pioncer ?

Perplexe, je m'avance vers lui.

— Dites, mon vieux, avant de tirer, on fait les sommations d'usage !

— Quoi ?

— Je vous dis qu'au lieu de me biller dans le lard et de

1. Comme disait le tennisman borgne qui venait de recevoir la balle dans son œil valide.

m'insulter vous auriez mieux fait de me poser des questions très élémentaires, je vous aurais répondu et le nuage se serait dissipé...

Il accentue ses tics. Maintenant sa gueule saute toutes les deux secondes, comme si on y avait enfermé un boisseau de grenouilles. Profitant de son indécision je poursuis :

— Si c'est votre chambre, excusez du peu, l'erreur est une chose humaine, dit-on. Le docteur Duraître m'avait demandé d'aller chercher un remède pour le professeur dans ses bagages.

— La chambre de Duraître est dans le bâtiment voisin ! crache le noiraud.

— Comment le saurais-je ? Ça fait à peine trois jours que je suis ici et je crèche dans le pavillon à l'autre bout du parc, faut être gentil, non, monsieur Robinson !

Il commence à se détendre... J'ignore toujours s'il joue ou s'il est sincère. Vraiment il n'y a pas mèche de se faire une opinion sur ce petit bonhomme à ressort.

— Le docteur Duraître m'a dit que sa chambre était à gauche... Bon, je suis venu à gauche... Vous ne pensez pas que je m'amuserais à jouer les mignonnes souris d'hôtel !

Cette fois, il est convaincu — ou il semble l'être. Il a un vague sourire que j'attrape au vol avant que sa bouille ne parte en l'air sous l'effet de son sacré tic.

— Bon, excusez-moi... Mais quand on voit un garçon qu'on connaît mal farfouiller dans vos affaires...

— Oui, je comprends... J'allais dire y a pas de mal, mais bonté, qu'est-ce que vous m'avez filé comme avoinée... Dites, vous avez été champion de France des légers ?

Il rigole.

— J'ai fait un peu de boxe, à la Fac, avec des amis que ça intéressait.

— Vous auriez dû continuer. A cette heure, vous franchiriez le ring du Square Garden...

Là-dessus on se quitte. Il m'indique la vraie chambre de Duraître et je profite de l'occase pour y faire une inspection rapide... Pas d'attirail photo...

Voyant s'éloigner Berger, je me risque dans celle du docteur Minivier... Il n'y a pas non plus d'appareil photographique dans sa carrée... Conclusion, Berger serait-il le coupable ?

C'est sur cette énigme que je regagne le pavillon. J'y apprends que Thibaudin va mieux. Duraître, que je chose à part, me dit qu'il espère le sauver, il me pose des questions embarrassantes. Évidemment, tout ceci ne lui paraît pas catholique, ni même apostolique ou romain ! Il est stupéfait de savoir que le prof a été empoisonné, et plus encore de constater que j'étais au courant de la nature du poison...

Je m'en tire en lui montant un barlu qui ne déparerait pas les aventures de Tintin. Je lui explique que nos services ont arrêté dans les parages un suspect, lequel avait en sa possession un flacon du poison en question. En voyant le vieux inanimé, j'ai fait un rapprochement et j'ai téléphoné à Paris. Il me félicite pour mon esprit de déduction et pour la décision dont j'ai fait preuve. J'accepte ses fleurs sans plaisir. Avouez que c'est vexant de farcir un éminent savant de merdouille et de se faire tresser des lauriers parce qu'après on est revenu de son erreur !

Je lui dis que je soupçonne l'homme arrêté d'avoir eu une complicité dans la taule. J'ajoute que je viens de fouiller les chambres des assistants et je mentionne le flagrant délit et la manière dont je me suis tiré de ce mauvais pas. Il m'assure qu'il ne me contredira pas lorsque Berger lui touchera deux mots de l'incident.

En partie rassuré — parce que je ne sais toujours pas si Duraître est innocent — je m'en vais dans la propriété voisine rendre une visite de politesse au deuxième pigeon.

L'animal roucoule tristement en essayant de sortir de sa cage. On ne lui a pas apporté à becqueter et il devient anémique, le pauvre chéri. Évidemment, le criminel n'a plus besoin de lui.

J'attache les pattes du volatile avec un morceau de ficelle et je gagne ma voiture sans repasser par la propriété de Thibaudin...

Il faut que j'aille à Paris. Je veux vérifier quelque chose, car j'aime m'assurer de la fermeté du sol sur lequel je pose mes nougats quand j'avance en terrain inconnu.

Le Vieux ne fait pas le mariole. Il a des plis plein son vélodrome à mouches. C'est du cross que les noirs insectes peuvent faire maintemant. Son regard bleu est éteint comme une vitrine après la fermeture du magasin.

Je m'assieds sans qu'il m'en ait prié.

— Comment va-t-il ? balbutie le Vieux.

— Légèrement mieux, fais-je. J'ai mis un des deux toubibs dans le secret ; il s'occupe de lui et espère le sauver si le cœur du prof se montre à la hauteur des circonstances.

— Quelle catastrophe ! soupire le Boss.

J'en profite pour lui distiller mon filet de vinaigre.

— Je pense honnêtement, chef, que la décision qui a été prise au sujet de Thibaudin était un peu... hâtive. Nous n'avions contre lui que ce billet... Le fait qu'il soit signé aurait dû nous faire tiquer... Un homme qui trahit son pays et qui confie un message à un pigeon voyageur, en sachant qu'un précédent pigeon a été intercepté, se serait méfié...

L'homme à la casquette en peau de fesse ne répond pas. Il assimile son désappointement et couve sa honte. Il est rare que le Vieux se cloque le doigt dans l'œil à ce point.

— Maintenant, fais-je, il faut que nous étudiions les choses en détail. Primo, les pigeons. Vous avez conservé les deux que Magnin a ramenés ?

— Bien sûr...

— Pouvez-vous dire qu'on les amène, ainsi que celui qui se trouve dans mon bureau ?

Il décroche son tubophone intérieur et donne des instructions.

Quelques instants plus tard nous avons les pigeons. Un seul coup d'œil me révèle le « désastre ». Je ne pouvais pas faire prendre les miens pour les autres à l'espion... Les miens ont les pattes grises. La différence est si criante qu'elle saute aux yeux ! De nuit, elle ne nous est pas apparue, mais évidemment, à la lumière du jour c'est la première chose que notre mystérieux type a remarquée...

— Un mauvais point pour moi, dis-je au Vieux.

Ça lui va droit à la bille. Il ratifie mon *mea-culpa* d'une grimace réprobatrice.

— Cette question me tourmentait, poursuis-je, la voici donc éclaircie...

» Maintenant, montrez-moi le second message, peut-être nous apprendra-t-il quelque chose...

De bonne grâce, il le sort de son tiroir inépuisable.

Je fais la grimace, comme si je posais pour la publicité d'un laxatif. Il est écrit en caractères d'imprimerie. Vous allez me dire qu'un éminent graphologue arriverait à situer le rédacteur de ce billet en le comparant avec les écritures des gars du labo ; mais, moi, je n'aime pas beaucoup les rapports d'experts. Ces messieurs ne sont jamais d'accord. Ils se prennent pour des magiciens alors que ce ne sont que des bricoleurs !

Je rends le billet au vieux.

— Zéro pour cette question... Passons à autre chose...

— A quoi ?

— Au raisonnement pur et simple. Celui qui a adressé ce message pensait que nos services prendraient la décision qu'en effet ils ont prise... N'est-ce pas ?

Le bandonéon du Vieux se déplisse. Son regard éteint se rallume.

— Ensuite ? fait-il.

— *Donc, celui qui trahit n'a plus besoin de Thibaudin, vous comprenez ?*

— Ça se tient, admet le Boss.

— Alors, nous sommes en droit de nous poser la question suivante, chef : « Pourquoi n'a-t-il plus besoin du prof ? »

— Parce qu'il a en sa possession tout ce qu'il désire ! répond mon éminent supérieur, lequel n'a rien sur le dessus du bol mais possède en revanche beaucoup de choses à l'intérieur.

— Voilà !

Un silence tendu comme la peau des Peter Sisters s'établit à son compte.

— Dites, chef...

— Oui ?

— Comment l'homme en question, appelons-le provisoirement M. X..., si vous le voulez bien...

Ça n'est pas fait pour lui déplaire. Lui qui vit les affaires d'espionnage les plus formides de l'époque, il se repaît de termes faussement mystérieux qui n'amuseraient même plus des garnements de douze ans.

— Comment ce M. X..., reprends-je, aurait-il l'invention complète alors que Thibaudin lui-même ne l'a pas ?

Ça pose une vache équation, les potes, non ?

Mais il n'existe pas de mystère pour le Boss. Tout en massant son suppositoire, il suggère :

— San-Antonio, les gens qui travaillent avec le professeur Thibaudin sont pour la plupart ses élèves... Il les a formés... Il a dirigé leurs travaux... Pourquoi l'un de ces scientifiques, mis sur la voie par la besogne qui lui est confiée, ne serait-il pas allé plus loin que son maître ?

Je sursaute :

— Mais c'est vrai, patron, pourquoi pas ?

Les lampions mi-clos, je lis dans le marc de Bourgogne[1].

— Oui, un jeune ambitieux. Ces gars sont tous des dingues de travail. La preuve : ils ont une belle secrétaire à portée de la main et ils lui disent à peine bonjour !

Sourire du Vieux qui connaît les faiblesses de son San-Antonio bien-aimé.

Je continue :

— ... M. X... a pigé ce que cherchait le père Thibaudin. Mis sur la voie, en effet, il prend l'initiative... Il cherche, va plus vite que son maître... Grâce au judas qu'il a percé au plafond, il suit la progression de celui-ci, ce qui lui permet d'orienter la sienne... Parbleu... Seulement les travaux du professeur sont patronnés par l'État. De ce côté-ci, rien à faire... Lui veut monnayer ses travaux... Il peut gagner une fortune, s'installer en grand, devenir une gloire scientifique...

Le chef se lève :

— San-Antonio, vous ne devriez pas être ici !

— Pourquoi ?

— Mais parce que votre M. X... possède l'invention... Il va la communiquer à ceux qui le paient... Il faut trouver M. X... Il faut lui reprendre ses documents...

Il n'a pas terminé sa phrase que je suis déjà dehors...

Comme quoi, le raisonnement est un escalier, mes z'enfants. Un escalier secret qui vous donne accès à des vérités apparemment inaccessibles.

J'ai bien fait d'en gravir les marches. Cette fois, je vous parie que je tiens bon la rampe.

Il a eu tort, le gars X..., de penser qu'on pouvait me faire des sonotones aux lanternes sourdes !

Tiens ! au fait comment a-t-il percé à jour mon identité ?

1. Que je préfère au marc de café.

CHAPITRE XI

Je rate une marche de l'escalier SECRET sans le savoir !

Tout en pilotant mon tréteau à cent soixante chrono sur l'autoroute de l'Ouest[1], je fais le point de la situation. Une idée géniale, comme un escargot ou un agent cycliste, ne vient jamais seule, j'en ai une autre, encore plus balaise !

Encordez-vous, prenez vos piolets à pleines mains et suivez-moi dans mon ascension morale. Surtout faites gaffe aux peaux de banane.

Avec l'impérissable génie qui a fait ma popularité, je pense de la façon suivante : « M. X...[2] a percé un trou dans le plafond[3] et y a collé une lentille grossissante. Bravo ! il a procédé ainsi pour pouvoir suivre les travaux du vieux. Re-bravo ! Mais alors, mes belins chéris, ça prouve une chose, ça : c'est que M. X... ne pouvait se trouver dans le laboratoire... *Puisqu'il était au-dessus !* Or, pendant que Thibaudin œuvrait, *trois de ses employés travaillaient dans la même salle que lui, vous y êtes*[4] ? Ceci me permet d'éliminer systématiquement les trois gars suivants : Duraître, Berthier et Berger... Restent donc, comme suspects, Minivier et Planchoni... Je peux vous avouer que ce sont deux des moins sympathiques, ce qui ne me fâche pas outre mesure. Je me fie à mon vieil instinct et quand la frite d'un gnace ne me revient pas, vous pouvez parier une peau d'ogre contre la peau de Job que l'intéressé n'est pas intéressant.

Je finis la route à tombeau ouvert sans cesser de me répéter ces deux blazes : Minivier ou Planchoni... Planchoni ou Minivier... Et qui sait ? Peut-être sont-ils coupables l'un et l'autre ? J'en doute fortement car, à mon avis, le gars qui a goupillé ça est un arriviste, et un arriviste tâche d'arriver tout seul...

1. Pourquoi appeler cette voie ainsi, étant donné que la France n'a pas encore d'autoroute à l'est ?
2. Ça fait un peu mélo, mais ça me plaît !
3. Lequel plafond se trouve être le plancher de l'étage au-dessus !
4. Et si vous n'y êtes pas, allez vous faire cuire une soupe à l'oignon... A l'oignon ou ailleurs !

On vient de transporter Thibaudin à l'hosto d'Évreux quand je stoppe devant la propriété du malheureux savant. Je suis bien déterminé à lui valoir une éclatante compensation.

Ayant appris qu'il avait repris connaissance, je poursuis ma route jusqu'à Évreux. A l'hôpital, on me dit que le savant est isolé et qu'il n'est pas visible pour le moment. J'insiste et demande à parler au directeur de l'établissement. On finit par me donner satisfaction, sans doute grâce à mon charme efficace !

Le dirlo est un monsieur d'allure aimable. Il paraît sensible à ma qualité de bourdille.

Je lui demande où en est Thibaudin...

Il m'offre alors une lippe qui ne pourrait pas me donner l'heure exacte.

— Il a absorbé une trop grosse quantité de...[1], murmure le médecin chef. Je ne sais pas s'il s'en tirera. Je viens d'alerter le professeur Belladone, de Paris. C'est le premier toxicologue de France, il arrive... Nous aviserons...

— On m'a dit que Thibaudin avait repris connaissance, pensez-vous que je puisse lui parler ?

Il secoue la tronche...

— Lui parler, oui. Il vous entendra mais ne pourra pas vous répondre...

— J'aimerais cependant essayer...

— Comme vous voudrez, mais ne le fatiguez pas trop... Il est dans un état de faiblesse extrême... A son âge, c'est grave !

Il m'accompagne jusqu'à une chambre isolée des salles communes. La pièce est plongée dans une pénombre reposante.

Une écœurante odeur règne.

— On vient de lui faire un tubage d'estomac, m'avertit le médecin chef. Je ne suis pas certain que ça donne des résultats positifs !

Je m'approche du lit. Le visage émacié du professeur repose

1. N'insistez pas, je ne vous dirai pas le nom de ce produit. Si vous voulez vous débarrasser de votre conjoint, faites comme tout le monde : employez la poudre à doryphores !

sur l'oreiller. Ses cheveux gris ressemblent à de la moisissure. Il a les yeux clos et sa respiration est courte...

Je regarde mon beau travail la gorge serrée.

— Monsieur le professeur ! appelé-je doucement.

L'une de ses paupières se soulève à demi, mais l'autre reste baissée.

— Vous m'entendez ? Je suis le commissaire San-Antonio...

Sa paupière soulevée a comme un papillotement.

— Quelqu'un vous a administré un poison, dis-je, mais rassurez-vous, nous nous en sommes aperçus à temps et vous serez sauvé...

Aucune réaction. On dirait qu'il se désintéresse complètement de la question...

— Je vais vous demander de faire un effort, professeur... Essayez de vous souvenir si vous avez parlé de moi, sur le plan professionnel, à quelqu'un de votre entourage. Avez-vous dit à l'un des vôtres que j'étais un policier ?

Il reste figé comme un masque. Son visage semble sculpté dans de la pierre ponce. Il est gris et poreux...

— Vous ne pouvez pas répondre, professeur ?

Je lui tends la main.

— Si vous le pouvez, remuez un doigt !

Je sens dans la paume un léger frémissement.

— Parfait. Je repose ma question. Si vous bougez le doigt, ça voudra dire oui...

» Avez-vous dit au laboratoire que j'étais un policier ?

Sa main reste inerte comme un bout de mou dans la mienne.

— A personne, vous êtes certain ?

Il ne bronche pas...

Le directeur de l'hosto me fait de petits signes[1]. Visiblement, il trouve que je charrie. Je vais buter le pauvre vieillard une nouvelle fois.

— Très bien, je soupire, laissez-vous bien soigner, monsieur le professeur. Et ayez confiance, je suis sur le point d'arrêter le coupable.

Sur cette promesse bien risquée, je me trisse, escorté du médecin chef.

— Je le trouve bien las, fais-je.

1. Comme disait maman cygne en parlant de son mari, lequel appartenait à Saint-Saëns.

— Oui, ça m'étonnerait qu'il en réchappe !

Je lui prends le bras.

— Je veux que vous le sauviez !

— C'est au Bon Dieu qu'il faut demander ça, commissaire, pas à moi !

— Alors faites-lui la commission...

Je continue à me poser des questions embarrassantes. Dans le message-bidon, M. X... dit qu'un policier est dans la place. Comment a-t-il été mis au courant de ma véritable identité ?

Ai-je été reconnu, ou bien... ?

Décidément, ça continue à ne pas tourner rond...

J'entre dans un bureau de poste et je téléphone au Vieux pour qu'il m'envoie Pinaud, Bérurier et Magnin en renfort. Je suis décidé à frapper le grand coup !

Au pavillon, ces messieurs se sont mis au charbon. Ils travaillent en attendant les nouvelles. C'est leur façon à eux de tuer le temps. Je demande à Martine de m'appeler le docteur Duraître et, quand ce dernier me rejoint, je l'entraîne dans le parc afin d'avoir une conversation à bâtons rompus.

— Docteur, lui dis-je, il y a dans cette maison six personnes dont l'une est un criminel.

Ce préambule lui fait ouvrir une bouche grande comme le tunnel de Saint-Cloud.

— Vous dites ?

— La vérité. Et je vous compte dans ces six personnes, excusez-moi.

Ma franchise lui fait refermer le bec. Il le rouvre aussitôt pour demander :

— Qu'appelez-vous un criminel ?

— Un espion ! On s'intéresse à l'invention de Thibaudin... L'un de vous le trahissait, il n'y a rien de nouveau depuis les Apôtres, vous le voyez...

— C'est insensé !

— C'est surtout immoral.

— L'un de nous !

— Oui. Puisque je vous ai choisi comme confident sans trop savoir pourquoi au juste...

Je m'interromps et je souris... Si, je sais pourquoi je me suis adressé à Duraître plutôt qu'à Minivier... Il y a les yeux de Félicie, ma vieille môman... Vous savez : de grands yeux étonnés et craintifs qui pardonnent tout...

— Donc, puisque vous êtes dans le secret, je vous pose l'embarrassante question que voici : étant donné qu'un de vos collègues est un traître, lequel seriez-vous le moins surpris de voir démasquer ?

Il fronce les sourcils, regarde la pointe de ses godasses mal cirées, puis me regarde.

— Il m'est impossible de répondre à une semblable question, monsieur ! Vous devez bien le penser... Ce serait faire un choix ignoble... Laissez-moi vous dire que si l'un des nôtres avouait avoir trahi, je serai pareillement surpris pour tous !

C'est la réaction d'un homme bien. Je ne puis que l'approuver.

— N'en parlons plus. Je voudrais maintenant vous poser une seconde question...

— Je vous écoute.

— Savez-vous à quelle invention travaillait Thibaudin ?

Il rougit, puis détourne le regard.

— Hmm ?

— Eh bien !...

Il sourit tout à coup.

— Le bon maître est très maniaque, vous l'avez certainement remarqué... Il faisait des mystères, prenait un excès de précautions... Mais il oubliait que Minivier et moi sommes des spécialistes des questions nucléaires et que c'est précisément ce pour quoi il nous a choisis...

— Alors ?

— Alors, dès le premier mois de collaboration, nous avons compris qu'il s'agissait d'un produit de protection contre les radiations atomiques...

— Il entretenait un secret de Polichinelle, en somme ?

— En somme, oui !

C'est bien ce que j'avais gambergé dans ma petite tronche à détecter la couleur des dessous de dame !

— Et vos trois aides, ils savent eux aussi ?

— Bien que nous n'ayons jamais vraiment abordé le sujet, Minivier et moi, je pense que oui...

— Mouais... O.K., docteur, je vous remercie.

Je regarde s'éloigner sa silhouette blanche, étriquée et

dansante à travers les arbres... Il vient de me fortifier dans une impression : Minivier savait ! Et Planchoni aussi, sans doute !

Je continue de gravir l'escalier, les Jules... Suivez-moi !

La nuit descend par l'échelle de secours... Il fait un temps superbe et ça renifle bon les feuilles...

A l'instant où je gravis le perron, je vois radiner une bagnole noire des services... Au volant, devinez qui ? Cette bonne enflure de Bérurier... Il est congestionné comme un steak tartare et fait de grands gestes en descendant de l'auto.

Magnin et l'ineffable Pinuche l'accompagnent. Je m'avance vers eux.

— Tiens ! v'là le trio Royco, fais-je.

Bérurier se précipite vers un arbre dont il se met à compisser le pied avec une générosité qui éloigne de son entourage toute idée de prostate.

— Y a de la verdure, dans le coin, brame-t-il.

Je regarde Pinaud.

— Dis-donc, il est blindé, le Gros, non ?

— Oui. Il a été invité à déjeuner par son copain le coiffeur, tu sais, l'amant de sa femme. Et depuis il a beau boire des petits blancs il n'arrive pas à se dessaouler...

— Qu'est-ce qui parle de saouler ? interroge Béru qui revient de son arbre avec son pantalon défait...

— J'ai demandé du renfort, pas des ivrognes ! fais-je d'un ton glacé, tandis que Magnin rit sous cape[1].

Le Gros a des yeux injectés de sang et son haleine ferait reculer une ménagerie.

— C'est... heug... pour moi que tu dis ça ? fait-il d'une voix outragée.

— Pour qui serait-ce, bougre de sac à vin ?

— C'est honteux ! J'ai jamais été saoul de ma vie... Je voudrais me saouler que je n'y arriverais pas...

1. Rire sous cape est un exercice très périlleux qui nécessite un entraînement forcené. Certains téméraires qui voulurent rire sous cape sans préparation moururent d'étouffement. Nous conseillons aux débutants de rire à la dérobée pour commencer, c'est la méthode qui prévaut chez les pickpockets.

— Ta gueule ! Fais ce que je te dis et respire moins fort, on dirait que t'as bouffé un cimetière !

Il se renfrogne. Je fais claquer mes doigts agiles afin d'attirer l'attention de mes équipiers.

— Voilà où nous en sommes, dis-je. Il y a dans cette propriété six personnes. L'une d'elles est un traître et détient des documents. Ceux-ci sont bien cachés, car notre coupable sait qui je suis et a dû prendre ses précautions. Il s'agit de le forcer à aller à la cachette, vous mordez ?

Magnin et Pinaud opinent. Bérurier éructe, ce qui revient au même.

— Alors, vous allez suivre mes instructions à la lettre, dis-je.

CHAPITRE XII

C'est un SECRET pour personne seule.

Il me faut un bon quart de plombe pour affranchir mes pieds nickelés de mes desiderata[1] ! Dans l'état euphorique de ma grosse gonfle de Bérurier, c'est plutôt coton de lui faire apprendre un rôle. Il est tellement congestionné qu'on dirait qu'il va éclater. Il y a un jaune d'œuf entier sur sa cravate et le col de sa chemise qui fut blanche dans un passé très ancien est agrémenté d'éclaboussures de vin du plus pittoresque effet. De temps à autre il passe sur ses lèvres violettes une langue de bœuf trouée comme ses chaussettes et si écœurante qu'un tigre affamé préférerait s'inscrire à la ligue des végétariens plutôt que de se la tortorer.

Ayant dressé un solide plan de campagne, je quitte mes archers afin de les laisser jouer.

Je contourne la bicoque pour rentrer et, en attendant que se déclenche le gros bidule, je vais vérifier si les deux hémisphères de Martine sont toujours accrochés là où il faut.

Elle paraît toute triste, la pauvrette. Elle me dit qu'elle a du chagrin de ce qui est arrivé à Thibaudin. Il était maniaque,

1. Mot tiré d'une chanson militaire : « C'est pas de la soupe c'est du desiderata ! »

ronchon, râleur, exigeant, mais elle avait pris l'habitude de marner pour lui et elle avait appris à l'estimer... Son cafard rejoint le mien. Une fois encore, j'adresse à Celui d'En-haut qui tire les ficelles des pantins que nous sommes une fervente prière pour le prompt rétablissement du vieux savant...

Nous sommes en train d'essuyer nos pleurs respectifs lorsque le trio Parapluie fait une entrée très remarquée pour donner son récital.

Pinuche, dans sa gabardine souillée, ressemble à un épouvantail qui en aurait eu sa claque de faire le poireau dans un champ de maïs. Sa moustache élimée ressemble à deux petits morceaux de ficelle noués bout à bout sous son nez torturé. Son chapeau gondolé, son falzar en tire-bouchon et le pan de sa chemise qui sort du grimpant complètent harmonieusement sa silhouette *up to date.* S'il n'y avait pas le petit Magnin, sec et strict pour rétablir l'équilibre, on prendrait mes deux boy-scouts pour des clodos de la Maube en rupture de boîtes à ordures !

Pinuche qui, en sa qualité d'inspecteur principal, se croit autorisé à prendre les initiatives qui s'imposent, va droit au gardien.

— Inspecteur principal Pinaud, déclare-t-il d'une voix caverneuse.

Là-dessus il éternue, ce qui agrémente aussitôt son nez d'une stalactite que son interlocuteur considère avec indécision.

— Réunissez-moi tout le personnel, poursuit Pinaud, j'ai une communication importante à faire...

Le gardien déhote en faisant fissa, impressionné par cette armada de pieds plats. J'en profite pour apparaître, avec la taille de Martine à l'intérieur du bras droit.

Bérurier pose sur le beau couple que nous formons un regard plus lourd qu'un sac de pommes de terre.

— Y en a qui s'en font pas, bredouille-t-il.

Je le fustige d'un œil sec. Il met une soupape de sûreté à son moulin à débloquer.

— Qui êtes-vous ? me demande Magnin, jouant les poulardins sans se marrer.

— Le garçon de laboratoire du professeur Thibaudin.

— Et mademoiselle ?

— Sa secrétaire...

— Veuillez attendre ici que tout le monde soit réuni.

La convocation des états généraux ne tarde pas à s'effectuer.

Nous voilà tous groupés dans le hall. Pinaud prend alors la parole.

— Mademoiselle, attaque-t-il galamment, messieurs, j'ai une pénible nouvelle à vous apprendre... Le professeur Thibaudin a été victime d'une tentative d'empoisonnement...

Rumeur dans l'assistance. Chacun regarde les autres avec stupéfaction. Pinuche, satisfait de son effet oratoire, enchaîne :

— Nous avons pu l'interroger un peu à l'hôpital et il nous a fait certaines révélations de la plus haute importance. De ces dernières, il appert que l'invention qu'il mettait au point se trouverait en danger...

Pinaud, dit Pinuche, dit la Pinette, se gargarise de ce mot « appert » qui lui confère une certaine culture, du moins le croit-il très fermement.

Il lisse le bout de sa moustache miteuse dans les poils de laquelle adhèrent un reliquat de sauce tomate et des brins de tabac.

Puis, très noble dans sa simplicité, il continue :

— Quelqu'un, parmi vous, saurait-il où se trouve le coffre secret de M. Thibaudin ? Il aurait placé à l'intérieur des documents très circonstanciés que nous devons récupérer au plus tôt.

Le regard terne du père Pinuche parcourt l'assistance muette. Nous secouons négativement la tronche. Non, personne ne sait où se trouve le coffre, du moins c'est ce que tendent à assurer nos faces soucieuses et figées.

— Eh bien ! fait Pinaud, mes collègues et moi-même allons procéder t'à une fouille complète du laboratoire... Il est dommage que M. le professeur Renaudin...

— Thibau... heug... din, rectifie Béru qui, malgré son ivresse, a une mémoire plus solide que son collègue.

— ... Que M. le professeur Thibauchin, voulais-je dire, continue emphatiquement la Pinette, ait perdu connaissance avant que d'avoir pu nous révéler l'emplacement dudit coffre...

Il a fini. Une sueur généreuse perle à son front de vieux rat minable... Pinaud époussette une poussière imaginaire sur le col ignoble de sa gabardine qui donnerait des cauchemars à un teinturier.

— Mademoiselle, messieurs, en attendant les résultats de

nos investigations (il trébuche sur le terme, mais passe outre[1]), je vous serais reconnaissant de ne pas quitter la propriété... L'encours suit sa quête !

Bérurier lui touche le bras :

— Qu'est-ce que tu débloques ? fait-il.

— Hein ?

Pinuche se ravise.

— Je voulais dire : l'enquête suit son cours, excusez-moi, la fourche m'a langué ! Bon, conduisez-nous au laboratoire ! demande-t-il au gardien.

Les trois équipiers filent le train au bouledogue. Nous restons entre « employés » à nous regarder un bon moment. Je ne sais pas si vos maigrichonnes cellules grises vous permettent de piger, mais c'est maintenant, les gars, qu'on doit vérifier si ce bijou de San-Antonio est vraiment le superman réputé du cap Nord à la Terre de Feu, ou bien s'il n'est qu'une vieille savate éculée. Parce que, mettez-vous dans l'épiderme de M. X...

Que pense-t-il en ce moment ? Que ça va chauffer d'ici peu pour sa pomme reinette ! Les commentaires choisis du père Pinaud ont dû l'inquiéter... Cette histoire de documents enfermés dans le coffre lui bouffe la cervelle. Il a les chocottes que les enfants de troupe de la maison Poulardin mettent la main sur la planque... Pour s'assurer du Chizboque, il va grimper à l'étage au-dessus et mater ce qui se passe dans le labo par le voyant des toilettes ! Pas plus duraille que ça ! Il suffisait de créer cette situation... L'essayer, c'est l'adopter, faites vos jeux ! La couleur qui sort est la couleur gagnante !

Attendons...

Nous restons groupés un petit moment, à faire les commentaires qui s'imposent. Puis c'est la dislocation... Pour ma part, je sors et vais m'embusquer derrière le rosier touffu qui flanque le perron ; de ma planque, je peux voir ce qui se maquille dans le hall...

Le gros Berthier sort peu de temps après moi et passe à mes côtés sans soupçonner ma présence... Il se dirige vers l'annexe de sa démarche sautillante d'obèse... Planchoni le suit bientôt. Il le hèle, l'autre l'attend dans l'allée, et les deux collègues s'éloignent dans l'ombre en parlant de ce qui se passe.

1. Passer outre, se dit surtout dans les caravanes.

Berger et ses tics commentent la même question, je suppose, avec Duraître... Martine me cherche, ne me trouve pas et monte... Oh ! Oh ! qu'est-ce à dire ? Elle est suivie de Minivier... Du coup, je n'hésite plus. Je réapparais dans hall et m'engage dans l'escalier... Je m'applique à ne pas faire grincer les marches... Je vois ma petite môme d'amour pénétrer dans sa chambre... Ouf ! j'ai eu chaud... Minivier, par contre, va droit aux « ouatères ». Le San-Antonio n'est pas du tout dévalué, mes chéries... Il tient son cours en Bourse, vous le voyez ! N'avait-il pas, par recoupements successifs et pertinents, accroché un énorme point d'interrogation à la personnalité du jeune médecin ?

J'attends qu'il soit entré dans les toilettes et qu'il ait refermé la porte... Je n'ai plus qu'à attendre maintenant en montant la garde devant cet endroit peu romantique.

Quelques minutes s'écoulent... Un bruit caractéristique et très niagaresque retentit. Minivier sort en ajustant ses fringues. Il est fortiche pour donner le change, seulement c'est l'enfance de lard !

— Alors, doc, fais-je en lui barrant la route, on vient de faire sa petite inspection !...

Il me toise sans paraître comprendre.

Je sors mon pétard, un gros machin tout noir qui vous crache des noyaux de prunes longs comme ça !

Il pâlit et a un mouvement de recul.

— Sage ! je grogne, tu es fait, mon gars...

Nature, le voilà qui me joue l'acte deux de « Je suis un innocent ».

Fallait s'y attendre.

— Qu'est-ce que c'est que cette plaisanterie ? demande-t-il d'une voix pointue.

— C'est la fin d'une plaisanterie, mon lapin... Allez, oust ! tes pognes, inutile de faire du mélo, je te dis que tu es fait !

— Mais enfin, c'est insensé...

Tandis qu'il proteste, je lui passe le cabriolet.

Il regarde ses poignets enchaînés comme si c'était la première fois qu'il voyait des mains.

— Ah ! çà, allez-vous m'expliquer ?

— Pas de salades, tu sais très bien que je suis de la police !

— Vous ?

— Oh ! finis de jouer les candides, tu ne fais pas vrai ! Allez, descends...

Il ne bronche pas. Ses mâchoires sont crispées.

— Vous allez m'enlever ça immédiatement, sinon il vous en cuira !

— Cause toujours, mon petit Pasteur ! Je te répète qu'il est inutile de nier...

Pour le confondre, je le pousse d'un coup de genou dans le réduit qu'il vient de quitter. Je vais à l'orifice du plancher et j'aperçois mes bons potes en train de farfouiller sans ardeur le laboratoire...

— Ça t'a rassuré, de voir l'incompétence des flics, hein, Trognon ?

Il se penche à son tour.

— Qu'est-ce que c'est que ça ?

— Un gentil travail d'optique, monsieur l'astronome !

— Mais...

— Viens...

— Vous ne pensez pas que je me suis amusé à percer le plancher ?

— Non, je ne pense pas que ce soit par jeu que tu l'aies fait !

Malgré ses protestations, je l'entraîne au rez-de-chaussée. Je dis au bouledogue éberlué d'avertir mes hommes, et le trio Parapluie se radine...

— Suffit, les enfants, la ruse a réussi... Embarquez-moi ce loustic dans la bagnole, je vous rejoins...

Bérurier, qui commence à se dessaouler, met un ramponneau express au plexus de Minivier qui se casse en trois. Le Gros est très farceur. Dès qu'il voit un inculpé, il faut qu'il le chahute un brin pour s'entretenir la pogne. Un jour, il a cassé la frite à un juge d'instruction de province qu'il avait pris pour un malfrat.

Minivier cesse de bramer à l'erreur judiciaire. Il paraît accablé. Lorsqu'il s'est éloigné, escorté par mes sbires, je me tourne vers Berger et Duraître qui ont assisté à l'arrestation sans piper.

— Voilà, leur dis-je. Le coupable est arrêté... La justice est triomphante... Vous pouvez aller dans vos appartements. Suivant l'état de santé du professeur, je vous dirai ce que vous devez faire... Allez prévenir vos collègues.

Ensuite, je vais rejoindre les miens.

Ils sont tous les trois dans la bagnole avec Minivier qui ne moufte pas. Je dis à Magnin de sortir pour me laisser sa place. Il le fait et en profite pour allumer une cigarette de la Régie française des tabacs.

Je me mets à l'avant, près de Pinaud. Béru est installé aux côtés de notre prisonnier.

— Avant de vous embarquer, monsieur Minivier, dis-je, j'aimerais récupérer les documents que vous savez. Voulez-vous avoir l'extrême obligeance de m'indiquer où ils se trouvent ?

— Je vous répète que vous faites fausse route, déclare le jeune médecin. J'ignore tout de cette affaire...

Il n'a pas le temps d'en dire plus long. Béru vient de lui coller un revers de main qui a écrasé les lèvres du jeune toubib.

— Bouscule pas le docteur, dis-je, chiquant à la bonne âme. Il n'est pas sensible à ces procédés brutaux, pas vrai, doc ? Je suis certain que vous allez parler sans nous obliger à ces pénibles voies de fait !

— Parler pour clamer mon innocence, murmure le jeune gars à travers les deux limaces sanglantes qui lui servent de lèvres.

C'est pas une mauviette, malgré son aspect fragile. Il sait bien que tant que je n'aurai pas la main sur les documents, il pourra nier, car il m'est impossible de faire la preuve de sa culpabilité.

Je décide de lui faire le grand jeu. Pour commencer, une nuit au placard spécial de la grande cabane lui fera du bien.

— Emmenez ce client chez Plumeau, dis-je à mes subordonnés. On l'interviewera demain ! Toi, Pinaud, reste avec moi !

Le Vieillard descend en maugréant.

Je cède ma place à Magnin et le convoi s'ébranle. Je ne souhaite à personne la gâche de Minivier. Faire un voyage dans ces conditions, avec un Bérurier rendu maussade par la gueule de bois, c'est une remise assurée de cent ans de purgatoire !

Je désigne l'annexe à Pinuche et lui demande d'aller surveiller un peu les quatre zigs qui s'y trouvent.

Maintenant, le pavillon est sans âme... Je vais dans le bureau du vieux afin de téléphoner à l'hôpital d'Évreux. Le dirlo m'apprend que l'état du malade est stationnaire. Le fameux toxicologue est à son chevet. On tente l'impossible !

Je raccroche. Indécis, je passe dans le labo qui est resté éclairé... Je vais au coffre et j'essaie de l'ouvrir encore, mais macache ! *Lido* ne répond plus...

Tout à coup, une petite sonnerie d'alerte carillonne sous ma coiffe. Je pars à la recherche du bouledogue et je le trouve occupé à consommer un casse-croûte de voyou[1] sur son lit de camp qu'il vient de déplier.

Je m'assieds près de lui sur le pucier.

— Dites voir, vieux, vous vous souvenez qu'hier au soir je vous ai demandé de me prévenir si le professeur Thibaudin retournait dans la nuit à son laboratoire ?

— Oui, monsieur le commissaire...

— *Well !* Pourquoi ne l'avez-vous pas fait ?

— Parce qu'il n'y est pas retourné...

Je me rembrunis[2].

— Vous voulez dire que personne n'est entré ici entre l'instant où nous en sommes sortis, le prof et moi, hier soir et ce matin ?

— Non, personne !

— Vous êtes sûr ?

— Voyons, monsieur le commissaire, j'étais en travers de la porte, vous savez bien que pour entrer il faut que je m'écarte... Je n'ai pas fermé l'œil un instant ! J'ai lu...

— Attendez, ne nous affolons pas. Ce matin, vous étiez à votre poste encore quand le professeur a... a eu sa crise ?

— Je m'apprêtais à partir.

— Comment cela s'est-il passé ?

— Il est entré... Il a porté la main à son cœur. L'un de ces messieurs, je crois que c'est le docteur Duraître, lui a demandé ce qu'il avait. Il a répondu... « Oh ! un point au cœur sans doute ! » Il est allé à la porte du labo, l'a ouverte, et c'est alors qu'il est tombé raide...

1. Le casse-croûte de voyou se compose d'un demi-pain d'un kilo à l'intérieur de quoi on a fourré des oignons et des filets de hareng. Le tout est obligatoirement enveloppé dans un récent numéro de *l'Humanité* (Recette Marie-Chantal).

2. Comme disait une fausse blonde de mes relations en ôtant son slip.

Je suis saisi d'un étrange malaise. Ce n'est donc pas Thibaudin qui a modifié le mot de la combinaison.

— Allez me chercher votre collègue de jour...

L'homme s'éloigne. Je prends sa place sur le lit. Je croise les mains derrière ma tête et je gamberge sérieusement ! Décidément ça continue à ne pas tourner rond. Quelque chose me trouble... Je reste sur ma faim... L'arrestation de Minivier ne m'a pas satisfait complètement. Vous savez, tas de betteraves moisies, combien je fonctionne à l'intuition. Non, il y a un truc pas ordinaire à découvrir... Mais quoi ?

Le bouledogue revient avec son collègue du jour, un bourru aux cheveux gris.

— Vous êtes demeuré en permanence dans le hall aujourd'hui ? je demande à celui-ci.

— P'faitement, m'sieur !

— Qui est entré au laboratoire ?

— Ben, les ceusses de d'habitude...

— C'est-à-dire ?

— Ben les trois, quoi ! Duraître, Berger, Berthier...

— C'est tout ?

— Plus la petite demoiselle qui est allée et venue...

— Le docteur Minivier n'est pas entré ?

— Non...

— Sûr ?

— Certain !

L'arrestation du jeune toubib commence à me peser sur la conscience. Vous voyez pas qu'il soit allé aux toilettes tout à l'heure pour des raisons tout à fait naturelles ?

— Planchoni non plus ?

— Non...

— Très bien, allez me chercher Duraître...

— Bien, m'sieur...

Je regarde le bouledogue tandis que son collègue disparaît.

— J'ai l'impression de collectionner les erreurs judiciaires, lui dis-je.

C'est plus à moi qu'à lui que je m'adresse. J'ai besoin de dire à haute voix mes pensées intimes... Je dois avoir le courage de mes erreurs.

Nous n'échangeons plus une parole avant l'arrivée de Duraître. J'entraîne le médecin au laboratoire.

— Vous avez travaillé ici avec vos assistants aujourd'hui ?

— Nous avons bricolé plutôt. Vous savez, le cœur n'y était pas, avec cette histoire du vieux maître !

— Je comprends... Vous êtes toujours restés tous les trois dans cette salle ?

— Comment cela ?

— Je vous pose ma question autrement : l'un de vous est-il demeuré seul à un moment ou à un autre ?

— Non...

— Réfléchissez bien, docteur, c'est très grave...

Il se chope le menton entre deux doigts et s'abîme dans une gamberge prolongée. A la fin, il redresse la citrouille.

— Non, répète-t-il. Je suis certain que personne n'est demeuré seul...

— Pas même la petite Martine ?

— Elle n'a jamais séjourné ici plus de quelques minutes... Du reste, elle n'a rien à y faire.

— Je m'en doute... Ça va, doc, c'est tout ce que je voulais savoir...

CHAPITRE XIII

Puisqu'il s'agit d'un coffre à SECRETS.

Duraître est un peu surpris de voir l'entretien tourner court. Seulement, j'ai besoin de me concentrer comme une boîte de lait Nestlé.

Personne n'a pu toucher ce satané coffre depuis que nous avons quitté le labo la veille au soir, le professeur Thibaudin et moi. Cela signifie une chose : le vieux n'a pas réglé le système de sécurité du coffre sur le mot Lido, ainsi qu'il l'avait dit. Pourquoi ? Parce qu'il n'avait pas confiance en moi ! Il est trop méfiant pour confier un tel secret à une autre personne, fût-ce à un flic... Si le vieux savant clabote, on va être obligé de découper le coffre au chalumeau pour l'ouvrir ; à moins que...

Ça me donne une idée plus lumineuse que les Champs-Élysées par une nuit d'Entente cordiale !

Je décroche le bigophone et je demande le numéro du « Bar Baras » à Montrouge... C'est un troquet minable qui possède, en fait d'attraction, une taulière de cent trente kilos et un billard électrique tellement « bricolé » par les malfrats qui hantent l'établissement qu'il suffit de le regarder pour qu'il fasse tilt !

La voix barrissante du tas de viande qui dirige cette usine à petits blancs demande ce que je veux. Je dis que je suis un pote de la province et que j'aimerais parler à Landolfi la Béquille.

Il y a la classique minute d'hésitation ; le non moins classique « Attendez-je-vais-voir-si-qu'il-est-là »... Puis la voix nasale de Landolfi me froisse les trompes d'Eustache.

— Allô !

— C'est toi, Lando ?

— Qui est à l'appareil ?

— Commissaire San-Antonio.

— Tiens !...

Nouveau silence aussi poisseux qu'un berlingot sucré. Un vieux pébroque comme Landolfi a beau se tenir les pieds au sec, ça lui coupe toujours la parlote lorsqu'un perdreau le relance.

— J'ai besoin de toi, Lando...

— Ah vraiment ?

— Oui... Seulement je suis dans les provinces franchecailles... Tu as ta tire dans les horizons ?

— Oui, mais...

— Pas de mais... Précipite-toi au volant et cramponne la route d'Évreux...

— Évreux !

— Oui, le pays où la bonne femme de la chanson voulait vendre des œufs avant de s'endormir dans le train... Fais pas comme elle !

— Mais, monsieur le com...

— Je t'ai dit que je ne voulais pas t'entendre bêler... A dix bornes de la ville tu verras une maison écroulée sur le bord de la route... Tout de suite après y a un chemin... Chope-le ! Tu le suis sur trois bornes et à main droite tu apercevras une grande propriété avec plein de bagnoles arrêtées... C'est là que je t'attendrai... Tâche de ne pas me faire faux bond, sinon j'irai de mes propres mains te casser ta béquille sur le bol, vu ?

Je raccroche. Je sais qu'il viendra. Ça n'est pas la première fois que je fais appel aux talents particuliers du père Landolfi. Le vieux Rital est renaudeur comme point, mais il ne voudrait pas me jouer « Cruelle Absence »... Il y a une dizaine d'années, je l'ai crevé dans une affaire où il avait joué un rôle secondaire... Heureusement les durs de son espèce ne gardent jamais rancune à un royco de leur avoir filé la paluche au colback. Ils savent que c'est la règle du jeu.

Pinuche fait une entrée discrète dans le burlingue du prof. Il éternue violemment, chaque fois on dirait qu'il explose.

— T'as pris froid ? m'enquiers-je.

Il fait un signe négatif qui a pour résultat de projeter l'une de ses stalactites sur le mur le plus proche.

— Ce sont les beuilles, dit-il, le nez obstrué.

— Quoi ?

— Les beuilles tes arbres ! En zette zaizon, elles zont une oteur qui be bonte au dez !

— Tu devrais ramper...

Il hausse les épaules. Puis, d'une voix geignarde :

— Tis, qu'est-ze qu'on vait ? Boi j'ai vaim !

— Tu as faim ?

— Foui.

— Demande à la jeune femme de te préparer un en-cas.

— Où est-elle ?

— Sa chambre est au second, la première lourde après l'escadrin.

Pinuche s'éloigne... Je reste en compagnie de mes pensées. Celles-ci sont de plus en plus nombreuses et insistantes. L'atmosphère de cette propriété commence à me peser vachement. Moi qui aime l'action, je supporte mal cette longue claustration, ce climat lourd, ce mystère bizarre, à facettes, devrais-je dire, qui n'a jamais le même aspect...

Je perçois des clameurs dans l'escalier...

Et j'identifie sans mal la voix chevrotante de mon collaborateur.

— San-Antonio ! Arribefite ! Arribefite !

Je m'élance, comprenant qu'il vient de se produire du nouveau.

Pinaud se tient au sommet de l'escalier, le chapeau en bataille, la morve étirée, le regard flottant.

— La jeune fille, fite !

Je cours à l'escalier en criant au bouledogue de surveiller l'entrée du labo...

Pinaud me chuchote à l'oreille :

— Je grois qu'elle est emboisonnée !

Seigneur ! Qu'est-ce que ça veut dire, ça encore ?

J'entre en trombe dans la chambre où je me complus naguère à batifoler[1]. Mon regard embrasse[2] un spectacle déprimant.

Martine est allongée sur le parquet. Elle est secouée de spasmes terribles et vomit comme tous les passagers d'un ferry-boat un jour où la Manche débloque. Pas de doute, quelqu'un se l'est farcie aux barbituriques...

Je me précipite et je la saisis dans mes bras...

— On va vite l'embarquer à l'hosto, dis-je à Pinuchet. Soutiens sa tête...

Et nous voilà partis avec ce délicat chargement. Le veilleur de noye en est une fois de plus médusé[3].

Nous faisons fissa à travers le parc jusqu'à ma voiture... Et, fouette ! cocher : en route pour l'hosto. Décidément on les fait marner dur, les carabins d'Évreux... Ils vont appeler des renforts si ça continue.

Le dirlo s'apprêtait à monter dans sa voiture lorsque je stoppe dans un miaulement de freins qui ferait croire à l'arrivée du cirque Barnum. Il s'avance vers moi :

— Vous venez prendre des nouvelles, mon cher ?

— Oui et non. Je vous amène surtout une nouvelle cliente !

Il nous regarde sortir Martine.

— Que lui est-il arrivé ?

— Je pense qu'elle a été empoisonnée. Mais ça ne doit pas être le même poison que pour le professeur car elle a des nausées violentes alors que lui n'en avait pas...

Il donne des instructions pour faire transporter la jeune fille dans une chambre. Puis il entre à la suite de la malade en nous priant de l'attendre.

— Qu'est-ce que ça veut dire ? demande Pinaud.

— J'aimerais le savoir. Qui a pu l'empoisonner, et pourquoi ? Sait-elle quelque chose que le vrai coupable voulait l'empêcher de révéler ?

1. Comme aurait écrit la marquise de Sévigné qui s'y connaissait.
2. On embrasse ce qu'on peut.
3. Comme disaient les naufragés d'un certain radeau.

— Peut-être s'agit-il d'un accident ?... propose mon éminent collègue dont le calme aime se satisfaire d'explications naturelles.

Le médecin chef revient.

— Je ne crois pas que ce soit grave, dit-il. Le pouls est normal... Le fait qu'elle ait vomi l'a sans doute sauvée... On va lui faire un lavage d'estomac.

— Faites analyser ses déjections, je recommande. Et dès qu'elle aura repris connaissance, prévenez-moi !

— Entendu.

— Comment va le professeur ?

— Le toxicologue de Paris s'occupe de lui, mais très franchement il est impossible de se prononcer... Il est toujours dans un demi-coma... On a l'impression qu'il réalise ce qui se passe, mais il n'a pas la force de se manifester... Demain sera décisif...

— Je vous ai déjà dit que je voulais qu'on le sauve, docteur...

Je commence à l'agacer.

Il me le fait savoir d'un haussement d'épaules.

⁂

Landolfi n'est pas encore arrivé lorsque nous sommes de retour à la propriété. Le hall est encombré par messieurs les assistants qui commentent avec énervement les multiples incidents de cette journée fertile.

L'empoisonnement de Thibaudin, la disparition des documents, l'arrestation de Minivier, l'empoisonnement encore de Martine, c'est plus qu'il n'en faut pour perturber l'existence de braves et paisibles savants...

Braves et paisibles ? Voire... M'est avis que je me suis gouré sur toute la ligne. Le vrai coupable se trouve parmi ceux-ci. C'est l'un de ces quatre hommes qui a empoisonné Martine, Minivier n'étant plus là !

Lequel ? Le gros Berthier ? Le petit Berger à ressorts ? Le taciturne Planchoni ? Ou bien... Duraître, mon confident ? Si jamais c'était lui, je ne croirais plus du tout en mon fameux instinct.

J'évoque brusquement l'attirail photographique de Berger... Pourquoi n'ai-je pas repris le dessus après qu'il m'a mis K.O. pour essayer de lui faire dire ce qu'il avait dans le bide ?

Enfin, je suis toujours à temps de m'occuper de lui maintenant. Mais auparavant[1] je veux savoir ce que contient le coffre de Thibaudin...

Justement, le gardien du portail radine, escortant Landolfi. Le vieux Rital porte un costume d'alpaga gris clair, tout taché, un feutre à large bord et il a troqué sa légendaire béquille contre une canne pourvue d'une tige métallique sur quoi peut s'appuyer l'avant-bras.

— Ce monsieur veut vous parler, déclare le garde.

Je m'avance vers le malfrat, la main tendue.

— Salut, Lando, c'est chic à toi d'être venu... Dis donc, t'as fait des frais, te voilà sapé comme un dandy...

Il sourit.

— Faut soigner son standing de nos jours, monsieur le commissaire...

— Arrive, je veux te montrer quelque chose.

On s'enferme tous les deux dans le labo et je lui montre le coffre. Il a pigé. Pourtant je le chambre un peu.

— Landolfi, pendant cinquante piges, t'as été le roi du coffre blindé. Tu possèdes un toucher d'accoucheuse et même les Ricains ont fait appel à tes dons, d'après ce que je me suis laissé dire...

Il rosit de plaisir.

— Oh ! vous me faites trop d'honneur, monsieur le commissaire...

— Ça va, restez couvert, monsieur le baron !

Redevenant grave, je lui désigne le coffre.

— Faudrait t'expliquer avec ce monsieur-là, mon gars. Je vais te rencarder sur ce que je sais de sa vie privée : le bouton molleté est à quatre combinaisons de chiffres et quatre de letrres. Le type qui se servait de lui changeait tous les jours de combine. Il prenait tantôt les lettres, tantôt les chiffres... Il composait, autant que possible des mots cohérents et des nombres fastoches à retenir... Alors, amuse-toi...

Je tire une chaise à moi et m'assieds à califourchon dessus. Landolfi sort des lunettes à monture de fer de sa poche et en chausse son nez pointu. Puis il extrait de son portefeuille un petit morceau de peau de daim... Il s'astique le bout des doigts de la main droite dessus, très longuement... Ceci, je le sais, afin d'affûter son sens tactile ultra-développé.

1. Comme disaient les Chinois qui sont des spécialistes.

Il se penche enfin sur le bouton molleté. Il examine pendant dix bonnes minutes ce simple objet comme si c'était un kaléidoscope à l'intérieur duquel il peut voir des choses pharamineuses... Ensuite il se met à le tripoter doucement, doucement, de ses doigts si sensibles. Il a le masque ravagé par l'attention. Sa bouche entrouverte exhale un souffle très court, très haletant...

Lorsqu'il a bien caressé le bouton[1], il se met à le tourner dans un sens puis dans un autre, très légèrement. Ce gars-là serait capable de peindre sur des bulles de savon !

Ça dure un bout de temps. Je transpire d'énervement. Dans le silence du labo, on ne perçoit que le bruit de nos respirations inégales et le menu cliquetis du bouton molleté.

Enfin Landolfi se redresse. Il pose ses lunettes et décrit plusieurs mouvements de manivelle avec son bras droit, pour le désankyloser.

— Ça ne va pas ? fais-je, inquiet.

— Mais si, dit le vieux truand, ça y est...

— Comment, ça y est ?

— Vous pouvez ouvrir...

J'en reste asphyxié. Comment sait-il qu'il a réussi ?

Je saute de ma chaise et je vais saisir la lourde du coffre. Elle s'ouvre en effet sans opposer la moindre résistance.

Je me tourne vers Landolfi. Appuyé sur sa canne à changement de vitesse, il me considère de ses petits yeux malins.

— Toi, lui fais-je, t'es une épée !

Je sors mon portefeuille et je pique deux grands formats célébrant la jeunesse du sieur Bonaparte.

— Chope ça et décarre, je le mettrai sur ma note de frais...

Il repousse les biftons.

— Pas entre nous, m'sieur le commissaire... Quand on peut se rendre des petits services réciproques, on ne doit pas se les faire payer. On est sur cette terre pour s'entraider...

J'éclate de rire.

— Bougre de vieux farceur, va !

Il cligne des yeux et part en claudiquant...

Lorsque la porte du labo s'est refermée sur lui, je me penche sur le coffre et je saisis la chemise de bristol emplie de papiers

1. Pourquoi riez-vous ?

qui s'y trouve. L'idée que je tiens dans mes robustes mains une invention aussi considérable me fait trembler d'émotion.

Je dépose la chemise sur le marbre d'une table à manipulation. Je l'ouvre et je reste *knock-out* debout : elle ne contient que des feuilles de papier blanc...

C'est dur à piger. C'est dur à admettre... Pourtant je dois convenir que lorsque le roi des céhoènes mourra, comme il s'agit d'une monarchie constitutionnelle, je pourrai espérer lui succéder ! D'un geste rageur, je flanque les paperasses dans la corbeille.

CHAPITRE XIV

Il n'y a plus de SECRETS.

— Tu es tout pâle observe Pinaud, on ne t'aurait pas empoisonné, toi aussi ?

— Si, lui dis-je. On m'a empoisonné l'âme...

Il secoue la tête.

— Si ce n'est que l'âme, c'est pas dangereux.

Ce mot « empoisonnement » calme ma fureur et me fait songer à la petite môme Martine. Comment lui a-t-on fait avaler le bocon, au fait ?

Je décide de grimper à sa chambre. J'ai besoin pendant un moment d'oublier cette sacrée chiatique invention. Je ne veux plus penser au secret du coffre. Son secret, c'était justement de ne pas en contenir. Il était placé là pour capter l'attention. Il m'obnubilait et ce n'était qu'une boîte à papiers !

Donc, j'escalade les marches et j'entre dans la chambre de la jeune fille. Il y flotte une odeur pénible. Je me dégrouille d'aller ouvrir la fenêtre pour aérer un peu...

Ensuite, je regarde autour de moi, cherchant un indice quelconque qui pourrait me mettre sur la voie. Ce poison, il a bien fallu le véhiculer jusqu'à l'estomac de la petite.

J'ai beau chercher, je ne vois ni verre, ni bouteille, ni tasse... Rien ! Je fouille la pièce, j'explore le cabinet de toilette : en vain...

Chaviré par l'odeur, je vais m'accouder à la croisée... La nuit est immobile. On entend un rossignol qui joue dans les taillis à Marino Marini. Tant de paix me trouble. Comment le drame peut-il croître et se multiplier dans ce calme quasi céleste ?

Mon regard soudain est attiré par quelque chose de brillant dans l'herbe, sous la croisée. Je fixe attentivement cette direction, mais je n'arrive pas à me faire une opinion quant à la nature dudit objet. Le mieux c'est d'aller regarder de près.

Je descends et je vais sous la fenêtre de Martine. Je constate alors que ce qui brillait n'était pas d'or, mais de verre puisqu'il s'agit d'un petit flacon caressé par un petit rayon de lune. Je le ramasse et porte le goulot à mes narines... Ça me fait froncer à la fois le tarin et les sourcils...

J'examine attentivement ma trouvaille. Il se passe alors dans ma centrale portable un phénomène de cristallisation...

Oui, tous les éléments épars, tous les faux pas, toutes les pensées saugrenues que j'ai eues précédemment se mettent à danser une ronde effarante sous ma coiffe et prennent une place qui leur était assignée depuis longtemps...

Je cavale en galopant dans le laboratoire... Je ramasse dans la corbeille à fafs le dossier contenant les feuillets blancs et je me trotte jusqu'à ma voiture...

Pinuche radine à ce moment-là, porteur d'un formidable sandwich qu'il a réussi à dénicher quelque part.

— Où vas-tu ?

— A l'hosto... Que font ces bons messieurs ?

— Ils se couchent...

— Très bien... Le sommeil est le meilleur des passe-temps. Attends-moi, je reviens, et ne laisse partir personne...

Nouveau trajet à fond de ballon jusqu'à l'hôpital d'Évreux où mes arrivées en trombe commencent à être connues...

Une infirmière en chef sort, *furax.*

— Dites donc, hurle-t-elle, vous devriez penser que des malades dorment ! En voilà des façons de freiner...

— Criez pas comme ça, m'dame ! imploré-je, j'ai eu une fissure au tympan et vous allez la faire péter !

Elle ne prise pas la plaisanterie[1].

— Malhonnête !

Je m'élance dans les couloirs...

1. Du reste les femmes ne prisent plus beaucoup de nos jours. Et elles ne reprisent pas davantage.

— Où allez-vous ? crie-t-elle.

— Aux fraises, j'ai justement apporté une échelle...

Vous savez comme mon sens de l'orientation est développé. Bien que j'aie été passablement désorienté ces trois jours, je retrouve aisément la chambre de Martine.

Une infirmière assez moche de hure, mais assez bien carrossée pourtant, se lève.

— Monsieur ? fait-elle.

— Comment se porte notre malade ?

— Mais...

— Police !

— Ah ! Eh bien, je crois qu'elle est hors de danger...

— Je le crois aussi, dis-je.

Je m'avance vers le lit où Martine repose, les yeux clos.

Je chope le couvre-lit et le jette par terre.

— Mais qu'est-ce que vous faites ? s'écrie l'infirmière.

En guise de réponse, je rabats les couvertures de Martine. Cette dernière ouvre les yeux. Elle paraît me reconnaître ! D'une toute petite voix elle soupire :

— Oh ! c'est toi, mon chéri...

Je me penche sur elle, je la chope comme un sac de linge sale et je la fous par terre.

Le brouhaha est inexprimable. L'infirmière crie à la garde, Martine pousse des glapissements suraigus... Bref, c'est le gros pataquès !

Moi, je soulève son oreiller, puis son matelas... Et je trouve alors ce que j'étais certain d'y trouver : un étui pour pigeon voyageur... J'ouvre celui-ci... Il contient un très petit rouleau de papier argenté. Je le palpe, c'est mou... Je sais ce que c'est...

Affalée sur la courtepointe, Martine paraît beaucoup moins malade et beaucoup moins gentille. Ses yeux sont aussi cordiaux que ceux d'un lion qui s'est fait prendre la queue dans l'engrenage d'un moulin à café.

L'infirmière qui était sortie en courant revient escortée de deux solides infirmiers. Comme les manipulateurs de chair malade s'apprêtent à me foncer dessus, je leur montre mon feu.

— Stop, je suis de la police et j'arrête cette gonzesse, remisez vos biscotos, les gars !

On s'entend très bien, eux et moi. D'autant que l'attitude de Martine est éloquente.

Galant, je l'aide à se redresser. Elle s'assied sur le lit.

— Maintenant, lui dis-je, faut passer à la caisse, ma jolie... J'ai tout pigé !

Je tire de mon mouchoir le flacon trouvé au bas de la fenêtre.

— Tu as été un peu hâtive, tu vois... Si tu avais envoyé ce flacon dans un fourré au lieu de le jeter simplement dans l'herbe, je n'aurais sans doute rien découvert...

Elle me regarde, intéressée malgré sa fureur véhémente.

— De l'ipéca ! poursuis-je. C'est-à-dire un vomitif très puissant et vieux comme mes robes ! Tu l'as avalé toi-même... Regarde, il y a encore des traces de ton rouge à lèvres après le goulot. C'est ça qui m'a ouvert les yeux... Tu étais la seule bonne femme du pavillon, je ne pouvais pas me tromper !

Elle a un sale sourire.

— Hum ! très fort, le policier... Et alors, qu'est-ce que ça prouve ?

Je la gifle. Ça fait un petit moment déjà que j'en ai envie et on ne doit jamais se refouler trop longtemps, après ça vous colle des complexes...

— Crâne pas, fillette...

Et votre San-A. génial de continuer son brillant exposé.

— Quand tu as vu la maison occupée par la police, tu as compris qu'on allait passer la boîte au peigne fin... Alors tu as voulu planquer tes films, hein ?

Je fais sauter le rouleau de papier argenté dans ma main.

— Des microfilms... Tu as un appareil photo minuscule... Un truc bidon que je dénicherai bien, maintenant que je sais... Peut-être est-ce une broche truquée, peut-être...

Elle lève son poignet.

— Ce n'est qu'une montre, monsieur le flic !

— Parfait, mignonne, ça m'évitera de chercher... Donc, tu avais les films des travaux du prof et tu voulais les évacuer. Seulement, si tu avais quitté la maison par des voies normales, ç'aurait attiré l'attention de messieurs les poulets, hein ? Alors tu as joué à l'empoisonnée. Comme ça, ce sont les bignolons eux-mêmes qui t'emmenaient.. Ils ne pensaient pas à te fouiller, ma belle, vu que tu avais l'air d'une pauvre victime...

Elle sourit encore.

— Exact...

— Vois-tu, fais-je, lorsque j'ai découvert la lentille dans le plancher...

Elle a un haut-le-corps.

— Mais oui, je l'ai trouvée, tu vois ! A partir de cet instant j'ai fait mille suppositions, mais quelque chose me chiffonnait. Je me disais que, pour photographier le travail du vieux, il fallait se trouver en permanence près du judas, or personne dans la maison, pas même toi, ne pouvait se barricader dans les gogues à longueur de journée, *of course !* C'est ce soir que j'ai pigé...

Elle a un tressaillement des paupières.

— Oui, amour joli, j'ai compris ça itou...

Et j'y vais de ma grosse trouvaille.

— Thibaudin est un maniaque, on l'a dit cent fois... Un forcené de la prudence... Il avait tellement les chocottes qu'on chourave son invention que non seulement il bouclait ses papiers dans un coffre secret, mais, de plus, il les *transcrivait* à l'encre sympathique !

» Ce travail-là, il l'effectuait le soir, lorsque tout le monde était couché ; ou, du moins, lorsque Thibaudin croyait que tout le monde était couché. Mais toi, à ce moment-là, toi qui habitais dans la maison... toi qui surveillais ses faits et gestes, tu allais prendre position près du trou du plancher et tu photographiais ces fameuses notes qu'il mettait bien en évidence devant lui pour les recopier. Tu pouvais prendre tout ton temps, pas vrai, chérie ?

Elle soupire.

— Dix sur dix, commissaire. Je ne vous croyais pas si fort.

— Dès le premier jour, tu as su qui j'étais parce que tu as assisté de ton judas à ma visite du labo avec Thibaudin, pas vrai ?

— Oui.

— De même, le coup des pigeons était magnifique... Tu t'es aperçue sans mal de la substitution... Nous avions, de nuit, commis une grave erreur avec la couleur des pattes... Tu as vu l'occasion rêvée de nous pousser à des décisions extrêmes...

Je m'assieds sur le lit.

— Dis-moi, tu te doutais que nous allions liquider le prof ?

— Naturellement...

— En agissant ainsi, tu l'empêchais d'achever ses travaux...

Elle a un indéfinissable sourire... Je la secoue.

— Il les avait finis, hein ?

— Oui, dit-elle, depuis déjà huit jours...

— Mais pourtant...

Son curieux sourire s'accentue.

— Il était en pourparlers pour les céder à une puissance étrangère...

Je me mets à hurler :

— Tu mens !

— Non. Vous savez que ses fils ont été tués... Ce que vous ignorez c'est qu'ils sont morts dans un bombardement américain... Le professeur en avait conçu une haine forcenée pour les Américains. En vieillissant, ça tournait à l'idée fixe... Il savait que, par le jeu des alliances, la France communiquerait sa découverte aux U.S.A. Il s'y refusait... Il préférait la donner aux *autres...*

Soudain le problème change d'aspect.

— Ce qui veut dire que, toi, tu travailles pour l'Occident ?

Elle sourit.

— Je travaille pour une organisation qui vend à qui paie le mieux.

— Je vois...

La révélation qu'elle vient de me faire, touchant la traîtrise du vieux, me secoue.

— Tu es sûre de ce que tu avances au sujet de Thibaudin ? Il voulait remettre aux Russes sa découverte...

— Oui. J'ai surpris une communication téléphonique qu'il a eue avec l'ambassade soviétique... Il a téléphoné le jour de votre arrivée en demandant d'annuler un certain rendez-vous...

Je reste un moment sans penser... Vous savez, on a comme ça, après de trop fortes périodes de tension nerveuse, des passages à vide.

— Bon, habille-toi ! On rentre à Paris...

— Qu'allez-vous faire de moi ?

— Je l'ignore, mes chefs décideront...

ÉPILOGUE

Le lendemain matin, je suis dans le bureau du Vieux. Il est tout sourire.

— Mon cher San-Antonio, bravo ! sur toute la ligne.

— Merci, patron...

Je demande :

— Que fait-on de la fille ?

— Je l'ai interrogée, elle travaille pour le compte d'une organisation dont le siège est à Berne... Comme je ne veux pas faire de publicité autour de cette affaire Thibaudin, qu'elle aille se faire pendre ailleurs.

— Et le savant ?

Le Vieux caresse son suppositoire mordoré sous la lampe.

— Le toxicologue vient de me téléphoner d'Évreux ; il n'a plus aucun espoir... Dans un sens...

— Oui, dis-je, ça vaut mieux ainsi...

Je me lève et serre longuement la main racée qui m'est tendue par-dessus le bureau.

— Encore bravo, San-Antonio !

Je sors, fier comme bar-tabac. Et devinez qui je rencontre dans l'escalier ?

La môme Martine qu'on vient de relâcher...

Elle me sourit, je lui souris.

— Alors, fais-je, on rentre en Suisse, comme ça ?

Je m'approche, le regard enjôleur.

— On pourrait peut-être casser une croûte ensemble ? Ensuite, je connais un petit studio discret où il y a l'eau courante et des estampes japonaises extrêmement éducatives...

Elle rit.

— Vous ne changerez donc jamais ?

— J'espère bien que non...

Nous sortons de la grande cabane et nous nous apprêtons à monter dans ma charrette lorsque je m'entends appeler. Je lève la tête et j'aperçois celle de Béru, rubiconde et mal rasée, penchée à une fenêtre du deuxième étage.

— Tu t'en vas ? demande-t-il.

— Oui, pourquoi ?

Le Gros s'éponge le front avec le chiffon noir qui fut jadis un mouchoir à carreaux bleus.

— C'est rapport à notre client, dit-il.

— Quel client ?

— Le docteur Minivier...

J'ai les jambes qui font bravo. Bonté divine, je l'avais complètement oublié, celui-là...

— Je lui bille sur le museau depuis hier, annonce le Gros, et il s'obstine à ne pas parler. Est-ce qu'il faut continuer les massages ?

FIN

DES GUEULES D'ENTERREMENT

PREMIÈRE PARTIE

CHAPITRE PREMIER

Faut que je vous fasse rire !

CE matin-là, Bérurier avait la figure en coin de rue sinistrée. Ses paupières étaient gonflées comme des valises d'ambassadeur au moment d'une rupture diplomatique et, avec la couche de mélancolie qui lui couvrait le visage, on aurait pu regoudronner la Nationale 7.

Pourtant, m'ayant serré la dextre des cinq saucisses constituant sa main aristocratique, il me dit cette phrase surprenante :

— Faut que je te fasse rire !

Paroles dangereuses s'il en fut. En général, les gens qui vous font rire se gardent bien de l'annoncer.

— Voilà des années que tu me fais rire, affirmai-je, repose-toi, Gros, j'ai acheté le Vermot pour faire l'intérim...

Mais il serait plus aisé de capturer un V 1 avec un filet à papillons que de stopper Béru lorsqu'il est lancé.

Il respira d'un coup de naseau trois mètres cubes d'oxygène, ce qui lui permit d'en dire long avant que ceux-ci ne fussent transformés en gaz carbonique.

— Figure-toi, me dit-il, que mon neveu s'est marié...

— Le boxeur ?

— Oui...

— Et sa carrière ?

— Il a raccroché les gants...

— Il a une indigestion de marrons ?

— Dans un sens, oui. C'était un solide cogneur, bien posé sur les jambes de devant, il faisait penser à Cerdan, si tu te souviens ?

— C'est vrai, reconnus-je, hors du ring, c'était Cerdan tout craché !

— Seulement, poursuivit le Gros, il encaissait mal. Un poing d'acier, mais une mâchoire de verre !

— Toi, lui dis-je, tu n'as pas raté un seul film de Humphrey Bogart !

Béru balaya mes sarcasmes d'un geste auguste.

— Brefle, il s'est marié ! Sa femme est charmante, elle travaille comme petite main chez Martin, le célèbre couturier de La Garenne-Colombes... Quant à mon neveu, il a trouvé une situation d'avenir...

— Ah ?

— Il est huissier...

— Il avait fait son droit ?

— Il est huissier au ministère des Finances. Il peut monter en grade...

— Et devenir ministre. Aux Finances, tu parles, on cherche du monde ! Maintenant, on va les enrôler de force, les ministres des Finances, ça sera ça ou les commandos de parachutistes...

Béru, agacé, bâilla d'énervement, m'offrant ainsi une vue panoramique de ses cordes vocales.

— Le mariage a eu lieu hier, m'expliqua-t-il.

Je compris alors la raison de sa mine défaite, de son regard jaune et de cette extériorisation aussi intense de son foie.

— Tu t'es blindé, naturellement ?

— C'était une occasion, non ? Du reste, le champagne était bon. Et il avait de l'apéro à giono : le frère de la mariée travaille chez Cinzano.

Il sortit de sa poche un flacon douteux qu'il déboucha d'un coup de dent et dont il engloutit le contenu.

— Un petit coup de gnole, m'expliqua-t-il, y a rien de tel pour chasser la gueule de bois.

Il me souffla au visage une bouffée d'alcool de dernière qualité et clapa la langue d'un air satisfait.

Puis il sourit et répéta avec l'obstination qui a toujours fait sa force :

— Faut que je te fasse rire.

Je fis un signe d'acquiescement :

— D'accord, mais vas-y prudemment, j'ai la rate en rodage.

Le Gros dégrafa la partie supérieure de son pantalon.

— Je fais un peu d'aérophagie, s'excusa-t-il.

— Si encore tu n'avais du vent que dans la brioche, Gros, y aurait que demi-mal.

Il joignit ses sourcils broussailleux, ce qui donna instantanément à son altier visage l'expression ravagée du monsieur qui sollicite d'urgence un laxatif. Mais Béru a ceci de bien, c'est qu'il n'est pas rancuneux. Les offenses glissent sur son âme comme une pluie de printemps sur les Établissements C.C.C.

— Ma femme et moi, me dit-il, le nuage passé, on s'est creusé la tête pour savoir ce qu'on allait offrir aux jeunes époux. J'avais une idée originale : une lampe de chevet. Mais ils en avaient reçu déjà quatorze. Alors, on leur a demandé ce qu'ils avaient envie.

— J'espère que ça n'a pas été d'un cours de grammaire, ai-je soupiré.

— Non, poursuivit Bérurier. Ils voulaient un appareil photographique.

— Aspirations modestes, on en trouve à des prix raisonnables.

— Et comment : j'ai couru aux Puces !

J'étais depuis toujours accoutumé aux fantaisies du Gros, mais j'avoue que cet aveu m'a fait sursauter. Le fait d'aller acheter au marché aux puces un cadeau de noces dénotait une grande pureté de cœur.

— Et tu as trouvé ?

— Tu me croiras si tu veux, mais j'ai mis la main sur un Smelflex absolument neuf ! Et tu sais combien je l'ai payé ?

— Vas-y, je suis prêt à tout.

— Cinq mille balles ! Étui compris...

Je me permis un haussement d'épaules, lequel, vous l'avouerez, venait bien à son heure.

— Pour ce prix-là, dis-je, tu aurais pu leur offrir ta hure en Gevacolor. Elle eût été plus efficace dans les cas de constipation aiguë !

Mais il rêvait à son cadeau. L'appareil jouait la marche nuptiale avec son soufflet, dans le crâne de Béru où il y a tellement de place qu'un cirque pourrait y dresser son chapiteau. Ses yeux ressemblèrent brusquement à deux obturateurs.

— Il était tellement neuf, cet appareil, enchaîna le Gros, que ma femme est allée acheter une boîte de papier à lettres au Printemps...

Je fis un geste de la main pour marquer l'incompréhension. La conversation de Bérurier est à ce point décousue qu'on a envie de cavaler chez la mercière du coin, acheter du fil et une aiguille. Chacune de ses phrases boiteuses possède un sens caché.

— Écoute, Einstein, lui ai-je déclaré, si je réalise au premier coup d'œil le rapport existant entre toi et le chiffre zéro, par contre celui qu'il y a entre un appareil photographique d'occasion et une boîte de papier à lettres achetée au Printemps m'est moins perceptible...

Béru sortit sa blague à tabac de sa poche revolver. L'objet était en caoutchouc et sentait l'autobus un jour de pluie. Ses formes s'étaient altérées et il n'était pas sans évoquer un vieux bandage herniaire. Depuis belle lurette la fermeture Éclair initiale ne fonctionnait plus et la poche étanche se fermait au moyen d'une forte épingle de sûreté (ce qui est normal pour une blague de policier).

Un sourire gras comme un tour de chant des Peter Sisters flotta sur les lèvres de Bérurier tout le temps qu'il mit à se confectionner une cigarette.

Ses gros doigts boudinés avaient peine à emprisonner le tabac dans le mince cylindre de papier. Ils y parvinrent pourtant. Le Gros tira alors de sa bouche une langue écœurante comme une traversée de la Manche un jour de grand vent. Il humecta la bande de papier, et la cigarette, qui n'avait jusqu'alors aucun aspect déterminé, adopta immédiatement celui d'une limace.

— Prends ton temps, lui conseillai-je, je vais me faire une réussite !

Le Gros me toisa de bas en haut, puis de haut en bas.

— Pour un crac de la sourde, tu la fous mal, me dit-il. Je t'ai dit que l'appareil était pratiquement neuf, tu me suis ?

— On n'a aucune difficulté à suivre un rouleau compresseur.

— Bon, réfléchis ; en achetant une boîte de papier à lettres au Printemps, Mme Bérurier a, en supplément, eu droit à un bel emballage. Cet emballage nous a servi pour l'appareil photo...

Tu connais la chanson : c'est pas l'objet qu'il faut regarder, c'est la façon de le présenter !

Il rit. Lorsque Béru rit, vous pouvez croire qu'il se passe quelque chose. On se dégrouille de téléphoner à la météo pour voir si aucun cyclone n'est signalé.

— Tu es très astucieux, convins-je. Le jour où je t'offrirai à quelqu'un, je me procurerai une charretée de Persil pour te mettre en valeur...

Estimant la conversation terminée et ayant du travail en souffrance, je m'apprêtais à mettre les adjas, mais Béru saisit mon revers, lequel se fripa comme de la chicorée frisée.

— Attends, je t'ai pas dit le plus beau ! Faut que je te fasse rire !

— Ce n'est pas une nécessité absolue, Gros...

Mais cette enflure ne me lâchait pas. Bérurier est une sorte de bouledogue. Il a les chailles crochetées. Lorsqu'il vous tient comme il me tenait, pour lui faire lâcher prise, il n'est qu'un seul moyen : le chatouiller sous les bras. Les coups le laissent insensible et n'entament jamais sa sérénité. J'eus donc recours à cette ruse innocente. Béru se mit à glousser comme une jeune fille avec un air tellement stupide qu'on avait envie de solliciter pour lui une pension d'invalidité.

Le chatouillis a ceci de commun avec le mal de mer, c'est que ses effets cessent en même temps que la cause. Le Gros reprit très vite la gravité inhérente à ses fonctions.

— En voilà des manières, explosa-t-il. Si le Vieux te voyait !

Je m'évacuai et il me suivit jusqu'à mon bureau. Au moment où j'en refermais la porte, il bredouilla encore :

— Faut que je te fasse rire...

Sa phrase se termina par un bruit d'escalope de veau meurtrie.

— Va te faire voir chez les Grecs ! hurla le Gros à travers le chambranle.

Ce matin-là, j'œuvrai sur une affaire de *travellers-cheques* falsifiés pendant deux heures. Ensuite, je montai au labo voir Favier qui avait pris des photocopies des documents douteux... Nous discutâmes de l'affaire et je m'apprêtais à larguer les amarres lorsqu'il sourit.

Chez Favier, un sourire c'est toujours un événement. Ce gars-là est plus triste qu'un cierge. S'il n'en a pas les larmes, il en possède du moins la couleur.

— Bérurier vous a raconté ? me demanda-t-il.

— Raconté quoi ? fis-je distraitement.

— Son aventure avec l'appareil photographique ?

Je me sentis vaciller sur mes fondations — ou, pour le moins, sur mon fondement. Pour que Favier appelât ça une aventure, il fallait que cette suite à l'histoire que j'avais colmatée d'un coup de vantail de porte dans la gargane de Bérurier représentât un certain intérêt.

— Figurez-vous, poursuivit le gars, que Bérurier a acheté un appareil photographique aux Puces pour l'offrir à son neveu qui se mariait. Comme l'engin était pratiquement neuf, il l'a enveloppé dans un beau papier du Printemps...

Tout cela, je le savais. Même que ça commençait à me court-circuiter la glande de la patience.

— Bon, enchaîna Favier, il donne ça aux jeunes époux... Ces jouvenceaux le congratulent... On déplie le présent ! On pousse des cris devant le somptueux appareil... On l'ouvre... Et...

Je commençai à dresser le bout de l'oreille.

— C'était un appareil photographique lance-eau ? suggérai-je, donnant par cette supposition la bonne mesure de mon esprit farceur.

— Non, s'esclaffa Favier, mais ils ont trouvé un rouleau de pellicules engagé à l'intérieur... Bérurier a eu bonne mine !

En effet, c'était du poilant de la bonne année. Et ça cadrait aux pommes avec l'éminente personnalité du Gravos !

— Je la replacerai, dis-je à Favier. Comment ce tonneau de gélatine s'en est-il sorti ?

Favier haussa les épaules.

— Il a prétendu qu'il avait voulu essayer l'appareil... Il a récupéré la bobine...

— C'est lui qui devait en faire une drôle !

— Et comment...

Le grand cierge s'approcha d'une cuvette de faïence. Des rectangles de pellicule trempaient dans un bain.

— Je lui ai demandé la pellicule en question, dit-il.

— Pour quoi fiche, vous n'avez pas assez de turbin comme ça ?

Il rougit un peu, ce qui le fit ressembler à un cierge allumé.

— Je suis un maniaque de la photo. Pour moi, voyez-vous, une pellicule impressionnée est un mystère en suspens. J'ai besoin de la faire parler, de la faire vivre...

Tout en racontant ses complexes, il tirait les morcifs de négatifs de leur trempette et les mirait.

— Bien entendu, fit-il, cet idiot a ôté le rouleau de telle façon qu'il a pris le jour...

Je me penchai sur les rectangles flous. On ne distinguait que pouic... On eût dit de gros plans de crème fouettée, ou alors une nuit de noces au Spitzberg...

— C'est gagné, ai-je murmuré.

Favier arrivait à la dernière. C'est-à-dire à ce qui avait dû constituer la première photo impressionnée. Elle avait été épargnée.

— Enfin ! fit-il, satisfait.

Il posa le négatif contre une plaque de verre, appliqua par-dessus l'énorme lentille d'un appareil grossissant et alluma une ampoule électrique. Nous eûmes alors une vision parfaitement nette et dix fois multipliée de l'image.

— Vous espériez quoi, demandai-je, du porno d'amateur ?

Je vis que j'avais misé juste. Favier se troubla. Ce gars-là devait s'être constitué une gentille collection relative aux nombreuses combinaisons qui permettent d'accrocher quatre jambons à un clou.

En tout cas, il en était pour ses frais de tirage, car le négatif représentait un type entre deux âges.

— C'est sûrement pas la photo d'un nègre, estimai-je.

— Pourquoi ? demanda inconsidérément Favier.

— Parce que le négatif est noir ! Ce type-là doit être pâle comme un zig qui vient de rater soit le prix Goncourt, soit douze marches de son escalier.

Sur cette estimation pittoresque, je quittai le laboratoire et allai, midi sonnant au bracelet-montre de Notre-Dame, écluser le vin blanc de la mi-temps.

Précisément, mon honorable collègue Pinaud était debout devant le comptoir, tel un prêtre officiant. Il avait élu pour vin de messe une petite roussette de Savoie que le taulier d'ici venait de recevoir et qui vous mettait dans le clapoir un parfum délicat.

Tout en dégustant ce sirop de vigne, le vieux salingue faisait de louables efforts pour filer un coup de périscope dans le décolleté de la soubrette. Il usait d'un subterfuge vieux comme mes robes : il réglait au fur et à mesure chaque verre qu'il consommait en s'arrangeant pour laisser tomber une pièce de monnaie en deçà du rade.

Naturellement, la serveuse se baissait pour ramasser le vil argent ! Lors, notre Pinuche insinuait son regard faisandé par l'échancrure du corsage noir, à l'intérieur duquel une paire de roploplos délicats faisait l'appel au peuple.

Je profitai du panorama à l'aide d'un travelling latéral, puis je sermonnai Pinaud.

— Je sais bien qu'à ton âge on devient un contemplatif, Pinuche... Mais il est des limites qu'on ne doit pas franchir si l'on veut éviter de mettre le pied dans la morale.

Il s'est mis à renauder vilain, le Vieillard, comme quoi il avait assez de carats pour se dispenser des sermons d'un blanc-bec et il a terminé en m'affirmant qu'il préférerait mettre le pied sur la partie la plus articulée de mon individu plutôt que sur la morale.

J'ai commandé une tournée et ça l'a calmé.

Il s'est mis à me raconter le drame de son voisin de palier qui ne parvenait pas à procréer. Le malheureux ne savait plus à quels seins se vouer...

— S'il te prend comme manager, je le vois mal parti, ai-je affirmé.

Pinuche a promptement retiré sa petite moustache qui macérait dans son verre de blanc.

— Môssieur San-Antonio, s'est-il rebiffé, puisque vous m'obligez à entrer dans certains détails intimes, laissez-moi vous dire que ma virilité se moque de vos atteintes !

— Te lance pas dans l'abstrait, Pinuche ! Et moule le style Régence, car tu te prendrais les pieds dans des subjonctifs vicelards !

Toutes ces parlotes pour bien vous montrer, les mecs, que, ce jour-là, rien ne laissait prévoir l'imminence d'une aventure ahurissante.

L'air n'était pas plus vicié qu'un autre jour. Les gens avaient des tronches de lundi, la bonne du bistrot avait mis ses deux nichons, Bérurier jouissait de sa connerie proverbiale et Pinaud fonçait allégrement dans le gâtisme... Bref, tout n'était qu'harmonie...

Et alors la lourde du troquet s'est ouverte à la volée. Favier est entré. Il n'avait pas pris le temps d'ôter sa blouse blanche.

Sa figure ressemblait au point d'exclamation qui ponctue les titres des Folies-Bergère.

— Je me doutais que vous étiez là ! s'est-il écrié.

Il m'a exposé devant la frime une photographie humide comme un veau nouveau-né.

— Regardez, monsieur le commissaire... Ça n'est pas la photo d'un nègre, en effet, mais c'est celle d'un mort !

CHAPITRE II

Éclairage au néant.

J'écarquille les carreaux. Il dit vrai, Favier... Le quidam dont la bouille a résisté au jour ne devait plus penser à grand-chose lorsqu'on lui a tiré le portrait. Il est pris de face, mais on aperçoit nettement à sa tempe gauche un trou gros comme la capsule d'une bouteille d'eau minérale. L'orifice est auréolé de noir. J'examine le personnage en détail. Je connais bien ce genre de photo. A la grande taule, on en fabrique d'identiques lorsqu'on a dégauchi un macchab dont on ignore l'identité. On fait un brin de toilette au monsieur, on lui nettoie la vitrine, on y colle du rouge baiser aux labiales, du noir au-dessus des lampions, on ouvre ceux-ci pour que le zouave paraisse vivant, on rajuste son nœud de cravetouse et roulez les rotatives.

Je me perds dans la contemplation de l'étrange personnage jailli du néant. C'est un bonhomme maigre, d'une soixantaine d'années, au visage anguleux, aux joues creuses, au front bombé.

Il a le cheveu plat, une raie très basse à la démocrate-chrétien et les étiquettes un peu décollées.

Le monsieur en question semble sévère, mais ça doit venir de son regard mort. Ses yeux très clairs sont intégralement vides, et pour cause. Ses lèvres minces sont rentrées, donnant à la bouche ce quelque chose d'effrayé et de féroce qui marque le grand passage.

Favier se caresse le menton, ce qui, chez cet être grave, est un signe de jubilation.

— Que pensez-vous de ça ? me demande-t-il.

Pour l'instant, j'avoue que ça se bouscule un peu sous ma coiffe. « Faut que je te fasse rire ! » annonçait le gros Bérurier. Elle est bien de lui, celle-là ! Cette émanation hors concours de la stupidité humaine a collé ses grands pinceaux dans un drôle de pastaga. C'est inouï ce que nous avons le chic, nous autres poulets, pour tomber sur des trucs bizarres sans les chercher. Le Béru fait l'emplette d'un cadeau de noces pour son neveu, il l'achète aux Puces et, en supplément au programme, à titre de prime, on lui brade avec l'appareil photo, le portrait d'un homme qui, si je ne m'abuse, comme dirait un faucon, a reçu un berlingot dans la mansarde.

— Asseyons-nous, proposé-je.

J'entraîne Favier à l'écart, sans tenir compte des bêlements de Pinaud qui tient à me faire observer que je n'ai pas réglé la tournée.

— Attendez, vieux, dis-je en passant la photo sur le marbre du guéridon, ne nous affolons pas et surtout gardons-nous de faire de la littérature à trois francs.

J'examine le monsieur à la tempe oblitérée.

— Peut-être s'est-il suicidé, suggéré-je. Quelqu'un de sa famille a voulu garder un souvenir de lui...

— Hum ! fait-il. Il faudrait admettre qu'il était gaucher.

— Pourquoi pas ?

— Certes, mais les droitiers sont en majorité. Et puis...

Il extrait de sa poche une loupe qu'il me tend.

— Regardez, le projectile est entré nettement de haut en bas, les lèvres de la plaie ne laissent aucun doute sur ce point...

Je constate la chose.

— On se demande comment il aurait dû tenir le pétard pour se faire ça soi-même appuie Favier.

Je jette la loupe sur la table. Au bruit, la servante aux roberts avantageux annonce son sourire Colgate.

— Ça sera ? s'informe-t-elle en posant sur moi un regard qui ferait éclore une couvée de crocodiles.

— Une bière ! décrète Favier qui a le sens de l'à-propos.

Je reste fidèle au petit blanc de Savoie.

Je n'arrive pas à cristalliser ma pensée sur cette histoire. Le fait qu'elle soit provoquée par le gros Béru m'empêche de la prendre au sérieux. Il doit y avoir une explication à ça... Peut-être un journaliste a-t-il photographié le défunt pour son canard et l'a-t-il laissé choir postérieurement pour une affaire plus excitante ?

— Cette bouille ne vous dit rien ? je questionne.

— Non, assure Favier. Je vais la montrer à David des sommiers, il a dans l'œil et dans ses fichiers le portrait parlé de tous les gars disparus ou morts de façon violente...

— O.K., je vais bouffer un morceau ici... Dès que vous aurez du nouveau, faites-le-moi savoir.

Il écluse son résidu de houblon et je lui en serre cinq à la fois.

Je hèle la vaillante soubrette pour lui dire de me sustenter. Cette jouvencelle, dont la fine moustache ouvre des horizons infinis sur son système pileux, me révèle que le plat du jour se compose de saucisse de Toulouse. J'en sollicite une de sa haute bienveillance et elle me l'apporte en priorité sur le restant de la clientèle. Pour tout vous dire, la charmante enfant a un faible pour moi ; un faible assez fort !

Comme toute peine mérite salaire, j'y vais de la tarte à la crème.

Je lui affirme que ses yeux paraissent découpés dans du velours, que sa bouche est un piège à baisers et que si on mettait en vente ce qui lui remplit le corsage, Boussac devrait bazarder tous ses bourrins pour en douiller la juste valeur.

Après ces salades, la môme se prend pour Sophia Loren et regagne son bac à plonge comme s'il s'agissait d'une salle de bains en marbre noir.

Le gars San-Antonio attaque gaillardement l'estimable saucisse qui repose sur un lit de lentilles pour lesquelles Esaü ferait de nouvelles bêtises... Dans ce troquet, le menu tiendrait sur un ticket de métro, mais ce qu'on y tortore est de *first quality.*

J'avale la suprême bouchée lorsque Bérurier paraît. Il est blindé comme un croiseur de bataille. Je comprends qu'il a retravaillé sa biture nuptiale. A force d'avaler des calmants à soixante-dix degrés pour lutter contre la g.d.b., il a ramassé une caisse plus monumentale que celle de la veille. Il tient à peine debout et un regard un peu trop appuyé le ferait tomber.

Les yeux noyés, le geste lourd, il s'approche de ma table.

— C' qu' je..., commence-t-il.

Il se tait, pensif, cherchant des syllabes à assembler. Mais sa tête ressemble à une cour de récréation. Les idées galopent dans tous les sens...

Je lui désigne la banquette d'un geste péremptoire qui, je l'espère, traversera son brouillard.

— Assieds-toi là, Gros, et oublie que tu existes. Ça n'est pas parce que ta maman a eu des cauchemars en t'attendant que tu dois en supporter les conséquences.

Il s'assied. Son chapeau informe est de traviole et sa barbe pousse à vue d'œil. On croirait visionner un court métrage sur la germination instantanée.

Favier s'annonce à nouveau. Il est calme, maintenant, sérieux comme un pape.

Il tient un agrandissement de la photo et il me la tend en disant :

— Mystère total... Aucune trace de cet homme, nulle part ! Rien aux sommiers, rien à la criminelle. Personne ne se souvient de lui... J'ai montré l'image à Morel, le reporter spécialisé dans les affaires criminelles, il est certain de n'avoir jamais vu cet oiseau...

Pendant que je regarde l'homme de la photo, Béru siffle mon verre.

Favier se tourne alors vers lui. Il ne remarque pas sa biture et déclare :

— Vous avez fait du beau !

— C'était la noce... à... mon... heu... ne...

C'est tout ce que peut proférer le Gros.

— Qu'a-t-il ? demande le gars du labo, lequel est sobre comme une caravane de chameaux.

D'un geste bref, mais significatif, je lui apprends la nature du mal dont souffre Bérurier. Il a une grimace méprisante.

— Se mettre dans des états pareils ! dit-il. C'est honteux... Abdiquer toute dignité humaine, je vous jure...

Béru, se sentant l'objet de ces sarcasmes, concentre sa lucidité et dit qu'il n'a rien abdiqué du tout et qu'il est prêt à subir un test pour prouver aux esprits malveillants qu'il n'a pas une seule goutte d'alcool dans les veines.

— Qu'on me fasse une pranse de si ! conclut-il avec force.

Favier hausse les épaules.

— Alors ? me demande-t-il. Que faisons-nous ?

J'empoche l'image et je me lève.

— Je vais m'occuper de cette curieuse affaire, dit-je. On peut dire que ce mystère est né du néant !

Je demande à la serveuse un café noir très fort et lui dis d'y laisser tomber quelques gouttes d'ammoniaque.

Lorsque ce breuvage de choc est sur la table, j'exige de Bérurier qu'il l'absorbe. Dans l'état où il se trouve, le Gros avalerait aussi bien un aquarium de poissons exotiques. Il m'obéit et, à son regard, je vois que ce traitement lui a causé la secousse efficiente.

— Allez, en route ! fais-je. Mon bon Favier, je vous tiendrai au courant.

— Où qu'on va ? s'inquiète Béru.

— Chez ton neveu, lui dis-je. Quand ta ligne sera rétablie, je t'expliquerai, Gros. Pour le moment, reste aux abonnés absents. Et donne-moi l'adresse du Cerdan des pauvres.

CHAPITRE III

Je cherche des crosses... et j'en trouve une !

J'embarque le Gros dans mon carrosse sans lui en casser une broque. L'air mouillé de Paname entre à plein chapeau par les vitres baissées. Béru claque des chailles et sa frite se décompose dans le vent.

— Nom d'un chien, bredouille-t-il au bout d'un moment, je me sens pâle des genoux.

Prévoyant le pire, je l'arrête à l'orée d'un square et il va s'expliquer avec le pied d'un arbre. Une nourrice sèche qui promène par là un nourrisson humide se met à crier à la garde. Elle se sauve en poussant le chiare dans sa poussette. Voilà comment on file le virus de la vitesse aux mouflets.

Lorsque le Gros s'est suffisamment désintégré, il revient dans ma bagnole. Ses yeux sont rouges comme deux boulets d'anthracite en combustion. Un filet de bave coule aux commissures de ses lèvres, le faisant ainsi ressembler à un boxer que j'ai beaucoup aimé.

— Ça va mieux, avoue-t-il. Je dois avoir le foie dérangé... Ou alors c'est cette sauce tartare d'hier qui n'était pas fraîche !

— Si tu avais un foie, Gros, tu en aurais entendu parler

depuis belle lurette... Avec toutes les saloperies que tu te colles dans l'œsophage !

Il est un peu penaud.

— Qu'est-ce qui se passe ? demande-t-il après son silence contrit. J'ai cru comprendre qu'il y a du rififi dans la strasse ?

— Il se passe que tu nous a branchés sans le vouloir sur un petit problème...

— Moi ?

— Toi, oui, mon chérubin... Avec ta foutue manie d'acheter des occasions neuves...

— Je ne pige pas !

— Inutile de le préciser, on le sait ! Tu as pratiquement été conçu et mis au monde pour ne rien piger... Tu es un roseau qui ne pense pas !

Il se rembrunit comme un dos de *pin-up* en vacances à Cannes.

— Gueule pas si fort, supplie-t-il, ça me résonne dans la tête...

— Elle peut résonner, ta tête, étant donné qu'elle est vide... Tu te rappelles ce rouleau de pellicules qui se trouvait à l'intérieur de l'appareil photographique ?

— Oui.

— Favier te l'a demandé ?

— Oui...

— Il l'a développé...

— Ah ?

— Il n'y avait qu'une photo potable...

Je lui lance le rectangle de carton sur les genoux. Il le cramponne et y concentre son attention.

Tout en pilotant ma tire, je le surveille en coulisse.

— Alors ? interrogé-je, qu'en dis-tu ?

Il hoche la tête.

— On dirait que ce type a morflé une olive dans le plafond, non ?

— Oui, on le dirait...

— Tu ne trouves pas que c'est un curieux sujet à photographier, toi ?

— Si...

Il est abasourdi.

— Alors ce gars-là se trouvait dans l'appareil ?

— Oui, il y était tapi, le sournois... Il n'attendait qu'une occase pour déboucher dans notre vie...

— Et pourquoi que tu veux aller chez mon neveu ?

— Pour récupérer le Smelflex, pardine... Il faut savoir d'où vient l'objet, non ?

Béru connaît suffisamment le métier pour admettre que j'ai raison.

— Les jeunes sont partis en voyage de noces, objecte-t-il.

Je file un coup de frein brutal. Malédiction ! Je n'avais pas pensé à ça. Nature, ils ont emporté l'appareil, les tourtereaux, manière de mitrailler leur bonheur. Ils vont se tirer le portrait, entre autres choses, en long, en large et en Agfacolor...

— Oui, admet Bérurier, c'est c...

Tant de précision dans le raccourci de sa pensée me fouette le sang.

— Où sont-ils partis en vadrouille, ces amours joufflus ?

— A Riva-Bella... Un cousin d'une amie de ma femme tient un hôtel là-bas... Il leur a fait des prix, comme ça n'est pas la saison.

Il s'est marida à l'éconocroque, l'ancien boxeur... C'est bien, ça : il l'aura, son frigo... Et, plus tard, sa canne au lancer léger...

L'avenir est aux gens prévoyants, à ceux qui ont un livret de caisse d'épargne et qui achètent de la choucroute pour huit jours sous prétexte que ça se réchauffe...

Je me gratte le dôme.

— Tu es sur quoi, en ce moment ?

— Sur l'affaire Bugnazet, dit-il. Tu sais, ce commandant qui a oublié des documents intéressant la défense nationale dans un bosquet du bois de Boulogne...

Je hausse les épaules.

— Alors, rien ne presse, les documents n'intéressent plus personne à cette heure, pas même la défense nationale. On va aller faire la bise à ton neveu...

— Mais..., balbutie-t-il.

— Quoi ?

— C'est loin...

— Riva-Bella ? A peine deux cent cinquante bornes... On peut très bien faire l'aller-retour dans la journée...

Il soupire :

— Ne va pas trop vite...

— Mais non, tu sais bien que ma voiture ne dépasse pas le cent soixante...

Il gémit comme le fermoir d'un porte-monnaie écossais.

— Tu vas gagner le canard un de ces jours, San-Antonio...

Tel un météore ou un satellite artificiel, notre équipage traverse Mantes, puis Évreux... Le Gros est acagnardé sur sa banquette, cramponné à son bitos... Ses gobilles fixées sur le cadran de vitesse, il annonce d'une voix geignarde :

— Cent quarante ! Cent quarante-cinq...

J'écrase la girole.

— Il y a un virage signalé, crie Bérurier.

— Je sais, merci...

— Ralentis ! C'est de la démence... Tu vas...

A la fin, j'en ai classe de ses jérémiades.

— Écoute, bonhomme, lui dis-je, si tu ne la boucles pas immédiatement, je vais faire de l'excès de vitesse pour de bon et il ne sera pas impossible que ta femme reçoive par paquet-lettre ce que tu possèdes de plus précieux : à savoir tes trois dents en or...

Il la ferme instantanément.

Ensuite, c'est Lisieux, puis Caen... Le Gros me dit qu'il mangerait bien des tripes vu que son malaise est maintenant complètement dissipé.

Cette résurrection me fait sourire.

— Au retour, mon vieux boa, au retour... J'ai hâte de mettre la paluche sur ton cadeau de noces.

Encore une vingtaine de bornes et nous arrivons dans la petite station balnéaire de Riva-Bella. Le coin est charmant comme un terrain vague. Pour corser encore la tristesse ambiante, la mer est tellement démontée que les sardines doivent prendre mal au cœur.

Béru connaît le patelin. Il nous dirige droit à l'hôtel « Mes Délices » où les amoureux savourent les leurs. Le gargotier se fait tartir comme une croûte de pain derrière une malle. Pour le quart d'heure, il fait les mots croisés du *Hérisson* et cherche un mot de trois lettres commençant par c et finissant par n qui veuille dire « vous en êtes un autre ». Il avise Bérurier et c'est une révélation pour lui. Il note fiévreusement sa trouvaille et s'empresse.

— Quel hasard ? demande-t-il.

Le Gros s'affale sur une banquette qui ne lui avait cependant rien fait.

— Vite, un calva ! mugit-il. La voiture m'a barbouillé...

Le taulier s'empresse. Mon pote engloutit l'alcool de pommes et clape de la menteuse avec conviction.

— A part ça, rien de cassé ? s'inquiète le maître de *Mes Délices.*

— Non, dit Béru, rien, les jeunes sont là ?

— Oui, dans leur chambre...

— Allons-y, fais-je au Gros.

Nous grimpons un escadrin vertical aux marches luisantes d'encaustique. Bérurier glisse sur l'une d'elles et redescend à plat ventre. Il se dresse, humilié par sa chute, se frotte les genoux, tire sa montre de son gousset et vérifie qu'elle marche encore. C'est un formidable oignon d'un mètre de diamètre qu'il a déjà légué par testament au clocher de sa paroisse.

— Rien de cassé ? demandé-je.

Il secoue la tête. Nous parvenons à l'étage et mon camarade s'arrête pour reprendre souffle. On dirait qu'il vient d'escalader l'Everest...

Je vais frapper à la chambre 12 lorsque des cris retentissent. La jeune épousée est en train d'appeler sa mère à pleine gorge ! Notez qu'elle serait bien emmouscaillée si la vieille radinait à cet instant.

Béru en rosit.

— Ma parole, dit-il, ils remettent le couvert !

— Ils sont là pour ça, non ?

Nous attendons la fin de la séance pour nous manifester.

Un conflit éclate entre les tourtereaux pour une mesquine question de rythme... La petite est pour l'accélération, tandis que le boxeur se déclare partisan d'une allure modérée. Probable qu'il a vu l'écriteau fiché à l'entrée du bled : « Ralentir, chaussée bombée ! » De toute façon, comme c'est lui qui conduit, il fait prévaloir son point de vue. La môme se soumet.

— Tu vois, chuchoté-je à mon compagnon, tout est question d'adaptation dans la vie.

Béru est couleur framboise. Sérieusement émoustillé, le zig ! Je vous parie bien une brosse à dents de scie contre une calvitie de notaire que si je n'étais pas là, il mettrait l'un de ses yeux au niveau de la serrure.

Comme un soupir nous parvient, nous concluons que la représentation est terminée et nous frappons à la porte.

Un silence, puis la voix essoufflée du Bérurier junior retentit :

— Qu'est-ce que c'est ?

— Tonton ! dit le Gros en dénouant sa cravate.

L'ex-boxeur croit à une calamité familiale et se hâte de délourder. Il est vêtu d'un seul slip et il a les yeux cernés comme l'armée française à Waterloo.

— Mon Dieu ! fait-il en nous apercevant.

Nous entrons dans la pièce. Ça renifle l'amour et le renfermé. La jeune épousée se cache derrière un drap. Elle n'est pas jolie, mais gentille, et il y a dans son regard surpris autant d'intelligence que dans le trou d'écoulement d'un évier.

Béru calme les inquiétudes du couple en louchant sur un bout de sein de sa nièce qui se barre par-dessus la carrante.

— Je viens chercher l'appareil photographique que je vous ai offert, dit-il.

Ils en sont comme deux ronds de flan à la vanille.

— Le... l'ap... l'appareil ! bredouille le boxeur.

Béru est emmouscaillé. Je lui viens en aide.

— Il l'avait montré à quelqu'un qui se trouvait dans notre bureau, ce quelqu'un l'a touché et nous voudrions récupérer les empreintes... Dès demain nous vous le renverrons par colis postal...

Le neveu, qui croyait déjà que sa bonne vieille maman avait passé sous un autobus, est soulagé. Il va chercher l'appareil et nous le tend. Nous remercions, nous nous excusons et laissons les jeunes mariés à leurs ébats.

Le taulier nous guette au bas de l'escadrin.

— Ça marche là-haut ? s'inquiète-t-il.

— Très bien, rassuré-je, du train où vont les choses, non seulement on peut espérer un garçon, mais il est probable que ce sera un cosaque !

Nous bombons jusqu'à Caen où Béru, suivant la promesse que je lui ai faite, se cogne une casserolée de tripes. Les amours de son neveu auxquelles nous avons assisté de façon auditive l'ont plongé dans une sorte de tendre euphorie. Il est attendri ce cher homme.

La bouche pleine, la trogne congestionnée, le gilet déboutonné, le chapeau redressé, il me confie :

— Vois-tu, San-A., les Bérurier sont de solides amoureux. Je me souviens de ma nuit de noces...

Je hausse les épaules.

— C'est si loin tout ça, Béru...

La sauce des tripes lui dégouline aux commissures.

— Tu peux être certain que, cette nuit-là, Mme Bérurier a eu les doigts de pied en bouquet de violettes !

— Pourquoi, tu lui as fait une frayeur ?

Il se marre.

— Une drôle !

La nostalgie lui va bien. Sa cravate traîne dans l'assiette de tripes, il la pique avec un paquet d'entrailles et, par inadvertance, l'enfourne dans son clapoir.

Je m'apprête à lui faire observer combien une cravate, même à pois, est indigeste, mais un autre spectacle sollicite mon attention.

Notre bagnole est stoppée juste devant les troènes limitant la terrasse du restaurant. Et je m'aperçois qu'un type fringué d'un pardeusse marron et d'un chapeau noir est en train d'ouvrir la portière sans la moindre façon.

Je me lève avec une telle hâte que l'assiette de Bérurier bascule et qu'il prend le reliquat des tripes sur sa braguette qui en a vu bien d'autres — et des moins bonnes.

En quatre enjambées et demie, me voici dehors. Le bonhomme repéré depuis l'intérieur de l'usine à intestins vient de se saisir de l'appareil photo posé sur la banquette. Il fait volte-face pour se tailler, se trouve nez à nez avec moi et il est tellement sidéré qu'il en ouvre le bec autant que l'articulation de la mâchoire le lui permet. Histoire de supprimer les courants d'air possibles, je le lui ferme d'un crochet au menton. Je vois alors ses yeux se brouiller comme un jeu de cartes renversé. Il titube, s'adosse au capot de la bagnole et reste les bras ballants, attendant une seconde pêche dont je lui fais grâce...

Vous connaissez les humains. *Illico,* nous sommes cernés par une tripotée de quidams. Deux hommes qui se pitrognent, ça fait toujours recette ! Et voici messieurs les agents, à vélo, s'il vous plaît, l'air angélique, qui commencent par nous alpaguer au collet. Je n'ai que le temps de leur montrer mes fafs avant l'hécatombe. Lors, ils esquissent un salut et me proposent d'embastiller le voleur d'appareil photographique.

J'accepte d'autant plus volontiers que j'ai des questions

multiples à poser au gars et qu'il me serait pénible de l'interroger devant tout le monde.

En route pour le poste !

Comme nous nous éloignons, Béru se met à gueuler depuis la lourde qu'il n'a pas d'oseille sur lui pour cigler ses tripes. Le patron, un grand fauve rébarbatif, lui barre le chemin.

— Fais la plonge pour payer ! lancé-je avant de disparaître.

Au commissariat, on met à ma disposition une petite pièce flétrie, chichement meublée d'une table en bois blanc et de deux chaises. Pour unique décoration : la photographie du président de la République, constellée de fientes de mouches.

Le type qui voulait secouer le Smelflex des Bérurier reste immobile, avec, à la pointe du menton, une mignonne tache jaune qui bleuira avant longtemps.

Je le défrime. C'est un grand gnace maigre comme un fakir, avec une figure de lavement mal digéré et des paupières bombées comme celles d'une grenouille.

Je ferme la lourde et lui désigne une chaise.

— Assieds-toi !

Il obéit. Il semble rêveur...

— Aboule tes papiers !

Il met la main à sa poche intérieure, mais au lieu d'en sortir son larfouillet, il exhibe un très joli pétard de 9 millimètres.

— Il est à vendre ? demandé-je.

In petto, je songe que j'ai été une véritable crème d'andouille. J'ai négligé de fouiller le zig, faisant confiance à son air abattu. Maintenant, s'il en a envie, il peut me coller dans la brioche autant de pralines qu'en contient son magasin.

D'un petit geste bref du canon, il me fait signe de lever les pognes. J'obéis. Croyez-moi, cet aimable farceur a sous ses paupières à demi baissées une étrange lueur qui ne trompe pas un homme averti.

Je vous parie une éclipse de lune contre la ligne bleue des Vosges qu'il serait fort capable de me flinguer en tout bien tout honneur.

Je hisse mes ustensiles à faire mouvoir les marionnettes à la hauteur de mes épaules.

— Mince de carte de visite ! apprécié-je. Sur simple présentation de ces papiers-là, on a droit à une place assise dans le métro, même les mutilés se flanquent au garde-à-vous...

Jusque-là, je tiens à vous le faire observer, je n'ai pas ouï le son de sa voix. Il est peut-être muet, le chouraveur de Smelflex.

Ou alors, il a un fusible qui a pété dans sa menteuse.

Le voilà qui me fait signe à nouveau. Il a l'éloquence du geste, mon petit camarade. De façon on ne peut plus explicite, il m'enjoint de faire face au mur.

J'hésite, tiraillé entre ma dignité et mon trouillomètre qui flotte dans des régions minimales, mais la dignité n'a jamais permis à un homme de devenir centenaire. Voyant le doigt du type se crisper sur la détente, je me décide à me coller au piquet. Mon naze est à quatre centimètres du papier de la tapisserie. Deux mouches en délire sont en train d'y faire ce que faisaient naguère les Bérurier's partners à l'hôtel de « Mes Délices ». Elles ne se gaffent pas du critique de ma situation. Leur accouplement est intense. Je n'assiste pas à la fin du zizipanpan car, brusquement, je déguste à la base du crâne une de ces infusions de matraque qui donneraient le goût de l'astrologie à un ver de terre.

Le mur se met à danser le *rock'n roll* et je prends un billet de parterre.

Je ne perds pas conscience, pourtant, pendant un laps de temps que je ne suis pas en mesure d'évaluer, la réalité part en vacances au pays de l'abstrait. Un turbo-réacteur-sauce mayonnaise mugit dans mes manettes... Je perçois vaguement un bruit de fenêtre ouverte et j'essaie de me mettre à quatre pattes... Au début, mon crâne en plomb m'entraîne en avant, pourtant j'arrive à me mettre droit.

L'homme au chapeau noir n'est plus là... Je me dirige vers la croisée à pas prudents. Elle donne sur une ruelle déserte... Bon, le zig s'est emmené promener sans attendre mon réveil.

Inutile de galoper... Je porte deux doigts prudents à ma nuque et j'ai envie de dire : « Excusez-moi, monsieur », car la protubérance que je caresse ne peut m'appartenir... Parole, ma tronche a doublé de volume ! J'agrandis mon stade en vue du match Toulouse-Lautrec !

La porte s'entrouvre et le visage d'un archer paraît. Il me contemple, réalise que je suis seul, aperçoit la bosse qui agrémente mon cirque d'hiver et extériorise son impression dominante de la façon la plus saisissante qui soit, la plus concise, la plus ramassée :

— Merde !

Et de se mettre à meugler comme un bœuf qui a sa crise de nerfs (de bœuf).

Les aminches du patelin se foutent carrément de moi lorsqu'ils apprennent mon aventure. Je dois reconnaître que pour un champion toutes catégories de la police, j'ai bonne mine. Il n'y a pas grande différence entre moi (dit mézigue) et deux kilos d'andouille pliés dans de la toile émeri.

Furieux comme un producteur de cinéma qui vient de signer par mégarde un chèque provisionné, je quitte le commissariat.

C'est alors, et alors seulement, que je repense à Bérurier. Le Gravos doit renauder sauvagement. Peut-être qu'il s'est filé une toise avec le marchand de tripes ! Il est temps que j'aille payer son orgie...

Je regagne le restau en mâchouillant des insultes à l'endroit (et même à l'envers) de mon agresseur. Son coup de crosse m'a ouvert une perspective intéressante, non seulement sur la voie lactée, mais aussi sur l'affaire scabreuse du mort photographié.

Les rues titubent un peu autour de moi, comme si elles étaient chlasses, mais je feins de ne pas m'en apercevoir pour ne pas les humilier.

Je pénètre dans le restaurant et j'avise le Gros affalé devant un verre de fine.

— T'en as mis du temps ! soupire-t-il. Qu'est-ce qui s'est passé ?

— Un escogriffe chouravait l'appareil photo.

— Pas possible !

— Si. Je l'ai embarqué à la maison parapluie d'ici, mais figure-toi qu'au moment de l'interroger il m'a offert un voyage interplanétaire...

Je découvre ma bosse à mon pote. Il siffle d'admiration.

— Je n'ai jamais vu une aubergine pareille, assure-t-il. Fais-la photographier avant qu'elle ne désenfle, ça intéressera le Musée de l'homme !

Je hausse les épaules et sors mon crapaud pour casquer le gargotier.

Béru a un geste noble.

— Inutile !

— Tu as retrouvé ton pognozoff ?

— Non, j'ai gagné mon écot au 421. Le taulier est un minable à ce jeu, il ne sait pas tricher...

Là-dessus, nous quittons l'établissement.

— Tu peux conduire malgré ta bosse ? demande mon valeureux camarade de combat.

— Merveilleusement, lui dis-je, l'aérodynamisme est un des principaux facteurs de la vitesse.

CHAPITRE IV

Le petit écureuil... et le vieux gland.

Retour sans encombre à Paris (Seine).

J'éjecte Bérurier devant sa lourde. Il fronce le sourcil en voyant le coiffeur du coin sortir de son immeuble. Les merlans sont bouclés le lundi et celui-ci au lieu d'aller pêcher au pont de Suresne, vient pécher avec Mme Bérurier. Le Gros est au courant, comme on dit à l'E.D.F. Il ronge son frein et ferme les yeux : l'infortune vient en dormant !

Je le vois rentrer un peu sa grosse tronche dans les épaules et saluer le pommadin d'un geste aimable.

Après tout, il vaut mieux que Mme Bérurier joue avec l'honneur de son mari plutôt qu'avec les rasoirs du coiffeur, comme ça elle ne craint pas de se couper.

J'embraye et regagne mon domicile. Félicie, ma brave femme de mère, m'attend en changeant le col d'une de mes chemises. Elle fabrique des cols et des manchettes dans les pans de ladite limace, si bien qu'après ce rodage de soupape, la chemise m'arrive dix centimètres au-dessus du nombril.

— Salut, m'man, ça va ?

Nous échangeons un baiser furtif, mais solide. Le front de ma Félicie sent le cheveux gris et le savon de Marseille.

— Il y a un pigeon dans le frigidaire, c'est le voisin d'à côté qui me l'a donné, je vais te le faire cuire...

Elle s'active.

Je pose mes lattes, ma veste et je me carre dans un fauteuil à bascule.

Le beurre crépite dans une cocotte... La radio joue en sourdine une valse anglaise triste comme un dimanche londonien... Je suis bien. J'aime notre pavillon, sa douceur, le trottinement de Félicie, l'odeur de terre mouillée du jardinet...

J'aime nos meubles rococo, les perles de l'abat-jour, le chemin de table. La vie s'arrête à notre grille. Lorsque j'ai franchi celle-ci, je me trouve dans un univers suave, sucré, tiède...

La voix de m'man s'élève, tendre et préoccupée :

— Je t'ouvre une petite bouteille de bordeaux ?

— Eh ! dis donc, m'man, c'est gala aujourd'hui ?

— Puisqu'il y a un pigeonneau...

— En quel honneur il t'a donné ça, le gâteux d'à côté ?

— Ne crie pas si fort, Antoine, la voix porte !

— Il ne te fait pas la cour, au moins ?

J'aime la faire rougir. Elle marche à tous les coups.

— Oh ! Antoine...

La voici qui revient, le ventre ceint d'un tablier blanc.

On entend toujours le floflottement du beurre et tout l'appartement renifle le pigeon en train de mijoter.

— Écoute un peu m'man...

Elle sait que, dans mes instants de grave préoccupation, je lui narre mes tracas... Elle sait aussi que j'agis ainsi plus pour me permettre de penser tout haut que pour solliciter son avis. Elle s'assied.

— Alors ?

Je lui déballe le paquet, minutieusement. Lorsque j'ai terminé, elle se précipite sur ma bosse. Mais l'aubergine s'est dégonflée, ce qui calme instantanément ses angoisses.

— Bon, que penses-tu de ça, m'man ?

Elle essuie ses mains propres à son tablier.

— Je ne sais pas, avoue-t-elle. Et toi ?

— Moi non plus, je ne sais pas... Tout est tellement filandreux là-dedans. Lorsqu'on photographie un homme assassiné, on doit certainement se préoccuper de la pellicule, hein ?

— Il me semble...

— Pourtant un brocanteur a acheté l'appareil contenant cette image compromettante... Admettons... Il y a toujours une explication à tout. Mettons aussi que le type ayant tiré les photos du mort ait voulu récupérer l'appareil...

Je me tais. Ma pensée, à cette phase de l'histoire, est ténue comme une toile d'araignée. Un courant d'air la déchirerait... Félicie respecte mon silence. Elle voudrait bien aller retourner le pigeon, mais elle n'ose pas rompre le charme.

Je soupire...

— C'est ça, au fond, le plus inouï de l'affaire : ce type qui, à Caen, a tenté de reprendre l'appareil photographique... Comment a-t-il pu remonter la filière jusqu'à cet instant, hein ? Cela sous-entend qu'il avait retrouvé la trace de Bérurier... Qu'il avait su que le Gros avait offert l'engin à son neveu, qu'il avait suivi le couple... Oh non ! Je te jure que j'y perds mon latin, m'man...

Félicie va secouer la casserole dans la cuisine. Moi, je suis emberlificoté dans mon raisonnement, comme un jeune chat dans un écheveau de laine.

Réapparition de Félicie.

Elle est satisfaite, probable que le pigeon du voisin prend bonne mine.

— L'homme qui t'a assommé était peut-être un simple voleur de voiture, un... un... comment appelles-tu ces gens-là, déjà ?

— Des roulottiers, m'man.

— Oui. C'en était peut-être un, tu ne crois pas ?

— On ne menace pas un flic d'un pétard, on ne l'assomme pas pour une inculpation aussi vénielle, objecté-je.

— Il avait peut-être d'autres choses plus sérieuses à se reprocher.

— C'est possible...

Je chausse mes pantoufles et je vais à mon garage récupérer l'appareil.

Je le pose sur la table et le sors de son étui pour l'examiner attentivement. C'est du truc à dix sacs, neuf, étui compris. Il n'a absolument rien de particulier, pas même un numéro de série. Rien de plus banal, de plus anonyme... Rien qui fasse davantage congés payés que ce 6 × 9 noir à boutons chromés.

Après l'avoir tourné dans mes paluches pendant la cuisson du pigeonneau, je suis d'accord avec Félicie : le type de Caen ne pouvait être qu'un roulottier. Je n'avais pas fermé la lourde de ma guinde et il a voulu sucrer le truc posé bien en vue sur la banquette. Au commissariat, il a pris peur. Sans doute a-t-il un pedigree déplorable.

Bon, cette seconde question est classée. Je donnerai un coup d'œil aux sommiers, demain, histoire de vérifier si mon agresseur y figure. En attendant, monsieur le poulet va se taper le pigeon. Et le plus pigeon de nous deux, croyez-moi, c'est le poulet !

Il n'est pas sept heures du mat lorsque je joue : « Parlez-moi d'amour » sur la sonnette de Bérurier. En le quittant, je lui ai annoncé que je viendrais le tirer des bras de l'orfèvre et je tiens ma promesse.

Il vient m'ouvrir, tout gluant d'un sommeil réparateur. Il s'est glissé dans un pyjama à rayures qui le fait ressembler à un vieux zèbre malade.

— Tu joues « Prison sans barreaux », mec ? lui demandé-je avec entrain.

Je tapote son ventre épanoui dans le pyjama.

— Tu devrais faire vérifier le gonflage, un éclatement est si vite arrivé !

Il se marre et ouvre la veste du vêtement de nuit. Je découvre alors une poitrine velue comme une marchande de poisson napolitaine. Il se gratte lentement, ce qui fait pleuvoir des miettes de pain sur le tapis élimé.

— C'est une manie que j'ai prise de bouffer au lit, m'explique-t-il. Alors ça démange, s'pas ?

Tout en m'initiant à sa vie privée, il fait sa toilette sur l'évier de la cuisine. Ses ablutions sont toujours extrêmement sommaires. Il se rase, se donne un coup de peigne et frotte ses battoirs sur un linge humide qu'il ne se donne même pas la peine de décrocher. Ensuite de quoi il amène au milieu de la pièce une chose immense et flasque percée de deux trous. Il pose un pied dans chacun des orifices, puis remonte la chose qui s'avère être un pantalon.

Il se débarrasse de sa veste de pyjama, la remplace par une chemise dont il oublie de rentrer le pan arrière dans le futal et enfile par-dessus sa hure une espèce de nœud coulant qu'il serre sur son col et baptise cravate.

— Alors, on va aux Puces ? fait-il.

— Si c'est un effet de ta bonté.

— D'accord...

Il passe sa veste en ahanant, car ça constitue sa culture physique matinale, ensuite il sort deux verres d'un placard et un litre de rouge de sous l'évier.

— Un petit coup de pousse-au-crime ? me propose-t-il.

— Non, sans façon...

— Tu as tort, c'est du vin de pays... Je ne prends que ça en guise de petit déjeuner...

Il en consomme deux grands verres et s'essuie les lèvres.

— Bon, je suis ton homme !

Je me file en boule, soudain.

— Écoute, Gros, m'écrié-je, je n'ai jamais compris pourquoi tu t'es lancé dans la flicaille au lieu de choisir la diplomatie. Je te verrais si bien en train de te moucher dans les rideaux de Buckingham Palace...

Il hausse les épaules. Il voudrait répondre, mais, pour l'instant, il se racle le gosier et crache par la portière. Le résultat de son expulsion se plaque contre la vitre. C'en est trop.

— Tu n'es qu'un répugnant personnage ! lui dis-je. Je préférerais organiser des excursions pour fosses d'aisances plutôt que de te trimbaler !

— Excuse, fait-il, je croyais la vitre baissée !

Puis, soucieux de se justifier pleinement, il explique :

— Le matin, y a une mise en route de l'organisme à faire, faut comprendre...

— Tu aurais pu la faire chez toi, eh, poubelle !

Je planque ma charrette le long d'une palissade et nous pénétrons sur le marché.

Y a des gnards qui raffolent des Puces et qui y passent leurs loisirs ; moi, je veux bien... Mais, en ce qui me concerne, je suis réfractaire à leur poésie. Toutes ces vieilleries accumulées, ces objets incroyables, ravagés, fanés, meurtris, brisés, dont l'utilité n'est pas toujours perceptible me font mal à l'âme. Leur poussière et l'histoire qu'elle recouvre éveillent tout au fond de mon être une tristesse déprimante...

Les Puces, c'est une espèce d'abdication collective, c'est l'aveu général d'une faillite humaine...

Nous pénétrons sur ce champ de foire et je change ma façon de respirer afin de renifler le moins possible ce remugle écœurant.

Béru, lui, est à son affaire. C'est un adepte ! Il va d'une allure lente, l'œil aux aguets, prêt à saisir une occasion par les cheveux lorsqu'elle n'est pas chauve.

Il tombe en arrêt devant le modeste étalage d'un sidi frileux.

— C'est lui qui t'a vendu l'appareil ? interrogé-je.

— Non, mais attends un instant... Il y a là quelque chose qui m'intéresse.

Je le vois se pencher et se saisir d'un petit écureuil empaillé, à la queue mitée. La bestiole ressemble à Pinaud.

— Tu ne crois pas que ce serait charmant dans ma salle à manger ? me demande-t-il.

— Merveilleux, affirmé-je. Et toi, tu ferais le gland, t'es doué pour.

Le marchand s'empresse. Il demande un prix que j'avoue raisonnable.

— Tu vas laisser cette saloperie où elle est ! hurlé-je dans les trompes d'Eustache de Béru. Crois-tu que je t'aie amené ici pour acheter des écureuils ?

Lorsqu'une idée le tient, impossible de l'en faire démordre. Il marchande, se met d'accord avec le sidi et extrait de sa chaussette un billet de cinq francs.

C'est à trois que nous poursuivons notre chemin.

Le Gros, son rongeur sous le bras, me conduit enfin au marchand qui lui a soldé l'appareil photographique.

C'est un petit vieux à lunettes cerclées de fer qui ressemble à un instituteur en retraite. Il est poussiéreux, comme les choses qu'il vend, et plus triste qu'elles. Il est emmitouflé dans un cache-nez de grosse laine, un béret lui emboîte la tête, sommé d'une petite couette agressive. Cet embryon de tige lui donne vaguement l'aspect d'une poire.

Béru change son écureuil de bras.

— Salut, fait-il, vous me reconnaissez ?

L'autre le considère calmement.

— Il me semble, admet-il ; je vous ai vendu quelque chose il n'y a pas très longtemps... N'est-ce pas un appareil photographique ?

Ce démarrage me fait bien augurer de la suite. Le vieux a donc de la mémoire, et je ne lui en demande pas plus.

— C'est ça, fait Bérurier : un appareil... C'est à ce sujet qu'on vient, mon pote et moi-même...

Le marchand lâche l'effigie du Gravos pour capter la mienne. Je lui montre mes fafs. Il fronce un tantinet les sourcils parce que, dans son job, on n'aime pas beaucoup les archers.

— N'ayez pas peur, m'empressé-je, nous sommes juste venus vous demander un renseignement...

Je lui produis l'appareil.

— Examinez bien cet engin et tâchez de nous dire qui vous l'a vendu...

Le bonhomme médite un instant. Il ne bigle même pas la boîte à images... Nous n'avions pas besoin de nous farcir le voyage à Riva-Bella pour la récupérer... Il réfléchit sec, non pas pour rappeler ses souvenirs, j'en suis persuadé, mais plutôt pour décider s'il l'ouvre ou non.

Dans ces cas-là, il ne faut jamais faire le méchant, il y a des tempéraments qui ne peuvent se plier...

— Alors, insiste le Gros en se grattant la nuque avec la patte droite de son bestiau.

L'autre a une forte envie de biaiser.

— Vous comprenez, murmure-t-il d'une petite voix qui rappelle un gond de porte mal huilé, j'achète à tellement de gens...

C'est le moment pour le gars bibi d'intervenir.

— Vous achetez à des tas de gens et vous vendez à des tas de gens, cher monsieur. Vous nous avez prouvé, à l'instant, que vous aviez la mémoire de vos clients, je suis persuadé que vous possédez aussi celle de vos fournisseurs...

Ses lèvres minces se pincent. Il ôte ses besicles et se met à ressembler à un rat myope. Tandis qu'il essuie ses verres, il dit :

— Attendez... Cet appareil... Oui, oui... C'est une femme qui me l'a cédé...

— Une femme, comment ? s'inquiète l'homme à l'écureuil.

Le brocanteur se caresse le menton. Brusquement, mon renifleur se déclenche. En bon poulet, je suis doué d'un sixième sens qui m'avertit lorsque quelque chose ne tourne pas rond. Et c'est le cas en ce moment. Je me dis qu'une solution énergique doit être prise.

— Suivez-nous ! fais-je avec une telle brusquerie que le Gros lui-même en a les éponges paralysées.

Le petit vieux pousse un cri de roquet dont on vient de coincer la queue dans une porte.

— Quoi ?

— Je vous dis de nous suivre, et en vitesse encore ! Vous avez tort de nous prendre pour deux patates... Mon petit bonhomme, l'affaire est mille et une fois plus grave que vous ne le supposez et il se pourrait que ça barde pour vos vieux ans si vous nous collez des bâtons dans les roues...

Il se met à sucrer les fraises, vilain. Il claquerait des dents s'il en avait encore. Mais il ne lui reste que deux molaires tenaces au fond du damier. Avec ça, il peut juste manger des glaces à la vanille et boire des Vérigoudes avec une paille !

— Messieurs ! Je... je ne demande qu'à vous être utile et...

— O.K., alors le nom et l'adresse de la souris qui vous a

fourgué cet appareil photo, et que ça saute, sinon vous irez vendre à Fresnes vos candélabres ébréchés, mon vieux !

— Je suis un honnête commerçant ! glapit le monsieur. J'ai fait la guerre... Je... je vote, monsieur !

— Alors votez pour la vérité, et accouchez !

Il rosit.

— Comment voulez-vous que je vous fournisse l'identité de cette femme ? Dans notre métier, on achète à qui vous propose... On...

Je l'interromps du geste et de la voix.

— C'est vrai, pourtant je sais que vous connaissez la personne qui vous a vendu ça...

Là, les mecs, je peux vous dire que j'y vais au culot. Je marche à l'impression personnelle, ce qui est parfois un meilleur carburant que l'essence.

Il se trouble.

— Mais...

Bérurier, qui a flairé enfin du louche, devient mauvais. Et, lorsque cette grosse gonfle tourne au vinaigre, il y a de la perturbation sur le secteur.

Il se saisit d'un vase de Sèvres posé à côté d'un casque de cuirassier et se met à jongler avec, ce qui fait frémir le petit vieux.

— On l'amène à la Grande Caverne ? dit Béru. Je vais y causer de la météo, j' te jure !

Lors, le fossile s'émiette.

— Je crois me souvenir en effet du nom de la personne qui m'a cédé l'appareil... C'est une certaine Marthe Bonvin...

Je jubile !

— Marthe Bonvin, dit Martha-Vol-au-vent ! Eh bé ! mon cher électeur, vous travaillez avec du beau monde ! C'est plus du commerce que vous faites, mais du recel...

L'édenté se liquéfie. Il dit qu'il a soixante-douze berges, des plaies variqueuses, une femme paralysée et le brevet élémentaire ! Il ignore le *curriculum* de Martha... Il...

— Viens, dis-je au dresseur d'écureuil empaillé, je sais où l'on peut trouver Martha...

Avant de m'éloigner, je cramponne le petit vieux par son cache-nez.

— Si vous commettez l'imprudence de la prévenir de notre visite, menacé-je, je vous donne ma parole de perdreau qu'on vous passera votre petit déjeuner de demain à travers un guichet.

Il fait un signe affirmatif qui amène ses lunettes à la pointe extrême de son nez.

Là-dessus nous partons, bras dessus, bras dessous, avec l'écureuil.

CHAPITRE V

Diplomatie autour d'une valise
qui n'est pourtant pas diplomatique.

Je n'ai pas menti en disant que je connaissais Marthe Bonvin, dite Martha-Vol-au-vent. Lorsque j'étais simple inspecteur, j'ai eu maille à partir avec elle plusieurs fois. Cette digne personne s'était spécialisée dans le vol à la tire. Elle « faisait » les usagers du métro, ou, du moins, leurs poches. Sa station préférée c'était « Sentier », peut-être que le mot évoquait en elle une enfance vagabonde... Depuis quelques années, elle semble s'être un peu assagie. J'ai eu de ses nouvelles incidemment par un collègue de la mondaine qui a fait une descente récemment dans un petit hôtel des Halles où elle crèche.

L'« hôtel de la Coquille et de l'Escargot réunis ».

C'est sur cet établissement d'ultime zone que nous mettons le cap. Il occupe trois étages d'un immeuble étayé avec des madriers, plus ventru que Bérurier, plus noir que le col de sa chemise, plus fétide que son haleine, plus disloqué que son écureuil.

Le taulier n'a plus d'âge, plus d'ambition et son nom est réduit au minimum : Dudu ! Il porte une vieille casquette dont il ne se départ jamais et qui nécessiterait l'emploi d'un chalumeau oxhydrique si on tenait absolument à la lui ôter.

Il a un gros nez, des yeux vagues, une moustache commanditée par les cycles La Perle et l'air déprimant de quelqu'un qui n'attend plus qu'une épidémie de choléra pour faire une fin.

Je le connais de vue car ça fait un sacré bout de moment qu'il tient des hôtels craspecs et qu'il donne asile aux plus effarants triquards de ce département.

En nous voyant, il lève un sourcil surpris. Non à cause de notre intrusion, mais à la vue de l'écureuil. En général, les « chaussettes à clous » qui lui rendent visite brandissent de préférence un outil à effeuiller les bulletins de naissance.

Sa stupeur est de courte durée. Ce gars-là en a vu tellement au cours de sa vie de cloporte que, si un éléphant rose habillé en mandarin chinois venait lui demander une chambre, il se contenterait de lui filer la clé du 6 parce que c'est sa plus grande carrée !

Il est huit plombes et je sais que Martha-Vol-au-vent est en plein sommeil. Elle se poivre régulièrement le naze jusqu'à deux heures du *morning*, la grosse truie, et en écrase jusqu'à midi... Elle aime gratter au début de l'après-midi. Les gens, à cet instant, se débattent avec la digestion et ils sont moins sensibles aux contacts extérieurs.

— On vient voir Martha, fais-je gentiment à cette émanation du néant.

Il fait la moue :

— A ronfle !

— Tant mieux, j'ai toujours rêvé de la regarder dormir. Ça et les chutes du Niagara, c'est mon désir farouche... A quel numéro est-elle ?

— Au 22 !

— C'est pas une piaule, c'est un chemin de ronde, non ?

Je me gondole, comme disent les Vénitiens[1]. Et je pousse Bérurier vers l'escalier au tapis crevé. Nous nous encordons, lui, moi et l'écureuil afin d'entreprendre l'une des plus téméraires ascensions du siècle.

Le 22 se situe, vous l'avez deviné, au second étage. Je frappe à la porte de cette chambre, mais ne reçois, en guise de réponse, qu'un ronflement pareil à un coup de frein brutal. J'essaie d'actionner le loquet et j'ai le plaisir de voir s'ouvrir le battant.

Nous découvrons alors une chambre invraisemblable. Le plancher descend en pente douce jusqu'à une fenêtre aux vitres brisées. Il ne reste que des lambeaux de papier au mur. Le pageot est un tas de ferraille innommable supportant de la literie souillée, déchirée, grise de crasse.

1. Toujours ce bon vieux sens de l'humour, vous voyez.

Sur ce monticule repose Martha-Vol-au-vent. Imaginez une dame pesant dans les cent dix kilogrammes et ne mesurant pas un mètre cinquante. Elle est mafflue, poilue, couperosée, avec les crins coiffés à l'ange, *naturliche*, et des lèvres pareilles à deux limaces en conversation. Elle est presque complètement déloquée, *because* la touffeur de la chambrette. Une vraie nature morte ! C'est pas la turne de Mimi Pinson, mais celle de Mimi Pince-Fesses.

Bérurier en laisse choir son écureuil.

— Tu parles d'un strip-tease ! murmure-t-il. Mince de décarpillage, gars !

Cette réflexion, cependant formulée à voix basse, tire la vachasse de son sommeil. Elle délourde ses vasistas et file sur nous un coup de saveur sans joie. Ses gobilles sont voilées par de récentes vapeurs d'alcool. Elle se met à claper de la menteuse et tire sur sa nudité un drap qu'une vache refuserait énergiquement comme litière.

Puis elle se file en pétard.

— Messieurs les poulardins qui se rincent les châsses à c't'heure !

— Si t'appelles ça se rincer l'œil, Martha, c'est que tu ne t'es jamais rencontrée en tête à tête avec un miroir. Voile-nous le reste de ta triperie qu'on reprenne un peu goût à la vie !

Elle éructe :

— En v'là des giries ! C'est-y des manières de s'introduire dans les chambres des dames, comme deux malpropres ?

Bérurier a une sainte et louable horreur des insultes. Une soudaine crispation de son masque m'annonce du vilain.

Il s'approche du lit, empoigne le bord du matelas à deux pognes et fait basculer le chargement. La môme Martha choit sur les carreaux fêlés avec un bruit de benne basculante déchargeant des gravats. Elle essaie de se dépêtrer de ses couvertures et se dresse, vêtue d'une arachnéenne chemise de nylon transparent.

— Bande de vaches ! hurle-t-elle. Je vous défends de maltraiter une pauvre femme sans défense...

Le gros Béru chope le broc de faïence destiné aux ablutions de la dame et lui propulse le contenu en pleine poire. Martha produit un gargouillis du genre lamentable et se met à pleurer, montrant par là qu'elle est femme malgré tout.

— Ça suffit comme ça, dis-je à mon vaillant coéquipier. Je suis persuadé que notre *pin-up* va nous raconter sa vie...

Je pousse Martha Vol-au-vent vers un fauteuil bancal. Elle s'y assoit après avoir raflé au passage une serviette nid d'abeilles pour s'essuyer la ruche.

Elle a cessé de rouscailler. C'est un vieux bourrin de retour. Elle sait pertinemment que lorsque deux huiles de la police emploient des moyens aussi audacieux, c'est qu'ils sont à cran. Et quand les poulets sont à cran, les caves volent bas.

Martha nous détronche avec un œil mauvais et un œil prudent, ce qui l'afflige d'un passager strabisme divergent.

— Ma chérie, attaqué-je, on est venu te poser une question. Si tu n'y réponds pas, tu peux faire ta valoche pour un bout de temps car l'État t'offrira un chouette séjour dans une pension de famille réputée...

Elle devient soucieuse et ne pense plus à son ressentiment.

— Qu'est-ce que c'est encore ? grommelle la donzelle.

J'extrais de ma poche l'appareil photographique.

— Où as-tu piqué ça, Martha ?

Sa réponse est un cri d'autodéfense.

— Jamais vu ça...

Bérurier va pour lui assener une mandale, mais je lui retiens la manche.

— Écoute, Martha, tu ne vas pas nous jouer l'acte trois de « Vierge et grand-mère », c'est pas dans tes emplois. Je te le dis tout de suite, je me fous que tu aies griffé ce machin-là, mon turbin ne consiste pas à te le reprocher... Seulement, il faut absolument que nous en retrouvions le proprio, tu piges ?

Ça la rassure un peu.

Elle me regarde pour s'assurer que je ne bluffe pas. Mon expression doit lui fournir la garantie voulue car elle hausse les épaules.

— Il m'en est arrivé une bonne, fait-elle, radieuse.

— Raconte !

— Figurez-vous que je m'ai gouré de valoche à la gare de l'Est, un jour...

— Ce que t'es distraite, Martha !

— Parole ! dit-elle. Je ligotais le tableau des départs. J'avais posé ma valoche à côté de moi... Et puis, quand je l'ai reprise, je m'ai trompée, quoi ! C'est idiot, mais c'est commak...

— Y avait quoi dans ta valoche ? interroge Béru.

— Mon porte-monnaie, mes bijoux...

J'interviens :

— Ça n'est pas ta valise qui m'intéresse, Martha... C'est l'autre. Voudrais-tu me dire s'il y avait cet appareil dedans ?

— Tout juste, Auguste ! répond-elle, ravie de voir que son historiette nous satisfait.

— Pour te dédommager de la perte importante que tu as subie, tu t'es dégrouillée de brader le contenu de l'autre valoche, hein ?

— Voilà...

La chambre pue la crasse, la sueur, l'alcool... Dans l'immeuble, des couples ravagent les sommiers à la brutale.

Je pose un pied sur l'accoudoir du fauteuil. La gravosse retire vivement son bras.

— Si on laissait tomber la poésie ? dis-je.

— Comment ?

— Moule-nous avec ta pudeur, Martha... Je le sais que ton histoire de confusion de valise est mauvaise.

Saisi d'une idée subite, je vais ouvrir la porte du placard mural qui supplée à l'absence de la classique armoire d'hôtel...

Je n'ai pas à inventorier longtemps. Écartant quelques hardes accrochées à des pitons, j'ai tôt fait de découvrir une valise-piège.

Vous connaissez le coup. On a dû vous le montrer au cinoche...

Il s'agit d'une valise bidon. Elle n'a pas de fond et elle est vide. Deux lames de ressort sont fixées contre les parois, à l'intérieur. Avec cet appareil, on peut cravater une valise plus petite. Il suffit de le poser par-dessus celle dont le propriétaire a le dos tourné... C'est astucieux, propre et sans bavure...

Elle ne cherche plus à ergoter.

— C'est pour aller à la pêche, ce machin-là, Martha ?

— Oh ! bon, ça va, dit-elle. Oui, je fais quéquefois *les gares...*

— Je t'en veux pas, affirmé-je, je sais que la vie est dure pour ceux qui n'ont plus leurs parents... Faut bien que tu croques...

— D'autant, renchérit Bérurier, qu'avec la g... qu'elle a, elle peut même pas faire le trottoir !

Elle le foudroie du regard.

— Voyons, Béru, fais-je, sévère, sois galant avec les dames du beau sexe.

Soudain, le vertigo me chope. J'en ai classe de toutes ces salades, de ces préambules...

— A qui as-tu fauché la valise contenant cet appareil, Martha ?...

— J'en sais rien...

— Décris-nous ta victime... Je te garantis que tu n'entendras plus parler de l'historiette et que ça restera entre nous !

— Mais, enfin, pourquoi, diantre ?...

— Cherche pas à comprendre. Tout ce que je peux dire, c'est que c'est grave !

— Voyez-vous !

— Il était comment, le type à qui tu as volé la valise ? Tu préfères peut-être que nous discutions de ça chez Plumeau ? Si tu veux, on y va.

Ça lui colle le tracsir.

— Mais non, pas la peine, fait la grosse morue. Bon, puisque vous y tenez tellement, c'était une jeune femme... habillée de noir... Blonde, jolie... Elle attendait le dur pour Strasbourg... C'était sur le quai. Elle a voulu se filer du rouge à lèvres... J'en ai profité, voilà...

— Qu'as-tu fait de la valise fauchée ?

— Ben... je l'ai fourguée ! Je suis pas collectionneuse !

— Et qu'y avait-il dedans ?

— Pff !... De la lingerie de femme, une trousse de toilette, des babioles...

— Tu n'as rien gardé ?

— Non, rien...

— Tu as bradé le tout au vieux mironton des Puces ?

— Ouais !

— Rappelle-toi, Martha, il n'y avait pas de nom sur cette valise, pas d'initiales ?

— Que dalle !

— Et à l'intérieur ? Dis, n'existait-il pas un indice quelconque, permettant de se faire une idée de sa propriétaire ?

Elle réfléchit.

— Non.

Bérurier pose son écureuil sur la table de chevet et s'avance, très déterminé. Je les laisse s'expliquer. Entre obèses, on se comprend mieux !

Il est terrible, le Gros, quand il joue les bulldozers enragés.

— Je peux pas piffer les morues comme toi quand elles font

leurs crâneuses, affirme-t-il. J'ai envie de les mettre au pas, c'est plus fort que moi !

Il chope Martha par la tignasse et lui administre une baffe qui lui fait trembler les bajoues. La grosse se met à braire ; ses cris d'orfèvre stoppent net les bruits de sommiers de l'hôtel.

— Pousse pas ton contre-*ut*, grince Béru, tu vas te faire sauter les amygdales...

Martha, c'est pas le genre de tas de viande à servir de *punching-ball* sans râler. Elle regimbe.

— Nom de Dieu ! hurle-t-elle, vous commencez à me courir, tous les deux, avec vos questions insistantes ! Je vous l'ai cassée mon histoire, alors ça va, hein ? Si vous en voulez encore, allez acheter *Paris-Match*, moi, j'ai plus rien à bonnir ! Je préfère que vous me colliez au placard, j'y suis t'été déjà... Je préfère la frite des rats à la vôtre ! Si vous me touchez encore j'hurle, et quand j'hurle on peut se fourrer de l'hydrophile dans les étagères à mégots, parole !

Pour prouver qu'elle ne bluffe pas, la voilà qui se met à pousser une clameur à côté de laquelle un exercice d'alerte ressemble à un murmure de source...

Béru s'apprête à lui casser le broc de faïence vide sur la coupole, je le retiens...

— Laisse-la piquer sa crise, Gros, et viens, je pense à quelque chose...

Il cramponne son écureuil par une patte et nous voilà barrés. Dans l'escadrin, nous croisons Dudu qui s'amène aux nouvelles. De sa voix neutre, il questionne :

— Et alors, vous la dépecez ou quoi ?

— Y a de ça, admets-je. Si jamais on y parvient, tu parles d'une toile de tente !

— Tu crois qu'elle nous a vidé son sac ? demande Béru.

— Ça ne fait pas de doute, lui dis-je. Elle a ratissé la valise dans les conditions décrites par elle. Elle l'a rapidement inventoriée, puis elle est allée fourguer le blaud au zigoto des Puces. Elle doit en secouer tellement qu'elle ne se rappelle plus très bien ce que contenait ce bagage... C'est au vieux mironton qu'on va demander un supplément d'information. J'ai idée que cet honnête receleur en sait plus long qu'il n'en a dit...

Peu contrariant, Bérurier hoche la tête.
— Qu'est-ce que je pourrais lui mettre autour de la queue ? demande-t-il.
Je sursaute.
— Hein ?
Il brandit son écureuil.
— Mords la came, San-A. Il a la couette qui se barre, le pauvre chéri...
Je ricane.
— Ce que tu es bonnard pour les animaux. Même empaillés faut que tu les dorlotes...
— J'ai toujours eu un faible pour les écureuils, avoue-t-il. Quand j'étais mouflet, à la cambrousse, on en attrapait et on les mettait dans une cage ronde... Ils tournaient pendant des jours... après on les bouffait. Tu peux pas savoir ce que la chair est délicate...
— Je reconnais là ta profonde sensibilité, Béru. Tu as une âme d'artiste, faut te secouer...
Béru est ému. Il essuie une humidité imaginaire dans ses yeux.
— Que veux-tu, murmure-t-il, on ne se refait pas !

CHAPITRE VI

Dis-moi tout !

Lorsque nous parvenons sur l'emplacement occupé par le vieux marchand d'ordures, nous ne trouvons que le vide. Mettant à profit notre heure d'absence, il a ramassé son concentré de poubelles et a fichu le camp.
Cette fuite rapide fortifie ma certitude concernant une certaine culpabilité du mironton.
Pour qu'il ait mis les adjas avec tant de précipitation, il faut qu'il ait le trouillomètre perturbé. S'il a peur, c'est qu'il a quelque chose à se reprocher : C.Q.F.D.
— Nous devons lui mettre la main dessus presto, dis-je à Bérurier. Il faut questionner ses collègues pour obtenir son adresse dare-dare.

Nous voilà en chasse... Nous interviewons tous les pignoufes d'alentour et c'est le sidi à l'écureuil qui nous rencarde. Un jour, il a donné un coup de paluche au vieux pour l'aider à coltiner une collection de la *Revue des Deux Mondes* reliée chagrin.

Il pioge rue de Lappe, au fond d'une cour... Le crouille ignore le numéro, mais précise que c'est à côté d'un marchand de meubles pour cafés.

Nous décarrons en voltige.

Maintenant, Paris est en plein boum. Il fait un temps honnête, du genre faibles ondées le matin, mais avec la promesse de beau temps pour l'après-midi si l'anticyclone en provenance des Açores ne s'amuse pas en route.

Je coupe par Barbès, je vais rejoindre la Bastille dont le génie semble se plaindre d'une mauvaise crampe consécutive à sa fausse position, et, enfin, c'est la rue de Lappe, avec ses bals, ses petites boutiques et son atmosphère de province encanaillée.

La première personne que nous apercevons, par un heureux hasard, c'est précisément notre homme. Il est attelé dans les brancards d'une voiture à bras et il s'évertue à faire passer son chargement de détritus par un porche assez étroit.

— Le v'là ! mugit le Gros.

— J'avais remarqué, dis-je.

Je range ma pompe en bordure du trottoir. Lorsque nous en descendons, le brocanteur a réussi à passer. Nous lui emboîtons le pas.

La cour où il a son capharnaüm est une cour des miracles. Imaginez de petites constructions lépreuses, noires, aux vitres brisées. C'est obscur, fétide... Il y a des mômes cradingues qui jouent, des types saouls qui gueulent, des femmes pas peignées qui chialent... Et par-dessus le toutim, « Europe 1 » qui nous file du Trio Raisner comme s'il en pleuvait.

Les closets sont collectifs, dans cette cour des miracles. Un gros type en sort en remontant son grimpant. Notez que ça fait plus intime...

Le père la brocante stoppe son attelage sous un maigre hangar couvert de carton goudronné. Il ouvre une porte basse et crie :

— C'est moi.

Une voix de femme geignarde s'exclame :

— Déjà !

— Oui, fait-il, j'ai ma crise de rhumatismes qui commence...

La voix off se lamente, comme quoi la vie est déjà compliquée quand on travaille, et ceci et cela...

C'est l'instant que nous choisissons pour intervenir.

Nous filons les panards dans une cahute infâme... Elle se compose d'une pièce coupée en deux par un galandage. La première sert de cuisine, l'autre de chambre.

— Coucou ! lancé-je joyeusement.

Le vieux fait un saut de côté. Il nous voit et son regard devient aussi inexpressif que celui d'un adjudant-chef décoré sur l'esplanade des Invalides.

— Vous ? murmure-t-il.

Je ne sais pas ce qu'il pensait de la rousse, le fossile, rien de bon en tout cas pour se croire à l'abri de nos visites...

— Qu'est-ce que c'est ? gronde la mégère d'à côté.

Un drôle de père fouettard, sa bergère. Ça se comprend à l'intonation. C'est le genre de nana malade qui en fait baver de sévères à son camarade de vie avant de canner.

Sûrement que ça ne va plus tarder, le Grand Départ. Alors elle met le pacson, cette peau ! Elle sait bien que les bonnes femmes clabotent longtemps après leurs jules d'ordinaire. Cette entorse aux convenances, elle la fait casquer chérot au marchand de déchets.

— Qu'est-ce que c'est, Émile ? glapit l'ogresse sur un ton qui n'admet pas de réticences.

Le vieux est éperdu. Il nous regarde d'un œil implorant et met un doigt sur sa bouche pour nous demander de ne pas révéler nos professions.

— C'est des clients, Germaine... Je vais m'occuper d'eux...

Se tournant vers nous avec un air entendu, il dit :

— Messieurs, si vous voulez bien me suivre à la réserve...

Bérurier me pousse du coude.

— J'ai idée qu'on a mis dans le mille en venant ici, fait-il. Il a tellement la pétoche de son os qu'il dira ce qu'on voudra !

Le vieux nous entraîne sous le hangar où il a remisé sa voiture à bras.

Il tremble comme s'il venait de passer le week-end dans la chambre froide d'un louchébem.

Chose curieuse, il nous fait des reproches ; ainsi les faibles ont-ils de ces réactions imprévisibles.

— Pourquoi êtes-vous venus ici ? dit-il.

Probable qu'il devait se croire tabou dans son piège à rats. Je le pousse contre la roue de sa charrette.

— Parce que vous ne nous avez pas dit la vérité, mon cher monsieur.

— Mais...

— Inutile de bêler...

Il regarde Bérurier qui fut son client avant de devenir son tourmenteur et l'implore du regard. Mais il aurait meilleur compte d'attendrir un tigre affamé en lui jouant du Mozart à la clarinette baveuse.

— Si vous ne déballez pas tout le paquet immédiatement, fais-je, je vous arrête pour recel devant votre digne épouse.

Il porte la main à son cœur, comme on le fait au Théâtre-Français pour montrer combien on est emmouscaillé.

— Vous allez nous tuer...

— Dégrouillez-vous de parler, mon vieux, nous avons perdu assez de temps comme ça...

Il respire profondément. Un grand calme inonde son visage, car il vient de prendre le parti de dire la vérité.

— Eh bien ! voilà, commence-t-il. Marthe Bonvin m'a amené un jour une valise.

— Parlez-nous un peu de ce bagage.

— C'était une valise en porc.

— Elle contenait ?

Il réfléchit.

— Eh bien !... Cet appareil photographique...

— Et puis ?

— Une trousse de toilette...

— Ensuite ? Allez, déballez, mon petit père, ou on va prendre le forceps.

— Il y avait aussi une trousse médicale...

Là, nous entrons dans du détail captivant.

— Qu'appelez-vous une trousse médicale ?

— Enfin, dans une pochette en matière plastique, il y avait une seringue de Pravaz avec des aiguilles... Un stéthoscope... Un thermomètre...

— Ah ! Bon, et puis ?

— A part ça, de la lingerie féminine : combinaisons, slips, corsages... C'est tout !

Il se tait, troublé, et me fixe avec des châsses qui attendriraient un tombereau de cailloux.

La voix de la vioque jaillit du trou.

— Émile ! Tu en as pour longtemps ? Pourquoi ne venez-vous pas discuter ici ?

Le pauvre gars s'avance vers la lourde.

— Je... je montre des choses à ces messieurs, Germaine...

Elle rouscaille encore et profère des choses peu amènes sur les clients qui viennent vous relancer à domicile.

— Voilà, murmure le vieil homme.

Je lui mets mes deux mains sur les épaules et je plante mon regard en acier bleui droit dans les carreaux.

— Ça n'est pas tout, mon vieux, vous oubliez le meilleur...

— Qu...quoi ?

Je laisse aller mon inspiration. Je sais qu'elle va à la rencontre de la vérité.

— Voulez-vous que je vous dise ce que vous nous cachez, mon petit père Laconique ?

Il n'a plus la force d'émettre un son.

Béru me regarde avec attention, le bada rejeté derrière la citrouille.

— Les gens à qui on a chouravé la valtouse sont allés aux Puces dans l'espoir de la retrouver... Ils savent, comme tout un chacun, que la plupart des objets volés échouent là-haut... Ils ont inventorié le marka et ont fini par vous sauter sur le poil... Ils vous ont cramponné par la cravate en vous disant votre : « Qu'est-ce que Dieu ? » Vous avez restitué la valise, les trousses, la lingerie... Mais pas l'appareil que vous veniez de brader à cet inestimable individu que voici !

Béru produit un bruit nasal et réprobateur. Il fait un pas en avant.

— Or, poursuis-je, c'était précisément l'appareil photographique qui intéressait ces gens. Ils vous ont interviewé... Vous leur avez fourni moult détails, ça n'était pas duraille car mon pote est bavard comme douze perroquets dans un salon d'attente !

— Je t'en prie ! proteste Béru.

La vieille de la cambuse remet ça depuis sa couche de douleurs.

— Émile ! Viens ici tout de suite, je veux te parler...

Je me tourne vers le Gros.

— Va dire à cette vieille saucisse qu'elle nous foute la paix...

Mais Béru n'a pas à se déranger car la vioque a entendu mes paroles. La v'là qui meugle tout ce qu'elle peut.

Béru va fermer la porte et nous reprenons l'entretien.

— En vous achetant l'appareil photo, mon ami vous a raconté sa vie. Il aime ça... Il a la vie la plus morne qui soit, mais il croit qu'elle devient dorée lorsqu'il la déverse dans les tympans d'autrui.

— Tu vas mal, renaude Béru. Alors là, tu vas mal...

Je ne tiens pas compte de ses protestations faiblardes.

— Il vous a dit que cet appareil était destiné à son valeureux neveu qui se mariait. Il vous a dit que le neveu en question avait fait de la boxe et vous a demandé si vous le connaissiez : Bérurier ! Poids coq...

— Moyen ! proteste Bérurier.

— Très moyen, rectifié-je. Oui, il vous a dit tout ça en marchandant, n'est-ce pas, monsieur Émile ?

L'autre est abasourdi.

— Mais oui, fait-il, ça s'est bien passé comme vous dites... Il n'y avait pas une heure que j'avais vendu l'appareil lorsque cet homme est arrivé.

— Un homme avec un pardessus brun, un chapeau noir et des paupières bombées comme des coquilles de noix ?

— Mais oui... Comment, diantre ? Vous êtes le diable pour savoir tout cela !

— Non, simplement un flic qui connaît son boulot...

Bérurier aussi est sidéré. Pourtant, il a l'habitude de mes déductions pertinentes. Il a passé la main dans l'ouverture de devant de son bénard et il gratte les miettes de pain prisonnières de son système pileux.

— Y a pas, souligne-t-il, t'es pas empêché de la pensarde !

Je m'essuie le front. Un gros effort mental a toujours pour conséquence une forte sudation, chez moi du moins.

— A vous de jouer, maintenant. Parlez-moi de l'homme...

Le père la brocante y va carrément.

— Il a examiné les éventaires de mes voisins, puis le mien. J'avais cédé la lingerie à un collègue, car ça n'est pas mon rayon... Quant à la trousse médicale, je l'ai gardée... J'avais donc mis en vente la valise et la trousse de toilette. Il est tombé en arrêt devant. Il m'a alors pris entre quatre-z-yeux. Il avait un revolver et me l'a montré en me disant que si je ne lui remettais pas l'appareil photographique *illico*, il me descendait comme un chien.

— C'est un impulsif, décidément, murmure le Gros.

Je lui enjoins de la boucler à double tour.

— J'ai pris peur, poursuit le vieux. Je lui ai dit que j'avais vendu un instant auparavant l'appareil. J'ai cru qu'il me bouffait. Il m'a demandé à qui... Alors je lui ai donné, en effet, tous les détails que m'avait fournis monsieur...

Je secoue la tête :

— Bérurier, boxeur... Tu parles, il n'a eu qu'à courir dans les salles d'entraînement pour trouver l'adresse. Il a dû assister à la noce, ce mec, sans que tu te doutes de rien, eh ! enflure ! Ah ! on peut dire que tu es un malin, toi, mon gars ! Dans ton genre, on ne peut trouver mieux...

» Il n'a pu évidemment cambrioler la maison le jour de la noce. Conclusion : il a suivi les amoureux à Riva-Bella, attendant la belle occase... Elle a un peu tardé. En cours de route, ton neveu n'a pas dû quitter son compartiment, trop occupé qu'il était à brouter le mufle de sa jeune femme. Un boxeur, tu parles, le gars n'a pas osé employer la force. Il est descendu à l'hôtel « Mes Délices ». Manque de bol, les petits, qui avaient le pétrousquin survolté, ont couru se barricader dans leur piaule pour jouer à papa-maman ! Il devait patienter. Nous sommes arrivés sur ces entrefaites... Il nous a vus repartir avec l'appareil, nous a suivis... Et voilà le turbin ! Maintenant, ils savent que nous sommes au courant pour la photo du mort...

Bérurier hoche la tête.

— Oui, dit-il, tout a dû se passer comme ça...

Un fantôme apparaît derrière la porte vitrée du logement. Vision dantesque s'il en fut... C'est une vieille femme jaune comme un coing, maigre comme une arête de sole, le cheveu défait, l'œil charbonneux, la bouche en coup de serpe.

Elle frappe à la vitre pour attirer notre attention.

— Germaine ! balbutie le vieux.

Elle a un geste impératif pour lui ordonner de rentrer. Il nous regarde.

— Messieurs, murmure-t-il, je vous en supplie, ne dites rien... L'homme m'a juré que si je parlais il viendrait me descendre...

Il louche vers la porte où la femme cogne plus impérieusement.

— Vous cassez pas le bol, mon petit père, promets-je. Et allez filer un peu de mort-aux-rats à cette emmerdeuse.

Nous le regardons entrer chez lui, le dos courbé par l'âge, le malheur et la culpabilité.

— Ce type-là, murmure Bérurier, dans le fond c'est une pauv' cloche !

— C'est pis, rectifié-je. C'est un martyr...

Nous sortons de la cour.

— On pourrait boire un petit gorgeon de blanc ? suggère Bérurier. Toutes ces vieilleries m'ont donné soif.

— C'est faisable, gars...

Justement, à proximité du porche moussu se tient un petit troquet de bougnat. On y vend du fromage d'Auvergne et du brouilly de la bonne année.

Béru demande un casse-vin et du blanc.

— Que penses-tu de ça ? s'informe-t-il.

— L'affaire est plus sérieuse qu'on ne l'imaginait.

— Je te parle du fromage ! dit-il.

— Il est comme toi, fais-je. Il est trop fait...

Le Gros hausse les épaules et se met à mastiquer fortement en poussant les bouchées qu'il engloutit avec de grosses rasades de blanc.

— C'est curieux, hein ? demande-t-il en reposant son verre.

— Très, lui dis-je. Il est fruité et a un petit goût de...

— Je te parle pas du picrate ! Je te parle de l'affaire... Tu parles d'un écheveau ! Qu'est-ce que tu vas fiche ?

— Ferme ça, je pense...

Il en profite pour finir le fromagat et faire renouveler les consos.

— Écoute, Gros, tu vas aller dire au Vieux que nous sommes sur un coup bizarre. Tu lui demanderas si tu peux t'en occuper avec moi. Je retourne à Riva-Bella. L'homme aux coquilles proéminentes a certainement passé la nuit à l'hôtel s'il a suivi ton neveu... Peut-être y trouverai-je un indice quelconque.

— Pourquoi pas ?

— Pendant ce temps, tu vas enquêter dans les milieux médicaux avec la photo du mort...

On ne sait jamais...

— D'accord...

Nous partons.

Je laisse Béru près de la maison pébroque. Au moment où il descend de la tire, le Gros pousse un barrissement :

— M... !

— Qu'est-ce qui t'arrive, bonhomme ?

— J'ai oublié mon écureuil chez le brocanteur !

DEUXIÈME PARTIE

CHAPITRE VII

Le jour se lève sur mes cellules grises.

Les Bérurier juniors sont en train de faire un billard japonais lorsque j'annonce à nouveau ma géographie dans la strasse.

C'était un médiocre boxeur, le neveu du Gros, mais faut reconnaître que pour ce qui est du coup de queue, il est champion. Il rentre ses boules les unes après les autres dans l'orifice qui lui est attribué et sa portion est folle d'extase. Elle se rend compte qu'elle a épousé le superman qu'elle attendait. Le hasard lui a décerné la vache décoration, celle qui bat toutes les autres : un mec à la hauteur.

C'est une délectation, pour cette gentille petite brunette, que d'être travaillée au paddock pendant trente-six heures d'horloge et au billard japonais pendant trois jours par son jeune mari. Elle croit à l'arc-en-ciel, la souris. En technicolor qu'il est.

Elle vit la grande féerie... Petit à petit, ça se tassera. Le Béru *bis* va reprendre le charbon. Et ça sera les soirées maussades, les fins de mois pénibles... Y aura les chiares consécutifs aux parties de Tumeveuxtum'as, les chiares bien bouclés, bien cradingues, avec leurs rougeoles, leurs caprices et les pieds de nez à la tante Adèle !

Ils moulent le tapis vert hérissé de champignons de bois pour se catapulter sur mézigue.

— Alors, quoi de neuf ? s'inquiète le neveu.

Il a le visage ravagé par l'amour ; des yeux qui lui pendent sur les joues et au-dessous desdits carreaux des poches qui pourraient lui servir à faire la contrebande du tabac.

Une fois encore, il faut rassurer cette jeunesse frémissante.

— Je suis venu vous rapporter votre appareil, dis-je avec cette impudence qui contribue tant à mon charme.

La jeune femme n'en revient pas.

— Vous vous êtes dérangé spécialement pour ça ?

— Je craignais que vous n'en ayez besoin !

Le neveu me propose la tortore. Justement le gargotier sonne le repas. Il n'y a que deux tourtereaux dans l'hôtel, mais le gars se donne l'illusion de gérer le Ritz.

J'accepte de bon cœur.

Nous voici attablés devant des crudités de saison qui se trouvent être ce jour-là des asperges en conserve.

— Vous êtes les seuls pensionnaires ? m'inquiété-je.

— Oui.

— Tiens ! j'avais cru remarquer quelqu'un hier... Un grand type maigre avec des paupières tombantes.

C'est la nouvelle Mme Bérurier qui parle en premier.

— Oui, je vois... Ça n'était qu'un client de passage. Tu te souviens, chéri, nous avons voyagé ensemble... Même qu'il voulait à toute force nous porter notre valise en sortant de la gare...

Le Casanova des pauvres hoche la tête et trempe son asperge dans une sauce vinaigrette qui va le stimuler.

— Mouais, fait-il.

— Vous ne savez pas s'il a couché ici ?

Ils l'ignorent, eux, n'est-ce pas, ils se sont dégrouillés de grimper l'escadrin. Ils avaient un boulot urgent à faire... Y avait de la haute tension dans la corde à nœuds !

Je fais un signe crocheteur au taulier. Il annonce sa petite tête d'oiseau déplumé. Je lui décris mon matraqueur et il me dit qu'en effet le quidam a passé la nuictée dans sa cambuse.

— Comment s'appelait-il ? fais-je. Vous devez avoir sa fiche ?

L'autre se trouble. Je vous parie un mois de trente et un jours contre dix minutes d'entracte qu'il ne lui a pas fait remplir de fiche.

Il me l'avoue, du reste, en toute simplicité.

— Vous comprenez, dit-il, c'est la morte, alors on est moins à cheval sur le règlement.

— C'est dommage, riposté-je d'un ton glacé. Nous avons de bonnes raisons pour nous intéresser à cet individu...

L'autre devient d'un beau rouge écrevisse cuite.

— Je regrette !

— C'est regrettable, en effet.

— Tout ce que je peux vous dire, c'est qu'il n'était pas français, déclare la petite Bérurier qui paraît un peu moins idiote que son conjoint.

— En effet, renchérit le taulier, il avait un accent épouvantable et parlait très mal notre langue...

— Quel genre d'accent ?

— Plutôt Europe centrale.

— Il avait des valises ?

— Non... Il les avait laissées à Caen, à la consigne, m'a-t-il expliqué.

— C'est pas vrai, affirme Béru junior, il ne possédait aucun bagage... Je le sais bien, vu qu'il se trouvait dans notre compartiment.

— Vous êtes arrivés ici dimanche soir ?

— Oui, tard.

— Comment êtes-vous venus de Caen ici ?

— Mais... par le car...

— Oui, coupe l'hôtelier qui cherche à rebecter son standing auprès de moi. Il y en a toutes les deux heures en cette saison, l'été...

Je me livre à un raisonnement élémentaire qui me fait avancer d'un grand pas. Si je n'avais pas besoin de mes nougats pour arquer, parole, je m'en flanquerais un dans les fesses pour me punir de ne pas avoir gambergé à ça plus tôt.

Pigez bien le numéro de trapèze, les mecs. Avec le Gros, nous avons fait icigo une visite-éclair. Rien ne pouvait laisser prévoir à notre ami « Grosses-Paupières » que nous ferions halte dans une petite rue de Caen pour y jaffer des entrailles d'animaux... Donc, pour qu'il nous ait trouvés tout de suite, il a fallu qu'il nous file le train. Ceci est un point important à établir. Ce gars, les enfants Béru me l'ont appris, a voyagé par le train. Il a pris le car en leur compagnie, et pour cause, puisqu'il les filait...

Je regarde l'aubergiste.

— Il y a des taxis en vigueur à cette saison ?

— Oui, le mien...

— Mais à part ça ?

— A part ça, les gens doivent se contenter de l'autobus...

— Bon, ne bougez pas... Le client étranger est parti comment de chez vous ?

Il sursaute car ma question le surprend. Il n'avait pas pensé à ça...

— Tiens, au fait, il est parti tandis que nous buvions un petit coup avec Bérurier... Il avait payé sa chambre d'avance... Je n'ai pas attaché d'importance à la chose...

— Où se trouvait-il lorsque nous sommes venus ?

— Dans sa chambre...

— C'est-à-dire où, par rapport à celle de ces enfants ?

— En face...

— Il en est donc descendu tandis que nous consommions au bar ?

— Eh oui !

Je vois comment ça s'est passé. Grosses-Paupières était à l'affût, prêt à chouraver l'appareil à la première occase. Il nous a vus sortir avec l'instrument et il a pigé que nous l'emmenions... Il lui fallait agir prompto s'il voulait le récupérer... Il est parti et il est allé nous guetter quelque part, dans les environs immédiats. Ensuite il nous a...

Je me lève, toute asperge cessante.

Il nous a suivis ! Comprenez-vous, bande de tordus ?

SUIVIS !

Pour cela, il lui a fallu une bagnole car il ne pouvait le faire en autobus... S'il avait une auto, c'est que quelqu'un la lui a amenée ici et si quelqu'un lui a amené une calèche, il a dû téléphoner à ce quelqu'un pour lui dire où il se trouvait, puisqu'il ignorait, en suivant les jeunes mariés, où ceux-ci se rendaient !

— Dites-moi, le gars en question n'a pas téléphoné pendant le temps qu'il est resté ici ?

— Mais si !

Je respire !

« Merci, mon Dieu ! Un coup de bigophone, c'est une piste... C'est un fil conducteur, soit dit sans jeu de mots. »

— Quel numéro a-t-il demandé ?

Le taulier fait la moue.

— Ça... Vous savez, moi, la mémoire... Attendez, je vais regarder dans la cabine car ordinairement je note le numéro demandé par le client...

Il s'éloigne prestement. Pendant ce temps, les amoureux s'empiffrent de la sole à la crème. Ils se refont des calories, ces chéris, pour pouvoir vite rejouer au bilboquet à moustaches. Et ils ont raison. L'amour, c'est ce qu'on a trouvé de mieux pour permettre aux individus d'oublier leurs percepteurs, leurs députés et autres fléaux. C'est un sport simple, pratique, élégant, qui se répand de plus en plus et qu'on commence à pratiquer même dans les milieux bien-pensants.

Il ne nécessite pas un équipement trop coûteux, est accessible à toutes les bourses et calme les nerfs. (Il ne met en boule que ceux qui ne savent pas le pratiquer.) C'est le seul sport auquel on peut s'adonner sur tout terrain. Il est de plus international et dure longtemps pour les gens qui ont une certaine retenue.

Le patron de « Mes Délices » revient, radieux comme une journée d'été peinte par Van Gogh. Il a un sourire qui lui fend la poire d'une étiquette à l'autre et il brandit une étiquette de boîte de petits pois sur l'envers de laquelle est inscrit un numéro de téléphone.

Sa joie est totale. Il aurait découvert un gisement d'uranium dans son jardin et un de pétrole sur son évier qu'il ne serait pas plus enthousiaste.

— Voilà ! crie-t-il. Voilà...

Il me tend son graffito. Je le déchiffre : Balzac 05-07...

— Voilà un bon point pour vous, dis-je à l'homme rayonnant.

Je glisse l'étiquette de petits pois dans ma profonde. Le taulier me dit que je peux profiter de l'occase pour retenir la marque, ce sont des conserves de première bourre ! A signaler à Félicie !

— Vous ne mangez pas ? s'inquiète le neveu Bérurier qui vient de vider la poivrière sur ce qui lui reste de sole.

Je rigole.

— Monsieur a des projets ? fais-je en montrant le poivre.

La petite mariée rosit. L'autre tordu avale son aphrodisiaque sans moufter. Avec son naze en pied de marmite et ses portugaises en chou-fleur il ressemble à un accident de motocyclette.

J'ai la dent et je consomme en quatrième le poisson en train de refroidir dans mon assiette.

Cette fois, je tiens le bon bout. Dans ce métier à la mords-moi-le-neutre, ce qui compte c'est d'arriver à prendre le départ... Une enquête, c'est comme un voyage en avion : ce qui compte, c'est le décollage et l'atterrissage.

Maintenant, j'ai un indice... Je vais pouvoir partir sur une base solide. Plus le temps passe, plus l'image de ce mort me hante. Je ne sais pas pourquoi, j'ai l'impression qu'il m'appelle...

Le taulier met sa boutanche de mercurey. Une splendeur ! On a l'impression de boire la Bourgogne un jour qu'il fait beau. Le picrate me file de la surcharge dans les cellules grises.

— Dites-donc, fais-je à mon hôte, le copain aux paupières tombantes a dû recevoir une visite hier matin, non ?

Il secoue la tête.

— Non...

Je n'insiste pas. Pourtant ce point me chiffonne car, enfin, s'il nous a suivis dans un bahut qu'on lui a amené, son complice devait se trouver dans le patelin... A moins qu'il n'ait seulement déposé la guinde et ne soit reparti avec l'autobus ce qui est improbable...

— Il y a d'autres hôtels ouverts dans le pays ?

— En face : « la Perruche dorée... » Mais c'est une gargote ! Vous pensez, le patron est un ancien tenancier de maison close. Il s'est mis dans le crâne d'être son propre chef.

— En effet, admets-je, au menu ça doit être « poule sur canapé », « langue fourrée » et « délices maison ».

J'achève de briffer, je souhaite bon pucier aux deux petits champions de la brouette bretonne qui louchent sur l'escalier et je traverse la *street* pour interviewer l'ancien marchand d'amour.

Le gars se tient dans l'encadrement de sa lourde. C'est un mastar de deux cents livres qui a l'air aussi aimable qu'une mitrailleuse jumelée. Son antipathie à mon égard confine à la répulsion. Vraisemblablement il pardonne difficilement à ses contemporains d'aller chez le concurrent d'en face.

Il me voit traverser la chaussée et s'efface pour me laisser entrer.

Il est gros, blond, avec une tignasse hirsute et des bajoues qui tremblotent de chaque côté de sa frime comme les fesses d'une sexagénaire.

Il me file un méchant coup de périscope et interroge, d'un ton qui épouvanterait un crocodile :

— C' que c'est ?

Avec ce genre de tordu c'est pas la peine d'envoyer une gerbe de roses pour s'annoncer. J'y vais de mon petit électrochoc portable : ma carte de matuche. Il en a vu défiler tellement sous son nez, le gars, au cours de sa carrière de marchand de peaux qu'il n'a pas même un soubresaut.

— Et alors, quoi ? fait-il, bougon, mais d'une voix cependant radoucie, qu'est-ce qui se passe encore ? Merde ! j'ai pris mes invalides et v'là encore la rousse qui débarque !

— La Normandie incite au débarquement, rigolé-je.

— Où ce qu'y faut se carrer pour avoir la paix ? soupire cet inestimable commerçant. On dit que la France c'est le patelin de la liberté, tu parles, Charles ! A chaque pas, tu butes dans un monsieur qui te fait tartir avec la loi... Ou bien c'est le fisc qui se la ramène avec son tronc des grands jours ; ou alors les messieurs déguisés en veuves de guerre qui ramassent pour le denier du culte ! Pas moyen d'être peinard...

J'essaie d'interrompre ce procès de la civilisation, mais, avec Totor les Grosses Mécaniques, c'est macache ! Il ne m'accorde pas la plus petite suspension d'audience. Le temps d'avaler un peu d'air et il me file la suite de son 45 tours !

— J'avais une maison qui marchait bien, poursuit-il avec force, la gorge bruissante de trémolos émus. Je n'employais que des Françaises, je tiens à le préciser... Chez moi c'était cordial, propre, intime... Vous vous seriez cru chez vous !

J'adresse à la volée une pensée égarée à ma tendre Félicie.

— Mes petites mettaient tout leur cœur à l'ouvrage. On ne travaillait pas avec le casuel : rien que des habitués, faut vous dire ! Et quel monde : notaires, avocats, commerçants, intellectuels, hommes politiques... Si je vous allongeais les blazes vous ne me croiriez pas !

» Mes demoiselles avaient de bonnes manières. Pour ce qui était de la politesse, pour la courtoisie, c'était mieux qu'au pensionnat des Oiseaux ou de Bouffémont ! Vous me croirez si vous voulez, mais j'en avais une : Ghislaine, qui causait l'anglais aussi bien que la reine d'Angleterre ! Vous m'objecterez que les clients ne venaient pas au « Frivolity's » pour mettre en pratique cette langue-là, n'empêche que c'est bougrement agréable de s'empaqueter une jeune fille cultivée !

J'attends qu'il s'écroule, à fond de souffle, mais ce bougre-là doit respirer uniquement par les pores de sa peau graisseuse.

— Eh bien ! on m'a fermé ma taule, poursuit-il. Ils m'ont transformé mon claque en ouvroir de vieilles dames. Au lieu de ces belles bougresses qui vous faisaient monter l'eau à la bouche, mon salon Louis XV (d'époque, s'il vous plaît) donne asile à ces morues de la haute qui chlinguent le rance et qui prennent leurs bains de soleil dans les confessionnaux de la Trinité ou de la Madeluche !

» Moi, après ce coup dur, qu'est-ce que je fais, hein ? J'ouvre un bar à Pigalle... Oui, va te faire cuire un œuf ! Les condés qui se la radinent, l'œil plus en vrille qu'un tire-bouchon... Ils me filent le grand téléscope parce qu'ils s'imaginent que j'ai encore des petites gagneuses dans l'arrière-salle. Un client ne peut pas aller aux gogues sans qu'on lui réclame ses fafs ! Ça fait bon effet, je vous l'annonce !

» Jolie mentalité... Quand j'ai bradé mon rade, j'étais obligé de ligoter « le Chasseur français » pour meubler les carafes entre chaque client !

Il tourne au violet. Mais il sent la ligne d'arrivée toute proche. Il a un *rush* terrible et dans une seule expiration arrive à articuler :

— Maintenant que je m'ai déguisé en bouseux, v'là qu'on m'envoie encore une estafette de l'armée Peau-de-Vache !

Il s'assied, s'éponge le front avec sa serviette, puis, sans transition, se racle la gorge et crache par la porte ouverte.

Je regarde ma tocante. Il a parlé pendant dix minutes trois secondes sans prendre pratiquement d'oxygène. Je lui frappe sur l'épaule.

— Pourquoi vous n'iriez pas faire votre numéro à Bobino, mon vieux ? P't-être que ça les dépannerait pour un soir...

Je m'assieds sur un haut tabouret devant le comptoir et je regarde les étagères.

— Tiens, tranché-je, filez-moi un petit coup de Dry-Pale à l'eau, histoire de m'humecter la luette, vous m'avez donné soif !

Intrigué, un peu rassuré aussi, il s'empresse. Par la même occase, il se prépare un biberon au beaujolpif. Nous trinquons.

— Remettez-vous, mon bon, vous allez foutre la panique dans vos hormones... Je viens simplement vous demander un tuyau !

Il me regarde, les yeux pleins à craquer d'espoir.

— Ah ?

— Mais oui...

— Alors, nom de Zeus, pourquoi vous me montrez vot' carte, commako, sans bonnir un mot ?

— D'habitude, c'est le portrait de mon cousin Hector que je

montre, mais je l'ai vendu à un marchand de purges pour sa publicité.

Il rigole.

— Vous, au moins, vous êtes un marrant !

— C'est de naissance, j'ai la méthode amerlock : travailler en musique...

— Bon, et qu'est-ce que je peux vous chanter ? Vous savez, ici, les distractions sont rarissimes en cette saison...

— Parlez-moi d'un client qui a dû s'amener dans votre gourbi soit dans la nuit de dimanche, soit lundi matin.

Il ouvre grands ses carreaux de veau.

— Un client ? Où avez-vous vu ça ? C'est une espèce en voie de disparition, vous savez... Le dernier que j'ai eu, y a fallu que je l'élève à la petite cuillère et que j'y fasse des prix pour le garder une semaine !

Diable ! Voilà qui ne fait pas mon beurre... Je m'étais solidement arrimé dans le crâne l'idée que le complice de Grosses-Paupières était venu ici et s'était planqué chez l'ancien marchand de dames pour ne pas attirer l'attention.

— Alors vous n'avez vu personne ?

— Une petite dame, c'est tout... Même qu'elle s'est cassée sans bouffer le repas qu'elle avait commandé...

Je tique :

— Une dame ?

— Ouais !... Elle est arrivée ici lundi, au début de l'après-midi... Elle s'est annoncée chez moi et m'a demandé si qu'elle pouvait crécher. J'ai dit banco, nature, vu que j'ai assez de place pour héberger le cirque Barnum. La v'là qu'est partie en vadrouille dans le patelin, comme quoi elle était représentante. Je me demande bien en quoi ! Cette peau de nouille n'avait pas de bagage...

— Et alors ?

— Moi, j'y mijote ma spécialité : le steak-pommes frites parisien, en ce moment, j'ai personne : ma femme est chez son frère qui est masseur à Lyon. Tandis que je me cassais le chou pour alimenter cette grenouille, elle s'est barrée sans dire bonsoir... Elle me devait rien, mais tout de même, sont-ce des procédés ?

Je renchéris :

— Non, ça n'en sont-ce pas !

— Bon ! De l'affaire vous savez ce qui s'est passé ? C'est

moi qu'ai baffré le steak-frites... Et y m'en faut point : j'ai de l'albumine.

Je biche comme un pou sur la tête de Brassens. Voilà que ça s'emboîte merveilleusement.

— Dites voir, elle était comment cette pétasse ?

— Pas mal baraquée, avoue le taulier. Des jambes admirables, elle me rappelait Gisèle, une petite que j'ai eue autrefois...

— A part ça, comment était-elle : brune, blonde, rousse ou chauve ?

— Blonde comme un de ces petits mecs qu'on voit sur les vitraux de cathédrale avec une assiette au-dessus de la terrine et des ailes qui leur descendent jusqu'aux noix !

— Habillée de noir ?

— Tout juste, Auguste, comment savez-vous-t-y ça ?

— Une idée... Elle était en bagnole ?

— Oui.

— C'était quoi comme calèche ?

— Une Ford ancien modèle immatriculée dans la Seine... Verte avec une aile arrière cabossée, dame, puisque c'était une souris qui pilotait...

— Vous n'avez pas relevé le numéro ?

— Alors là, vous m'en demandez trop : je suis pas gendarme, et je m'en voudrais de l'être !

Je n'insiste pas. Après tout il vient de m'apprendre des choses intéressantes. Car il a déjà été question d'une femme blonde habillée de noir... C'est à une personne de ce genre que Martha-Vol-au-vent a griffé la valise.

— Je vous dois combien ?

— Ça va, pour une fois que j'ai l'occase de rincer un poulet...

— Alors remettez ça...

Il souscrit à ce désir et nous trinquons, lui à l'extermination complète de la police ; moi, au salut éternel du mort inconnu...

CHAPITRE VIII

Un accident est si vite arrivé.

Vous vous doutez combien il m'est facile de savoir à quoi correspond Balzac 05-07. Je m'affranchis dans le premier bureau de poste rencontré sur mon passage. J'ai la stupeur d'apprendre que c'est le numéro de fil d'une maison de repos sise rue Balzac, en plein cœur de Pantruche. La crèche s'appelle « Villa des Rosiers » et elle est tenue par le professeur Lafrère, lequel fait, paraît-il, autorité dans les milieux psychiatriques.

Si j'ai affaire aux dingues, maintenant, c'est le bouquet !

La clinique se situe dans un hôtel particulier cerné de hauts murs. Je sonne à la grille et un type nippé en bleu horizon avec des rubans de décorations plein la boutonnière vient m'ouvrir. Par-delà la grille, il y a un petit jardin avec des grands arbres frais, des massifs de rosiers, et un bassin peu profond où glougloute une eau romantique.

Le zig ressemble à Jean Nohain. Comme l'illustre présentateur, il a le tif rare et gris, la bouche plutôt verticale et un store baissé. Seule différence, mais de poids : il bégaie.

— Qué... qu'est-ce ?...

— Je voudrais parler au professeur Lafrère, coupé-je pour lui épargner une tyrolienne superflue.

Le gars se met à m'expliquer que le professeur ne reçoit que sur rembour. Alors je lui dis qui je suis et son clapoir a tendance à devenir horizontal.

— Je... Je vais... Je vais...

Il m'agace. Faut toujours qu'un bègue fasse des giries supplémentaires, qu'il commente ses faits et gestes et qu'il vous annonce le temps en vigueur.

— Posez ça là, mon vieux, tranché-je, je ferai le tri ! En attendant, galopez chez le professeur pour lui annoncer ma visite !

Il me file dans la poire un regard qui ferait fondre un Frigidaire. Puis, claudicant, s'éloigne vers le bâtiment.

Resté seulabre, je repousse la lourde et m'y adosse pour examiner l'hôtel. C'est une construction très Ile-de-France, avec un toit d'ardoise, des volets bleu pâle, et du fromage au-dessus des fenêtres. Celles-ci ont été armées postérieurement de barreaux solides...

La taule est silencieuse, mais soudain, un cri éclate... Un hurlement insensé, long, vibrant, qui me déchire les nerfs.

Je sursaute... Effaré je bigle la façade morte. C'est alors qu'un éclat de rire me fait tressaillir. J'avise, contre le mur, à ma droite, une dame assise sur un banc. Elle porte une robe de bure blanche et je n'ai pas besoin de la regarder à la scopie pour comprendre qu'elle a une araignée au plafond. Probable que c'est une inoffensive puisqu'elle est assise sur un banc du jardin.

Elle est entre deux âges, avec les cheveux dénoués et un regard qui ne voit pas les mêmes choses que vous.

Elle me désigne la construction et me dit :

— C'est la folle... Elle crie toujours comme ça, lorsque le temps veut changer.

— Vous êtes en traitement ici ? m'enquiers-je, obligeamment.

— Non, dit-elle, je me cache seulement... Il y a des gens qui me veulent du mal... Ils avaient installé une machine parlante chez moi... Je n'ai jamais pu trouver où... Dès que j'allais me coucher, la machine se mettait à fonctionner et me criait des injures, vous avouerez que c'était pénible.

J'avoue. Sur ce, le Jean Nohain bègue s'annonce et me dit que le professeur va me recevoir dès qu'il aura achevé sa visite des malades. En attendant le décoré-moiteur me fait entrer dans les locaux. D'abord c'est un grand hall blanc avec le bureau de la réception à droite et la standardiste à gauche. Puis une volée d'escadrin monumentale.

Nous contournons l'escalier et je lis sur une porte blanche : « Bureau de M. le Directeur ».

Le portier m'invite à en franchir le seuil. Me voici donc dans une vaste pièce solennelle et vieillotte, pleine de meubles cirés et de livres reliés.

— Je m'approche, en patinant, d'une chaise couverte de cuir et j'y dépose cette partie de moi-même qui me rend tant de services lorsque je suis fatigué.

Un assez long moment s'écoule, ensuite de quoi la porte s'ouvre sur un monsieur aux cheveux blancs, mais d'un âge raisonnable. Il porte des lunettes sans monture, il a des yeux intelligents, d'un bleu profond, et ses gestes sont aisés. Une blouse blanche boutonnée sur l'épaule lui donne l'air de ce qu'il est, à savoir un toubib.

Il referme et s'avance vers moi. Les cinq pas qui le séparent de cette haute personnalité lui sont suffisants pour la jauger. Lorsqu'il me tend la main, il sait déjà que je ne suis pas un poulet grossier et ignare, mais, au contraire, un type jeune, intelligent, dynamique, assez joli garçon, bien sous tous les rapports et qui ne cherche pas du tout dame ayant situation équivalente en vue mariage.

— Commissaire San-Antonio, fais-je. Je m'excuse de vous déranger dans vos occupations, mais je cherche quelqu'un qui, peut-être, se trouve chez vous.

Il fronce le sourcil et va s'asseoir derrière son bureau.

— Un malade ? demande-t-il.

— Oh ! sûrement pas. Je m'intéresse à une jeune femme blonde, vêtue de noir...

— Vous voulez dire à une infirmière ?

— Je ne veux rien dire... Je cherche cette personne ; outre son signalement, je sais que quelqu'un l'a appelée au téléphone dans la soirée de dimanche. Je sais en outre que l'appel venait de la banlieue de Caen.

Le professeur Lafrère se caresse le menton d'un air perplexe.

— Voilà qui est bien troublant, monsieur le commissaire... Mes infirmières n'ont pas pour habitude de recevoir des appels téléphoniques personnels en cours de travail, et surtout pas la nuit... Attendez un instant...

Il décroche son bignou, appuie sur le bouton rouge près de la fourche et dit :

— Madame Duchemin, étiez-vous de service dans la nuit de dimanche à lundi ?

J'entends la réponse depuis ma chaise.

— Oui, monsieur le directeur.

— Alors venez un instant ici...

— De cette façon, votre lanterne sera éclairée, dit-il. Vous êtes certain qu'il ne s'agit pas d'une erreur ?

Entre nous et le cas d'égalité des triangles, je n'en suis pas tellement sûr. Le gargotier de Riva-Bella a bien pu se coller le doigt dans l'œil jusqu'au fondement lorsqu'il est allé fouiner dans sa cabine téléphonique... Il recherchait un bout de papezingue comportant un numéro qu'il n'avait pas en mémoire, et d'ici qu'il ait foutu la main sur un autre...

Entrée de la dame Duchemin. Une nature ! Un mètre cinquante, quatre mentons, un strabisme convergent, un parfum refusé par le groupement d'achat d'Uniprix et la cinquantaine dûment frappée.

Elle me file un sourire qui donnerait le torticolis à une tête de veau vinaigrette.

— Madame Duchemin, fait le professeur, ce monsieur me dit qu'un appel téléphonique a été envoyé ici depuis le Calvados dans la nuit de dimanche à lundi ; puisque vous étiez de service, vous devez vous en souvenir, non ?

— Très bien, admet la dame.

Je l'embrasserais. Ce me serait d'autant plus commode qu'étant assis ma bouche se trouve à la hauteur de la sienne.

— Qui demandait-on ? fait Lafrère, mécontent.

— Mme Berthier...

Lafrère en essuie ses lunettes, comme si le fait de mieux voir lui permettait de mieux piger.

— Mme Berthier ! Vous êtes certaine ?

— Tout ce qu'il y a de...

— Qui est cette dame ? fais-je.

— Une infirmière chef... Nous en avons deux ici : une qui fait le jour et l'autre qui fait la nuit.

— Elle n'est donc pas ici en ce moment ?

— Non.

— A quoi ressemble-t-elle ?

Lafrère lit dans ma pensée.

— Oh ! elle n'est pas blonde et ce n'est pas une jeune femme, si c'est ce à quoi vous songez...

Je soupire.

— Donnez-moi toujours son adresse.

Lafrère congédie la standardiste d'un signe et feuillette un registre pour trouver la crèche de la dame Berthier.

— 17, rue Clapeyron, annonce-t-il.

Je prends note.

— Il y a longtemps qu'elle est à votre service, cette dame !

— Quatre ans environ.

— Rien à redire sur elle ?

— Non, et même rien à dire... C'est une veuve sans enfant qui n'a peut-être pas très bon caractère, mais qui fait correctement son travail...

— Parmi vos infirmières, vous n'en voyez pas qui soient blondes, jolies, et qui soient vêtues d'un tailleur noir ?

Il secoue la tête.

— Non, commissaire. Je vous avouerai qu'ici ça n'est pas une clinique normale. Nous soignons des malades mentaux, c'est-à-dire qui ont des réactions parfois imprévisibles et... dangereuses. Je n'emploie que des femmes solides...

Comme je me lève, il pose la question qui lui fait vibrer la menteuse depuis un bout de moment :

— Dites-moi, est-ce... est-ce une affaire grave qui vous amène ici ?

Je hausse les épaules.

— Je vais vous faire un aveu, docteur. Je l'ignore complètement...

Là-dessus, je prends congé.

Avant de passer le porche, je m'arrête dans le gourbi de la téléphoniste. Elle fait de la comptabilité en attendant les communications. Dans son sac à fermeture Éclair posé à ses pieds j'avise un bouquin de la collection « Votre amour », il s'intitule : « Tes mains caressantes. » La dame est une troublée du réchaud, à moins qu'il ne s'agisse là d'un traité de dermatologie.

Elle pose sur moi son beau regard qui se croise les bras.

Je lui souris, elle me sourit. Nous conjuguons le verbe sourire à l'indicatif et sur écran panoramique.

— Dites, lorsque Mme Berthier a répondu au téléphone, elle a pris la communication ici ou dans la cabine ?

— Dans la cabine...

— Si bien que vous n'avez rien pu entendre ?

Elle rosit délicieusement. On dirait une douce pivoine tombée sur une bouse de vache.

— Vous pouvez me parler franchement, affirmé-je en lui décochant mon œillade veloutée numéro 116, modèle 1914. Je suis la discrétion faite homme.

— J'ai un peu entendu, avoue-t-elle. Par la force des choses... A ces heures, il n'y a pas de bruit dans le hall, n'est-ce pas, et la cabine, voyez, est juste à côté...

— Qu'a-t-elle dit ?

L'autre réfléchit comme un vieux miroir mité.

— Elle a demandé qui lui parlait... Elle a fait : « Ah ! » d'un air surpris... Ensuite elle a dit qu'elle ne pouvait pas s'absenter mais qu'elle la verrait le lendemain matin...

J'interromps :

— Ce sont ses paroles exactes ?

— Oui.

— Vous voyez de qui elle parlait, en disant « elle » ?

— Non... Elle n'a pas de fille, pas de sœur... J'ai pensé que c'était d'une amie... En admettant qu'elle en ait ! Avec son caractère de cochon !

D'après ce que je vois, la dame Berthier doit jouir d'un carafon hors série. Je l'imagine, mastock, moustachue, avec toujours des rebuffades et des regards qui pétrifient.

— Bon, ensuite, qu'a-t-elle dit ?...

— Elle a répété plusieurs fois « Riva-Bella »... Et puis elle a dit « Au revoir » et a raccroché.

— En sortant de la cabine, elle vous a dit quelque chose, fait une réflexion quelconque ?

— Non, elle semblait agacée, soucieuse...

Je remercie cette brave personne et la laisse dans sa guitoune.

Pendant que je faisais ma descente à la villa des Rosiers, la pluie s'est mise à vaser ferme et, pour comble de bonheur, je n'ai pas de pébroque, quoi qu'en dise la tradition...

Je galope jusqu'à ma brouette et je me dégrouille de remonter la vitre. Direction rue Clapeyron... Je connais, c'est à Clichy, c'est-à-dire à cinq minutes de là...

— Mme Berthier, s'il vous plaît ?

La pipelette à laquelle je m'adresse est en train de laver un petit garçon dans une bassine.

— Troisième gauche ! me crie-t-elle.

— Merci...

Comme l'immeuble a bonne apparence, j'espérais un ascenseur, mais il n'y en a pas et je me farcis les trois étages d'un pas décidé.

Me voici sur le paillasson de la mère Berthier. Je joue « Ce n'est qu'un au revoir » sur le bouton de la sonnette et j'attends... Personne ne répond. Probable que la bonne femme est allée faire son marka ou bien éponger son Jules si elle en a un...

Je donne un nouveau récital à la sonnette, toujours en vain, et, convaincu de la solitude des lieux, je me taille... En parvenant à l'étage inférieur, il me vient une idée. Jusque-là, j'ai manœuvré au pifomètre et au petit bonheur, il me faut donc continuer. Cette femme a reçu un coup de grelot de Grosses-Paupières, n'est-ce pas ? Et Grosses-Paupières m'a bel et bien assaisonné avec la crosse d'un superbe revolver d'une valeur marchande d'au moins trente tickets ! Alors ?... Alors je peux me permettre une certaine désinvolture avec cette dame Berthier puisqu'elle fricote je ne sais pas quoi avec un individu suspect.

Quatre à quatre je remonte l'escadrin et, armé de mon petit ouvre-boîte breveté, j'ouvre la porte de l'appartement. Je reviens me pencher par-dessus la rampe avant d'entrer, mais je suis rassuré car le secteur est désert. Personne à l'horizon. J'entre.

La porte donne sur une petite entrée carrée meublée d'un portemanteau. Il y a un imper accroché là, ainsi qu'un chapeau de dame dont la forme ratifie ce que je pensais de celle qui s'en coiffe.

Trois portes s'ouvrent. Une à droite, donnant sur les toilettes, une seconde au mitan ouvrant sur la cuisine, et la dernière communiquant avec une chambre à coucher-studio...

Je pénètre dans cette dernière pièce *because* c'est la plus grande. J'avise un cosy défait, des meubles en palissandre (comme dirait Pelléas) et un grand tableau signé Martin, représentant trois petits chiens blancs sur un coussin de soie mauve.

Je m'approche de la commode et j'ouvre les tiroirs les uns *after* les autres. J'y déniche du linge, des gris-gris de familles, des choses inutiles... Pas d'osier... La planteuse de thermomètres doit avoir un livret de caisse d'épargne ou un compte chèques...

Par acquit de conscience, je bigle dans la monstrueuse potiche chinoise trônant sur la commode ; elle ne contient que de la poussière et de vieilles épingles à cheveux rouillées... Je soulève le tableau...

Quelle idée grenue, direz-vous ? Eh bien ! les gars, j'ai posé mon renifleur sur le bouquet champêtre ! Il y a entre le tableau et le mur une liasse de billets de banque attachés ensemble par un élastique et accrochés au clou soutenant le tableau.

J'empoigne le crapaud et je fais un compte rapide. Il y a là quarante formats de dix raides, soit un total de quatre cents laxatifs ! Gentil magot... Je regarde les biftons d'un peu près et je m'aperçois qu'ils sont neufs. Ces coupures n'ont jamais été pliées... Ce sont des billets neufs, frais sortis des presse de la B.d.F.

Je les remets où je les ai trouvés, je raccroche les trois Médor et me fais la valise...

Au moment où je vais quitter l'appartement, un coup de sonnette me fait tressaillir. J'ouvre et je me trouve face à face avec un brave agent qui, si j'en crois son teint vermeil, fait une publicité parlée appréciable aux vins du Postillon.

Il me regarde avec intérêt et commisération.

— Vous êtes M. Berthier ? demande-t-il.

— Non, réponds-je, pourquoi ?

Il se dégrafe le col pour avoir plus de possibilités oratoires.

— Je venais à cause que Mme Berthier a eu un petit ennui, fait-il gauchement.

— Ah ?

— Oui, elle s'est fait écraser par une auto...

— Et... elle est morte ?

— Tuée net !

Je pousse un léger sifflement.

— C'est ce que vous appelez un petit ennui, vous !

— Manière de causer, rectifie-t-il. Quand on a la corvée d'annoncer des nouvelles pareilles, hein ?

— Oui.

— D'abord, renaude-t-il soudain, qui êtes-vous ?

Je lui montre mes papiers. Il devient pâle.

— Oh ! mande pardon, monsieur le commissaire, je pouvais pas me douter...

Je lui stoppe les remords d'un geste.

— C'est arrivé comment ?

— On ne sait pas... On l'a trouvée morte rue de la Douane avec la tête écrasée... elle était allongée en travers de la chaussée, la tête sur le trottoir...

— Pas de témoins ?

— Ben, vous savez, la rue de la Douane c'est des murs d'entrepôts, et il n'y passe pas grand monde...

— Où l'a-t-on conduite ?

— A la morgue...

Je gamberge.

— Très bien, je vais y aller... En attendant, téléphonez pour que le médecin légiste s'occupe d'elle, je le verrai dans une demi-heure...

Il salue militairement et nous nous séparons. La pipelette est sur le pas de sa loge. C'est une femme à l'aspect maladif... Elle est blême comme un cataplasme de farine de lin avec la même consistance. Son mouflet, à poil derrière elle, éternue tout ce qu'il peut, mais elle n'en a cure car la présence du flic dans sa baraque la captive comme un film d'Hitchcock.

— Qu'est-ce qui se passe ? bavoche-t-elle. Pourquoi qu'on m'a demandé où c'était Berthier ? Un agent surtout ?

Je la refoule dans son clapier tandis que le gardien de la paix s'éloigne.

— Police, dis-je. J'ai besoin de quelques éclaircissements. A quelle heure Mme Berthier est-elle sortie ?

— Mais je ne l'ai pas vue sortir, s'écrie la cerbère.

— Alors à quelle heure est-elle rentrée de son travail ce matin ?

— Je ne sais pas, je ne l'ai pas vue arriver...

— Pourquoi, vous écoutiez la radio ?

— Mais non, je l'ai pas vue, voilà tout...

— Et les autres matins, vous la voyiez ?

— Presque tous les jours, elle arrivait au moment où que je sortais mes poubelles...

La pipelette pousse un cri couvert par un formidable éternuement de son gamin.

— Pourquoi ! croasse-t-elle. Il lui est arrivé quelque chose ?

— Oui : un accident...

— Elle est morte ?

— Hélas !... Parlez-moi un peu de ses intimes...

— Elle n'en avait pas, dit la concierge en pleurant. Elle vivait toute seule...

— Elle recevait du monde ?

— Presque jamais... comme ci, comme ça, une collègue qui venait boire le café... C'était tout.

— Vous n'avez pas vu ces derniers temps en sa compagnie une jeune femme blonde, habillée en noir ?

— Non...

— Ou bien, m'empressé-je, un grand type en pardessus marron, avec un chapeau noir et des paupières tombantes ?

Elle pousse un cri.

— J'ai vu un homme comme ça, en effet, mais pas avec elle ! Il est venu dans l'immeuble... Je m'étais dit que c'était pour l'oculiste du premier...

— Quand l'avez-vous vu, cet homme ?

— Ben... la semaine dernière, je crois... J'ai dû le voir deux fois...

— Et vous n'avez pas noté de changement dans les habitudes de Mme Berthier, ces jours-ci ?

— Non.

— Ça va, merci... Si j'ai encore besoin de vous, on sait où vous trouver.

Au moment où je pars, le gosse à poil claque des dents. Je lui tends une pièce de cent balles.

— Tiens, petit, lui dis-je. Tu t'achèteras une feuille de vigne !

CHAPITRE IX

« A l'enseigne des Deux Ponts et de la République réunis. »

Barois, l'assistant du légiste, est en train de débiter la mère Berthier quand je m'annonce. Je le salue et fais connaissance avec l'infirmière en chef.

C'est une quadragénaire solide, un peu hommasse qui, bien que morte, conserve encore une expression hostile. Elle a l'arrière du crâne enfoncé. Mais la blessure n'a pas saigné... Un simple filet rouge a zigzagué de son oreille... Coagulé depuis un bon moment.

Barois me tend machinalement une main gantée de caoutchouc que j'ai une légitime répulsion à serrer.

— Que pensez-vous de cette personne !

— Qu'elle est morte, rigole-t-il.

Ces toubibs, ils cassent la graine assis sur un tas de macchabes ! Ils ont le cœur aussi sensible que de la peau d'éléphant.

— D'ac, fais-je, puisqu'il faut subir ses astuces de carabin, et à part ça ?

Il frémit.

— A part ça, votre accidentée est morte assommée... Elle a

deux fractures à la base du crâne qui ont été produites par un instrument contondant, vraisemblablement une crosse de revolver...

— Ça me dit quelque chose...

— Ah oui !

— Oui.

Il ôte ses gants en les tirant du bout des dents. Puis il sort une blague à tabac de sa poche et s'en coud une.

— Elle est morte très tôt ce matin, vers... mettons six heures. Son corps a été ensuite jeté depuis la portière d'une auto sur la chaussée. Voyez, elle porte des ecchymoses au visage et aux mains. Mais ces égratignures ont été produites après que la rigidité eut fait son travail... L'assassin a certainement espéré nous faire prendre son forfait pour un accident...

Je remercie Barois. Il va pour me casser l'âge de la mère Berthier et l'état des ses molaires, mais je lui réponds que je m'en tamponne la coquille comme de sa première patinette.

— Dites, où sont ses fringues ?

Il me dit que le « réceptionniste » de la maison Frigo les a déjà classées. Je vais trouver ce digne homme et je lui présente ma requête en même temps qu'un cigarillo.

Deux minutes plus tard, il sort d'un sac de toile dûment étiqueté les effets et le sac à main de la victime. Les premiers ne m'apprennent pas grand-chose, par contre, je dégauchis dans le second un volumineux portefeuille râpé bourré de papiers, pièces d'identité, photo, ect. Bref, l'attirail qu'une personne de l'âge et de la condition de la veuve Berthier a pu se constituer en un demi-siècle d'existence.

Les photos datent de longtemps. J'y découvre des personnages morts ou vieillis, des jeunes gens, des rires, des enfants... La pétasse de vie les a gommés... Et maintenant, cette population fixée sur les rectangles de papier glacé effrangés sont échelonnés, au fil des cimetières. Ou bien ils sont devenus tristes et désenchantés, ce qui est pire... Je n'ai rien à foutre du passé de Mme Berthier... Il est fini et elle itou. Ce qui m'intéresse, plutôt, c'est son présent, ou du moins ce qu'on pouvait appeler de ce nom hier encore.

Je déniche des quittances de gaz, d'autres de loyer... Sa carte d'assurances sociales... Des clous, quoi ! Je m'apprête à tout remettre en place lorsqu'un morceau de papier pelure tombe du lot de paperasse. Je m'en saisis... Il a été déchiré dans une lettre et je lis ces mots :

... ouvez m'appelez à partir du...

... bre, à Grenelle 21-23.

Le tout est souligné d'un coup de crayon à bille. Ça terminait une bafouille, très certainement, et la mère Berthier a découpé ce coin de baveuse pour mémoire.

C'est peut-être sans relation avec l'affaire ; car maintenant c'est devenu une véritable affaire criminelle ! Mais, dans une enquête, on ne doit rien négliger.

Une fois encore, petit ballet des numéros téléphoniques... Je trouve l'adresse du Grenelle : « Hôtel des Deux Ponts et de la République réunis », quai de Javel.

Inutile de vous dire que j'y fonce à toute vibure. Je roule de si bon cœur que je manque occire un brave cycliste. Il brame à la garde vilain ! C'est un livreur de baveux. Il m'expose en termes véhéments qu'il supprimerait les automobiles s'il était à « leur » place... Sous-entendu « eux », les gars du gouvernement...

Cet incident technique, dépendant de ma volonté, ne m'empêche pas de gagner Javel en gambergeant sec à l'histoire... Grosses-Paupières a été en cheville avec la mère Berthier pour une combine qui reste à découvrir. Il s'est assuré sa complicité moyennant un paquet d'artiche que la prudente veuve a agrafé derrière le tableau de sa chambre. Elle a fait ce qu'on attendait d'elle, et Gros-Stores n'a plus eu besoin de ses services ; ou bien, au contraire, elle s'est déboutonnée au *last* moment et a fait un coup de chantage ; toujours est-il que ce brillant spécialiste du coup sur la noix a bousillé la digne personne...

Le mystère se corse, comme on dit à Bastia. Jusque-là, une seule et faible lueur... Un seul dénominateur commun : il y avait une trousse médicale dans la valise volée qui contenait l'appareil photographique ; et... Mme Berthier était infirmière... Comprenne qui peut.

L'hôtel des Deux Ponts et de la République réunis est une construction ventrue et grise.

Il y flotte une odeur un peu âcre de repassage et de cire liquide.

Le patron est assis derrière son bureau. Au lieu d'y écrire ses Mémoires, il y consomme une côte de porc agrémentée de pommes frites. Lorsque je m'incruste dans son espace vital, il lève dessus son auge une tête énorme qui doit peser dans les trente kilos et dont les cheveux sont en brosse. Il a un nez dont l'extrémité a été tranchée net par un éclat d'obus ou une porte d'ascenseur et des yeux qui ne voient pas plus loin que le bout manquant de ce nez.

— Je suis complet, annonce-t-il.

Et d'exhaler une incongruité qui laisse entendre que l'expression doit être prise au sens malpropre du terme.

Je m'annonce. Ma qualité de policier ne le trouble pas.

— Je suis en règle, dit-il, je vais vous donner mon registre... Pour les contributions aussi. Le mois dernier j'ai eu les polyvalents, ils n'en sont pas revenus...

Je hausse les épaules...

— Je ne suis pas là pour ça... Je cherche un type vêtu d'un pardessus marron, coiffé d'un mou noir et possédant des paupières tombantes. J'ai des raisons de croire qu'il habite ou a habité votre réserve de puces !

Il racle de la pointe du couteau l'os de la côtelette.

— Jamais vu l'oiseau que vous dites, affirme-t-il. Et j'ai pas de puces non plus vu que je passe du D.D.T. chaque semaine dans toutes les piaules !

Je le regarde entre les deux carreaux, mais il ne se trouble pas. Ce bonhomme est réglo, honnête et consciencieux.

— Bon, alors, peut-être avez-vous comme pantin une jeune femme merveilleusement blonde qui portait un tailleur noir ?

Il hoche la tête.

— J'ai eu quelque chose dans ce goût-là, oui.

Mon palpitant se met à jouer « Parlez-moi d'amour ».

— Comment s'appelait-elle ? demandé-je.

— Attendez, fait-il, un nom bizarre, qui sentait la Bretagne...

Il se lève et va potasser un registre noir étoilé de graisse.

— Kessmann, dit-il... Marie-Louise, née le 16 mai 1928 à Copenhague...

Je note fiévreusement.

— Elle est restée longtemps ici ?

— Attendez...

Il compte entre ses dents.

— Onze jour, annonce l'hôtelier.

— S'est-elle absentée entre-temps ?

— Non !

— Elle est partie quand ?

— Ce matin.

— Elle vous a montré des papiers en arrivant ?

— C'te bonne blague ! s'exclame mon vis-à-vis, vous croyez que je prendrais quelqu'un sans m'être assuré de son identité ? J'ai vu son passeport de mes propres yeux, et je peux vous dire en plus qu'il était en règle...

Je tends la main à ce digne loueur de bidets.

— Merci, vous êtes un brave homme.

Il se rengorge et je le quitte pour la grande cabane. C'est le moment de déclencher le gros pastaga.

D'accord ?

CHAPITRE X

Le goudron commence à devenir limpide.

En me pointant dans mon bureau, je sonne un de mes auxiliaires pour lui demander des nouvelles de Bérurier. Le gars me dit que mon pote le Dilaté est en campagne et qu'on ne l'a pas revu depuis la veille.

Je lui recommande de me brancher le Gros sitôt qu'il aura donné signe de vie. Ensuite je me mets en communication avec les sommiers puis avec les Renseignements généraux pour essayer d'y trouver la trace de Gros-Cocards et de sa complice, Miss Kessmann, mais ces deux personnages y sont résolument inconnus. Je n'insiste pas et me rabats sur l'ambassade du Danemark. Là-bas on me promet d'enquêter immédiatement à Copenhague au sujet de la môme Marie-Louise. On me promet que les renseignements me seront immédiatement communiqués.

Voilà qui est fait... Il ne me reste plus qu'à attendre. Seulement attendre quoi ? Je me dis que les deux équipiers se savent talonnés maintenant et qu'ils doivent assurer leurs arrières. La preuve en est qu'ils ont lessivé l'infirmière chef...

Je m'abîme dans une trouble rêverie... Comme tout cela est bizarre, incertain !...

La photo d'un mort sommeille, si je puis dire, dans un appareil photographique volé. On...

Je bondis... Inutile d'aller plus loin, je viens de penser à quelque chose. Si mon idée s'avérait, ça changerait la face du problo...

Je passe un coup de bignou à Favier en lui demandant de descendre de son labo et je sors de mon portefeuille la photo du mort. Je la pose bien à plat sur mon bureau, je m'empare d'une loupe et je regarde très attentivement...

Je suis encore paumé dans mon examen lorsque le grand Favier se la radine, les tifs plus rouquins que jamais ! Un vrai incendie en balade !

— Alors, commissaire, demande-t-il, vous avez enfin éclairci ce mystère du mort photographié ?...

Je secoue la tête.

— Tout ce que j'ai pu éclaircir, c'était mon caoua matinal, en y cloquant du lait dedans... Je vous ai fait venir parce qu'il m'est venu une idée.

— Ah oui ?

— Au sujet de ce personnage.

— Quelle idée ?

Je hausse les épaules.

— Une idée qui, à première vue — et c'est le terme qui convient —, peut sembler idiote, mais à laquelle je me rattache de plus en plus...

Il est tout ouïe !

— Allez-y !

— *Pourquoi cet homme ne serait-il pas vivant ?*

Je lui aurais filé un crochet au foie qu'il ne serait pas davantage sonné. Il gratte sa tignasse incandescente et passe sa langue à l'intérieur de ses joues pour les dilater un peu...

— Mais, parce que, de toute évidence, il est mort, objecte-t-il enfin.

Je secoue la tête.

— Favier, quels sont les détails de ce portrait qui nous font immédiatement conclure que c'est celui d'un mort ?

— Eh bien !...

Il se penche, chope la photo et la bigle intensément.

— Naturellement la blessure, dit-il.

— Une blessure à la tête n'est pas toujours mortelle, mon petit !

— D'accord, mais ses yeux sont bien morts, vous ne le nierez pas ?

— Je ne le nie pas, mais je vais vous objecter autre chose... *Un vivant peut avoir des yeux morts !*

Il s'obstine à ne pas comprendre...

— Voyons, dis-je, *s'il est aveugle ?*

— Regardez ce visage, non pas dans son ensemble, ainsi que nous l'avons fait jusqu'à présent, mais en détail... Et dites-moi s'il est crispé par la mort ! Pas du tout. C'est un visage crispé par l'attention... Un visage qui guette ! Un visage perdu dans la nuit... Si vous voulez mon avis, mon petit Favier, cet homme n'est que blessé... Peut-être est-ce sa blessure qui a causé la cécité dont il est affligé.

Favier bondit. Il a un élan.

— Vous avez une petite heure, commissaire ?

— Oui.

— Bon, je vais localiser la blessure et en faire un agrandissement de façon que nous puissions mieux en mesurer la gravité !

Je trouve l'idée excellente. Le grand Favier évacue son incendie dans ce royaume qui pue l'hyposulfite.

A peine est-il parti qu'on frappe à ma porte. C'est Pinuche. Il a une estafilade rouge à la joue et, pour arrêter l'hémorragie, il a collé dessus des feuilles de papier à cigarette. Ainsi affligé il ressemble à une momie qu'on n'aurait pas fini de déballer.

— Qu'est-ce qui t'est arrivé, Pinaud ? T'as eu des complications avec un arbi ?

— Non, j'ai voulu me raser...

— Toujours des initiatives malheureuses, fais-je. Naturellement t'as pris un couteau de cuisine au lieu de ton rasoir ?

— Pas exactement, je me suis regardé dans le calendrier des P.T.T. au lieu de me regarder dans la glace... J'avais un peu trop bu de blanc et les plombs avaient sauté à la maison... C'est pas pratique, tu sais, de se raser à la lueur d'une bougie.

Il s'assied sans me demander si sa venue m'est ou non agréable.

— Je voulais te dire, fait-il après s'être raclé la tempe d'un ongle noir et racorni, Bérurier a disparu... Nous avions rendez-vous chez lui, ma femme et moi hier, pour une belote... Et il n'est pas rentré... On a dû jouer à trois, mais ça n'a pas le même charme. La belote...

Je l'arrête.

Je me fous de la belote. D'abord j'ai horreur des cartes, ensuite, je suis trop préoccupé pour subir un cours de Pinuche.

Bérurier qui découche ! C'est nouveau, ça !

Je prends l'appareil intérieur et demande à parler au Vieux. Quelques secondes s'écoulent et la voix bien timbrée mais impatiente de mon chef me chatouille les manettes.

— San-Antonio, annoncé-je, dites-moi, Boss, vous avez envoyé Bérurier en mission ?

— Non, pourquoi ?

— Il a disparu depuis hier...

Le Vieux garde le silence. Il lui faut toujours le temps de la réflexion.

— Curieux, fait-il enfin. Il ne lui est pas arrivé un accident par hasard ?

— Je ne sais pas...

— Alors renseignez-vous et tenez-moi au courant.

Il raccroche. Pinaud se roule une cigarette. Il l'allume avec un briquet à la flamme fumeuse, se brûle trois millimètres de moustache, douze cils et les poils du nez...

— Dis voir, murmure-t-il, t'as pas une vague idée de ce qui a pu lui arriver ? Sa femme est inquiète... Hier, elle était tellement anxieuse au moment où nous sommes partis qu'elle m'a demandé d'aller chercher leur ami le coiffeur pour lui tenir compagnie...

— T'aurais dû en profiter pour te faire raser, tranché-je.

— Si on y avait pensé assez tôt, on aurait pu aller le chercher tout de suite, le coiffeur, comme ça on aurait fait la belote à quatre. Parce qu'il faut que je te dise... la belote à trois...

— La ferme, déchet !

Il se rebiffe comme toujours.

— J'ai vingt-cinq ans de plus que toi, il est inadmissible que...

Je fais claquer mes doigts.

— Il est arrivé quelque chose à Bérurier... Pas de doute... Le gars aux grosses paupières le connaissait. Notre ami a dû retrouver sa trace et l'autre l'a démoli !

Pinaud en oublie ses récriminations.

— Démoli, Béru !

— Je le crains. Il faut agir, et presto...

— Mais quoi ?

Oui, quoi ? Où le Gros a-t-il pu porter ses grands pieds ? Quel fil conducteur a pu le conduire jusqu'au salopard qui... ?

— Peut-être a-t-il commencé une filature, suggère Pinaud. Suppose qu'il ait été obligé de prendre le train ? Il n'a pas la possibilité de téléphoner et...

— Oui, bien sûr...

J'hésite à mettre Pinuche sur le coup. Pour cela il faudrait tout lui expliquer... Non, je vais m'occuper de l'affaire moi-même.

A cet instant le téléphone retentit. C'est l'ambassade de Danemark qui me réclame. Un attaché s'assure de mon identité et me dit que la police danoise vient de répondre à son appel. La fille Kessmann était une petite infirmière de l'hôpital de Fredericia, on l'a retrouvée noyée sur la grève, le mois dernier... On a supposé qu'elle avait voulu faire une promenade en mer et que le canot s'était retourné, car celui-ci a été retrouvé au large, la quille en l'air !

Lorsque je raccroche j'ai nettement l'impression que nous avons mis le nez dans une vache affaire.

— Pinaud, fais-je brusquement, connais-tu le Danemark ?

— Non, dit-il.

— Eh bien ! Tu vas le connaître...

Il fronce les sourcils.

— Comment ça ?

— Le plus bêtement du monde : en y galopant...

— Hein ? éructe le fossile : tout de suite ?

— Immédiatement, et peut-être avant !

— Mais...

— Quoi ?

— J'ai une soirée chez mon beau-frère, ce soir... Tu sais, Poitoud, le marchand de vin, celui qui a épousé Amélie, l'aînée de ma femme ?

— Eh bien ! ton marchand de picrate pourra mettre de la flotte dans son vin en attendant ton retour. Tu vas prendre le premier avion pour Copenhague... Une fois là-bas tu sauteras dans le train pour Fredericia... Il me faut tous les renseignements possibles sur une certaine demoiselle Kessmann qui s'est noyée le mois dernier...

Pinaud secoue la tête avec l'énergie d'un désespoir qui transparaît sur sa tronche de gâteux.

— Non, supplie-t-il : pas l'avion... Je ne peux pas le supporter...

— C'est regrettable, fais-je, mais tu vas le prendre quand même... A moins que tu ne préfères donner ta démission.

Il a un ahanement de vieux bûcheron abattant son dernier chêne.

— Tu ferais ça, San-Antonio ? A moi qui ai toujours été un frère pour toi ?

— Me fais pas chialer, ça ferait couler mon rimmel ! On va te conduire dare-dare à Orly. Je sais qu'il y a un zoiziau en partance pour Oslo *via* Copenhague dans une heure environ... Passe à la caisse prendre des devises et un ordre de mission auprès des autorités danoises...

Il y a des larmes dans ses yeux flétris.

— Tu n'es pas chic, San-A. J'aurais pu prendre le train...

— C'est ça, et mettre deux jours avant d'arriver à Fredericia ! Je te connais : tu rates toujours les correspondances... Non, ça urge... Je sens que je tiens le bon bout, alors profitons-en... Va et câble-moi tous les renseignements dès que tu les auras.

— Je vais être malade dans l'avion !

— Ça te passera le temps...

Il bredouille :

— Si je me tue ?

Je le regarde, pris de pitié. Je connais mon Pinuche. Il n'y a pas plus courageux que sa pomme dans les cas désespérés, mais dans la vie courante il est plus timoré qu'une vieille fille voulant franchir à gué le Mississippi.

— Si tu te tuais, Pinaud, fais-je, ta veuve toucherait une pension exactement comme si tu avais été un individu normal.

Il grommelle encore des imprécations, mais je le pousse vers la sortie en lui disant de se presser.

Favier entre en courant, bousculant Pinaud dont le chapeau choit sur le parquet. Le vieux chnock se met alors à déclamer des trucs émouvants sur le respect qu'on doit à ses cheveux blancs et l'absence de respect des nouvelles couches.

— En fait de couche, c'est toi qui détiens la plus épaisse, tranché-je en shootant dans son galure.

Là-dessus je lui claque la lourde dans le dos en criant : « Bon voyage ! »

Favier exulte.

— Vous aviez raison, San-Antonio...

Il tient à la main une épreuve format 18×24 consacrée uniquement à la blessure de notre homme aux yeux morts.

— Je viens de montrer ce cliché au docteur Bermuel... Il assure que cette blessure n'a pas été produite par une balle. Mieux, il prétend qu'elle était en voie de cicatrisation lorsque la photographie a été tirée...

— Hein ?

— Regardez, effectivement on constate, grâce à l'agrandissement, que les chairs se ressoudent, sur les bords de la plaie. D'autre part les lèvres de cette plaie sont en forme de courtes languettes. Le docteur Bermuel a raison : c'est un éclat de métal, aux arêtes vives, qui a blessé l'homme...

Je me frotte les mains.

— Vous ne direz pas que je n'ai pas le compas dans les calots, Favier ?

— Personne n'en doute, commissaire !

J'ai une courbette reconnaissante.

— Bermuel est toujours dans nos murs ?

— Oui, il apporte une expertise au Vieux. Il est obligé de faire antichambre car le patron est en conférence...

— Dites-lui de venir un instant...

Favier disparaît et je reste en tête à tête avec cette blessure, si je puis ainsi m'exprimer.

Bermuel radine, escorté de Favier qui biche comme un pou sur le crâne d'un clodo. Après tout, c'est un peu son affaire, et il lui plaît de la voir croître et se multiplier comme ferait une plante rare.

Bermuel est un petit gros avec un bide de bouvreuil et un visage signé Cadum. Il est appétissant comme un jambonneau. Un anthropophage le croûterait sans le faire cuire !

On s'en serre cinq chacun et je lui montre la photo.

— Favier m'a fait part de vos conclusions, elles jettent sur l'enquête ce que les journaux appellent « un jour nouveau »... Moi, j'ai une autre question à vous poser...

Je lui tends la première image, celle qui représente l'inconnu.

— Pensez-vous que cet homme soit mort ou aveugle ? Pensez-vous que sa cécité, si comme je le crois vous inclinez vers cette thèse, soit consécutive à cette blessure ?

Il pose une vieille serviette en vache galeuse sur le coin de mon bureau, accroche sur son petit pif rose des lunettes à la

Marcel Achard comme s'il voulait jouer avec Moâ, et étudie la première image.

Nous retenons notre souffle afin de ne pas troubler son examen.

Il se passe bien cinq minutes avant que le toubib ne remue.

— Mais cet homme n'est ni mort ni aveugle ! affirme-t-il.

Favier et le gars Bibi poussons un même hurlement incrédule.

Je bigle encore l'image, histoire de vérifier si, par mégarde, je ne lui aurais pas présenté la photo de mon cousin Alfred, celui qui a des varices et les palmes académiques.

Mais non, il s'agit bien du bonhomme que j'ai appelé « le mort », puis « l'homme aux yeux morts » et que je ne sais plus comment qualifier...

— Enfin, Bermuel, vous ne voyez pas ce regard éperdument inexpressif ?

— Mon cher ami, l'inexpression n'est pas la mort. Je vais vous dire mon point de vue...

— Bonne idée, j'ai toujours eu peur de mourir de curiosité.

— Cette photographie a été prise au flash... probablement d'assez près. L'éclat intense a chassé des yeux toute expression. Ce que vous prenez pour un regard vide est en réalité un regard ébloui...

Chapeau... Il a du stock sous le chapiteau, Bermuel.

Je pousse un soupir qui attise la chevelure incandescente de Favier. Bientôt faudra mettre des lunettes de soleil pour le regarder.

— Merci, doc, vous êtes un crack, si un jour je trouve une Légion d'honneur dans une pochette-surprise, je courrai l'accrocher à votre veston.

— Pas la peine, fait-il en riant, je n'aime pas le rouge.

— Si vous n'aimez pas le rouge, je vais boire un verre de blanc à votre santé.

Là-dessus je me sauve avec un tas d'idées nouvelles à préparer.

Pour la gamberge, lorsque je ne suis pas chez moi, rien ne vaut une petite salle de bistrot. Dans les auréoles tatouant le guéridon de marbre, je trouve ces pensées géométriques qui vous branchent sur la logique.

Le troquet d'en face est désert à ces heures. Je vais tout au fond, sous un trophée de chasse constitué par une tête de marcassin ressemblant à Bérurier. Cette comparaison me fait penser au Gros. Où, diantre ! est-il allé se coller les ailes, l'idiot ?

Il a dû trouver une piste sérieuse et il a foncé avec ses pieds plats et sa vue basse. Seulement il est passé aussi inaperçu qu'un mal blanc sur le nez d'une négresse. Pourvu qu'on ne me l'ait pas dérouillé, mon Bouddha-maison ! J'ai beau le charrier et il a beau être gland à faire pleurer un gendarme, je l'aime bien, Béru... Et vous autres aussi, n'est-ce pas ? depuis le temps que je vous en casse sur cézigue ! C'est un personnage, quoi ! Il occupe sa place dans le grand concert de la société ! M... v'là que je fais de la littérature, ils vont encore insister pour me cloquer le Nobel ! Pourtant, on a besoin parfois de se mettre une fleur à la boutonnière, non ? Ou bien de regarder une jolie fille descendre d'une voiture sport ! Moi, j'ai besoin d'adresser en passant un hommage ému à Bérurier, le plus gros, le plus cradingue, le plus considérable des flics... Quand je dis qu'il occupe sa gâche dans le concert, je sais ce que je bonnis. Tenez, gardons l'exemple du concert. Parfois, dans un orchestre, vous voyez un minable qui joue du triangle. A côté du batteur cerné par ses chaudrons, il a l'air de touiller une infusion. Vous vous dites que s'il allait pêcher la sardine à l'huile dans le bassin des Tuileries ça serait du kif côté harmonie ?... Eh bien non ! Que le zig s'en aille avec son petit cintre pour vêtement de poupée et illico il manque quelque chose. On entend son silence, on voit son absence... Car c'est ça le mystère : le gars n'a pas de présence, mais il a une absence. Tout le monde a une absence, même vous, bande de gougnafiers ; même moi... Vous verrez comme vous l'aurez saumâtre lorsque je ne serai plus là pour vous écrire des calembredaines et que vous demeurerez enfin seuls avec l'almanach Vermot.

L'absence de Bérurier chante en moi un petit hymne frêle et doux...

Je commande à tout hasard un grand blanc cassis que j'entends boire à la santé de mon illustre camarade et à l'énergie du vaillant coiffeur qui assure l'intérim dans son ménage.

J'avale le muscadet et je prends à mon Hermès une feuille périmée. J'expulse de sa gaine la mine rétractile de mon bic-deux tons (assorti à la couleur de mon slip).

J'écris en caractères imprimés :

1) Un homme blessé photographié ;

2) Une femme blonde, possédant l'identité d'une Danoise morte, se fait voler l'appareil contenant la photo du 1, ainsi qu'une trousse médicale ;

3) Un homme aux grosses paupières fait l'impossible pour récupérer l'appareil ;

4) Cet homme téléphone à une dame Berthier qui est infirmière. On trouve cette dernière assassinée ;

5) La Danoise dont la femme blonde a usurpé l'identité est morte dans des circonstances curieuses. ELLE ÉTAIT INFIRMIÈRE !

Lorsque j'ai terminé, je dessine sous cette liste un canard à trois pattes qui symbolise l'affaire et j'étudie attentivement ces cinq personnages. Un lien commun les unit : la médecine. Le premier est blessé, les femmes sont infirmières, et l'homme aux grosses paupières est en contact avec au moins deux d'entre elles. Voilà, pas plus duraille que ça. Étant donné que le vent souffle de l'ouest et que le filet de bœuf coûte dix francs le kilo, trouvez l'âge du capitaine.

Une ombre se profilant sur ma liste, je dresse la citrouille et j'avise Plantin, un gars de la maison.

— Monsieur le commissaire, dit-il, il y a là un monsieur de l'ambassade de Danemark qui désire vous parler...

En coup de vent, je traverse la chaussée et je vais dans le salon d'attente de la Manufacture des Passages à Tabac. Un monsieur vêtu de sombre, froid, blond, pâle et soucieux, m'y attend.

— M. le commissaire San-Antonio ? s'informe-t-il avec un léger accent.

— Soi-même.

— Pietr Andersen ! se présente-t-il.

Je lui présente une main valeureuse qu'il examine avant de la serrer et le fais entrer dans mon bureau.

— Vous nous avez téléphoné pour demander des renseignements au sujet d'une demoiselle Kessmann ?

— Exact...

— Nos services vous ont fourni les renseignement que vous désiriez, mais il se trouve que la demande d'information faite par eux à Copenhague a éveillé l'attention de notre police. Le chef de la brigade criminelle voudrait savoir ce qui a motivé la curiosité de la police française relativement à cette fille.

A mon tour, j'ai envie de le questionner, mais je me dis à

temps que si on joue au ping-pong avec le mot « pourquoi » nous n'obtiendrons jamais le « parce que » tant espéré.

— Nous nous intéressons à une jeune femme blonde qui circule en France avec le passeport de feu miss Kessmann.

— Voilà qui est étrange...

— N'est-ce pas ?

Je lui propose une sèche, mais il refuse discrètement et sort de sa poche un étui de cuir bourré de cigares. Il me le présente. Je chope un barreau de chaise qui remplirait la bouche de Gabriello.

— A mon tour, monsieur Andersen, puis-je savoir pourquoi la police danoise est intéressée par notre curiosité ?

Il fronce les sourcils.

— Je m'explique : le fait que nous ayons pris des renseignements sur cette demoiselle Kessmann est-il de nature à troubler votre police ?

Là, il pige.

— J'y arrive, fait-il.

Il se carre le cigare dans les labiales et refuse la flamme de mon briquet.

— Non, ce serait dommage, proteste-t-il en grattant une allumette.

Quand l'extrémité du cigare ressemble à la chevelure de Favier, il prend le relais.

— Miss Kessmann était affectée à la personne du professeur Munhssen dont vous avez dû entendre parler ?

Je secoue la tête d'un air contrit.

— Non, excusez-moi, vous savez, je n'ai aucun rapport avec les milieux médicaux. Sorti de l'aspirine, je ne connais rien dans ce domaine...

Il réprime une moue apitoyée.

— Le professeur Munhssen n'est pas un médecin, mais un chimiste. C'est lui qui a collaboré à la fabrication de l'eau lourde, au tout début de son utilisation...

— Voyez-vous...

— Il se livrait à de grands travaux concernant un nouvel explosif. Il devait faire une grande déclaration à ce sujet au congrès de Bruxelles-Londres, mais il a été accidenté au cours d'une expérience... C'est à cette occasion que Mlle Kessmann est venue le soigner...

Je sens un métronome dans mon colombier. Mes enfants, je

ne sais pas où vous en êtes de vos cogitations, en admettant que vous ayez pris du phosphore ce matin, mais moi j'ai la matière grise qui fait des heures supplémentaires...

Je croasse :

— Et ensuite ?

Andersen paraît vaguement étonné.

— Vous n'avez pas lu les journaux ?

— Ça dépend lesquels !

— Le professeur Munhssen est parti en voyage huit jours après la noyade de son infirmière. Il y a trois semaines de cela ; depuis, on est sans nouvelles de lui.

J'ouvre le tiroir de mon bureau et je lui tends la photo de l'inconnu à la tempe meurtrie. (Tiens ! v'là une jolie appellation.)

Andersen y file un coup de périscope et en laisse choir son cigare sur son futal.

— Mais c'est lui ! crie-t-il.

Du coup, le prestige de la police française fait un pas en avant.

— Enfin, murmuré-je, voilà mon zouave identifié...

Le brave attaché d'ambassade n'en revient pas.

— Comment se fait-il ?

— Mystère et fromage mou, rétorqué-je. Il est trop tôt encore pour que je m'étende sur la question.

Et pour cause ! Tu parles, Jules, comme dirait un type amoureux des vers libres.

— Nous sommes sur une piste, dis-je. Mais nous avons besoin du maximum de renseignements concernant Munhssen. Vous pouvez déjà me dire dans quelles circonstances il a disparu...

— Oh ! le plus simplement du monde. Il a prévenu ses collaborateurs qu'il partait en convalescence en Italie...

— Il n'était pas marié ?

— Il était veuf... Il n'avait qu'une fille, mariée aux États-Unis. Il lui a écrit pour lui annoncer son voyage... Un jour, il a disparu sans laisser de traces... Ce qui a troublé son domestique, lequel était en congé au moment du départ de Munhssen, c'est qu'il a trouvé le passeport du professeur en faisant des rangements. Cet oubli était surprenant de la part d'un homme partant pour l'étranger...

— En effet...

— Le valet de chambre a averti la police. Une enquête a été faite, mais il semble que le professeur Munhssen se soit désintégré. Des clans se forment au Danemark à son sujet, certains pensent qu'il est parti pour l'Union soviétique, clandestinement. D'autres, qu'il a été assassiné...

— Je vois...

Andersen tortille la photo dans ses doigts.

— Où avez-vous retrouvé mon compatriote ?

— Eh là ! je ne l'ai pas retrouvé. Cette photo était en possession de la femme blonde qui s'est emparée de l'identité de la fille Kessmann...

— Tout cela m'a l'air très embrouillé.

— Ça l'est, en effet.

Brièvement, je lui raconte les principaux faits de l'aventure. Puis, ensemble, nous câblons à Copenhague pour savoir si mes collègues danois connaissent l'homme aux paupières tombantes et la fille blonde.

— De toute façon, dis-je à l'attaché lorsque ces formalités sont accomplies, j'ai dépêché à Copenhague un de mes auxiliaires. C'est un homme précieux qui va éclaircir pas mal de points obscurs...

C'est sur cette promesse que nous nous séparons. Dès que le méticuleux Andersen s'est taillé, je grimpe chez le Vieux pour lui faire le point de l'affaire.

Il est très intéressé. Debout, les fesses contre le radiateur, son crâne ivoirin scintillant à la lumière électrique, il m'écoute...

Lorsque j'ai terminé, il rumine ces informations, puis tire sur ses manchettes et regarde avec consternation un brin de poussière sur la pointe avancée de sa godasse gauche.

Je ne trouble pas ses réflexions... Du reste, il ne le permettrait pas.

— Je connaissais Munhssen de réputation, déclare-t-il. C'était un savant considérable.

— C'en est peut-être toujours un, hasardé-je.

— Pourquoi pas ? fait-il en se massant la rotonde de sa main délicate.

» D'après moi, il était espionné par des gens que sa dernière découverte intéressait. On a assassiné son infirmière qui le surveillait de trop près et on lui a adjoint la mystérieuse jeune femme blonde...

— J'y ai pensé...

Le Vieux me foudroie de son œil bleu glacier.

— Possible, dit-il, mécontent. Son enlèvement a été préparé... On l'a obligé à prévenir son entourage du départ afin de ne pas attirer l'attention ; sans doute même, Munhssen comptait-il vraiment aller se remettre en Italie...

— C'est probable...

Autre regard courroucé du Vieux.

— Munhssen a été amené clandestinement en France ; peut-être avec un avion particulier. Seulement, son état physique a nécessité des soins particuliers et on a eu recours à cette veuve Berthier...

— Ça se tient !

— Merci ! crache-t-il sèchement.

Il marche de long en large dans son bureau.

— Pourquoi a-t-on photographié Munhssen ? Voilà ce qu'il serait intéressant de savoir...

Cette fois, je la boucle hermétiquement.

Naturellement, comme j'omets de la ramener, il m'oblige à jacter.

— Vous n'avez aucune thèse à proposer à ce sujet ?

— Si, fais-je, uniquement pour l'emmaverdaver.

— Je vous écoute...

— Supposons que la France n'ait été qu'une étape dans le cours de l'enlèvement ?

— Bon, après ?

— Supposons que Munhssen ait fait une rechute... Une rechute grave obligeant ses ravisseurs à le cacher sur notre territoire avant de l'expédier autre part ?

— Oui, ensuite ?

— Cela expliquerait l'intervention de la mère Berthier... Ce serait déjà ça d'acquis.

— Continuez, San-Antonio.

— Seulement les gens à qui on doit remettre Munhssen sont des sceptiques, ils ne croient pas à cette maladie... Ils craignent un piège... Pour les rassurer, pour se justifier, en somme, les ravisseurs photographient le prof... Qu'en pensez-vous ?

Il met un moment à répondre. Après quoi, il branle le chef, comme on dit dans les écoles hôtelières.

— Ça n'est pas impossible !

Me voilà vachement encouragé avec une telle approbation.

Je peux toujours distiller ma matière grise ! C'est vraiment du cochon donné à un marchand de confitures !

— Que pensez-vous faire ? s'inquiète le Vieux.

— Rechercher Munhssen.

Il fait claquer ses doigts manucurés.

— Il ne suffit pas de le rechercher, San-Antonio...

— Ah oui ?

— Il faut le retrouver ! N'oubliez pas que maintenant les Danois sont au courant de vos investigations. L'affaire prend des proportions internationales.

Voilà ce vieux peigne qui se gargarise à la potion tricolore. Je n'ai pas fini. Dans vingt secondes, ça va être le salut aux couleurs.

Je lui laisse tartiner ses hautes considérations sur le prestige français, le message de notre pays, sa mission intellectuelle etc., etc., en vente dans toutes les bonnes pharmacies !

Après quoi, je me lève.

— Eh bien ! patron, si vous le permettez, je vais attaquer !

— Par où ?

— Par la piste Berthier... On ne s'est pas adressé à elle au petit bonheur, il existe nécessairement un lien entre elle et les ravisseurs du savant.

— Nécessairement, admet le Vieux.

Il conseille, doctoral :

— Fouillez son passé !

— Bien, chef.

Le passé des gens, y a rien de plus déprimant. Quand on fait la connaissance de quelqu'un, on ne peut pas se figurer sur quel tas d'immondices il est bâti !

En pauvre crêpe, on le trouve sympa... On le prend pour un crack ou bien pour saint Machin-Chose, et puis, si on retrousse les manches et si on commence à gratter son sous-sol, on découvre la misère de l'existence... Ou plutôt on trouve l'existence elle-même, avec son tas de vieux bidets crevés, de dentiers brisés, de bandages herniaires, de coquilles d'œufs, de coquilles d'huîtres, de papiers froissés... Ah ! les papelards. Ce sont eux les plus dégueulasses ; oui, les papelards, les lettres d'amour, les lettres anonymes, les lettres de faire-part, les lettres de cachet, les lettres sans cachet ! Les extraits de naissance, les avis de décès, les annonces, les affiches, tous les papiers qui ne demandaient qu'à rester blancs ! Les meilleurs, ce sont ceux qu'on met en rouleau dans de petits endroits... A ceux-ci, du moins, les hommes ne confient pas leurs sales pensées...

— Fouillez-le bien ! tranche le vieux.

Ce que la pensée vagabonde, tout de même ! Moi, j'étais déjà aux antipodes.

Je m'évacue en souplesse et je descends trouver les inspecteurs de service.

— Tout le monde sur Mme veuve Berthier, domiciliée 17, rue Clapeyron, fais-je. Elle est cannée ce matin d'un coup de gourmi sur la théière. Il me faut le maxi de rambours sur elle : d'où elle vient, ce qu'elle faisait avant de venir au monde, ainsi qu'après, bref, le grand jeu... Explorez surtout ses relations... J'exige son *curriculum* complet et détaillé, vous m'entendez, bande d'égoïstes ? S'il manque une heure de sa chienne de vie dans votre rapport, vous pourrez aller vendre des esquimaux Gervais en Sibérie...

Je dois avoir ma frite des jours J, parce qu'il y a un méchant remue-ménage dans la volière. Ça galope dans tous les azimuts, croyez-moi. Chacun de décrocher qui son bitos, qui son pardingue au porte-lardeuss.

Comme la meute va se ruer à l'hallali, je gueule :

— Et c'est pas pour Gallup que vous marnez, les petits. Compris ? C'est pour bibi ! Vos tuyaux, il me les faut pas pour le trimillénaire de Paname, mais demain aux aurores ! Les ceuss qui reviendront les mains vides n'auront pas droit à une place assise dans le métro, car ils ne pourraient pas l'utiliser avant longtemps !

Sur cette menace discrète, ils s'évaporent comme un flacon d'éther débouché[1] !

Quant à moi, conscient d'avoir accompli mon devoir de chef, je colle mes lattes sur mon sous-main. Et, épuisé par ces multiples incidents, je pique un somme réparateur.

C'est Magnin, du standard, qui m'éveille.

1. Le lecteur constatera que, pour la métaphore, je ne crains personne. Toujours plus hardi, à la pointe extrême de l'originalité, telles sont les deux devises qui me servent de traversin !

Il le fait avec le maximum de discrétion.

— M'sieur le commissaire, balbutie-t-il. Eh ! m'sieur le com...

Je sursaute. Moi qui rêvais que je me calçais une bergère primée, je déchante en avisant la trogne constellée de pustules du gars Magnin.

— Et alors ! fais-je. On frappe avant d'entrer !

— Mais j'ai frappé !

— Qu'est-ce que c'est ?

— Un câble pour vous...

— Ça vient de Copenhague ?

— Non, de Bagdad.

— Hein ?

J'arrache la feuille bleue qu'il brandit. Avec une stupeur compréhensible, je lis :

Ai pris l'avion de Saigon au lieu de l'avion d'Oslo stop. Suis descendu à la première escale pour faire demi-tour, stop. Préviens madame Pinaud que je n'irai pas ce soir avec elle chez Poitoud, stop. Dis-lui d'embrasser Amélie pour moi, stop.

Inspecteur principal Pinaud.

Je reste un brin suffoqué. Puis je froisse le message et je me tourne vers Magnin.

— Tu vas filer un câble à destination du prochain avion qui fait Bagdad-Paris, renseigne-toi...

— Bien, monsieur le commissaire...

Il s'empare de son bloc et de son crayon à mine grasse.

— Quel en est le texte ?

Je réfléchis.

— Adressé à inspecteur principal Pinaud...

— Ensuite ?

— *Tu ne me croyais pas lorsque je t'assurais que tu n'étais qu'un c... J'espère que maintenant ce doute est dissipé !*

Commissaire San-Antonio.

Magnin me demande :

— C'est un message chiffré sans doute ?

— Oui, dis-je, mais rassure-toi, il le comprendra. Et puis ça fera marrer l'hôtesse de l'air...

TROISIÈME PARTIE

CHAPITRE XI

Je brûle... mais suis brûlé !

Le lendemain, à l'aube, tout le circus de la Société Patate arrive au rapport.

Je dois reconnaître que mon équipe de pieds plats a fait du bon turbin. Ces gars-là, ils passent une partie de leur vie végétative à étudier le comportement des mouches à beurre dans la bonne société monégasque de Christophe Colomb à Rainier du soir, mais quand il s'agit de mettre le grand développement, pardon madame Louise, ils sont un peu là !

La vie de la mère Berthier est étalée au milieu du burlingue en moins de deux, comme une poubelle renversée.

J'en apprends tellement long sur son compte qu'il faudrait Jules Romains soi-même pour le mettre en prose. Je vous passe sa jeunesse, son mariage, son bonhomme qui se poivrait le naze ; sa liaison avec un toubib, sa salpingite, l'achat à tempérament de son frigidaire, son tempérament à elle, ses fausses couches et la couleur de ses soutiens-choses.

Seul point intéressant et à retenir ; elle s'est engagée comme travailleuse libre en Bochie pendant la dernière. Elle grattait dans un hosto à Berlin ; même qu'à son retour elle a eu droit à la coupe Melba de la part de tous ceux qui, n'ayant pas pris les armes au cours de la joyeuse dernière ont libéré leurs instincts à la Libération en s'improvisant coiffeurs pour dames !

D'après mon informateur, au pays de la choucroute au Führer, elle est devenue la maîtresse d'un Tchèque sans provision qui lui a fait le lotus nippon et l'incendie de Chigago à la perfection. Ce zouave appartenait à la Gestapo. A la fin de la guerre, il a été enchristé par les popofs. Il s'appelait Caseck, ce qui, paraît-il, à Prague et dans ses environs immédiats, signifie Dupont.

Ce point m'intéresse beaucoup. D'autant plus qu'un autre de mes boy-scouts se la radine avec une photo qu'il a dégauchie sur le calendrier des postes de la veuve. Cette image m'écorchait tellement les lampions que je ne l'avais pas vue ! Que ceux qui n'ont pas lu *la Lettre volée* de Poe me lancent la première paire de lunettes !

Le rectangle de papier glacé représente la mère Berthier avec quinze carats de moins, donnant le bras à mon pote Grosses-Gobilles, lui aussi épongé de quinze berges ! A l'arrière-plan, on distingue l'enseigne d'un magasin ; même sans le concours d'une loupe, on peut se rendre compte qu'elle est écrite en chleu.

Conclusion automatique, le gnace aux paupières bombées s'appelle Caseck et c'est lui que la veuve Berthier utilisait comme cataplasme lorsqu'elle soignait Messieurs-les-peints-en-vert en Berline !

C'est pas pour me vanter, mais je commence à y voir plus clair. Entre nous et un bocal de cornichons à loyer modéré, je pense que les Ruskis ont relâché Caseck depuis un certain temps. Ce brave gestapiste en chômage a été désorienté, il a hésité entre se faire pédicure chez les Petites Sœurs des pauvres et entrer dans un réseau d'espionnage étranger ; c'est la seconde solution qui a prévalu dans son cœur.

Il a participé à l'enlèvement du vieux Munhssen. Pour une raison quelconque, le coup a partiellement foiré... Il a été obligé de planquer le savant danois à Paname. Celui-ci étant malade, il fallait des soins éclairés... Il ne pouvait le faire soigner dans un hosto puisqu'il savait qu'à Copenhague on se caillait le raisin au sujet du bonhomme... Alors il a eu l'idée d'aller chez son ancienne nana de l'époque héroïque. La vie ayant passé par-dessus leur idylle, il a dû avoir recours à des arguments moins spirituels pour la convaincre... D'où la liasse de biftons planqués derrière les petits gaïes.

Oui, c'est ça... Ensuite la vioque a eu les jetons et il lui a déplafonné la tirelire pour la faire rester peinarde.

Je remercie mes gars qui ont fait du si prompt travail. Il ne m'en reste qu'un à auditionner : Dupied, un vachard fini qui pousserait sa vieille mère hors des clous pour le plaisir de lui faire coller une contredanse.

Lui, il s'est chargé du présent de la morte. Il a établi un emploi du temps de feu Mme Berthier vraiment sans bravure...

Si j'en crois mon rapport, ces derniers temps, la brave dame menait une vie des plus rangées. Elle partait le soir à sept heures de chez elle pour prendre son poste à la clinique des Rosiers. Elle en repartait à six heures le lendemain, rentrait *at home* et se zonait jusqu'à deux plombes de l'aprème. Ensuite, elle allait s'acheter de la bouffe dans le quartier et se préparait un gueuleton.

Elle ne faisait qu'un fort repas par jour : l'après-midi. Elle complétait son alimentation par de multiples cafés-toasts absorbés dans le courant de la noye...

Lorsque Dupied en a fini, je le congédie et je demeure seulâbre avec ces éléments de l'enquête. Si la mère Berthier soignait Munhssen, c'était vraiment en vitesse et il ne devait pas résider loin de chez elle... Voilà qui circonscrit le champ des recherches...

Le bignou carillonne. C'est le Vieux qui me demande si j'ai des nouvelles de Bérurier.

— Aucune, chef...

— Et votre enquête ?

— Elle suit sont petit bonhomme de chemin...

— Faites-la courir, coupe-t-il. J'ai déjà reçu un fil des Affaires étrangères : les Danois demandent des explications et surtout des résultats...

Il raccroche, mauvais comme un cheval dont le postère a servi de cendrier à un fumeur de cigares.

Je me lève, fais craquer mes jointures et rajuste le nœud de ma cravate.

Je me sens vaguement déprimé. Enfin, je vais toujours porter mon tarin quelque part.

Ce matin, l'air de Paris sent la petite femme honnête qui va au rancart de son premier amant.

C'est frais, délicat, juvénile comme l'acné d'un collégien et si ça ne rapporte rien, ça ne mange pas d'argent. On dirait qu'il y a une petite ressucée de printemps dans les feuilles dorées des arbres.

Parole, on en mangerait saupoudré de sucre. Je vous parie un abat-jour contre un jour d'abats que les studios meublés vont marner dur aujourd'hui. Ces temps-là portent à l'épiderme.

Je prends place derrière mon volant et décarre en souplesse. A cet instant, une petite fille s'élance pour traverser la chaussée afin de rejoindre sa vioque. Je freine à bloc : pas de bobo. La daronne de la gosseline qui a tout vu pousse un cri sauvage, croyant le fruit de ses entrailles culbuté... Je l'invective histoire de lui remettre les nerfs sur la bonne longueur d'onde... Mais sa clameur désespérée m'a froissé le cervelet. Ce cri m'en rappelle un autre que j'ai entendu voilà peu de temps... Un cri... Ah oui ! c'était à la maison de repos du professeur Lafrère... Un cri de femme aussi, un cri de folle, formidable, total, qui remontait de la nuit des âges...

Je me range derrière une file de taxis pour allumer une cigarette. Tous mes sens sont alertés, *because*, soudain, je viens de penser qu'un asile de dingues c'est vraiment une planque idéale pour séquestrer un bonhomme. Mais bien sûr ! La voici la solution... Voilà pourquoi Caseck a rambiné avec sa mégère... Ensemble ils ont manigancé l'entrée en clinique du père Munhssen... Rien de plus fastoche : le vieux porte une blessure à la trombine et, si ça se trouve, ne parle peut-être pas français !

Quel tordu j'ai été en omettant de présenter sa photo à Lafrère.

Je redémarre au moment où les chauffeurs de bahut me traitent de péquenod parce qu'ils pensent que je n'ai pas gaffé l'interdiction de stationner...

*
**

L'hôtel particulier qui abrite ces messieurs-dames les tourmentés de la toiture est paisible en ce frais matin. Le portier décoré m'ouvre, me reconnaît, me salue et me guide jusqu'au grand hall.

En cours de chemin, il m'annonce que le professeur Lafrère est en voyage. Il a été rappelé au chevet de son père, en Vendée. Je ne me casse pas le chou pour si peu et je demande à visionner son assistant.

On souscrit *illico* à ma demande. Survient alors un jeune toubib au teint jaune, au cheveu noir et à la bouche pincée par les déceptions de l'existence.

— Docteur Perron, se présente-t-il.

— Commissaire San-Antonio.

Je lui produis l'éternelle photo.

— Vous connaissez ce monsieur, docteur ?

Il ne bronche pas.

— C'est un de nos pensionnaires...

Lorsque Robinson a vu radiner Vendredi, lui qui avait tellement envie de faire jeûne, il n'a pas été plus satisfait, plus soulagé et plus heureux que moi. Je touche au port, c'est rudement bath, vous savez !

— Je devrais plutôt dire : c'était un de nos pensionnaires, rectifie cet endoffé de frais, car il est parti hier matin !

— Quoi ?

Du coup, mon bonheur se racornit.

— Parti ?

— Oui, son fils est venu le chercher...

— Un garçon avec de lourdes paupières ?

— Oui, vous le connaissez ?

— Je ne l'ai vu qu'une fois, mais il m'a beaucoup frappé.

Je passe deux doigts en crochet entre ma limace et ma pomme d'Adam, manière de faciliter le boulot de mes éponges.

— Il s'appelait comment, ce pensionnaire, docteur ?

— C'était un Suisse allemand nommé Buzler... Il avait perdu la mémoire à la suite d'un accident... Il n'était pas dangereux, mais son fils l'avait placé chez nous pour quelque temps avant de rentrer dans son pays car le malade avait besoin de soins...

C'est confus, tout ça. Je décide de passer le grand démêloir.

— Parlez-moi de lui, docteur, sur le plan médical. Sa blessure est-elle vraiment grave ?

— Elle l'a été ; maintenant il est hors de danger...

— Comment se comportait-il ?

— Il était du genre prostré. Il ne parlait pas et on devait l'obliger à manger.

— Pensez-vous qu'il ait vraiment perdu la mémoire ?

— Sans le moindre doute. Du reste, la nature de la blessure en disait long... Je peux même préciser qu'il ne la recouvrera jamais.

— Parlait-il ?

— Pratiquement pas, et en tout cas pas en français...

— Son... fils savait-il qu'il était définitivement amnésique ?

— Nous le lui avons dit, mais il conservait de l'espoir... Il affirmait, ce qui du reste était désobligeant pour nous, que les médecins de son pays réussiraient le miracle...

Non, mais vous vous rendez compte, les gars ? Vous mordez bien où nous en sommes ? Les yeux morts de Munhssen ne venaient pas d'une cécité, pas non plus d'un éblouissement, mais, par le magnésium d'un flash, ils traduisaient son état mental... Ils reflétaient le désert de sa pensée.

— Comment était-il venu chez vous ?

— Notre infirmière-chef était liée avec la famille Buzler, c'est elle qui nous avait amené ce malade...

— Bien, il est parti avec... heu... son fils... De quelle façon ?

— En voiture. Cette pauvre Mme Berthier les accompagnait. C'est peu après qu'elle a eu son accident.

Son accident ! Joli euphémisme.

— Vous avez aidé au chargement du vieillard ?

— J'accompagne toujours nos malades jusqu'à la porte ! se rebiffe-t-il.

Voyez-moi cette grande asperge ! C'est gland à chialer et ça se prend pour le gladiateur du patelin !

— Je ne peux qu'applaudir à cette courtoise habitude, docteur. Dans quelle voiture est-il parti, était-ce une ambulance ?

— Non, une auto particulière. Pour préciser, une Ford d'un modèle périmé, verte, je crois...

— Nous y revoici.

— Pardon ?

— Excusez, je me parlais à moi-même... Vous n'avez pas repéré le numéro ?

— Non. Pourquoi ?

Je danse d'un pied sur l'autre pour chercher à équilibrer mes pensées.

— Le... fils du malade vous avait sans doute donné une adresse où le joindre en cas d'aggravation ?

— Non, il nous avait confié son père parce qu'il était obligé de voyager. Il nous avait dit que si l'état empirait, leur amie, Mme Berthier, saurait qui il fallait alerter...

Décidément, ce Caseck est un petit prudent. Il ne laisse rien au hasard...

J'ai de plus en plus envie de faire la causette avec lui.

— Vous permettez que je téléphone ?

— Je vous en prie.

J'appelle le burlingue. Dupied s'y trouve précisément.

— Ouvre tes manettes toutes grandes ! lui dis-je. Vous allez repartir au charbon, toi et les autres. Cherchez un certain Buzler, sujet suisse. Faites tous les hôtels, toutes les pensions de famille. Demandez le concours des garnis car il s'agit de faire vite. Visitez les loueurs d'auto ou les marchands d'occasions. Cherchez qui a vendu ou loué, soit à un type aux paupières tombantes qui se fait appeler Buzler, soit à une fille blonde prétendant se nommer Kessmann une Ford verte ancien modèle. Et que ça saute... Tenez-moi au courant minute par minute des résultats. Mobilisez les autres services, s'il le faut... Nous devons alpaguer ce polichinelle et il a vingt-quatre heures d'avance sur nous. Prévenez la police des gares, la routière... Tout homme correspondant à ce signalement et escortant un vieillard blessé au visage doit être immédiatement mis au frais, vu ?

Dupied a tout noté à la volée. J'entendais grincer son stylo sur le papier grenu de son bloc.

— Compris, chef !

Je raccroche.

— C'est si grave que ça ? demande le jeune toubib bilieux.

— Ça l'est davantage encore ! lui lancé-je en m'esbignant.

CHAPITRE XII

Je décide... de prendre une décision décisive.

Ce qui fait la force de la grande rouquine, c'est son organisation, sa multiplicité, son obstination. Un homme qui a la police au derche ne peut pas grand-chose parce que trop de forces, trop d'hommes sont ligués contre lui.

Les choses ne traînent plus. Deux heures après mon coup de fil à Dupied, un bougre a retrouvé le garagiste qui a loué la bagnole. C'est un type de Pereire, spécialisé dans la location de voitures à la semaine et au mois.

Je fonce chez lui. Il s'agit d'un monsieur élégant qui n'a jamais eu une tache de cambouis sur les doigts. Il fait le beau dans un bureau cossu avec une secrétaire blonde à portée de la main et un téléphone blanc devant lui.

Il me reçoit on ne peut mieux, tout heureux d'offrir un intérêt pour la police.

Il me propose à boire, à fumer, et pour un peu sa secrétaire.

Il a loué l'auto à une demoiselle Kessmann, lundi matin. C'est donc pour aller récupérer son pote Gros-Lampions que la souris blonde a pris une voiture. Le véhicule a été loué pour la semaine.

Elle a produit son passeport et a versé une caution de cent mille balles.

— C'était une fille très jolie, affirme le loueur de ferrailles.

Là-dessus, la secrétaire pince les lèvres. Elle me paraît drôlement jalmince. Elle doit tenir à sa bonne gâche sur les genoux du patron.

— O.K. Donnez-moi le numéro de la bagnole.

— C'est le 2347 HZ 75...

Je me retire, nanti du précieux renseignement. Je téléphone à la Routière en disant qu'on doit me retrouver le véhicule avant la fin de la journée. Le colonel qui dirige cet estimable service m'affirme qu'il va filer des ordres en conséquence. Tranquillisé, je peux souffler un peu. Je vois très bien maintenant comment s'est présentée la chose.

Lorsqu'à Caen Caseck s'est aperçu que la police se filait après lui, il a changé ses batteries en vitesse. Il est allé retirer le père Munhssen de l'asile, en compagnie de la veuve Berthier. Puis, pour éviter une indiscrétion de celle-ci, l'a butée.

Parfait. Seulement, je me demande pourquoi ce gars-là s'obstine à traîner un vieux savant amnésique... Voilà qui est troublant.

Il y a beaucoup d'autres choses que je pige mal, du reste. Par exemple, la raison du séjour en France de Munhssen. Puisque son état n'était plus alarmant, pourquoi ne l'a-t-on pas conduit tout de suite là où il devait aller ? Ensuite, s'il avait totalement perdu la mémoire, comment se fait-il qu'il ait pu annoncer son départ autour de lui avant de quitter Fredericia ? De plus, il aurait écrit à sa fille... Décidément, c'est la superbouteille à l'encre, le modèle géant, le plus économique pour les familles nombreuses.

Je crains que mes lascars n'aient réussi à s'évacuer vers des continents perdus. En vingt-quatre plombes, on fait du chemin... Même en coltinant un vieux crabe empêché du cigarillo. Car il a fallu que ça soit le méchant sauve-qui-peut ! La fille blonde s'est barrée de son hôtel. Caseck a récupéré le Danois et liquidé sa complice française... Que nous reste-t-il, outre leur signalement ? Un nom d'emprunt, comme dirait Ramadier. Et le numéro d'une bagnole... Mais il est fastoche de changer de blaze et de voiture. Ce Caseck est un renard trop méfiant pour continuer à se baguenauder avec un nom repéré et une tire dont l'immatriculation est connue...

Effectivement, tandis que j'engloutis une choucroute à la brasserie d'en face, on vient m'annoncer que la Ford a été retrouvée près de Malakoff... Elle a été abandonnée la veille dans une petite rue...

Ce que j'en ai marre de ces giries ! Passez-moi l'aspirine ! Mes archers font des gueules d'enterrement.

Et avec ça, Bérurier qui n'a toujours pas donné signe de vie... Je me prends la mappemonde à pleines pattes.

Oh ! mais... Attendez, je commence à gamberger. Voilà bientôt deux jours que le Gros a disparu. S'il était mort, on aurait retrouvé sa carcasse... S'il était libre, il aurait donné signe de vie. Pourquoi ne l'aurait-on pas escamoté ? Attendez toujours... Pendant que j'y suis, je vais vous faire bénéficier de mon phosphore, j'en serai quitte, après, pour sucer des allumettes.

Je flaire un fil conducteur... Vous m'objecterez que j'en empoigne des tas depuis quelques jours, seulement, que voulez-vous ? les autres sont en soie et cassent dès que je les saisis.

Je suis une patate, voilà. Cet aveu libère ma conscience... Je commence à gamberger, et je saute sur le détail qui me botte sans pousser mes évolutions. J'ai tort. Si je prends l'affaire à son départ, du moins vis-à-vis de nous, qu'y a-t-il eu à la base de tout ? Un vol d'appareil photographique. Où l'a-t-on volé ? Dans une gare. Donc, la fille blonde partait avec cet appareil uniquement pour montrer les photos non développées qu'il contenait à quelqu'un... Vous me suivez ? Tenez bon la rampe. La preuve qu'elle ne partait que pour ça, c'est qu'elle est restée quand elle a constaté la disparition de sa valise. Cela est bien établi, hein ? Pas d'objections ? D'ac, je continue. Maintenant, pourquoi entreprenait-elle un voyage afin de véhiculer des photos non développées alors qu'il était si simple de tirer la gueule du vieux Danois et de l'expédier par la poste ? Hein, pourquoi ? Vous êtes là à bâiller comme des carpes et à rouler des boules de loto qui fileraient le tracsir à un poisson chinetoque ! Vous me faites pitié, tenez ! Je me demande des fois comment vous faites pour gagner votre bœuf, avec un cerveau pareil à du chewing-gum trop mâché !

C'est malheureux ! Je vais donc vous le dire, moi, pourquoi cette déesse que je n'ai pas l'honneur de connaître agissait de la sorte. C'est uniquement parce que les photos devaient passer une frontière et que tous les postes frontaliers du monde avaient le signalement de Munhssen. Si jamais par un hasard malheureux ou à cause d'un douanier trop zélé, lesdites photos étaient repérées, ça allait chauffer. Donc, la fille transportait simplement les pellicules impressionnées... Vous commencez à entraver pourquoi ? Non ? Alors vous êtes plus crêpes que je ne le supposais... Dans l'appareil photographique, les pellicules ne pouvaient pas être trouvées. Parce que, mes petits brachicéphales, de deux choses l'une : ou bien les douaniers n'ouvraient pas l'appareil et les images passaient... Ou bien ils l'ouvraient et elles étaient anéanties par la lumière, vu ?

Ce qu'il est marle, ce San-Antonio, tout de même. Y a pas, je suis un cas ! Quand ça atteint ce degré-là, on présente le sujet en Sorbonne et devant les scalpés de l'Institut !

Maintenant si vous voulez boire un petit vulnéraire, magnez-vous le prose car je vais continuer la démonstration. Ça y est ? J'enchaîne !

On a chouravé l'appareil photo vendredi dernier. Donc à cette date, il n'était pas du tout question que le père Munhssen soit embarqué.

Son transfert à l'étranger n'était pas prévu. S'il s'avère si délicat, il est probable que Caseck n'est pas parti avec son pensionnaire. La preuve, c'est qu'il a pris le risque énorme de tuer la mère Berthier, son ancienne poule. Pourquoi ? Parce qu'elle savait où logeait Caseck, donc où il allait se terrer avec le vieux. Le Tchèque s'est douté que nous remonterions jusqu'à l'infirmière et il a préféré s'assurer de son silence.

En ce cas, s'il possède à Paris une retraite sûre, pourquoi la fausse miss Kessmann logeait-elle à l'hôtel ?

Je carbure, les mecs... Je carbure... Ne bougez pas, retenez-vous de tousser et finissez de peloter vos bergères, ça me distrait !

C'est nettement la méchante aurore boréale que j'entrevois,

cette fois. Ces zigs, les deux équipiers, croyez-moi ou allez vous faire éplucher l'agrume, m'est avis qu'ils sont en train de mijoter un drôle de coup farci contre ceux-là mêmes qui les emploient. Ils ont dû décider de se mettre le vieux au frais pour leur compte personnel. Peut-être qu'ils en négocient la vente ailleurs, tout comme s'il s'agissait d'une marchandise. Oui, ils l'ont kidnappé, mais, au lieu de l'embarquer à destination, ils ont préféré l'interner aux Rosiers avec la complicité de la mère Tapedurs. Ils ont dit à l'Organisation qu'il était intransportable. Les autres se sont inquiétés. Ils ont alors pris une photo de Munhssen pour leur montrer qu'ils disaient vrai... Cette photo a été le début de leurs ennuis.

La pseudo-Kessmann logeait à l'hôtel pour ne pas révéler leur véritable retraite aux autres, car ils prévoyaient le cas où ils seraient obligés de soustraire le savant aux recherches... Mais, oui, tout concorde... Maintenant j'en suis absolument certain, les deux équipiers agissent pour leur compte personnel. Il faut croire que le jeu en vaut la chandelle car ils ont contre eux, non seulement la police française, mais encore « les autres ».

Je suis en transes, littéralement. J'ai un don de visionnaire, c'est certain ; à côté de moi, le Grand Robert ressemble à l'O.N.M. Je suis certain que mon équipe de foies blancs n'a pas quitté Pantruche. Oui, ils sont là, tous : Caseck, la fille blonde, Munhssen... Je les sens, pas loin. Quelques blocs de maisons, quelques centaines de mètres peut-être nous séparent... Ils ont la bath planque... Est-ce une maison perdue au fond d'un parc ombreux ? Est-ce un sordide logement de la zone ? Un hôtel particulier du Bois ? Une auberge des environs de Paris ? Mystère et friction à la gelée de groseille !

Peut-être qu'un sourcier avec sa baguette magique pourrait me rencarder ?

Le standardiste pénètre dans mon bureau...

— Monsieur le commissaire, un nouveau message de Pinaud...

Je prends le papier et le parcours.

Suis arrivé Copenhague, stop. Fille Kessmann était service savant nommé Munhssen, stop. Munhssen disparu mystérieusement, stop. Pars pour Fredericia, stop. Nourriture danoise trop sucrée, stop. Téléphone à madame Pinaud pour qu'elle fasse ressemeler mes chaussures jaunes pendant mon absence, stop. Amitiés malgré ton dernier message.

Inspecteur principal Pinaud.

Je ne sais pas pourquoi, mais ces mots tracés hâtivement par le réceptionniste me chauffent le cœur.

— Une réponse ? s'informe celui-ci.

— Oui.

— Je vous écoute, monsieur le commissaire.

Inspecteur principal Pinaud, aux bons soins de la police de Fredericia, Danemark.

Enquête approfondie sur Munhssen, stop. Renseigne-toi pour savoir s'il avait ou non perdu la mémoire suite accident, stop. Manie-toi la rondelle.

Commissaire San-Antonio.

— Ce sera tout, monsieur le commissaire ?

— Pour l'instant, oui !

Je le congédie et j'appelle Favier, l'incendie humain, le Van Gogh fait homme... Il ne met pas longtemps pour dévaler les deux étages qui s'interposent entre nos antres.

— Du nouveau ?

— Ne me parlez pas, ne me questionnez pas. Je suis en équilibre avec mon système nerveux.

Je lui donne la photo trouvée chez la mère Berthier et qui la représente pendant la guerre aux côtés de Caseck.

— Puisque vous êtes un champion de la photographie, mon petit Favier, vous allez me faire un travail d'art.

— A votre disposition.

— Prenez cette photo, isolez-moi l'homme. Agrandissez-moi la tête de l'homme au maximum. Ensuite, retouchez-la légèrement pour le vieillir un peu et rephotographiez-la...

— Compris...

— Il vous faut longtemps ?

— Non, je vais me faire aider... Ne bougez pas d'ici...

Il s'en va. Le Vieux me fait mander sur ces entrefaites. Il me pèle le haricot. Je fais répondre par le standard que je viens de sortir et je poursuis mon numéro de haute voltige cérébrale.

Lorsque j'aurai la photo, je pourrai la publier en première page des journaux avec un titre : « On recherche cet homme. »

Je suis certain que les témoignages afflueront, seulement il faudra un temps inouï pour les vérifier... Caseck prendra les jetons en se voyant démasqué ! Il essaiera de filer ou bien, poussé dans ses ultimes retranchements, butera peut-être le père Munhssen... Il n'est pas à un meurtre près...

Je clos mes paupières et je pique une somnolence. C'est le fameux « relaxe » qui nous vient d'outre-Atlantique avec le coca-cola et les armes nucléaires. Ça repose singulièrement le couvercle.

Je passe plusieurs minutes dans cette pose prostrée. Malgré l'inertie de ma pensée, ça continue de turbiner là-dessous. En filigrane, je continue de réfléchir.

« Mon petit San-Antonio, mon bijou, mon chéri..., pensé-je, tu as toujours dénoué les écheveaux compliqués, toujours résolu les problèmes les plus casse-bol, alors tu vas te choper par la menotte et te forcer à conclure... Tu n'es pas bonnard pour le travail en grosse équipe. Toutes ces forces policières que tu déclenches ne te serviront à rien... C'est toi tout seul qui vas dégauchir la vérité. La vraie, celle qui dégage la grosse lumière... »

Toc toc ! Qui qu'est làga ? C'est re-Favier avec ses fils en feu d'artifice et ses pauvres doigts bouffés par les acides. Il me tend une photo.

— Ça va comme ça, commissaire ?

Je zieute. Formidable ! On dirait une photo en direct de Caseck les Mahousses-Cocardes.

— Encore un beau boulot, Favier...

— Merci...

— Tirez-en un paquet, ça va peut-être servir.

Je chope l'image et la pose sur le verre de ma lampe de bureau, j'allume, bien qu'il fasse jour, pour hâter le séchage.

Après quoi, je tube au commissariat de Malakoff pour demander si la voiture abandonnée est toujours en place. On me répond que oui, vu qu'il n'y avait pas d'instructions. Je dis de ne rien toucher et je me renseigne sur son emplacement exact. C'est devant le 18 de la rue de la Tour.

La photo est pratiquement sèche. J'arrache un morceau de buvard sur mon sous-main pour la plier dedans. Il m'arrive d'être méticuleux, vous voyez...

CHAPITRE XIII

Des fils... à retordre.

La rue de la Tour est une petite voie étroite dans un quartier mité, au-delà des anciennes fortifs. On y trouve des vieilles masures, des hôtels particuliers délabrés, des arbres rabougris, des jardinets flétris et une population mêlée, composée d'artistes, d'Arabes, de vieilles bonnes femmes et de marmots sales.

J'aperçois la Ford abandonnée. Elle est rangée dans un renfoncement de façon très orthodoxe.

Les portières ne sont pas verrouillées. L'intérieur est pourvu de housses en plastique bleu... Bien entendu, je fouille la boîte à gants, mais je n'y trouve qu'une peau de chamois cradingue, une bougie usée et une boîte d'allumettes.

C'est chétif. Notez que de la part d'un renard comme Caseck, je n'espérais pas trop trouver son adresse écrite à la craie sur la banquette. Il n'y a pas non plus d'indice sur le plancher ou sous les sièges... Rien, rien... Du reste, ces voitures de louage sont désespérément anonymes.

Eh bien ! attaquons. La voiture représente mon dernier lien avec EUX. Caseck est venu l'abandonner là, puis il a disparu... A moi de retrouver le sinistre personnage.

Je sors de l'auto et regarde autour de moi. En face de la voiture, de l'autre côté de la ruelle, il y a une toute petite maison. Une de ses fenêtres donne sur la rue. Elle est située au rez-de-chaussée. Je vais cogner au carreau. La fenêtre s'ouvre, et une dame paraît. C'est la brave mère de famille. Elle ressemble à Bécassine.

— Excusez-moi, fais-je en lui présentant ma carte.

Elle murmure « Police » d'une voix pâmée. Son vieux achète *Le Parisien* tous les matins en allant au charbon et on y parle beaucoup de la Rousse.

— Qu'est-ce qu'il y a eu ? fait-elle.

Elle se tourne vers l'intérieur de l'humble logis et demande d'une voix angoissée :

— Tu t'es encore battu, Léon ?

Je découvre alors, dans le clair-obscur qui envahit la pièce, une silhouette d'homme attablé.

— Vous permettez que j'entre ? demandé-je d'un ton courtois. Nous serons mieux pour parler.

— Je vous en prie, fait la femme, seulement l'entrée se trouve dans l'autre rue.

— Inutile !

Je fais un rétablissement et en deux temps, deux mouvements, j'atterris dans la cuisine. Ils n'en reviennent pas. Il y a là le père, un zig au visage cabossé et au teint rouge, et un gamin rigolard qui joue avec une petite auto sur le parquet.

— J'enquête au sujet de la Ford stoppée devant chez vous, dis-je. Elle a été abandonnée là par un type qui nous intéresse beaucoup et que nous voulons à toute force retrouver... Avez-vous vu l'homme qui est sorti de l'auto hier matin ?

— Moi, oui, fait le mari.

Je lui présente la photo de Caseck.

— Est-ce lui ?

— Mais oui ! Je finissais de me donner un coup de peigne là, devant la fenêtre...

Je regarde dans la direction indiquée et j'aperçois un miroir fixé à l'espagnolette de la croisée.

Le brave homme reprend.

— Le type en question est descendu de l'auto... Il s'est mis à regarder dedans, par terre, puis à l'arrière, comme s'il cherchait quelque chose...

— Il ne cherchait rien, expliqué-je, il s'assurait, au contraire, s'il n'oubliait pas quelque chose...

— Ah ?

— Oui... Vous n'avez pas attendu pour voir dans quelle direction il partait ?

— J'ai pas attendu, mais une minute plus tard je suis parti prendre l'autobus et je l'ai vu qui prenait un taxi porte de Vanves... A la station.

Je sursaute.

— Vous êtes certain que c'était lui ?

— Ben ! Je m'ai dit qu'y devait être en rideau avec son os... Il portait un pardessus marron et un chapeau noir...

— Oui, c'est bien ça... Quel genre de taxi a-t-il pris ?

— Je vais vous le dire, parce que j'ai l'œil observatoire : c'était une 403 noire avec écrit dessus, en jaune, Taxi-Radio, vous savez...

Je bondis.

— Vous seriez rasé de frais que je vous embrasserais, mon vieux !

Ça ne lui plaît pas.

— Faut pas chercher le bonhomme ! tonne-t-il en frappant la table du poing.

Sa vieille le calme. Il est nerveux, le gars...

J'extrais un billet d'une demi-jambe et je le refile au pilon en lui disant de se payer la DS 19 avec. Puis je fonce...

J'enjambe à nouveau la fenêtre.

— Faut pas se gêner, rouscaille l'irascible ouvrier. Ah ! les perdreaux, je vous jure qu'y sont d'un sans-gêne ! Donne-moi c't' argent, Riri, tu n' saurais pas quoi en foutre !

Au central des taxis-radio, on lance un appel général pour demander au chauffeur conduisant une 403 noire ayant chargé la veille vers huit heures du matin, un quidam portant un chapeau noir et un pardessus marron de se faire connaître *illico.* Ça ne traîne pas. A peine le speaker s'est-il tu que l'intéressé décroche depuis sa bagnole.

— Ici 55, fait-il, c'est moi qui ai pris l'homme.

— Arrivez tout de suite... Police !

— J'ai un client à déposer à l'Alma... J'y serai dans dix minutes.

Effectivement, douze broquilles plus tard, je vois paraître un grand costaud aux tempes grisonnantes portant un blouson beige à col de laine. Il est sympa, le chauffeur.

Je le salue et lui propose l'image de Caseck.

— Gi ! fait-il. C'est le type...

— Où l'avez-vous conduit ?

— Rue Cambronne. A l'angle de la rue de Vaugirard...

— Et puis ?

Il me regarde.

— Et puis, c'est tout. Il m'a payé, j'ai relevé mon drapeau.

— L'angle des deux rues, c'est pas un terminus... De quel côté s'est-il dirigé ?

— Pas fait attention...

Enfin, c'est toujours ça... Caseck n'allait pas se faire stopper devant sa crèche. Il a probablement pris un autre taxi, ou bien le métro pour déjouer les recherches.

— C'est bon, je vous remercie... Voici pour votre dérangement.

Second bifton de cinq cents balles à porter sur ma note de frais. Je ne suis pas de ces flics qui font une réputation de pouillerie à la police.

Le costaud du volant enfouille l'artiche, assez éberlué.

Je salue ces messieurs des taxis-radio et poursuis ma ronde aveugle. J'ai déjà avancé quelque peu... En tout cas, me voilà confirmé dans ma certitude : la bande n'a pas quitté Paris.

Je roule à la paresseuse jusqu'à la rue de Vaugirard, je stoppe à l'angle de la rue Cambronne (un type auquel je pense beaucoup, ces temps-ci).

Ayant réussi à garer mon auto, je fais un rapide tour d'horizon.

J'avise une vieille marchande de biftons de la Loterie. La dame glapit que nous sommes un 13 et elle lance cette remarque sur un ton qui signifie « ceux qui ne prennent pas un billet ne sont que des tordus » !

Je m'approche, j'achète un numéro se terminant par 8, mon chiffre clé et je lui montre simultanément ma carte et la photo.

— Dites voir, petite dame, il faut que je retrouve un citoyen à tout prix. Je sais qu'il s'est fait conduire ici hier matin, avant neuf heures. Il est descendu d'un taxi-radio, ça ne vous dit rien ?

Ses gobilles pendent sur la photo comme les médailles d'un ancien combattant qui se baisse pour rattacher son lacet.

— Non, dit-elle. Je n'ai pas remarqué. Je ne sais pas si vous vous rendez compte...

Elle a un geste demi-circulaire pour me faire apprécier la foule qui l'environne. En effet, je crois un peu aux mouches. J'ai trop confiance en le hasard... Ça me perdra...

— Il avait un pardessus marron et un chapeau noir, insisté-je.

Elle sourit.

— Tiens ! ça me dit quelque chose... Oui, un type qui est descendu d'un taxi. En payant, il a laissé tomber une pièce de monnaie de sa poche et il ne s'est pas seulement baissé pour la ramasser... Neuf heures, vous dites ?

— Un peu avant ?

— D'accord... C'est lui : moi, je buvais mon Viandox... Tous les matins, le garçon du bistrot d'en face m'en apporte un...

— De quel côté est-il allé ?

Elle montre la rue Cambronne.

— Il a descendu la rue...

— Merci...

— Ça peut vous aider ? demanda-t-elle, intéressée.

— Beaucoup, fais-je.

En m'éloignant, je gamberge à un truc, les gars. Il y a une station de taxis, non loin de là, il n'a pas pu ne pas la voir... Il y a également des stations de métro. S'il les a toutes dédaignées c'est que... c'est que son lieu de destination n'était pas éloigné.

Je fais un signe de tête accablé. Plus j'approche du but, plus je désespère... Maintenant, je ne vais pas pouvoir continuer seul. Que faire ? Je ne peux pas aborder les gens pour leur demander des nouvelles de Caseck. Jusque-là, il a été repéré parce qu'il accomplissait des gestes précis, relativement repérables, tels que ceux consistant à fouiller une auto, prendre un taxi-radio et perdre de l'argent en payant sa course... Mais maintenant ? A moins qu'il n'ait marché sur des échasses ou jonglé avec des casquettes, personne n'a pu prendre garde à lui... Seules mesures à prendre : mobiliser une troupe de poulets avec mission de visiter toutes les concierges du quartier pour leur soumettre la photo de Caseck...

C'est bon, puisqu'il faut agir ainsi, agissons ainsi...

J'entre dans la première brasserie venue et je commande un blanc-cassis (mon vice). Quand j'ai éclusé l'aimable breuvage, je descends au sous-sol parce que le mot Téléphone, souligné d'une flèche, est placé au haut de l'escalier.

La dame des toilettes rajuste sa jarretelle, ce qui m'ouvre une perspective sur sa cuisse potelée et ses dessous d'un bleu azuréen.

— Pourrais-je avoir un jeton ? demandé-je, non sans une gauloise arrière-pensée.

Elle me montre alors un carton sur lequel elle a tracé les deux mots « En dérangement ».

— Il ne faut qu'un *r* à dérangement, lui dis-je.

Elle bigle son écriteau.

— Mais je n'en ai mis qu'un ! proteste-t-elle.

— Aussi permettez-moi de vous féliciter !

Je m'en vais tandis qu'elle se demande anxieusement si je suis tombé sur la tête ou si c'est congénital.

Rien ne m'horripile plus que de pénétrer dans un troquet

avec l'intention précise de donner un coup de grelot ou de faire pleurer le gosse et d'y trouver le bigophone détraqué ou les ouatères condamnés.

Je décide de tenter ma chance ailleurs. Tous les espoirs me sont permis puisque nous sommes le 13.

Je cherche un autre établissement en accord plus parfait avec les P.T.T. lorsque je me rappelle que le gros Bérurier pioge rue Blomet. Je vais profiter de l'occasion pour aller interviewer sa baleine, des fois qu'elle aurait des nouvelles ? De chez elle, je tuberai à mes valeureux collègues. Pourvu que Favier ait tiré assez de portraits !

CHAPITRE XIV

Distribution de lots.

Je carillonne à la porte des Béru. Ils ont un coquet petit trois-pièces Henri II avec vue sur la cour qui gagne le cœur. Un assez long moment s'écoule, je m'apprête à évacuer le terrain, pensant que la pétasse du Gros est absente, lorsque l'huis s'entrebaîlle.

La vioque à Béru glisse une portion de mufle par l'ouverture. Elle est grasse, fardée, frisée, baleinée, équipée pour ravager les quinquagénaires qui s'en ressentent pour manœuvrer les forts calibres.

— Salut, Berthe, fais-je joyeusement. Comment va ?

Je m'avance. Ma visite ne semble pas lui faire plaisir outre mesure, bien qu'elle essaye toujours de me vamper lorsque nous nous rencontrons.

Son œil contient un je ne sais quoi de flottant, de trouble qui m'inquiète.

L'ai-je surprise au moment où le coiffeur lui chantait l'*Introduction* du grand morceau de *Faust ?* Ça n'est pas impossible...

Elle s'efface avec regret et j'entre dans le vestibule des Béru.

— Je ne vous dérange pas trop ?

— Mais non...

Ça ne part pas du cœur. Je perçois un vague bruissement dans la pièce voisine et je retiens un sourire. Je ne me suis pas trompé, la grosse vachasse était en train de se faire masser le grand sympathique. Inutile de m'attarder sous le toit de l'adultère...

— Dites voir, votre bonhomme ne vous aurait pas donné signe de vie par hasard ?

— Non, dit-elle. Pourquoi ?

Elle ne paraît pas surprise le moins du monde. Elle est amorphe. Est-ce qu'en plus du zizipanpan elle se droguerait ?

— Enfin, vous avez dû vous apercevoir qu'il a disparu, non ?

— Dame, je le croyais en mission, vous êtes venu le chercher, l'autre matin...

— Vous ne l'avez pas revu depuis ?

— Non.

— Il n'a pas téléphoné ?

— Non plus...

Elle attend. Je parie qu'elle aimerait être veuve, la pétroleuse. Les bonnes femmes sont comme ça. Rien dans le cœur, sinon le mec du jour ! Le passé ? Il est passé ! Les souvenirs ? Elle les vivra demain !

Furax comme un suppositoire fourvoyé dans une bonbonnière, je lâche :

— Bon, du moment que vous trouvez ça bien, bonsoir ! Si on retrouve sa carcasse on vous fera un paquet !

Sur cette invective, je disparais.

Je quitte l'immeuble, tourne le coin de la rue, entre dans un café pour enfin lancer mes ordres... Je tombe en arrêt devant le portemanteau de l'établissement. C'est bizarre, mais il me dit quelque chose... Il y a le même chez Bérurier, dans l'entrée... Oui. Et...

Ça vous est déjà arrivé de prendre un malaise parce que vous avez une grosse surprise ? Moi, il me semble que le sol part en avant... Je n'ai que le temps de m'agripper au rade et de murmurer : « Un rhum » d'une voix mourante que le loufiat a de la peine à capter.

Il m'allonge un Négrita. Je le fais suivre à mon adresse privée. Et mon malaise fait place à de l'euphorie.

Au portemanteau des Béru, j'ai vu une veste. Et cette veste, je suis certain que le Gros l'avait lorsque nous nous sommes quittés, la dernière fois. Elle est marron, avec des taches de vin, les revers cassés et la doublure qui dépasse.

Alors ? Pourquoi la mère Béru m'a-t-elle bourré le mou ? Je casque mon orgie et je fais demi-tour. Au galop je grimpe les étages. Je parviens devant la porte de l'appartement et je tends l'oreille. Dans une pièce du fond des gens parlent. Je tire mon petit sésame-ouvre-toi, avec des gestes de prestidigitateur chinois, je l'introduis dans la serrure... J'agis lentement, en m'efforçant de ne pas trembler. Je tourne molo molo pour faire jouer le pêne. Ça grince un poil, mais je pense être seul à percevoir ce bruit.

Enfin la serrure est libérée de toute obligation militaire et je n'ai plus qu'à délourder. Vous savez tous que pour ouvrir une porte sans la faire grincer il convient de la soulever en poussant. Grâce à ce procédé connu, j'entre en silence. Au prochain bal masqué de la marquise de Bouremoilœil, c'est dit, je me déguise en minute de silence, et j'irai faire des extras quand les porteurs de gerbes iront déposer les végétaux de saison sur la dalle sacrée.

Je ne relourde pas afin d'éviter de faire du chahut. On parle dans la pièce du fond... On chuchote, plus exactement. J'y vais à pas menus. J'extirpe l'ami Tu-Tues de sa gaine de cuir, je lève le cran de sûreté, puis, à la volée je délourde.

Ah mes petits camarades, ce spectacle !

Ce qui me frappe avant tout, je crois que c'est l'odeur. J'ai le sens olfactif tellement développé que je sens pour les gens qui ne se sentent pas bien. Ici ça chlingue la chambrée ! Faut dire qu'il y a du populo. Sur le pageot de la dynastie bérurière, repose Munhssen... A terre, ficelés, cabossés, contusionnés, sanguinolents gisent mon gros lard de Béru et son colitier le coiffeur... Caseck est en train de discuter le bout de gras avec la mère Béru tandis que la fille blonde (beaucoup plus jolie qu'on ne me l'avait décrite, soit dit entre nous et le carrefour Richelieu-Drouot) prépare une seringue...

J'ai du succès avec mon Walther.

— Les mains à la verticale ! dis-je d'un ton qui admet difficilement la réplique.

Ils ont tous sursauté, du moins ceux qui pouvaient se le permettre. La mère Béru est verdâtre... Caseck, sans remonter ses stores, me regarde par une mince fente sous ses paupières.

Ce qui complique un peu ma suprématie stratégique c'est que je dois surveiller à la fois la blonde et Caseck, et ceux-ci se trouvent chacun à une extrémité de la pièce.

Je tiens ma pétoire braquée en particulier sur Caseck.

— Mon enfant, fais-je à la fausse miss Kessmann, ayez l'obligeance de vous mettre près de votre ami Caseck.

L'autre l'a mauvaise en entendant son vrai blaze. Il doit se dire que j'ai fait du chemin.

La fille blonde n'a pas bronché.

— Dites, fillette, murmuré-je, je crois vous avoir parlé...

Je pointe le canon de mon distillateur de fumée dans sa direction. Je perçois un cri. C'est la mère Béru qui l'a poussé. Elle a de bonnes raisons pour cela. Cette pourriture de Caseck a profité de ce que j'interpellais la fille blonde pour se précipiter derrière la femme de mon pote et l'utiliser comme paravent chinois. Elle a une surface portante tellement importante, la gravosse, qu'il disparaît derrière elle, comme un homme-serpent derrière un pilier d'église. Il fait fissa pour défourailler, je vous le jure ! En moins de temps qu'il n'en faut à un hôtelier pour majorer une note de douze pour cent il m'envoie sa bonne camelote. Heureusement pour moi, j'ai eu le réflexe de me jeter sur le parquet. Je vois des trous se former dans le plancher à quatre centimètres de mon blair. Ah ! je vous avoue que je les ai à la sauce anglaise ! Je prends des particules de bois dans les roberts...

— Espèce de sale tante ! je rugis en redressant ma sulfateuse.

— Tirez pas, Antoine ! brame la mère Bérurier.

Ça me rappelle à la raison. Si j'envoie le potage, elle en dégustera sa cuillerée, la grosse Bertha ! Je peux pas faire ça à ce cocu de Béru !

Caseck s'est arrêté de tirer parce qu'il est gêné par sa vache protectrice. Là-dessus, pendant les deux secondes de répit, la souris blonde veut jouer à la Cavalière Elsa. Elle s'empare d'un bronze à la noix représentant un joueur de tennis et s'approche de moi pour me faire sauter la malle arrière. Je vois venir la prune et je fais un mouvement de retrait... Le bronze percute le lambris du mur et le malheureux joueur de tennis, qui en a vu d'autres, se tord la raquette.

Moi, pas folle pour une guêpe, je profite de ce que la môme est penchée pour lui empoigner la tignasse. D'un geste brusque, je la ramène contre moi. Maintenant j'ai aussi mon bouclier. Elle gigote et rouscaille, mais le San-Antonio est une mécanique solide.

Je la tiens plaquée devant moi et je lance à Caseck :

— Sors tout de suite de derrière ton tas de viande ou j'emplâtre ta morue !

Je ne sais pas s'il comprend un français aussi savant. En tout cas, il a la réaction lente. Moi, je trouve que je me fais vioquard ! Bon Dieu, quoi ! les coups de pétoire ont dû ameuter la caserne, non ? Surtout que j'ai laissé la lourde ouverte. Qu'est-ce qu'ils attendent, les voisins du Gros pour jouer « V'là l'régiment qui passe » avec le précieux concours de la garde républicaine, hein ? Est-ce qu'ils auraient les chocotes, ou bien se sont-ils farci les portugaises à la cire à cacheter ?

Peut-être, tout simplement, regardent-ils le journal parlé à la télé et, comme on leur montre une guerre quelconque, ils confondent, les pauvres gens ! En attendant qu'est-ce que je maquille, moi, avec ma sauterelle qui remue du valseur sur mes sensibles ? Et l'autre tordu de Caseck avec son bouclier de viande ?

— Alors, Caseck, lancé-je, on se fait cuire une escalope ou on va prendre le train ? Qu'est-ce que tu espères, hein, trésor ? Tu ne crois pas que ton compte est bon ?

Je passe la main sous l'aisselle de ma proie. Je vise le haut de la fenêtre et je presse la détente. Le carreau fait des petits... Là, il se trouvera bien un glandulard dans la *strasse* pour monter voir ce qui se passe pour prévenir le guet !

Mais je pige pourquoi personne ne radine. Juste en dessous, il y a un bal nègre... Et ça fait un boum-boum fracassant. Ils commencent tôt, les négros...

— Jette ton feu, Caseck...

Il le jette, mais en pièces détachées. Pour commencer ce sont les pruneaux qu'il m'envoie. Il se voit foutu, il sait qu'il n'a rien à espérer, alors il tente l'impossible. La fille blonde cesse de ruer et devient toute chose contre moi. Elle a étouffé les pralines au passage. Moi, j'éprouve une cruelle morsure au côté. Cette vipère lubrique m'a touché malgré mon cataplasme humain... Je pousse la blonde en avant. Deux pralingues viennent à sa rencontre... Je cours droit à la mère Béru, laquelle pousse des cris qui fendillent le marbre de la cheminée. La prise de contact est sévère. Je file un coup de boule dans l'estom de la vioque pour l'obliger à tomber. Elle fait couac et s'écroule comme une bouse de vache. Me voici face à face avec le Tchèque.

Il est en train de mettre un chargeur de rechange dans son appareil distributeur. Il est tellement fébrile que sa main sucre les fraises. Il lève le pétard par le canon, voyant qu'il n'aura pas le temps matériel de le recharger. La massue, c'est son violon d'Ingres. Je prends un gnon qui m'arrache le cuir au-dessus de l'oreille gauche. Il me semble que je viens de recevoir l'*Empire State building* sur la margoulette. Ça vrombit sous mon bol. Une gerbe d'étincelles éclabousse ma raison. J'ai droit à la chandelle romaine et au grand soleil en supplément de programme. Je titube, mais la rage, la soif de vivre me font surmonter cette défaillance. Je m'annonce droit sur le mec. J'ai mon pétard à la hauteur de ma hanche. Je l'y tiens fortement plaqué pour que ça me serve de support, et je défouraille à tout va. Caseck se met à prendre une drôle de frime. Ses sacrées paupières de crapaud se soulèvent un peu, découvrant un regard blanchâtre.

Puis il marmonne je ne sais quoi dans je ne sais quelle langue et s'adosse au mur... Pendant qu'il joue son baisser de rideau, je récupère. La pièce est pleine de fumaga ; ça pue la poudre maintenant. Caseck a un léger hoquet. Il essaie d'attraper son ventre, mais il ne termine pas son geste et bascule de côté en raclant le mur. Bon baiser, à mardi, caresse aux enfants ! Il est *out !* Et même septembre et octobre ! Je suis maître de la situation. La brouette à Béru est évanouie.

Je m'approche du Gros. Il ne lui reste qu'un œil de disponible, mais il s'en sert pour examiner la situation. J'arrache son bâillon et tranche ses liens avec des ciseaux qui se trouvent sur la table de chevet.

Ils l'ont réparé, mon collègue !

— Te voilà bien de ta personne, Gros, fais-je tristement.

Il lui manque son dentier, plus une molaire qui était restée fidèle au poste. Il a un œil fermé, les lèvres éclatées, le nez écrasé et le front plus cabossé qu'une casserole ayant servi de ballon de *foot* à des poulbots.

Il gémit :

— T'est un homme, San-Antonio.

— Ça fait une moyenne, rouscaillé-je, car comme lavement on ne fait pas mieux que toi...

— Et ma femme ? soupire-t-il.

— T'as pas de pot, Gars, elle n'est qu'évanouie...

Il veut parler, mais je lui fais signe de ne pas moufter... Je délivre M. le pommadin qui, fraternellement uni à Béru, offre la même pauvre gueule ravagée. Après quoi je regarde Munhssen... Il est dans un état comateux. Il porte un pansement à la tête ; ses yeux ouverts ont la même inexpression que sur la fameuse photo qui a tout déclenché.

J'ai idée qu'il va avoir besoin de soins éclairés, ce pauvre homme.

A ce moment, apparition de MM. les cyclards enfin alertés par un voisin moins sourdingue. Ils ont le pétard au poing. Je m'empresse de leur crier qui je suis car, à la vue de ce carnage, ils sont prêts à distribuer leur bons points au premier qui bougera. Ma personnalité les ramène au sang-froid.

— Que s'est-il passé, monsieur le commissaire ?

— Vous lirez la suite demain, dans les journaux dignes de ce nom ! Prévenez les ambulances du quartier et faites soigner tout ce populo d'éclopés...

— Bien, monsieur le commissaire.

Je me sens tout bizarre. Ça doit être cette éraflure au côté... Je... je... je...

CHAPITRE XV

Bérurier s'explique.

Un régiment passe...

Il défile dans mon crâne et sa marche est scandée par un tambour. J'ouvre les châsses et j'avise, au bord de mon lit, Favier, le volcan humain en éruption.

Il me sourit.

— Nous sommes tout de même arrivés à nos fins, dit-il.

Tout en parlant, il joue une marche sur le bois de ma table de chevet et ce martèlement rythmé m'emplit la calbombe d'un vacarme affolant.

« Nous ! » Il a des pluriels qui paraissent singuliers, comme dit Bérurier. Enfin, moi, je veux bien...

— Favier, fais-je d'un ton pleurnicheur, cessez de vous prendre pour Lionel Hampton, vous me faites mal au bol.

Il s'arrête.

— Je suis allé à dame ? soupiré-je.

— Oui, il paraît. Vous avez pris une balle dans le côté, elle a heureusement devié sur une côte, mais quelques centimètres plus haut et...

— Je passe toujours à quelques centimètres du coquetier, fais-je.

— Dans la vie, c'est parfois comme dans les films, déclare Favier, le héros sympathique en réchappe...

— Ça va, les autres ?

— Oui. La mère Bérurier a regagné son domicile et son auguste époux est actuellement sur le billard pour deux côtes fracturées...

— Et... les autres ?

— Caseck est mort, la môme ne vaut guère mieux et le professeur sort lentement du coma artificiel où l'avaient plongé les piqûres qu'on lui faisait.

— Comment ça ?

— Il n'avait pas perdu la mémoire du tout à la suite de son accident. Du reste voici un câble que Pinaud vous adressait depuis Fredericia, Danemark...

Il me le lit.

Professeur Munhssen en pleine possession facultés suite accident, stop. Seconde infirmière suspecte, stop. Semblait en relations avec ton homme grosses paupières, stop. A propos paupières ai oublié mes lunettes au bureau, stop. Très regrettable car ici consommons beaucoup de poisson, stop. A part ça le moral est bon, stop. Téléphone à madame Pinaud qu'elle n'oublie pas l'échéance de la cireuse, stop. Amitiés.

Inspecteur principal Pinaud.

— C'est un type inouï, rigole Favier en repliant le message.

— Vous disiez qu'on faisait des piqûres à Munhssen pour l'anesthésier ?

— Oui, Caseck et la fille ne voulaient pas qu'il recouvre ses esprits. Le vieux aurait parlé... Alors ils lui injectaient continuellement un sédatif... A petites doses, mais de façon régulière. Si bien que le vieillard demeurait dans un état cotonneux.

— Je comprends alors pourquoi ils avaient besoin d'une complicité dans l'asile...

— Bien sûr...

Un toubib entre.

— Il faudrait laisser notre malade tranquille, dit-il à Favier.

Ce dernier se lève.

— Le toubib a raison. Au revoir, commissaire, je repasserai demain... Vous n'avez pas de commission à faire ?

— Prévenez ma mère que je suis légèrement blessé. Molo, hein ? Elle multiplie tout par cent lorsqu'il s'agit de son fils bien-aimé...

— Comptez sur moi.

— Câblez à Pinuche qu'il rentre...

— Entendu...

Il s'éloigne. Le docteur me tâte le front.

— Vous pourrez faire brûler un cierge en sortant d'ici, me dit-il.

— Entendu, doc. Ce sera quand ?

— Oh ! dans deux jours... S'il n'y a pas de complications.

— Il n'y en aura pas, je suis en béton. C'est pas la première balle que j'efface.

— J'ai vu, votre corps ressemble à une carte en relief de l'Himalaya !

Il s'efface, car on amène Béru sur un chariot. Les infirmiers gueulent : « Ho ! Hisse ! » et le flanquent sur le lit vide qui est à ma dextre.

— Comment se porte ce tas de graisse ? je leur demande.

Ils se fendent la calotte.

— On ne peut mieux. Il a pris un drôle de passage à tabac.

— Pour un flic, ça ne manque pas de sel, fait l'autre.

Son pote, qui est au courant de mon identité, le pousse du coude et l'imprudent vire au rouge homard.

Nous restons seuls, le Gros et moi. Un assez long moment s'écoule. L'effet de l'anesthésique se dissipe et il regarde autour de lui avec effarement.

— Où suis-je ? demande-t-il.

— A Bichat, Mec... T'as rien contre ?

— San-Antonio ? Comment, toi aussi ?

— Tu vois...

Il ne peut s'empêcher de balbutier : « Tura-bras », ce qui est bon signe.

J'attends un peu qu'il soit rentré en possession de ses moyens, et je l'attaque.

— Si tu m'expliquais un peu...

— Je sais tout, fait-il, doctoral.

— Peut-être, mais pas moi, je suis tombé sur un exemplaire mal paginé et il m'en manque un bout...

Il ferme son œil valide pour se concentrer. Puis il clape de la menteuse.

— Bon Dieu, soupire-t-il, si au moins ces vaches me filaient un coup de rouge ! Je la pile !

— Tu sais, le rouquinos c'est pas bien porté dans un hosto.

— Tant pis... Bon, faut que je te prenne ça tout au début...

— Y a intérêt.

— Quand tu m'as quitté, l'autre jour, si tu te rappelles j'avais oublié mon écureuil chez le brocanteur.

— Je m'en souviens.

— Je m'ai dit que cet enfoiré était capable de le brader. Alors je suis retourné le chercher. Je retrouve le vieux en pleine polka avec sa panthère... Je pousse mon coup de gueule pour les faire taire, je récupère mon rongeur et je vais pour me tailler lorsqu'il me vient une idée.

— A toi ?

— Oui.

— Dis donc, Gros, t'avais loué une cervelle de rechange, alors ?

Il essaie de hausser les épaules, gémit et y renonce.

— Ta gueule, laisse-moi pousuivre...

— Va !

— Voilà que je pense à un détail de ce qu'il nous avait dit, le marchand de pouilleries, lors de notre visite, aux deux...

— Quel détail ?

— Il a parlé de ce qu'il y avait dans la valise volée. Il a mentionné une trousse médicale, tu te souviens ?

— Oui.

— Il nous avait dit qu'il l'avait gardée...

Je commence à l'avoir mauvaise. Bonté, quelle couennerie j'ai commise en ne la réclamant pas au bonhomme.

— Alors poursuit le Gros, je la lui ai demandée...

— Je te reconnais bien là... Alors ?

— Dedans, y avait des tas de trucs médicaux, entre autres une boîte à piquouses. Dans cette boîte, il restait une ampoule vide de je ne sais plus quel produit. On avait oublié de la jeter. Sur cette ampoule se trouvait le nom du pharmacien qui l'avait vendue... Un pharmago de Boulogne-Billancourt. Je suis allé interviewer le bonhomme. Il avait vendu ces ampoules à une jeune femme blonde, en effet... Par un hasard formidable, son petit préparo se rappelait avoir vu sortir la fille d'une maison de l'avenue Victor-Hugo à Boulogne... Il m'a décrit la bicoque... Je suis t'été faire un viron...

— N'en jette plus, la cour est pleine... T'es arrivé dans la taule avec tes bottes d'égoutier, Caseck t'a aperçu...

— Qui ça, Caseck ?

— Grosses-Paupières...

Penaud, il balbutie :

— Oui, c'est bien ça. Comme je passais une porte, j'ai moulé un parpaing sur la noix. Je suis tombé... Alors ce salaud-là m'a filé la plus terrible toise que j'aie jamais reçue... Ça pleuvait partout : dans le bide, dans les côtes, dans la tête... Je me suis retrouvé beaucoup plus tard dans une cave, saucissonné...

— Bravo ! C'est vous le fameux policier ? Un policier pour noces et banquets, oui !

Il secoue la tête...

— Que veux-tu, c'était déjà beau d'avoir trouvé leur repaire...

— C'était beau, oui, conviens-je.

Satisfait, il poursuit :

— Il s'est passé du temps... Je me suis pas bien rendu compte. Et puis ils sont venus me chercher et ils m'ont questionné. Je t'assure que, nous autres, à la Grande Cabane, nous sommes des enfants de chœur pour ce qui est de poser des questions... Ces tantes me collaient du papier à cigarettes sur les joues et quand je voulais pas répondre, ils y filaient le feu... Vachement jouissif !

— J'essaierai, promets-je.

— Il m'ont forcé à dire qui j'étais, comme j'avais remonté l'affaire, et ce qui se passait. J'ai menti, je leur ai dit qu'avant de venir chez eux j'avais laissé des consignes pour toi et que mon chef allait radiner. Alors Caseck, puisque tu dis qu'il se blaze comme ça, Caseck m'a demandé si j'avais des enfants et où j'habitais... Je lui ai dit que je vivais seul avec ma femme. Il m'a alors dit qu'ils allaient se planquer chez moi, ils n'en avaient que pour deux jours... Tu parles d'un culot, j'ai jamais vu un mec aussi gonflé !

— Moi non plus. C'est du grand art...

— De nuit, on est allé à la cabane...

Il se tait, la voix cassée.

— Chez moi, y avait mon ami le coiffeur... Il vient souvent passer des veillées et...

— Écoute, Gros encouragé-je, tu ne vas pas me jouer la grande scène du deux, celle où le mari va se brûler la cervelle à l'eau bouillante ! Y a pas de mal à ça, Napoléon l'était aussi, si tu veux des références. Et puis d'abord tout le monde l'est, c'est de naissance !

Rasséréné, il poursuit.

— T'as raison. Bien, alors voilà Caseck qui commence à filer une avoine monumentale au coiffeur...

— Tu devais bicher, bonhomme ?

— Oui, admet-il, confus. Je ne suis pas un mauvais cheval, mais ça m'a fait plaisir. Du temps qu'ils y étaient ils ont balanstiqué plusieurs tartes à ma femme...

— Celles-ci, itou, t'ont ravi, non ?

— Merde, me psychanalyse pas toujours ! grommelle le Gros. Je peux y aller ?

— Va !

— Bon, on s'est retrouvés, le coiffeur et moi, sur le plancher, ligotés. Caseck a alors dit à ma grosse que si elle disait quoi que ce soit, si elle appelait, si elle essayait de faire la maligne, ils nous bousillaient, le pommadin et moi.

» Et puis Caseck est parti... Il est revenu plus tard en compagnie du professeur... Il est ressorti encore... Il est re-revenu... Voilà... La journée a passé, tu es providentiellement arrivé...

— Tu parles ! Il s'en est fallu d'un cheveu... Si ta veste ne s'était pas trouvée au portemanteau...

— Le plus poilant, dit-il, c'est que ce sont eux qui me l'ont ôtée pour pouvoir me ligoter plus serré. Ah ! j'étais ankylosé, mort !

Il se tait. Un instant plus tard, il roupille du sommeil du juste.

CONCLUSION

En claudiquant je pénètre dans le bureau du Vieux... Il s'empresse, contrairement à son habitude, me fait asseoir et me propose de quoi fumer.

— Mon cher San-Antonio, murmure-t-il. Vous avez fait une fois de plus de l'excellent travail.

— Merci, patron.

— Comment vous sentez-vous ?

— Mieux...

— Parfait.

Il se frotte les mains.

— Le professeur Munhssen a repris conscience, il a pu s'expliquer tant bien que mal. Son récit est assez confus... En gros, voici ce qu'il ressort. Pendant la dernière guerre, Munhssen a travaillé en collaboration avec un savant allemand, passé depuis au-delà du rideau de fer. Ensemble ils avaient entrepris des recherches concernant un explosif d'une puissance jamais égalée...

Le Vieux se rengorge. Le voilà parti dans les grands superlatifs maison. Il caresse son crâne ivoirin, lisse la peau brillante de ses paluches et poursuit...

— L'Allemand n'a pu aboutir dans ses recherches. Munhssen, si. Des propositions lui ont été faites de travailler avec son ancien collaborateur. Il a refusé, ne partageant pas les nouvelles opinions politiques de celui-ci... De la simple proposition, on en est venu aux menaces... On lui a dit que sa fille serait abattue aux États-Unis s'il refusait... Le malheureux a alors décidé d'en finir avec la vie. Il a voulu disparaître avec son invention et a provoqué la fameuse explosion qui a détruit son laboratoire et failli le tuer...

— Il s'est sabordé, quoi !

— Oui. Mais il s'est seulement blessé. On l'a soigné. Lorsqu'il a été mieux, il est retourné chez lui, soigné par une infirmière spécialisée. Celle-ci a eu l'accident que vous savez, alors les Caseck (car la femme blonde était celle du Tchèque) ont pris possession de la maison. Ils appartenaient à un réseau d'espionnage et avaient pour mission d'enlever Munhssen, ses adversaires ayant peur qu'il ne mît fin à ses jours.

— Je me doutais d'un truc de ce genre, chef !

Mécontent de cette interruption, il fronce les sourcils.

— Ils l'ont obligé d'annoncer à son entourage qu'il partait en convalescence... à écrire à sa fille... Bref, à se comporter en tout point comme s'il partait normalement.

» Une nuit, ils ont pris la route... Leur première étape devait être la France. C'était de là qu'un avion spécial devait prendre clandestinement le savant pour l'emmener au-delà du rideau de fer. Seulement les Caseck avaient d'autres ambitions : laisser se développer l'affaire et négocier une rançon, en France, avec le gouvernement danois pour la restitution de Munhssen... Ils ont commencé à mettre celui-ci en sécurité, vous savez où... Seulement, pour éviter toute indiscrétion de sa part, ils le faisaient droguer par la dame Berthier.

— Exactement ce que je pensais ! ne puis-je m'empêcher de lâcher.

Le Vieux fait « tsst tsst tsst » et continue.

— Naturellement le réseau de Caseck a dressé l'oreille quand le Tchèque a prétendu que le savant était intransportable. Rendez-vous a été donné à Caseck à Sarrebruck... Il a dépêché son épouse avec des photographies du vieillard pour prouver que ce dernier était dans un état critique... La suite, mon cher San-Antonio, vous la connaissez mieux que moi puisque vous l'avez vécue...

— C'est le prof qui vous a raconté tout ça ?

Il sourit...

— Le professeur et la femme Caseck... Elle est perdue, mais elle dit des mots sans suite dans son coma. J'ai fait placer à son chevet un traducteur tchèque qui sténographie toutes les paroles qu'elle profère. Ces dernières m'ont servi à étayer le récit de Munhssen...

Le Vieux me tend la main.

— Prenez huit jours de convalescence... J'aurai un travail pour vous la semaine prochaine.

Je lui serre les salsifis et me lève.

En gagnant mon bureau je pense bêtement à un minuscule détail. Pourquoi Caseck a-t-il téléphoné de Riva-Bella à la mère Berthier pour demander que sa femme aille le chercher en voiture puisque la fille blonde n'a pas quitté l'hôtel... Il pouvait la joindre directement, non ?

Je décroche le bigophone et j'appelle l'hôtel des Deux Ponts et de la République réunis. C'est la voix morne du taulier qui murmure :

— Allô !

Pour ne pas me perdre en préambule, je dis :

— Ici, le centre de la téléphonie. Vous étiez bien en dérangement, dimanche soir ?

Il y a un court silence. Après quoi la voix dit avec une légère pointe d'ironie :

— Oui, m'sieur le commissaire, j'étais en dérangement du samedi midi au lundi soir...

Un rire aigrelet et il raccroche...

Mince alors, j'ai une voix tellement identifiable, les potes ? Vous ne me l'avez jamais dit !

On frappe. Encore le standardiste.

D'un ton routinier il dit, laconique :

— C'est le câble Pinaud.

Je m'en saisis.

Me suis encore trompé avion retour, stop. Descendrai à Karachi, stop. Prière prévenir madame Pinaud, stop. Inutile me câbler ce que tu penses, stop. Je le sais.

Inspecteur principal Pinaud.

FIN

FAIS GAFFE A TES OS

CHAPITRE PREMIER

Première manche.

NOUS nous installons dans la petite salle de projections de la maison. Il y a une douzaine de fauteuils confortables. L'écran est un tout petit peu plus grand qu'une carte de visite vu le manque de recul.

Le Vieux se tourne vers la cabine de l'opérateur et fait claquer ses doigts noueux.

— Allez ! crie-t-il.

Bérurier, le troisième spectateur, ôte sa godasse gauche parce que c'est une habitude qu'il a contractée depuis ses débuts à la « Circulation ». Dès qu'il s'installe au ciné, il enlève ses pompes pour donner de la liberté à ses cors.

Une odeur de chaussette grimpe mollement jusqu'à nos tarins blasés. Le Vieux pince les lèvres avec écœurement.

Enfin l'obscurité se fait et le film se déroule. On voit un meeting d'avions. La bande n'est pas sonore et si ce n'était l'avant-gardisme des prototypes qui évoluent dans les nuages, on se croirait plongé à l'heureuse époque du muet.

En ce temps-là, lorsqu'on jouait *les Croix de bois,* y avait un peigne-cul qui imitait le bruit du canon en martyrisant une grosse caisse au bas de l'écran. Des fois, à la quatorzième séance, il s'assoupissait et le coup de ronfionfion venait au moment où le valeureux poilu roulait le patin 14-18 à la Madelon du coin.

L'objectif suit fidèlement les évolutions des zincs, mais, de temps à autre, pique sur la foule afin de capter les réactions des spectateurs. On voit des alignées de frimes attentives. Soudain le Vieux hurle :

— Stop !

La bande se fige sur une image et les gnaces groupés dans le champ restent bouche ouverte, les lampions écarquillés...

Le Vieux se lève alors. Il tient une longue règle à la main et il s'approche de l'écran. La règle levée projette un trait noir sur la toile. Elle se pose sur une face d'homme.

— Voilà l'homme ! déclare le chef.

Bérurier se dresse pour mieux voir. J'en profite pour filer un coup de savate à son soulier. La godasse va se baguenauder à l'autre bout de la petite pièce.

Je bigle l'écran. L'homme que la règle du Vieux nous désigne est un type de taille moyenne, d'âge moyen, avec un tas de choses moyennes qui sont, si j'ose dire, les caractéristiques du parfait espion.

Le visage est ovale, les cheveux, autant qu'on en puisse juger, sont gris. L'homme porte une moustache fournie, de genre britannique...

Tel un prof faisant une démonstration au tableau noir, le Boss commente :

— Un ancien déporté de guerre qui assistait à une séance au cinéma de son quartier a reconnu cet homme. Il est revenu trois fois au cinéma afin d'en avoir le cœur net.

» Enfin, certain qu'il ne se trompait pas, il a écrit à nos services pour nous signaler sa découverte. Nous avons visionné à notre tour la bande d'actualités indiquée et nous avons acquis la certitude que l'ex-déporté ne se trompait pas.

» L'individu que vous voyez ici se nomme Frank Luebig. C'était le bras droit de Himmler. Ce qu'il a fait durant la guerre lui aurait valu mille fois la potence lors du procès des criminels de guerre allemands. Quelques jours avant l'écroulement de l'Allemagne, il s'est tué — c'est du moins ce qu'on croyait jusqu'à présent — dans un accident d'auto. Sa voiture était tombée dans un ravin et avait pris feu. On avait sorti des décombres des corps carbonisés. A certains objets personnels, on avait cru identifier celui de Luebig. Il faut croire qu'on s'était trompé.

» Le fait que ce malfaiteur de l'humanité (voilà le Vieux qui se gargarise avec ses grandes phrases pêchées dans *Détective !*) soit vivant est déjà inquiétant. Mais le fait qu'il assiste à ce meeting d'aviation du Bourget est alarmant.

Il crie :

— Lumière !

La clarté crue des tubes de néon nous éclate dans la poire. Tous trois nous clignons des yeux. Enfin, nos mirettes s'accommodent de la lumière. Du reste, elles sont conçues pour ça !

Le Vieux nous fixe intensément.

— Le travail que je vais vous confier est délicat, dit-il. Délicat et... difficile. Cette bande filmée a été prise il y a exactement quatorze jours. Il faut coûte que coûte retrouver Luebig ! J'ai fait tirer des photos du personnage d'après ce film. C'est tout ce que j'ai à vous offrir comme base de départ... Ça, et la certitude qu'il y a quatorze jours il se trouvait au Bourget. Vous avez carte blanche !

Bérurier me regarde en faisant une grimace qui ravirait le chef de publicité des pilules Pink. Ensuite de quoi il se met à la recherche de sa godasse.

— En admettant que nous parvenions à le retrouver, commencé-je.

Paroles malheureuses ! Les narines du Vieux se pincent.

— Vous le retrouverez ! promet-il.

Il en a de bonnes, ce grand Chinois vert ! Les lattes sous son burlingue, ça ne lui coûte pas chérot, des présages de cet ordre... Il attend au milieu de sa forêt de téléphones en dessinant des canards à trois pattes sur le buvard de son sous-main ; tu parles, Charles !

— Bon, fais-je tranquillement, vaincu par sa confiance totale. Et après ?

— Après, fait le Vieux, il faudra savoir ce qu'il manigance...

— Et... après, patron ?

Il n'aime pas employer certains mots pénibles...

— Je considère que cet homme a beaucoup trop vécu...

Compris. C'est l'équarrissage qu'il veut, le Vieux... Probable qu'il a des ordres de M. Haut-Lieu !

Bérurier remise ses cors dans sa godasse récupérée.

— Bon, dit-il en soupirant. On va voir s'il y a moyen de moyenner...

— Les photographies ont été agrandies, dit le Vieux... Elles sont à votre disposition au laboratoire...

— Merci...

Il reprend :

— Inutile de faire la tournée des hôtels et autres garnis... J'ai fait présenter l'image par le service spécialisé, personne dans la région parisienne ne se souvient de cette tête...

Décidément, ça promet...

Il nous tend sa main fine, aux ongles ovales.

— A bientôt, et bonne...

Bérurier, l'interrompt, débonnaire :

— Prononcez pas le mot, patron, ça porte la cerise...

Le Vieux hausse imperceptiblement les épaules et quitte la salle de projection.

Nous restons seuls, le Gros et moi, devant l'écran d'un blanc laiteux... Ce carré de toile immaculé est l'image même de l'affaire telle qu'elle se présente. Du blanc... Une pâle figure surgie du passé, arrivée du fin fond de l'oubli, y a flotté un instant et s'est anéantie... Ça fait déjà quatorze jours de ça !

Et il faut que nous retrouvions ce visage flou et neutre. Nous avons mission d'arrêter un fantôme...

Je me tourne vers Bérurier. Il a une moue pensive aux lèvres. Son œil globuleux est noyé dans de l'extase. Son nez teinté par le beaujolais remue comme celui d'un lapin.

— Alors, Gros, je murmure, qu'est-ce qu'on raconte de neuf ?

Il soupire :

— Le temps va changer : mes cors me font mal !

CHAPITRE II

C'est devant deux grands blancs-cassis que nous étudions les photos de Luebig. Franchement, c'est un mec qui pourrait traverser votre salle à manger à l'heure du repas sans que vous songiez à lui jeter un coup d'œil. Il est terne, sans importance collective. A voir cette photo on ne pourrait jamais croire que le mec qu'elle représente a été une épée de l'Allemagne hitlérienne ! Sans hésiter, vous le classeriez dans les navetons de l'existence : ceux qui mettent des ceintures de flanelle et qui se lavent les pieds dans une bassine les veilles de première communion !

— Une vraie cloche ! souligne Bérurier qui s'y connaît.

J'étudie le portrait.

— Apparemment, oui, dis-je. Seulement, on ne peut pas se prononcer...

— Pourquoi, bonne pomme ?

— Parce qu'on ne lui voit pas les yeux. Je te parie une figure de proue contre une figure de c... que, chez ce gnacouet, tout se tient dans les carreaux. Rien dans les mains, rien dans les poches !

— Rien dans les poches, excepté un Mauser grand comme ça, émet Bérurier.

Il vide son glass, torche son mufle d'un revers de coude et demande :

— Entre nous et une glace à la framboise, t'as une idée du comment qu'on va le retrouver, ce zigoto ?

— Non, fais-je loyalement, pas la moindre... Et toi ?

Je rigole parce que des idées, Bérurier n'en a jamais eu et n'en aura jamais... je veux dire des bonnes.

— On remet ça ? propose-t-il. J'ai pas pu le savourer, ce blanc, en regardant la gueule du gars... Et puis, d'abord, il était cassé !

Il rit lourdement comme un bombardier qui décolle.

— Le Bourget, il y a quatorze jours, murmure-t-il, tu parles s'il a eu le temps de voir Naples et de mourir, le copain ! Quatorze jours à notre époque, ça laisse du temps pour voyager...

Je ne réponds pas, car je suis anéanti par cette tâche de titan.

Sincère, les potes, j'ai au départ le coup de pompe. Ce que le Vieux nous demande est presque impossible... Vous vous rendez compte d'un turbin ? Retrouver un mec qui se trouvait dans une foule il y a deux semaines. Un mec rayé de l'état civil...

Le second blanc ne parvient pas à tisonner mon abattement. Je soupire.

— Fais pas cette bouille ! implore Bérurier, ça me file le bourdon rien que de te regarder. On va aviser... Et puis, si on le retrouve pas, Luebig, il ira se faire cuire un œuf, tu n'es pas d'avis ?

A mes yeux réprobateurs, il voit que je ne suis pas d'avis. Vous allez dire que je suis glandouillard, mais qu'est-ce que vous voulez, j'ai horreur des défaitistes.

— Tu ferais mieux d'aller vendre du coton à repriser de porte en porte, grommelé-je. Si t'as cette conception du turbin, Gros, t'es bonnard pour la retraite anticipée.

Il rougit et, confus, murmure :

— Tu sais bien que je plaisante, San-A. On n'a jamais eu à me reprocher des galoups dans mon turbin, non ?

Je me radoucis.

— Non...

Satisfait, il s'épanouit.

— Voyons, fais-je, commençons par le commencement. Que sait-on d'effectif ?

— Il est allemand, dit Bérurier.

— Oui...

— D'après les renseignements, il parle couramment sept langues, dont le français. C'était un spécialiste de la baignoire... Il aimait les femmes et en changeait souvent...

Je hoche la tête.

— D'accord, mais c'est pas lerche comme tuyaux...

— Attends, fait le Gros, on a un détail plus récent et sans doute très important...

— Lequel ?

— Ben... Il s'intéresse aux avions, Luebig, à ce qu'il y paraît ?

Je fais claquer mes doigts.

— A te voir, Béru, je murmure, on aurait tendance á te prendre pour une portion de choucroute ; mais à t'entendre, on croirait presque que la choucroute est capable de penser...

Tout l'après-midi de cette journée mémorable nous cavalons dans les centres aéronautiques en brandissant la photo de Luebig sous les yeux de tous les gens que nous rencontrons.

Mais, le soir venu, nous nous retrouvons avec des mines allongées comme les portraits du Greco. Ça n'a rien donné. Il semble que personne, en France, n'ait aperçu l'Allemand ressuscité ; en tout cas, personne ne l'a remarqué. Probable que s'il s'intéresse aux avions, c'est uniquement comme spectateur...

Assez déprimés, nous nous serrons la louche en nous disant : « A demain. »

Je regagne mon pavillon de Saint-Cloud mornement, mécontent de moi et des autres.

Félicie, ma brave femme de mère, m'accueille avec un sourire large de soixante-cinq centimètres. Il est rare que je rentre pour dîner, du moins à des heures régulières.

— Ça ne va pas ? s'inquiète-t-elle soudain en s'avisant de ma bobine catastrophée.

— Ça pourrait mieux aller...

Nous nous mettons à table afin de consommer son veau Marengo. Comme j'ai besoin de parler, je lui bonnis la mission dont je suis chargé.

Elle m'écoute gravement, comme si j'étais la voisine d'en face et que je lui raconte la rubéole de mon petit dernier.

Puis elle hoche la tête et se remet à mastiquer silencieusement. Je me dis qu'elle est bien bonne de prendre cet air tendu. Probable qu'elle fait semblant de compatir. En réalité, elle pense à la nouvelle recette des œufs pochés princesse qu'elle a lue dans le *France-Soir* d'hier...

Les femmes, qu'il s'agisse de vos vioques ou de vos nanas, sont toutes les mêmes. Vos affaires, elles s'en tamponnent la coquille. Ce qui importe pour elles, ce sont leurs petites couenneries. Pour les jeunes, c'est le nouveau hâle solaire ; pour les vioques, les dernières laines de la Redoute ! On n'y peut rien, c'est le genre humain qui est commak. Si vous avez des réclamations à formuler, prière de les adresser sur carte postale à M. le Créateur dans le secteur Azur.

Soudain, Félicie pose son couteau sur le bord de son assiette. Elle boit une gorgée d'eau minérale et se mordille l'ongle du pouce droit.

— En somme, fait-elle, cet homme est introuvable parce qu'il n'est pas descendu dans un hôtel. De deux choses l'une : ou il a un appartement particulier, ou il n'était que de passage en France.

— Voilà, conclus-je, un rien sardonique, mais content cependant de voir Félicie s'intéresser à mon cas.

— S'il a un domicile particulier, peut-être le partage-t-il avec quelqu'un... Une femme, puisqu'il les aime, dis-tu...

Là, elle rougit comme doit le faire une honnête femme.

— Oui, c'est possible, et même probable, car c'est là une habitude dont on ne se défait pas facilement.

Elle continue.

— Un meeting d'aviation a lieu un dimanche, n'est-ce pas ?

— En général...

— Or un couple ne se sépare pas un dimanche, toujours en général, ajoute-t-elle en souriant.

Je fronce les sourcils, ne pigeant toujours pas où elle veut en venir. Mon incompréhension l'afflige. Elle se dit que son superman de fils est en réalité le roi des bouchés à l'émeri.

— Continue, m'man...

— Je veux dire, fait-elle, se demandant si son raisonnement est valable, je veux dire, Tonio, que cet homme était peut-être en compagnie d'une femme à ce meeting. Vous n'avez regardé que sa figure à lui sur le film, mais il y avait peut-être à ses côtés quelqu'un d'autre... Quelqu'un qui serait des fois plus facile à retrouver que lui.

Je pose lentement ma serviette sur la table. Je me lève.

— M'man, fais-je, tu as pour fils le cornichon le plus volumineux de Paris et de sa périphérie !

— Où vas-tu ?

— Où veux-tu que j'aille, voyons ? Visionner ce film... Tu es une championne de la déduction.

Elle soupire. Elle regrette son exposé qui écourte son repas.

CHAPITRE III

Je mets le feu à la strass en voulant à tout prix récupérer l'opérateur du labo. Enfin, on parvient à contacter le mec chez lui par le bistrot d'en bas et il radine, rouscaillant parce qu'il devait aller voir *la Route fleurie* avec sa femme et sa belle-doche ! Lui, Bourvil, c'est son superman. Il dort avec sa photo sous son traversin.

Je le laisse vitupérer dans sa cabine après lui avoir demandé de me passer le film en stoppant chaque fois que je le lui ordonnerais.

Retour au meeting. On arrive à la bouille de Luebig. Je glapis

« stop ». La bobine s'arrête, ce qui me permet de repérer celle de l'espion. Il est dans un paquet de quidams et tous lèvent la hure à s'en ficher le torticolis. C'est fatal, puisqu'ils regardent des avions. Il y a des femmes dans le groupe, mais pour savoir si l'une d'elles est en compagnie de Luebig, c'est midi... Et même midi et quart ! Lorsque des gens sont intéressés par un spectacle, ils oublient la présence des êtres chers.

— Continue ! je gueule.

Le film se poursuit. Il y a un temps mort. Le visage de Luebig disparaît. La bande s'achève sans qu'on le retrouve. Ça n'était vraiment qu'un éclair sur l'écran. Le déporté qui l'a repéré n'avait pas les lampions dans sa poche revolver, je vous l'annonce ! Un peu aiguë, la vue du monsieur... Le regard d'aigle vérifié par les frères Lissac ! On peut l'enrôler dans l'aviation pour le repérage !

Le gnace de la cabine passe sa tête par un guichet qui lui permet de communiquer avec la salle.

— Ça boume ? il me demande.

Mon air préoccupé lui fait rengainer sa rancœur.

— Passe-moi la bande encore un coup, fils !

— Vous y prenez plaisir, grommelle-t-il.

— Je ne m'en lasse pas, fais-je. Je veux apprendre les paroles !

Comme la bande est muette, il comprend que c'est une facétie et il la trouve déplacée étant donné l'heure industrielle, comme dit volontiers Bérurier.

J'ai tout de même droit à une seconde séance. Il arrête au « stop » habituel.

Je bigle vachement la foule proposée à mon œil de faucon.

Luebig paraît seul. Derrière lui il y a une femme, de trois quarts. Devant lui une autre. A côté, des hommes : un petit vieux sur sa gauche, avec des lunettes d'écaille ; un gros joufflu à droite.

— Bon, écoute un instant !

L'opérateur se pointe.

— Fais-moi tirer un agrandissement de ces cinq personnes, lui dis-je. Dis au labo de faire fissa. Je veux ça d'ici à une heure, j'attends dans mon bureau. Toi, tu peux aller rejoindre Bourvil.

Content d'être débarrassé de moi, il met les adjas en sifflant.

Je vais ligoter les journaux du soir, les nougats sur mon

burlingue, en attendant qu'on me développe le bout de film commandé.

J'en suis au douze cent quatre-vingt-cinquième épisode d'*Arabelle, la dernière sirène*, lorsque Mongin, le petit préparo du labo, entre dans mon bureau, surexcité. Il tient une photo de format grandissimo à la main. C'est tout frais et ça se gondole comme une matinée enfantine à Medrano.

— Je viens de découvrir un drôle de truc, fait-il.

Je le regarde. C'est un grand gars rouquin comme une botte de carottes avec un nez tellement gros que, lorsqu'il se mouche, il a l'impression de serrer la main à un ami !

Le genre de petit mec qui veut arriver et qui ne rechigne pas pour faire des heures supplémentaires, vous pigez ! Il raterait l'enterrement de son grand-père pour cirer les pompes de ses supérieurs.

— Quoi, mon vieux Mongin ?...

Il met le doigt sur le petit vieux situé à gauche de Luebig.

— Cet homme-là...

— Oui ?

— C'est lui le mort du passage à niveau de Villennes.

Je renifle posément, histoire de donner du dégagement à mes éponges.

— J'arrive de vacances, lui dis-je, et je n'ai pas bouquiné les baveux de ces quinze derniers *days,* accouche un peu...

— On a retrouvé le cadavre de ce vieillard il y a dix jours, sur la ligne Paris-Rouen, à la hauteur du passage à niveau de Villennes.

— Voyez-vous ! Crime ?

— On ne sait pas... Il était déchiqueté... On penchait plutôt pour l'accident ; le vieux habitait, dans le coin, une petite bicoque délabrée au bord d'un bras de Seine. Miro comme il était et sourdingue, rien d'étonnant à ce qu'il ait voulu traverser la voie au moment où le dur s'annonçait...

Je médite... Peut-être s'agit-il d'une coïncidence, mais l'expérience m'a appris à me méfier des coïncidences.

— Tu me donneras l'adresse de ce zig et son blaze...

— Facile...

— Tu n'as rien à branler maintenant ?

— Je rentre chez moi. J'étais resté pour terminer une expertise.

— Ça t'ennuierait de jeter un regard aux sommiers pour voir

si tu trouves dans nos fichiers un des zouaves qui sont là-dedans ?

— Pas du tout...

— Je t'attends là...

Il s'éclipse, heureux de rendre un nouveau service à une légume de mon importance.

Je reste en tête à tête, avec une feuille blanche. Rien de plus évocateur, rien qui vous excite davantage l'imagination.

Je prends une pointe Bic. J'écris : Luebig... C'est un nom qui m'excite, sans que je sache pourquoi... Je le récris en caractères couchés, puis en imprimés...

Je réfléchis. A côté de ce mystérieux personnage se tenait un petit vieux qui devait se faire ratatiner par un train quelques jours après le meeting.

Sur ce, Mongin se la radine, l'air suave.

— Rien de neuf, fait-il. Aucun des cinq personnages de la photo ne figure aux sommiers. Pourtant, je viens de faire une constatation.

Je ne bronche pas. Entre Mongin et Félicie, j'arriverai à un résultat. Ce soir, mes cellules grises ont campo, ce sont celles de mon entourage qui font du rab.

— Vas-y...

— Je viens d'examiner la photo à la loupe...

Il me tend la loupe.

Je me la branche sous le pifomètre. Et j'ouvre grandes mes lentilles pour essayer de ne pas être plus truffe que mon subordonné.

Je tombe pile dessus, ce qui me satisfait doublement. La femme qui se trouve devant Luebig porte sur la tête, car le temps était spongieux ce jour-là, un capuchon en tissu écossais.

Or Luebig tient sous le bras droit, celui qui est caché, quelque chose qu'on aperçoit à peine et qui doit être un imperméable de dame. Cet imper est écossais itou. Conclusion, on peut parier une heure d'oubli contre *Vingt Ans après* (d'Alexandre Dumas père) que, suivant les déductions savantes de ma brave femme de mère, Luebig se trouvait bien en compagnie de la bergère placée devant lui. On la voit de profil. C'est une femme assez grande, plutôt jeune, car elle est mince, mais qui doit pourtant draguer autour des trente-huit carats.

— Mongin, fais-je, tu es l'homme qui remplace le céleri en branche. Sois un amour, tire-moi la gonzesse ci-jointe toute seule. Agrandis-la encore si tu peux, je veux me la faire mettre sous verre...

Il rit.

— Entendu.

— T'as pas bouffé ?

— Pas encore, mais ça n'a pas d'importance...

— On ira consommer quelque chose de léger après, promets-je. Une choucroute garnie par exemple !

Il s'éloigne en se tordant comme un morceau de carton mouillé.

Pas gland, ce Mongin. Il est vrai qu'il a du nez. Un tarin comme le sien pourrait faire une belle carrière comme patate dans un champ de betteraves.

Dix minutes plus tard, il s'amène avec une nouvelle épreuve.

— Voilà...

Je regarde la souris. Elle est choucarde. Gentil petit lot. A moins que sa poitrine ne se gonfle avec une paille, elle a ce qu'il faut pour garnir une main inoccupée.

Elle doit être blonde ou châtain clair, si j'en juge par les mèches qui dépassent le capuchon... Elle porte un tailleur de tweed... C'est tout.

Je cloque le portrait avec la photo du groupe dans une grande enveloppe commerciale. Puis, saisi par la bougeotte, je me lève.

— Tu viens, fils ?

— Le temps de poser ma blouse, monsieur le commissaire.

— Tu as pensé à me trouver l'identité du vieil écrasé ?

— Tenez, la voici.

Je lis sur la feuille qu'il me tend :

« Théodore Schwob, 12, chemin des Saules, Villennes. »

Brusquement me voilà plein d'entrain. Je trouve que la vie est belle, les femmes bien roulées et l'avenir éclairé par une lumière bleue.

— Sus à la choucroute ! dis-je, comme Mongin revient.

Il m'emboîte le pas, confiant dans le destin de la préfecture de police !

CHAPITRE IV

Il est près de minuit lorsque je regagne ma crèche au volant de ma bagnole. J'ai la citrouille pleine d'idées, toutes plus biscornues les unes que les autres ! Des idées, je vais vous dire, il en faut. Dans mon métier elles sont même indispensables ; seulement, quand il y en a trop, on chope facilement une migraine de génisse !

J'arrive au bois de Boulogne et je vais pour piquer sur Saint-Cloud, lorsque je remarque le clair de lune. Il est presque aussi important que celui de *Werther.* C'est pas de la gnognote ! On dirait que la lune s'est branchée sur le courant lumière. On y voit comme en plein jour... Il fait bon rouler...

Alors, histoire de faire passer la choucroute, je m'offre l'autoroute de l'Ouest... Peu de circulation... Quelques représentants de retour de province foncent sur la capitale... Moi, je roule en père peinard, un coude passé par la portière...

Vingt minutes plus tard je débouche à la sortie de cette voie, où une rangée de lampadaires donne au croisement l'aspect d'un film de Carné, et je chope la route conduisant à Villennes-sur-Seine.

La Seine est rutilante sous les étoiles... Elle glisse somptueusement dans un miroitement couleur d'écailles...

J'arrête ma guinde à un croisement, près de la berge, et je me repère. J'ai un bol fou, car je suis juste à l'entrée du chemin des Saules qu'habitait le vieux Schwob...

Derrière moi, il y a le passage à niveau où l'homme se fit ratatiner par un rapide... Je laisse ma voiture sur le bord du fossé et me mets en quête du numéro 12... Pas marle à dénicher... C'est une petite construction sans étage, couverte d'ardoise... M'est avis qu'il s'agissait d'un pavillon de chasse situé au fond d'un parc. La voie ferrée a coupé le parc et on a vendu le morcif de terrain avec la masure. Schwob l'a fait réparer, il y a un certain temps, car elle n'est plus très fraîche...

Les volets sont clos... Dans la lumière blafarde de la lune, ce pavillon a quelque chose d'inquiétant. J'ai comme l'impression de l'avoir déjà vu sur la couverture de *Mystère-Magazine !*

Sans façons (la façon n'est pas fabriquée dans mes ateliers), je pousse le portillon de bois, lequel se laisse faire une douce violence. Je suis une allée semée de gravier pointu que la mauvaise herbe tapisse déjà et je gravis les deux marches d'un perron symbolique. Une porte ! Mon sésame en a raison en deux temps, trois mouvements...

Je pénètre dans le pavillon. Ce dernier ne se compose que de deux pièces et une cuisine. Il y a une chambre et une salle à manger, avec, chose curieuse, un lit de fer dans cette dernière. Le lit est fait, ce qui prouve que quelqu'un y pieutait voilà peu de temps. Celui de la chambre étant également fait, je conclus que deux personnes au moins piogeaient dans ce gourbi... Je suis prêt à vous parier une lampe Pigeon contre une usine à gaz que la seconde personne n'était autre que Luebig... Il y a des moments où mon bocal émet sur ondes courtes. Je vois des choses par-delà les choses... A côté de moi, le fakir Duchenock passe pour un marchand de rahat-loukoum.

Je farfouille scientifiquement. Dans la taule, il y a plein de papiers tue-mouches, ce qui m'émeut, car ça me rappelle ma jeunesse. Je ne sais pas si vous l'avez remarqué, mais le papier tue-mouches est en voie de disparition. Maintenant on se les farcit à la plaquette Vapona, les mouches... Mais les autres fois, il en allait autrement, comme on dit à l'Académie française ! Je me souviens que, le samedi, Félicie changeait les papiers gluants. On décrochait les noirs pour en mettre des neufs. C'était vachement jouissif de les étirer... Je guettais la première bestiole qui allait s'embourber les lattes sur la bande vierge... Elle s'étirait à en crever, puis se prenait les ailes et menait un raffut du tonnerre de Zeus ! Ah ! oui, c'était le bon temps. On menait une vie pépère ; le kil de rouge valait vingt-cinq sous et pour dix balles on montait une nana rue Caumartin... Enfin, pas d'attendrissement, ça n'est ni l'heure ni le lieu. Seulement, ces saloperies de papelards sont fixés trop bas et je suis obligé de me détrancher pour ne pas m'y coller les tifs.

Cette idée de tifs collés m'en amène automatiquement une autre. Je vous le dis, les gnaces, ma centrale fait du turbin à la chaîne ! Ça défile sous ma coupole comme les bandes de papier perforé dans une machine à sténographier.

Je regarde le bas des bandes de papelard et, effectivement, je constate qu'il y a çà et là des cheveux plaqués dessus. Les habitants de la carrée se sont laissé avoir par la glu... Je déniche quelques tifs blancs et d'autres bruns... Puis, et ça m'intéresse, deux longs cheveux roux... Des cheveux teints, car la racine est foncée... Bref, des cheveux de femme...

A ce moment, je stoppe mes investigations, car j'entends comme un glissement au-dehors. Je prête l'oreille : rien.

Je glisse mes trouvailles dans une vieille enveloppe de mon percepteur. Ensuite je poursuis mes recherches... Dans la cuisine il y a un lavabo avec une armoire de fer au-dessus. Dedans, des objets de toilette. Je déniche deux brosses à dents... Un flacon d'eau de Cologne de luxe « pour un homme ». Je doute que le vieillard se soit parfumé car, si j'en juge par l'état délabré des lieux, il devait pas se cailler le raisin pour des questions d'élégance.

J'ouvre les armoires. Il n'y a que des fringues usagées. Les fringues d'un même personnage, celles du père Schwob très certainement... Au bas de l'armoire, il y a des paires de pompes, j'en avise, des nu-pieds, d'une pointure nettement supérieure aux autres. Sans doute un oubli du pensionnaire mystérieux. Je les enveloppe dans un morceau de papelard à la traîne et les colle sous mon bras. Ça m'apprendra au moins la pointure de Luebig, si c'était Luebig qui logeait céans.

Sur un buffet, une coupe rococo en porcelaine bleue... Dedans des paperasses... Ce sont des notes de gaz et électrac, des factures de boucher... Je remarque que les côtelettes de veau étaient commandées par deux...

Je m'empare de ces notes. J'enfouis ça pêle-mêle dans mes vagues, me promettant de les examiner de plus près par la suite...

Je fouille les fringues de la penderie, mais sans résultat. Elles ne contiennent rien d'essentiel, aucun papier sinon des lettres de fournisseur adressées à Théodore Schwob...

Satisfait de ma visite nocturne, je quitte la casba après l'avoir poliment reverrouillée derrière moi.

Je viens de faire un nouveau pas en avant.

Félicie n'est pas encore zonée...

— Debout à cette heure ! je lui fais en entrant.

— Oui, je voulais savoir... J'en ai profité pour faire ma vaisselle. Alors ?

— Tu avais raison, m'man... Parfois je me demande comment il se fait que je sois si intelligent, maintenant je sais : je tiens de toi. C'est l'hérédité qui parle...

Elle rit.

— Une femme ?

— Et peut-être aussi un homme... Coup double. On pensait que mon type était seul au meeting, en réalité, il s'y trouvait dûment accompagné...

— Tu veux manger quelque chose ?

— Non, sans façon...

Je pose ma provende sur la table. Un à un j'examine les papiers prélevés dans la coupe de porcelaine. Ils m'apprennent que le vieux se fournissait à Villennes et qu'on le livrait à domicile... Demain faudra que je fasse une petite tournanche des commerçants...

Outre les factures, je dégauchis un reçu de teinturier. Dessus il y a « un complet de flanelle grise ».

Ça m'intéresse bigrement, parce que la flanelle, le vieux devait la porter à même la peau... Ses costars à lui étaient taillés dans des tissus plus pouilladins...

Je note l'adresse du teinturier. C'est rue Saint-Lazare... Faudra que j'aille dire un bonjour également à ce digne commerçant.

— Content ? me demande Félicie.

— Ravi... Je crois que tu m'as branché en direct sur la bonne voie...

Un doux éclat satisfait illumine son regard. Elle ôte son tablier et frotte sa jupe afin de la défroisser.

— Tu dis que cet homme était le bras droit de Hitler ?

— Pas de Hitler, de Himmler... Le grand manitou de la Gestapo.

Elle hoche la tête.

— Alors, si tu le retrouves, prends bien garde à lui, mon grand, cet homme doit être dangereux...

— T'en fais pas, m'man, j'en ai blousé d'autres...

Elle médite un instant et murmure :

— Et s'il était devenu un être normal ? Rien ne prouve qu'il ait une mauvaise activité. Depuis la guerre il a pu faire un retour sur lui-même.

— Quand les zigs comme lui font un retour sur eux-mêmes, c'est qu'ils viennent de prendre un chargeur dans les tripes, m'man...

CHAPITRE V

Le lendemain il fait beau. Ça me met de bonne humeur. J'avale un bol de café et reprends la route de Villennes pour en finir avec cette histoire de commerçants.

J'ai le bol de trouver la bouchère de Schwob, son boucher, le garçon boucher, le livreur et une série de quartiers de bœuf...

Tout ce petit monde débite de la barbaque avec entrain en fredonnant le dernier succès d'Aznavour.

J'arrive avec ma carte de flic à la main exactement comme une mouche à miel dans un bol de lait. Je perturbe l'atmosphère...

Ils écoutent mon baratin en se grattant le dos avec leurs coutelas.

Le boucher est un gros zig au bord de l'hémorragie cérébrale et sa nana est prête à faire fondre à feu doux un nid de petits oignons.

— Oui, M. Schwob était un client... Il mangeait de la viande tous les jours depuis qu'il avait quelqu'un chez lui.

Je m'adresse au livreur, un gamin boutonneux qui doit planquer des journaux pornos sous la selle de son triporteur.

Je produis la photo de Luebig.

— C'est bien le monsieur qui habitait chez Schwob, n'est-ce pas ?

Il file un coup de saveur et secoue négativement la tête. Je sens alors mes espoirs se flétrir comme un cactus parachuté sur le cercle polaire.

— Pas du tout, dit-il.

J'insiste.

— Tu en es bien certain ?

— Et comment, l'homme qui habitait chez Schwob, je l'ai vu plus de mille fois ! Il me filait la pièce quand je livrais... Il pouvait avoir quarante ans !

J'en suis malade de déception. Si je m'écoutais, je m'assiérais sur la pointe du fusil à aiguiser.

— Comment était-il, cet homme ?

— Grand... roux...

— Roux ?

— Oui...

— Il portait les cheveux longs ou bien était-il coiffé à la Marlon ?

— Il avait les cheveux longs...

— Un accent étranger ?

— Non...

— Tu n'as jamais entendu son nom ?

— Son prénom seulement... Il s'appelait Germain...

— Comment le sais-tu ?

— M. Schwob, un jour, qui lui a demandé s'il avait de la monnaie.

— Tu dis qu'il était grand... Qu'appelles-tu grand ?

— La tête de plus que moi.

Comme le porteur d'escalopes est d'une taille très honorable, je dois convenir que le rouquin en question était effectivement de haute taille.

—Tu ne vois rien d'autre à me dire ?

— Non...

— Pas de femme à la maison ?

— Je n'en ai jamais vu !

— Ça faisait longtemps que ce Germain habitait chez Schwob ?

— Deux mois environ...

— Il sortait dans le village ?

— Non, jamais il ne quittait la maison. Il était pâle comme s'il relevait d'une grave maladie...

— Tu n'as aucune idée des liens qui l'unissaient au vieux ? C'était un parent ou un ami d'après toi ?

— Je l'ignore... Vous savez, je passais en vitesse, bonjour, bonsoir...

— D'ac... Je te remercie, tu n'es pas bête...

Le compliment le fait rougir et comble d'aise le louchébem qui y voit un fleuron de plus pour sa maison.

Je quitte les marchands d'animaux morts. Je suis pensif... Toujours... Lamartine, à côté de moi, aurait l'air d'un petit étourdi.

J'allume une cigarette qui ne me fait aucun plaisir. Voilà déjà des bâtons dans les roues ! Ça boumait trop bien au départ, fallait s'attendre à du contrecarre !

Je suis obligé de me ranger sur ma droite parce qu'un camion gros comme le Palais des Sports obstrue la chaussée. Je m'aperçois alors que je suis pile devant la gendarmerie nationale au fronton de laquelle flotte un drapeau de couleurs indéfinissables.

Je mets le frein à pogne et je descends. Un gendarme à moustaches et aux manches ornées de sardines m'accueille avec un regard soupçonneux.

— C'qu'v'v'lez ? s'enquiert-il en paraissant regretter que cette question ne comporte pas de « r » qu'il eût pu rouler.

Je lui montre ma carte. Il salue aussi militairement que possible et un sourire fétide (ses douze dernières dents sont cariées) s'épanouit sous sa moustache.

— Enchanté, m'sieur le commissaire, entrez donc...

Je m'insinue dans une pièce qui sent la vieille affiche de mobilisation générale moisie et la mouche morte...

Une chaise dépaillée s'offre à mon postérieur démocratique. Je les mets en contact.

— J'v's'écoute, m'apprend le moustachu.

Je croise mes paluchettes sur mes genoux.

— Dites, brigadier, l'affaire Schwob, c'est vous qui vous en êtes occupé ?

— Zoui.

— Bon, alors c'est moi qui vous z'écoute...

Il fronce ses sourcils jusqu'à ce que ces derniers se soient unis pour le meilleur et pour le pire !

— On nous a prévenus qu'un cadavre gisait sur la voie ferrée... C'est une équipe de vérification qui l'a découvert à six heures du matin... J'y suis t'été immédiatement...

— Et alors ?

— Le *de cujus* était déjà identifié par les quidams se rendant à leur travail... Schwob : un vieux type qui habitait au bord de Seine...

— Je sais. Qu'avez-vous fait ?

— Les premières constatations. Le défunt ne portait aucune trace de violences, sauf celles évidemment que lui avait provoquées le train... Nous avons néanmoins alerté les autorités intéressées, à savoir le commissariat de Poissy.

— Vous êtes-vous rendu chez Schwob ?

— Zoui.

— Y avait-il quelqu'un chez lui ?

— Absolument personne... Il vivait seul, je vous l'ai dit...

— De la famille ?

— Non...

— Pourtant on m'a signalé que, depuis quelque temps, il hébergeait un grand type roux...

— Sans blague ?

Pas fiérot, le brigadier.

— C'est comme j'ai l'honneur de vous l'apprendre. Dites, votre enquête a dû être sommaire...

Il lisse ses bacchantes d'un air contristé.

— J'ai fait mon devoir...

— Bon, alors bravo !... Salut !

Je me casse en laissant le pandore en pleine perplexité.

Cette fois, c'est du Paname sur mesure qu'il me faut. M'est un tantinet avis que je me carre le doigt dans le baigneur en m'occupant de Schwob. Illico, parce qu'il se trouvait au côté de Luebig au métinge, j'ai cru qu'ils faisaient derche et limace ! J'ai tendance à vouloir assembler les morcifs de puzzle coûte que coûte, ce qui est mauvais pour la logique. Or, dans mon bizness, on ne fait rien sans la logique, c'est ainsi !

Oui, faut mouler cet os ; seulement, on ne peut nier que cette histoire Schwob, même dissociée de l'histoire Luebig, est troublante comme un vieux film de Marlène Dietrich...

Un gars piogeait chez le vieux, qui a disparu lorsque le père Schwob a été passé au presse-purée ! Louche, ça : très louche !

Louche aussi qu'un bonhomme habitant depuis des années en bordure de cette voie ferrée se laisse écraser comme un vieil excrément... Je vais toujours refiler mes tuyaux à qui de droit ; ils peuvent conduire à quelque chose d'intéressant. Je suis persuadé que le fameux rouquin prénommé Germain aurait des révélations captivantes à faire...

Avant d'abandonner complètement cette piste, je me rends chez le teinturier où Schwob porta un costar. Je tends la fiche et on décroche d'un cintre un bath complet de flanelle grise. On me l'enveloppe et je fonce à la grande carrée où le Bérurier des familles tourne en rond.

— Alors, mugit-il en faisant virevolter ses paluches épaisses comme des tourteaux, comme ça, monsieur le commissaire de mes choses fait la grasse matinée... Il paraît qu'on ne peut plus se tirer des toiles !

Je considère sa face de grosse gonfle avec tant d'acuité qu'il s'arrête de débloquer.

— Bérurier, lui fais-je, j'ai toujours eu l'absolue certitude que tu étais le prototype même du cornichon. Cette vérité étant évidente, inutile de nous en administrer la preuve à chaque minute de ta pauvre existence.

Sur ces éminentes paroles, je flanque le costume de flanelle sur le burlingue et j'arrache le papier qui l'enveloppe.

Le costar est celui d'un homme moyen... A coup sûr, Schwob n'aurait pu l'endosser, *because* sa petite taille et sa brioche de notaire... Son hôte le rouquin non plus, s'il avait la tête de plus que le garçon boucher de ce matin... Alors ?...

Par acquit de conscience, j'explore les poches. Elles sont vides, mais l'une, celle du briquet, à l'intérieur, est percée. J'agrandis l'orifice et je farfouille sous la doublure... Bien m'en prend, car mon médius entre en contact avec un petit morceau de papelard... Je l'extrais et constate qu'il s'agit d'un ticket de tramway. Ce ticket est imprimé en espagnol et, si mes connaissances de la langue de Cervantès sont précises, ce morceau de papier a été en cours sur une ligne de Barcelone. Je lis en effet : *Plaza Colon.*

Bérurier me regarde agir.

— C'est pas un costume à toi, ça ?

— Non, mon bijou...

— A qui appartient-il ?

— Peut-être à Luebig...

Ce que j'avance là, c'est pas du flan. D'un seul coup, l'arrivée de ce costar, puant le détachant, me rebranche sur mes doutes du départ. Puisqu'il n'appartenait ni au vieux ni au rouquin, il désigne donc la présence d'un troisième larron. Ce troisième homme, je suis tout prêt à l'appeler Luebig... Ça marcherait tellement !

— Bérurier revient de sa stupeur comme on revient de voyage de noces, c'est-à-dire complètement flagada.

— Qu'est-ce que tu racontes ?

— Je raconte que pendant que tu te faisais du lard dans les bras de la mère Bérurier, moi, j'ai bossé... Tu comprends, eh, espèce de tas !

— Je te fais remarquer que je suis poli, souligne-t-il en se drapant dans ses deux cent vingt livres de dignité.

— Et moi, je te fais remarquer qu'entre toi et une classe d'anormaux, il n'y a qu'une différence quantitative...

Suffoqué, il s'abîme dans un océan de rancœur.

Pour lui prouver la classe de San-Antonio, je lui relate par le menu mes faits et gestes depuis que nous nous sommes séparés, la veille. J'omets par hasard de porter à l'actif de Félicie l'idée lumineuse au sujet des gens pouvant accompagner Luebig au meeting, et la découverte non moins éblouissante de Mongin relative à l'imperméable écossais...

— M..., dit sans chaleur mon interlocuteur, faut avouer que t'es pas manchot du ciboulot...

— J'ai pas à me plaindre...

— Tu penses que Luebig serait en combine avec le petit vieux en question ?

— Je le pense... Une intuition. Y a des moments je suis comme les gonzesses : je marche au radar...

Il réfléchit encore un moment.

— San-Antonio, fait-il.

— Je suis prêt au pire, vas-y, parle !

— Quoi que tu en penses, moi aussi, j'ai travaillé, hier soir...

— Qu'as-tu fait, toi que voilà ?

— Dis, dans quel ciné il les a vues les actualités, le déporté ?

— Je ne sais pas...

— Alors, sache-le...

— Qu'est-ce à dire ?

Il m'interrompt du geste et de la voix.

— Lorsque tu le sauras, vas-y et fais-toi projeter la bande en question...

— Pourquoi ?

— Tu verras...

Sur ces mots sibyllins, il met ses mains dans ses poches et se fait la valoche dans les profondeurs de la maison Pébroque !

Moi, je le regarde décroître en roulant dans mes doigts le ticket de tram espago.

CHAPITRE VI

Le directeur du Ciné-Lumière de Montrouge est un homme charmant. Il nous raconte que son beau-frère est gardien de la paix à Montluçon, c'est vous dire qu'il ne peut faire autrement que de témoigner à la police une sympathie toute familiale.

— Messieurs, faites comme chez vous...

Mongin, sa bobine sous le bras et son gros pif planté au milieu de la bouille comme une borne kilométrique sur la table d'une salle à manger, se rend dans la cabine de l'opérateur.

Moi, je m'assieds au milieu de la salle et j'attends. Les lumières s'éteignent. La bande passe *avec le son.* Il y a un speaker extrêmement véhément qui jacte à longueur d'année sur le redressement des ailes françouaises... Ça ronfle méchamment dans le coin... On assiste à l'envol de plusieurs bolides à réaction. Pirouettes, tonneaux, piqué, etc. Le moment approche où l'on apercevra la bouille de Luebig, vous parlez que je commence à la connaître, cette bande.

— Attention ! clame le commentateur, vous allez assister au passage de la fameuse escadrille *Gloire et Patrie.* (Ça y est, fugitive la vue de la foule, mais, au même instant, un fracas terrible qui vous fait faire la grimace...) Nous revoilà dans le ciel.

Je me gratte le pif... Je commence à comprendre ce que Bérurier a voulu dire...

Je gueule :

— Mongin !

Il coupe. Un bref instant et le voilà...

— Oui... Je ne me suis pas mal défendu comme opérateur, hein, m'sieur le commissaire ?

— Champion... Veux-tu me reprojeter la bande ?

— Un instant, le temps de la rebobiner dans le bon sens...

Il s'éclipse. Moi, je change de place et je vais me placer au *first* rang de la salle, à quatre mètres de l'écran.

— Tu y es ?

Sa voix étouffée me parvient.

— Un instant...

La nervosité me gagne. Enfin le noir me retombe dessus, frais et bienfaisant, puis l'écran pète de lumière et on remet ça pour le second service...

Tout se déroule rapidos... J'écarquille bien mes châsses... Vrrran ! Et ça y est, fini...

Je médite, le coude sur le dossier de mon fauteuil.

— Encore ? demande complaisamment Mongin.

— Non, ça suffit ; plie bagage, on les met !

Je vais serrer la louche au dirlo du cinoche et le félicite pour l'acoustique de sa salle. C'est rien, mais ça fait toujours plaisir !

Comme lorsqu'on dit aux parents d'un demeuré que leur petit est grand pour son âge.

— Sauf votre respect, vous avez l'air tout chose ? observe Mongin, sa boîte ronde sous le bras...

Je passe mes vitesses sans répondre. Respectant ma méditation, il prend le parti d'allumer une sèche.

Nous voici au bureau. Je tube au Vieux en lui demandant s'il peut me recevoir. Il répond « dans cinq minutes » et j'attends en me tortillant les salsifis.

Au bout de cinq broquilles, je frappe à la lourde du Boss et il m'invite à entrer...

— Du nouveau ?

— Oui, chef...

Une fois de plus, je lui raconte mes investigations ; il approuve, satisfait.

— Dites-moi, mais vous ne perdez pas de temps...

Je passe outre au compliment.

— J'ai un peu déblayé le terrain, conviens-je ; pourtant, je pense, patron, honnêtement, que Bérurier a fait une découverte plus importante.

— Ah !

Son regard est intense. Ses yeux clairs pétillent de curiosité.

— Quelle découverte, San-Antonio ?...

Je détache bien mes mots :

— Je viens du Ciné-Lumière où votre informateur repéra Luebig dans les actualités...

— Pourquoi aller à ce cinéma ?

— Je voulais visionner la bande dans le cadre du départ, vous comprenez ?

— Non, mais...

— Je l'ai vue... Au labo, nous n'avons qu'un appareil sommaire et elle était insonore. Or, au moment où le visage de Luebig figure sur la toile et à ce moment précis, une escadrille d'avions à réaction passe dans un boucan du diable *qui vous oblige à fermer les yeux.* Je me suis refait passer la bande et cette fois je me suis bouché les oreilles... Ecoutez, chef, *il est absolument impossible, même à un œil exercé, de repérer quelqu'un parmi cette foule compacte. L'image est trop fugace ; moi qui savais exactement où se situait Luebig, je n'ai pas eu le temps de le « regarder »...*

Le Vieux ne sourcille pas. Il se renverse dans sa chaise

basculante et fait craquer ses jointures à deux reprises. Enfin il se saisit de sa règle d'acier et martèle lentement son sous-main.

Puis il ouvre le tiroir de son burlingue et en extrait un carnet que je connais bien.

— Le déporté qui nous a signalé la présence de Luebig à ce meeting est un certain Lefranc, 26, rue de la Gaîté...

Je note l'adresse...

Le Vieux referme son tiroir.

— Votre opinion ? demande-t-il à brûle-pourpoint.

— Je vous la donnerai ce soir...

Il n'insiste pas. Comme je me lève, il a un geste rapide.

— Attendez un instant.

Il décroche l'appareil.

— Passez-moi l'Office national des anciens déportés de guerre.

Je sais ce qu'il va faire et j'attends patiemment les résultats. Le Vieux pose la question. On lui demande d'attendre, et, trois minutes plus tard, on lui apprend qu'il y a eu une flopée de Lefranc en déportation, mais qu'aucun n'habite rue de la Gaîté.

— C'est peut-être une adresse récente, remarqué-je.

— Peut-être, admet le Vieux.

CHAPITRE VII

Je retrouve Bérurier au bistrot d'en face, où il achève de consommer une malheureuse andouillette qui n'avait fait de mal à personne.

Ses yeux vertigineusement neutres, se posent sur moi, exprimant une réprobation de bon ton.

Je cramponne un siège et je fais sisite en face des deux andouilles.

— Rien de nouveau ? demande Bérurier.

Il a le ton prudent qui convient. Il me tâte de la voix comme avec une antenne.

— Je suis allé me faire jouer *Meeting au Bourget,* j'annonce.

C'est un film épatant et qui demande vastes salles, t'avais raison.

Je fais signe à la serveuse de me télégraphier un grand blanc-cassis.

— Comment t'es-tu rendu compte qu'à partir d'une certaine distance on ne pouvait pas voir Luebig sur l'écran ?

— Hier, ma femme était au cinoche de notre banlieue. Je l'ai rejointe. Les actualités datent de deux semaines ; qu'est-ce que tu veux, on arrête pas le progrès... Alors, je me suis rendu compte...

Il a les lèvres grasses comme la vitrine d'un charcutier. Il les torche d'un revers de bras énergique.

— On y va ? demande-t-il.

— Où ?

— Ben... chez le déporté, je suppose...

Pour vous dire que, sous son aspect crétin, il gamberge, le Gros. C'est du bon poulet traditionaliste.

— Viens...

On pédale jusqu'à Montparnasse. Première surprise, le 36, rue de la Gaîté est un hôtel.

Une dame, aimable, rondelette et pomponnée, nous reçoit. Elle a l'œil et nous sommes photographiés d'entrée. On lui dirait que nous faisons la quête pour l'œuvre des petits Chinois verts à la montagne qu'elle ne nous croirait pas. Elle a une façon délicate de battre des cils lorsque je lui annonce « police » qui en dit long comme un roman de Cecil Saint-Laurent sur sa sagacité.

Voilà Bérurier qui lui fait de l'œil illico, car il aime les dames pulpeuses, élevées au banania !

Je lui file un coup de latte dans les tibias afin de le rappeler aux convenances. Il réprime un cri de souffrance.

— Avez-vous pour pensionnaire un certain Lefranc, chère madame ?

— Mais oui, dit-elle. Un monsieur très convenable...

Parce que, pour les hôteliers, les clients se divisent en deux catégories : les convenables et les pas convenables. Notez que les convenables ne sont pas fatalement ceux qui portent des cols amidonnés et qui ne montent pas de pépée, mais ce sont ceux qui paient largement et qui filent la paluche au réchaud de la caissière en lui demandant des nouvelles de sa perruche...

— Il est chez lui en ce moment ?

— Non, il nous a quittés avant-hier... il est en vacances...
— Où ça ?
— En Espagne...
— Il vous a laissé son adresse là-bas ?
— Non. Il ne nous a même pas parlé de ce voyage d'agrément, mais, fortuitement, j'ai surpris une conversation au téléphone.

Fortuitement ! La petite dame ne peut s'empêcher de rougir un brin.

Le mot « Espagne » m'a fait vibrer d'un tendre émoi. Illico j'ai pensé au billet de tramway déniché dans le complet de flanelle.

— Il a habité longtemps ici ?
— Une huitaine...

Je me livre à un rapide calcul mental sous le regard attentif du gros Béru. Il est parti avant-hier et il est resté huit jours ici... Il serait donc venu s'installer à l'hôtel au moment de la mort de Schwob... Mordez si ça s'enclenche bien...

— Il vous a montré des pièces d'identité ?
— Une carte d'électeur...
— C'est-à-dire une pièce d'identité sans photographie...

Elle ne répond rien.

— D'où était-il censé venir ?
— Mais... il... il n'a pas parlé de ça, bafouille-t-elle.

Elle a les yeux embués par la curiosité et l'inquiétude.

— Il a... fait quelque chose de mal ? s'enquiert la dame grassouillette.
— Non, dis-je, au contraire ; jusqu'à preuve du contraire, il a fait quelque chose de bien...

C'est pourtant vrai. Me voilà sur les talons d'un gars qui a rendu service à la police. Vous ne trouvez pas ça cocasse, vous, avec vos cervelles de moustiques ?

— Comment était-il ?
— Grand, dit-elle. Mince... élégant... Quarante ans environ.
— Vous avez loué sa chambre depuis ?
— Non, elle est libre...
— Bravo !...
— Pourquoi ? demande Bérurier.
— A cause des empreintes...
— Les empreintes ?

— Dame !... Vous permettez que je passe un petit coup de grelot, madame ?

— Mais comment donc !

Elle permettrait itou que je passe la main dans son corsage si j'en manifestais l'intention.

Je fais le numéro du labo et je sonne Mongin. Je l'ai, essoufflé, à l'autre bout de la ficelle.

— A vos ordres, monsieur le commissaire.

— Viens relever une collection d'empreintes à l'hôtel Modèle, rue de la Gaîté... chambre... Attends...

— 34 ! dit la dame fondante.

— Bon, j'ai entendu, s'écrie Mongin, soucieux d'économiser ma salive. J'arrive immédiatement.

— Attends, c'est pas fini. Lorsque tu auras œuvré ici, va chez Schwob, à Villennes... Là-bas, également, tu auras du pain sur la planche. Tu compareras naturellement les empreintes recueillies entre elles et tu vérifieras si elles figurent aux sommiers, vu ?

— Vu...

Je raccroche. La dame est en train d'adresser à cette gonfle vétuste de Bérurier un sourire polisson. Je recule un tantinet et je vois que mon Oliver Hardy lui caresse le creux de la main d'un index boudiné... Faut toujours qu'il cherche à se placer chez les grognaces sur le retour, ce tas de saindoux...

La quinquagénaire languide, la charcutière moelleuse, constituent son terrain de chasse.

Je lui offre un second coup de pompe dans les moltebocks. Cette fois, il barrit comme s'il créait à la scène le rôle de Jumbo.

— Qu'est-ce qui t'arrive ? lui demandé-je, tu te coinces les valseuses dans le tiroir-caisse ?

Il grommelle des choses imprécises dont le sens global ne m'échappe pourtant pas !

Je reviens aux choses sérieuses.

— Lefranc avait beaucoup de bagages ?

— Une grosse valise...

— Il vivait complètement seul, ici ?

— Je ne l'ai jamais vu accompagné...

— Il recevait du courrier ?

— Non...

— En tout cas, des coups de fil ?

— Oui, fréquemment...

— Voix d'homme ou de femme ?
— Les deux...
— Sa profession ?
— Courtier...
— En quoi ?
— Il ne l'a jamais dit !

Je gamberge un peu... Pendant que je tiens cette chère loueuse de bidets, il faut que je la confesse dans les moindres recoins.

Cette fois, c'est Bérurier qui, voulant assurer sa position, questionne :

— Il se prénommait comment ?

Question très simple à laquelle je n'avais pas pensé...

— Attendez, fait la bonne dame.

La voilà qui ouvre un grand livre épais comme un matelas Dunlop. Elle le feuillette d'une main experte.

Enfin, son doigt vagabond s'arrête.

— Lefranc Germain, lit-elle.

J'en ai les miches qui font bravo ! Germain ! Le prénom du grand rouquin qu'hébergeait Schwob.

— Il était roux ! dis-je, certain de produire mon petit effet.

Là, je l'ai dans le sac !

— Non ! dit Mme Plumard, brun !

CHAPITRE VIII

Un coup de bignou au Consulat général d'España m'apprend qu'aucun Germain Lefranc n'a fait de demande de visa ces derniers temps. Cela me surprend à moitié, car j'ai dans l'idée que le zig s'appelle Lefranc comme moi je m'appelle Dugland-Lajoie !

Seulement, pour dégauchir son véritable blaze, c'est midi.

Je me prends la bouilloire à deux mains, car il me semble que nous pénétrons triomphalement dans une nouvelle impasse, Bérurier et moi. Tout notre petit populo a l'air de s'être évaporé...

Le Gros et moi cassons une croûte dans un petit restaurant du centre. Béru se tortille deux bouteilles de bordeaux sous prétexte que ce vin « ne fatigue pas ». Le repas fini, on dirait qu'on vient de passer sur sa frime le coup de minium d'entretien...

— Tu ne trouves pas qu'il y a du mou dans tout ça ? demande-t-il.

Je considère son baquet important et j'admets que, pour y avoir du mou, y en a !

— Et la gonzesse ? soupire-t-il.

— Quelle gonzesse, cher vieux boy-scout ?

— Celle du meeting, avec le survêtement à carreaux ?

— Eh bien ?

— Faudrait la rechercher...

— Tu crois ?

— Bédame !

— Et tu as des projets ?

— Non...

— Une idée ?

— Tu sais bien que je n'en ai jamais ! rétorque-t-il avec humeur.

Il plisse les paupières et demande :

— Tu as la photo de la fille ?

— Dans ma bagnole...

— Va la chercher...

— Tu veux la mettre au-dessus de ton lit ?

— J'aimerais mieux mettre l'original dedans...

En soupirant, je me lève pour aller piquer la photo de la nana. Je la ramène au Gros qui, maintenant, tel un financier au repos, vient d'allumer un cigare comme on n'en voit que dans les films américains. Il s'empare de l'image d'une main qui tremble un peu (trop de vin blanc dans son passé !). Puis le Gros s'abîme — ce qui ne lui est pas difficile — dans une contemplation voisine de l'hypnose.

— Tu la trouves à ton goût ? demandé-je.

— Comment qu'elle est roulaga ! balbutie-t-il. T'as vu ces meules, gars ?

— Très expressives, conviens-je.

— C'est bien simple : on en mangerait...

— C'est simplement pour t'exciter après boire que tu m'as demandé cette photo ?

— Non, je voulais vérifier une chose...

— Voyez-vous... Et peut-on savoir quoi ?

— Tu vois le bas de la photo ?

— Comme je vois ton air c...

Il ne souligne pas l'irrévérence de cette comparaison.

— Tu aperçois le sac que tient la donzelle ?

— Bien entendu...

— C'est un sac en bois et raphia...

— Tu veux te lancer dans la fabrication du sac de dame ?

— Il est décoré de motifs rouges...

— Tu délires, Béru, la photo n'est pas en couleur...

— Non, mais je le sais, parce que ces sacs-là, on ne les fabrique qu'en Espagne...

Je lui arrache le carton des pattes.

— Tu en es certain ?

— Aussi certain que ton manque absolu de savoir-vivre ! répond-il.

Il hèle le garçon afin de lui demander une demi-bouteille dans la catégorie de bordeaux qui a ses faveurs.

Lorsque nous sommes de retour à la cité poulardienne, un préposé à la permanence nous dit que le Vieux nous attend de toute urgence dans son burlingue. Nous grimpons et, dans l'escadrin, croisons Mongin. Il dégringole du labo, des épreuves à la main.

— J'allais chez vous, justement, me dit-il.

— Du nouveau ?

— Les empreintes relevées dans la chambre du dénommé Lefranc se retrouvent chez Schwob...

— Je m'en doutais... A part ça ?

— A part ça, nous n'avons aucune empreinte en magasin présentant une similitude quelconque avec celles que j'ai découvertes.

— Tu en as trouvé beaucoup ?

— Quatre chez Schwob, une foultitude chez Lefranc... Il n'y a rien de surprenant à cela, une chambre d'hôtel, vous pensez...

— Tu n'as pas trouvé chez Lefranc des empreintes figurant chez Schwob, excepté celles de Lefranc lui-même ?

— Non... par contre, chez Schwob j'ai prélevé des cheveux...

— Moi aussi, dis-je. J'en ai dégauchi après les papiers tue-mouches... Il y en a trois sortes...

— Quatre... Si vous voulez bien passer à mon bureau, je vous montrerai...

Mais, comme le temps presse, je récapitule :

— Il y en a des blancs, des bruns, des roux... Les roux sont teints ?

— Exactement, mais il y en a de deux sortes dans les roux, et les deux sortes sont teintes avec le même produit... Je pense qu'il y a des cheveux de femme et des cheveux d'homme. L'homme se serait teint avec la drogue de la femme...

Je fais claquer mes doigts et je regarde Bérurier.

— C'est un quatuor, souligne-t-il. Tu vas pouvoir jouer aux quatre coins avec eux, étant bien entendu que c'est toi qui t'y colles.

Satisfait de son éminente comparaison, il en cherche la projection humaine sur le faciès de Mongin. Manque de pot pour la vanité du Gros, le gars Mongin n'a rien entendu... Ses étagères à mégots ne fonctionnent que pour le boulot ; les astuces pitoyables, il s'assied dessus...

— Tu es toujours intéressant, lui assuré-je. T'es comme qui dirait notre premier prix de Conservatoire.

Je lui file une bourrade amicale qui fait palpiter son volumineux tarin et je poursuis l'ascension des escadrins, suivi du gros Béru qui sue et s'époumone comme un bourrin asthmatique.

Je frappe à la lourde austère du Boss.

— Entrez, fait sa voix inquiétante à force de douceur.

Notre intrusion fait un peu circus. Avec Bérurier, lorsqu'on débouche quelque part, on est certain de ne pas passer inaperçus.

Le Vieux nous montre deux chaises.

— Vous n'apportez aucun élément nouveau ? demande-t-il d'un ton qui sous-entend : « Moi, si ! »

Je le mets au parfum de nos dernières trouvailles.

— A trois reprises vous butez sur l'Espagne, remarque-t-il.

— Oui...

— Luebig se trouve, en effet, de l'autre côté des Pyrénées. J'avais fait passer sa fiche signalétique à tous nos agents à l'étranger ; l'un deux, « Borrel », vient de me passer un message. Il est certain d'avoir vu Luebig là-bas... J'aurais bien chargé Borrel du... travail, mais il est très occupé et partait pour les Canaries... Alors, messieurs, préparez rapidement votre valise tandis que je fais préparer vos visas. Vous prendrez l'avion de nuit. Des chambres seront retenues à vos noms à l'hôtel Arycasa, à Barcelone, calle March. Comme profession, nous dirons « industriels »... Entendu ?

— D'accord, patron.

— Borrel a vu Luebig sur la rambla, ces Champs-Elysées de Barcelone.

— Merci...

Bérurier me regarde, l'air embêté. Ça ne lui chante pas, ce viron au pays des castagnettes. Il a une bonne femme qui est chaude du rez-de-chaussée et qui profite de ses absences pour se mettre à l'horizontale devant le premier monsieur qui le lui demande poliment.

D'un œil malheureux, il regarde les toits de Paname qu'on aperçoit par-dessus les rideaux de la croisée.

Le Vieux me dit :

— Etrange, cette histoire Lefranc. Voilà un individu qui faisait partie de la bande Luebig et qui l'a trahie de façon indirecte et fort astucieuse, j'en conviens...

— Oui, j'aimerais avoir une conversation avec lui...

— Tel que je vous connais, vous l'aurez d'ici peu...

— Vous êtes encourageant, chef...

Il nous tend la main.

— Vous passerez à la caisse prendre vos billets et vos devises...

— Entendu.

Le Gros et moi, on se fait la paire, l'un derrière l'autre, comme deux canards, ce qui pour des poulets est un comble !

CHAPITRE IX

Deuxième manche.

Les passagers ne peuvent dormir à cause du ronflement. Pas celui de l'avion, non, celui de Bérurier. Mon pote, la Grosse Gonfle, en écrase comme un rouleau compresseur, il s'est lancé sur une boutanche de rhum avant le départ et maintenant il cuve, les mains croisées sur son siège.

Par instants, il pousse de brefs gémissements, un rien pathétiques. Sans doute rêve-t-il aux ébats de Mme Bérurier. A cette heure de la noye, elle a dû réveiller le coiffeur d'en bas, sous prétexte qu'elle a peur des rats, quand elle reste seulâbre à la carrée.

Je considère Bérurier avec attendrissement, afin de compenser les œillades furibardes dont l'accablent les voyageurs. C'est beau, un cocu qui dort. Ça possède une certaine noblesse. Et c'est émouvant aussi. La tragédie de l'homme au repos ! Le masque de l'impuissance détendue... Le renoncement dans la souveraineté du sommeil... Oui, c'est beau, et ça n'est même pas triste...

Une petite pépée blonde, assise derrière nous, me sourit gentiment.

— Il dort bien, remarque-t-elle.

Les femmes ont le secret pour souligner les évidences.

— Il fait un concours avec le quadrimoteur...

Elle se tire-bouchonne, ce qui est une gageure en avion.

— Vous allez en Espagne ? demande-t-elle, toujours avec le souci de mettre en lumière des certitudes.

J'ai envie de lui répondre qu'ayant pris place dans la Caravelle de Barcelone, il est peu probable que j'aille au Labrador, mais la courtoisie a toujours été ma vertu d'élection.

— Oui, dis-je.

Pour lui montrer que moi aussi, je sais jouer avec les mots, j'ajoute :

— Vous aussi ?

Alors je me rends compte que j'ai commis une imprudence parce que cette banale question qui n'en est du reste pas une, ouvre les vannes aux confidences. Elle me raconte sa vie depuis sa première blédine jusqu'à la seconde présente. J'apprends de la sorte que son père la battait ; que sa mère était protestante, que sa frangine s'est laissé plomber un polichinelle signé anonyme et qu'elle va à Barcelone pour tourner une barmaid dans une coproduction franco-espago. Je me branche en déclarant que je voudrais bien être servi par une barmaid roulée comme elle... Elle se marre et pile au-dessus des Pyrénées, tout obstacle étant aboli, je lui file la ranque pour un de ces quatre soirs. C'est d'autant plus fastoche qu'elle aussi descend à l'Arycasa, le superpalace de Barcelone...

Ayant assuré mes lendemains qui chantent et ayant épuisé mes stocks de salive, je sors *France-Soir* de ma poche pour bouquiner « Le crime ne paie pas ».

Quelques instants plus tard, le zoziau se pose sur l'aéroport de Barcelone, lequel, comme tous les aéroports, est situé à une bonne vingtaine de kilomètres de la ville.

Un car vétuste nous amène dans la vaste cité portuaire, comme dit le *Guide Bleu.* Bérurier commence à ouvrir un store. Ses cornes, maintenant, sont bien assujetties sur son front bovin. Il clape de la menteuse et balbutie :

— J'ai soif !

— Ivrogne !

— C'est l'avion qui me barbouille, pleurniche-t-il.

— Tu parles, ta mère t'a donné à téter une queue de morue !

Nous sommes derrière le chauffeur espago et il nous écoute avec inquiétude, ne comprenant pas le françouse.

Nous fonçons sur une autoroute pleine de trous.

— Un peu délabré, le système routier, fais-je en me frottant le dos.

— Et encore, fait Bérurier, ils ont inauguré cette autoroute l'an dernier...

— Tu connais l'Espagne, toi ?

— J'y suis venu en vacances l'année passée avec Berthe...

Il soupire comme les cœurs meurtris. Sa Nana, il l'aime bien. La vie est crétinoche. Plus une bergère vous fait du contrecarre, plus on y tient.

On débouche sur une vaste esplanade brillamment éclairée.

— Place d'Espagne, annonce le Gros. Mords les arènes, à gauche...

Il se met à siffler : *Toréador en ga-a-a-arde.*

— Tu entraves l'espagnol ? je demande.

Il pose une question au chauffeur.

Ce dernier se met à bavouiller à perte de vue et Bérurier prend un visage tendu de constipé en plein effort.

— Tu entraves l'espagnol ? je demande...

— Assez mal... Je crois qu'il a dit qu'il nous déposerait à l'Arycasa...

— C'est un homme...

— *Hombre !* clame Bérurier.

Joyeux, le chauffeur meugle :

— *Hombre !...*

Ici, c'est le grand cri de ralliement.

***

— C'est le bouquet, déclare Bérurier en jetant un coup d'œil circulaire sur la chambre mise à sa disposition.

— Quoi ?

— Il y a un coffre-fort dans ma carrée... Ils me prennent pour la bégum, les mecs en queue de morue... Qu'est-ce que tu veux que j'y mette, dans ce coffre ?

— Mets-y tes précieuses, fais-je en le quittant.

— Et puis la radio, à la tête du plumard ! poursuit-il.

Il tourne le bouton et un air de paso-doble nous saute sur le poil.

— Ah ! L'Espagne, rêvasse-t-il. Je me souviens, l'an passé... avec ma Berthe...

— Ta Berthe, vu ses roploplos, c'est plutôt une Berthe à lait !

— Cause pas de ce que tu connais pas, San-A. !

— Je suis bien le seul, mais je ne regrette rien ! Bon, zone-toi, il est trois plombes du mat, on a le temps d'en écraser, on se lève tard dans ce pays.

— Dix heures, fait-il. Les repas principaux se font à trois heures de l'après-midi et à neuf heures et demie du soir...

— Bon, on s'accommodera des nouveaux horaires...

Je lui flanque une bourrade qui l'envoie dinguer par-dessus sa valise. Il s'étale sur le pageot.

— Bonne nuit, gros sac à vinasse !

— Va te faire...

Il ne précise pas, laissant ainsi leurs chances à toutes les possibilités. Moi, j'ai la piaule au fond du couloir : le 728... Comme j'y parviens je vois s'entrebâiller une lourde et j'aperçois la petite blonde de l'avion.

— J'ai cru que c'était le garçon d'étage, susurre-t-elle.

Et d'expliquer :

— Je meurs de soif, alors j'ai commandé un scotch à l'eau...

— C'est une riche idée, dis-je. Je vais en faire autant. On pourrait le boire ensemble ? proposé-je, ce serait plus facile pour trinquer.

Elle baisse pudiquement les carreaux.

— Ça ne serait pas convenable.

Elle a fait du ciné et elle joue les Marie la Pudeur ! Sans blague !

— Dites, fais-je, on est de sortie, non ?

D'autor, je pénètre dans sa chambrette. Un tas de robes sont déjà étalées sur le pucier et le nombre des godasses qui s'alignent devant la penderie pourrait chausser un pensionnat de jeunes filles.

— Vous avez une drôle de garde-robe.

— Dans le cinéma, il faut bien...

— Évidemment.

Je ne pense pas que ce soit avec ses cachetons qu'elle s'offre ça.

Je décroche le bignou et dis au préposé de faire monter carrément une boutanche de rye.

— *Con sifon ?* demande-t-il.

— *Of course,* réponds-je afin de donner de l'internationalisme à la conversation.

Quatre minutes plus tard un garçon cérémonieux dépose un nécessaire à biture sur la table.

Il y a des cubes de glace gros comme des icebergs.

— Je vous laisse préparer les *drinks*, fait la blonde enfant, pendant ce temps, je range mes robes.

— Faites !

Elle a raison de dégager le pucier. M'est avis qu'avant longtemps on aura besoin d'un champ de manœuvre.

— A votre santé, mademoiselle... heu ?...

— July Chevreuse, se présente-t-elle.

Ce pseudonyme doit cacher une Adrienne Dubois qui n'est pas bouffé aux mites.

— Antoine Antonio, me présenté-je à mon tour.

— Vous êtes espagnol ?

— Par un ami de ma famille seulement...

Elle rit. On trinque. Au second verre de rye j'aventure une main louvoyante sous un tunnel d'étoffe. Au troisième ma main arrive à destination. Au quatrième elle n'a plus de secret pour moi.

Cette poulette est agréable. Sa peau est souple, frémissante. Je ne sais pas ce qu'elle donne devant une caméra, en tout cas devant un mâle, elle est un peu champion et mérite l'Oscar de l'interprétation féminine. Du scientifique ! Ça ne part pas du cœur, non, ça se situe même beaucoup plus bas ; et ça vaut le voyage à Barcelone. Une pareille séance, je ne la porterai pas sur ma note de frais.

Tout en lui faisant la bougie téléguidée, je me dis que Barcelone est une ville où il fait bon vivre.

Mademoiselle étant une gourmande, elle en redemande. Sans sucre, au naturel !

Et comme je ne suis pas radin en amour, ni fainéant, je lui en ressers une porcif pour grande personne. Dans la vie, il faut faire plaisir à tout le monde. Puisque nous sommes sur ce chapitre délicat des relations culturelles, souvenez-vous toujours d'un bon vieux proverbe de chez nous, les gars :

« La façon de donner vaut mieux que ce qu'on donne ! »

Je demande à la cocotte si elle remet ça une troisième fois, mais elle secoue la tête énergiquement et négativement.

— Je tourne demain ! annonce-t-elle.

— Tu seras en forme, lui assuré-je. En tout cas, je trouve le bout d'essai satisfaisant.

CHAPITRE X

Le jour commence à poindre lorsque je regagne mes pénates. Je me zone comme un bon petit diable et je sombre dans les bras de Morphée, lesquels sont plus reposants que ceux de la starlette.

Lorsque je m'éveille, l'horloge de ma carrée indique onze plombes. M'est avis que si le Vieux pouvait voir ses collaborateurs en action, il se rongerait les ongles jusqu'au coude. On démarre l'enquête en douceur, faut en convenir. Un peu honteux, je bondis dans la salle de bains, rasoir électrique en main et me tonds le gazon en vitesse. Une bonne douche pour me remettre le ciboulot en place et je décroche le tube. Une voix de femme me gazouille des trucs aussi interrogateurs qu'espagnols.

— Vous ne parlez pas français ? imploré-je.

— *Momento,* fait la souris.

Elle me passe un jules qui manie notre belle langue.

— J'écoute, dit-il.

— Passez-moi le 704 !

C'est la turne à Bérurier... Ce gros sac doit en écraser à tout va, tandis que sa doudoune, là-bas, en France, se fait palucher l'intimité par le garçon coiffeur.

— Il est sorti, fait l'employé.

— Il y a longtemps ?

— Un instant, s'il vous plaît, je me renseigne.

J'entends parlementer en espagnol.

Puis le gars dit :

— Cette nuit, vers trois heures...

Je sursaute.

— Il doit y avoir erreur, fais-je, au contraire nous sommes arrivés mon ami et moi à ce moment-là.

La jactance reprend :

— Non, monsieur, affirme le gnace, votre ami est ressorti presque aussitôt. Il a du reste essayé de vous appeler, mais vous n'étiez pas dans votre chambre...

Je mords ma menteuse. Aïe ! J'ai pas lieu d'être fiérot. D'autant que le zig vient de prendre un drôle de ton pour me dire : « Vous n'étiez pas dans votre chambre. » C'est lourd de réprobation... Il est écœuré, le copain. Dans ce pays où la pudeur est à l'ordre du jour, constater qu'un homme a déserté son page pendant la nuit vous pousse à la consternation (le monde vu en français).

— Il a laissé un mot pour vous, continue-t-il.

— Voulez-vous avoir la bonté de me le faire monter ?

— Tout de suite !

Nous raccrochons de part et d'autre. Je me gratte les poils de la poitrine.

Qu'est-ce que cette fugue nocturne du Gros peut bien vouloir dire ?... Son mot me l'apprendra peut-être.

Justement on sonne à la lourde. J'appuie sur le bouton vert commandant le déverrouillage. Un larbin s'annonce, portant triomphalement sur un plateau... une feuille de papier à cigarette couverte de caractères. C'est bien là une missive à la Bérurier.

Je tends un billet de cinq pesetas au larbinuche et je saisis délicatement le message de mon éminent confrère.

— Je lis cette phrase qui pourrait paraître sibylline à quiconque ne connaîtrait pas mon pote :

« Ça se corse, chef-lieu Bastia ! »

— *Gracias,* fais-je à tout hasard.

L'autre met les bouts et, moi, je me fringue en essayant de gamberger de façon efficace.

Certainement quelque chose s'est passé alors que je faisais le travailleur de force dans la chambre voisine... Peut-être qu'en sortant de sa carrée, le Gros a aperçu quelqu'un d'important ?

Il a voulu me prévenir, ne m'a pas trouvé et a filé le train à ce quelqu'un. En tout cas, c'est comme ça que je vois les choses. Je ne me tourmente pas pour mon collègue car, tout mahousse qu'il est, c'est le superchampion de la filature...

J'espère qu'il ne tardera pas à se manifester car son absence me déconcerte et fausse un peu la situation.

Je finis de me linger, dans les bleus soutenus, et vaporise sur mes crins une brillantine de qualité.

Un peu fringant, le mec San-Antonio, je vous l'annonce (apostolique, ajouterait Béru). Ainsi loqué, les Andalouses aux seins brunis n'ont qu'à bien se cramponner. Le voilà, l'homme qui remplace la Charge de la brigade sauvage. Il est arrivé, le caïd de l'oreiller, le superman du zizi-panpan !

Je sors de ma piaule et m'engage dans l'ascenseur. Boum ! Voyez rez-de-chaussée... Je renifle le hall du palace où des employés en uniforme s'atrophient le système glandulaire en regardant l'humanité d'un air incertain.

Incertains, ils ne peuvent pas l'être plus que moi. Cette enquête qui a décollé sur les chapeaux de roue paraît marquer le pas. Franchement, le ciel d'Espagne fausse un peu mon optique.

Luebig est ici. Évidemment, le patelin du Caudillo est une terre d'élection pour un ancien nazi. Seulement il va falloir le dénicher... Et le faux Lefranc. Pas tellement franco, si je puis me permettre ce mauvais jeu de mots ! Où est-ce qu'il perche, ce sidi ? En Espagne itou ? Ça va être la méchante corrida décidément.

Bérurier n'ayant toujours pas donné signe de vie, je sors de l'hôtel. Le mahomed ici est fracassant. Ça pète le feu dans les streets. Je demande au portier comment on fait pour aller sur la rambla. Il me dit que le mieux est de prendre un taxi. C'était d'une simplicité absolue, mais il fallait y songer.

Il hèle un bahut. Je grimpe dedans. Alors je peux vous dire que nos vieux G7 de Pantruche sont des Rolls à côté de ces véhicules. Jamais je n'aurais pensé que des trucs aussi âgés puissent rouler. Elles sortent du musée, leurs tires, aux Espanches ! Tout ce que Gallieni a ramené de la Marne, c'est en Espagne que ça se trouve...

J'ai l'impression de me traîner le dargeoskoff sur les pavetons.

Je bigle devant moi avec un intérêt démesuré.

C'est curieux, une ville nouvelle, un pays nouveau... Pendant quelques heures, on a l'impression d'avoir vraiment franchi une frontière, mais très vite on comprend que les hommes sont les mêmes partout et définitivement. Les frontières, elles ne figurent en réalité que dans nos âmes... Sur les atlas de géographie c'est juste un gros bidon pour emmouscailler les écoliers...

Le chauffeur freine. Je descends de son panier à bouteilles. Nous sommes sur une sorte de vaste avenue au milieu de laquelle est un large trottoir. A chaque bord du trottoir s'alignent des chaises et des gens assis regardent passer des gens debout. C'est l'image de l'Espagne. Voilà qui la résume fortement. Les naturels du coin ont résolu le problème de l'attraction permanente. Ils se regardent passer à tour de rôle. Le spectacle se renouvelle constamment dans sa permanence. C'est la vis sans fin, le mouvement perpétuel... De quoi se marrer !

Comme tout un chacun je descends la rambla entre la double haie de badauds.

J'ai l'impression d'être un mannequin de haute couture et si je m'écoutais je tortillerais du prose comme une reine de beauté.

J'ouvre grands mes châsses avec l'espoir insensé de tomber pile sur Luebig. Mais alors là je prends un peu mes désirs pour un bouquin de la collection « Mes Rêves ».

Je m'approche d'un kiosque à journaux pour acheter *France-Soir.* Mais celui que le marchand me tend date de deux jours.

Malgré le soleil, la foule, les chouettes nanas qui se remuent le prose, je me sens accablé par une sourde angoisse. J'ai l'impression que quelque chose de pas ordinaire se mijote dans l'ombre et que je vais le bloquer sur le coin de la hure avant longtemps. Pour dissiper mes vilaines pensées, je renouche les mousmés en vadrouille, mais elles répondent à mes sourires engageants par des haussements d'épaules imperceptibles et des mines offensées. Toutes des chochottes, des prudes...

J'arrive tout au bout de la rambla sur la place Colon. Il y a le port dans le fond, avec des barlus et une caravelle reconstituée. Sur la place une haute colonne avec, tout en haut, une statue de Christophe montrant le large d'un geste autoritaire, pareil à celui qu'on fait à un clébard pour l'envoyer à la niche.

Je rentre un peu les épaules et remonte l'avenue grouillante. Il y a de plus en plus de trèpe en circulation. Soudain je suis abordé par un grand mec jeune et basané qui tient un petit couffin de paille.

Il me susurre :

— Cigarettes, señor ?

Il ouvre à demi son couffin et me montre des cartouches de Chesterfield.

— Combien ? fais-je.

— Quatre-vingts pesetas.

Mentalement je traduis ça en francs et constate que c'est la moitié moins cher qu'en France. Bien que ne prisant pas tellement les ricaines, je me laisse tenter par le bon marché des pipes.

— O.K., annonce la couleur, mec !

Il m'enveloppe discrètement une cartouche dans une feuille de baveux.

Je lui balance les quatre-vingts pesetas et il disparaît instantanément, comme s'il était la bonne fée Marjolaine en mission à Barcelone pour distribuer des pipes à l'humanité souffrante.

Alors un soubresaut me fait vibrer. Vite je déplie la cartouche, je l'éventre... J'ouvre un paquet... Il contient de la sciure.

Dix sur dix pour ma pomme ! Le roi de la police française se laisse repasser comme un petit rentier de Saint-Trou ! Non, je vous jure ! Je verdis. Autour de moi y a des Espanches qui zieutent mon acquisition et se fendent la bouille à tout va !

J'en verdis. Je file le paquet bidon au pied d'un arbre et je fonce tête-boule à travers la populace. Mais retrouver un mec dans ce peuple, c'est pis que de trouver de la tendresse dans les yeux du gardien de la paix à qui vous venez de balanstiquer un coup de pompe dans les noix pendant qu'il relaçait ses lattes !

Je cours comme un perdu jusqu'à en avoir un point de côté. Partout des gens anonymes. La foule épaisse... La foule uniforme et mouvementée pareille à la mer.

Je me détranche partout avec la rapidité que vous devinez si vous n'êtes pas complètement abrutis par l'eau de Javel.

J'avise des rues, à gauche, à droite...

J'hésite, je piaffe, je rue, j'invective, je bave, je scrute, j'opte...

Ma colère est trop vive pour que j'abondonne la chasse à l'homme. C'est pas la question des quatre-vingts pesetas, vous pensez bien ! Qu'est-ce que j'en ai à foutre ? Mais c'est le principe... Tout en cavalant comme un tordu je pense au Vieux. Si la télé individuelle existait, il ne m'appuierait pas pour le tableau d'avancement, le Boss ! Il m'envoie en Espagne pour dégauchir un espion et je cavale après un resquilleur de dernière zone !

Mais de même qu'on n'arrête pas le progrès, on n'arrête pas San-Antonio lorsqu'il vient de se faire entuber par un plouk.

Courir ne rime pas à grand-chose, du moins ça me soulage... Je sais bien que je ne le retrouverai pas, ce vilain pas beau, mais l'action use le ressentiment.

Je m'arrête une seconde fois pour souffler et je constate que la géographie vient de changer. Finies les belles avenues ombreuses. Je me trouve dans un quartier plus sordide que je ne pourrais vous le décrire. Les rues sont étroites, noires, pestilentielles, avec des gosses au cul nu, des prostituées enceintes, des mecs dont le portrait pourrait enrichir la collection de *Hara-Kiri.*

Je réalise que ce doit être ce fameux Barrio Chino dont on m'a rebattu les oreilles depuis mon plus bas âge.

Des claques non fermés alternent avec d'horribles petits magasins dont le panonceau annonce « Voies urinaires » et dans les vitrines desquels se trouve étalé tout ce qu'il faut pour vous dégoûter à jamais de grimper une bergère.

Avec ça d'étonnants bistrots ressemblant à des antres d'alchimistes, décorés de crocodiles et de hiboux empaillés... Des couloirs louches sommés du mot : « Habitation... »

J'écarquille les lampions, surpris par ce panorama.

Et soudain... Soudain...

Franchement, il est tartignole le zouave qui a dit que les miracles n'avaient lieu qu'une fois ! Depuis que je marne dans la rousse, je ne fais qu'en réceptionner, des miracles. Ils ne portent pas tous le bon de garantie, mais ils sont agréables à enregistrer.

Là, à dix pas de moi, je vois mon voleur avec son petit couffin. Il va d'un pas d'honnête homme, tranquille comme Baptiste.

Je respire un grand coup, histoire d'approvisionner mes éponges pour le rush final et je bondis. Parvenu derrière le grand gnard, je lui frappe l'épaule. Il se retourne, me reconnaît et devient d'un très gentil gris. Vot' bonne femme voudrait ce gris-là pour son tailleur de demi-saison.

D'une voix que je maintiens de mon mieux je dis :

— Aboule mon artiche !

Il ne comprend pas l'argot, mais même si je lui avais bonni ça en papou ancien, il aurait pigé.

Lentement il sort une pincée de billets de sa poche. Je lui arrache le tout et je recompte. Il y a juste quatre-vingts pesetas. Il ne doit pas faire des affaires d'or, le type au couffin.

Je le biche par la cramouille et je lui balance une paire de tartes maison de quoi lui décoller la soucoupe.

Il ne bronche pas. Fataliste, je vous l'affirme... L'Espagne n'a pas subi pendant huit cents ans l'occupation arabe.

Alors j'ai un geste bien français. Je lui remets les quatre-vingts pesetas dans la poche.

— Taille ! je murmure, taille vite avant que je ne t'emplâtre pour de bon...

Il ramasse son couffin qu'il avait laissé choir sous la violence du choc. Mon regard se pose par terre. Et j'aperçois un drôle d'objet... C'est en fer et en caoutchouc. On a marché là-dessus et c'est plutôt informe...

Mais j'identifie pourtant, il s'agit d'un appareil pour rouler les cigarettes. Et ça fait blague à tabac par la même occasion. Bérurier a le même... Une vieille manie chez le Gros de se les rouler lui-même avec un job gommé !

Probable qu'il a de la concurrence en Espagne.

Je ramasse la blague.

Dessous il y a un label *Made in France.*

Je suis pensif comme le gars sculpté par Rodin. J'enfouis l'appareil dans ma poche et je regarde la rue. Des types gris me font grise mine. Je note le nom de la calle et je me fais la valise. Il serait temps de prendre sérieusement des nouvelles du gars Bérurier...

CHAPITRE XI

Je fais fissa pour revenir à l'hôtel. J'ai le trouillomètre qui gazouille. Pourquoi cette blague à tabac me ronge-t-elle d'inquiétude ? Il me semble que c'est celle du Bérurier des familles... Idiot, hein ? Barcelone est une cité de près de deux millions d'âmes (comme on dit dans les bouquins littéraires) et il doit y avoir des chiées de blagues à tabac : *made in France...*
L'employé de la réception me regarde déboucher avec des yeux tranquilles et charbonneux.

— Mon ami ? fais-je.

Il secoue la bougie.

— Je n'ai vu personne...

— Il n'a pas téléphoné ?

— Non plus...

Je réfléchis un petit bout de moment.

— Pourrais-je parler aux employés qui se trouvaient dans le hall à trois heures et demie du matin ?

— Ils dorment, me révèle mon interlocuteur.

Au ton qu'il emploie on comprend le respect qu'il a pour cette chose sacrée entre toutes : le sommeil.

Je sors un billet de cent pesetas.

— Appelez-m'en un, voilà pour le dédommager...

Du coup son optique se trouve modifiée. Il décroche le bigophone et donne des instructions à un gnace qui doit être le garçon d'étage...

— *Momento,* me fait-il.

J'attends en tournant en rond. Je me sens sur des braises. Ces mauvais démarrages me cassent les claouis. Si j'avais su j'aurais laissé le Gros à Paris. Au lieu d'attaquer, il faut que je m'occupe de cette gonfle, quel contretemps...

Je vois débarquer de la porte des communs un petit jeunot aux tifs en broussaille que le réceptionniste intercepte rapidement et entraîne dans un coin après m'avoir fait signe.

— Le petit était dans le hall ? je demande.

Le préposé me répond que oui et reste pour servir d'interprète.

— Demandez-lui s'il a vu sortir mon ami : un gros monsieur au nez rouge avec un chapeau de feutre.

Imperturbable, le zigoto en queue de pie traduit ma question.

Je vois le gamin faire un geste affirmatif...

— Était-il accompagné ? poursuis-je.

Hochement de tronche qui exprime manifestement la négation.

Je ne perds pas courage.

— Écoutez, fais-je, il faut absolument qu'il réfléchisse, s'il pionce encore faites-lui boire une tasse de caoua, je veux une réponse positive : lorsque mon ami est sorti, quelqu'un a dû quitter l'hôtel presque immédiatement avant lui, d'accord ?

Vous me croirez si vous voulez, mais tandis que l'employé transmet mes paroles à son petit collègue, je ne puis réprimer une sorte de tremblement. J'ai comme l'impression que la réponse va éclater dans ma vie comme le faisceau d'un projecteur dans une nuit sans lune. C'est inouï ce que j'ai le don de la comparaison reconnaissez-le...

Ça baragouine méchamment de part et d'autre... Le gominé en habit jacte à tout berzingue, l'autre ahuri qui sort des limbes, répond... Enfin notre interprète se tourne vers moi.

— Une dame précédait votre ami, dit-il. Le jeune homme, là, dit que votre ami semblait la suivre... Elle s'est arrêtée à la réception afin de demander un renseignement et, précipitamment, il s'est tourné vers les vitrines d'exposition...

Je balance un coup de saveur auxdites vitranches. Elles exposent des pompes de dame, ça m'étonnerait que Bérurier soit captivé par la vue de mignons escarpins...

Pas le genre du Gros ; lui, ce qui aurait tendance à le captiver ce serait les étalages des charcutiers. La terrine truffée et le pâté de tête sont comme qui dirait la projection matérielle de son intellect...

— Une femme ! m'exclamé-je. Comment était-elle ?

Le gosse aux tifs emmêlés fronce les sourcils. Il jacte par monosyllabes.

— Belle, fait le gominé. Rousse... Assez grande...

Illico une image se dresse dans ma tête.

— *Momento !* fais-je.

Ce qui vous indique à quel point je suis doué pour les langues vivantes et même pour les langues fourrées !

Je fouille mes vagues et en extrais avec élégance un morceau de carton écorné représentant la môme qui assistait au meeting du Bourget en compagnie de Luebig.

— Ne serait-ce point cette personne ?

— Si, fait le gosse.

J'en ai le palpitant qui se détraque. Parole, faudra que je cavale chez un horloger pour faire huiler les rouages de ma petite horloge !

Je pige pourquoi le Gros m'a laissé ce bref message : « Ça se Corse, chef-lieu Bastia ! » Je reconnais bien là l'une des tournures de son esprit éveillé, de son langage mutin et de sa parfaite connaissance de la géographie... A peine débarqué à Barcelone, il aperçoit la môme qui nous intéresse... Aussi sec il me carillonne, je ne réponds pas étant occupé à une séance sur grand écran avec une fille... Alors le Gros emboîte le pas à sa proie...

Bravo !

J'aligne cent pesetas au petit qui du coup se réveille. Le préposé en queue de pie fait une grimace atroce car il espérait bien sucrer le gros bif et donner seulement un peu de poussière au groom.

— Merci, lui dis-je.

Je cueille un autre billet de format intéressant pour lui et je le lui brandis sous le tarin.

— Je vais encore vous demander un autre renseignement.

Il congédie le petit gars qui va achever son dodo en le meublant de rêves somptueux.

— A votre service, monsieur...

— La dame en question, vous la connaissez ?

— C'est une cliente...

— Depuis longtemps ?

— Trois jours...

— Puis-je savoir son nom ?

Il me regarde d'un drôle d'air. Il commence à trouver tout ça excessivement louche... Mon pote qui file le train à une cliente en pleine noye... Je comprends que cent pesetas sont un peu jeunettes. Il va falloir l'éclairer au néon, le gars, pour qu'il m'assiste dans cette étrange conjoncture et qu'il la boucle hermétiquement.

Aux grands maux les grands remèdes.

Je déballe un beau billet vert : mille pions !

Du coup, il se fait briller les lampions, le gominé. Ses châsses font du morse, je vous le dis. Il te lui lance un drôle de message langoureux au bifton.

— J'espère que vous serez discret, je murmure.

— Oh, monsieur ! s'exclame-t-il.

Ses paluches tremblent. Il est obligé de les carrer sous son comptoir...

— Alors écoutez... Il me faut l'identité de la dame et le numéro de sa chambre...

Il ouvre un grand bouquin et les pages craquent entre ses doigts frémissants.

— Mme Léonora Werth, de Paris... En voyage touristique... Chambre 706...

Deux piaules après celle du Gros. Je comprends qu'il l'ait repérée...

Léonora Werth... Voilà un sérieux point d'acquis.

— Est-elle chez elle en ce moment ?

Il va au rembour. Puis il secoue la tête.

— Madame n'est pas rentrée depuis cette nuit...

— Elle est descendue seule à l'hôtel ?

— Oui...

— Des visites ?

— Non... Enfin, personnellement je n'ai rien remarqué... Je pourrai me renseigner à ce sujet, si vous le désirez ?

Pour un raide, le gars est prêt à déboucher le lavabo de votre concierge ou à se faire hara-kiri avec une pelle à gâteaux...

— D'accord, lui dis-je, et renseignez-vous aussi pour savoir si juste avant de sortir la dame n'a pas reçu une visite... ou un coup de fil...

Je lui abandonne enfin le billet vert. Il le cramponne comme un caméléon happe une mouche.

Je demande ma clé et je grimpe au septième...

Lorsque le liftier m'a débarqué je tourne à gauche... Au fond du couloir se trouve le 706.

Personne à l'horizon... Ces couloirs sont déserts comme l'estomac d'un fakir...

Je biche mon petit sésame, cet inséparable compagnon qui ne quitte ma poche que pour plonger dans les serrures et je trifouille celle-ci...

Un minuscule claquement et elle fait camarade. J'entre dans la strass, referme la lourde et donne la lumière.

Un tendre parfum de Paris flotte dans la carrée, émouvant

parce qu'il évoque une cohorte de pépées toutes plus charnelles les unes que les autres...

La pièce est en ordre...

Je regarde les valises entreposées sur une table basse à claire-voie... Ce sont de bath valoches en croco... La gonzesse a l'air rupinos tout plein !

J'ouvre lesdites valises, elles sont vides... Alors je vais à la penderie et je découvre toute une séquelle de robes et de manteaux accrochés... Elle a une garde-robe estimable, la rouquine...

Sous les robes il y a des pompes... Chouettos, les escarpins, et qui ne sortent pas de Prisunic, je vous l'annonce... Faits par bottier... Je fronce les sourcils car, au milieu d'eux, se trouvent des pompes d'homme. Je me baisse pour les saisir et voici qu'il m'est impossible de les décoller de terre. Ils sont pleins de pieds... Au-dessus des pieds y a des chevilles qui ne font que précéder des genoux, lesquels devancent des cuisses supportant un buste d'homme.

J'écarte les robes et le détenteur du buste s'écroule sur la moquette.

Il n'a plus besoin de souliers car il ne marchera plus. Maintenant il ne peut que jouer à la libellule avec de jolies ailes dorées s'il a été bien sage pendant sa vie. Seulement je doute qu'il l'ait été. Les bonnes gens finissent rarement avec une olive de 7,65 dans le plafonard...

Etalé à terre, il me paraît extrêmement grand. Il est maigre et roux... Mais d'un roux pas catholique. Ce gars-là, je vous parie une place de conseiller à la Cour des comptes contre une place assise dans l'autobus qu'il s'est fait appeler Lefranc à certaine période de sa vie...

Je le palpe ; froid comme un nez de chien... Avec ça la raideur-béton ! Il est mort depuis un bon moment... Au moins une douzaine d'heures, d'après mes estimations personnelles.

Je m'agenouille pour le fouiller. Je trouve sur lui des fafs au nom de Pierre Werth... Il y a sa photo...

Alors je commence à me dire que comme cocktail à la c... on ne fait pas mieux...

Il avait raison, le gros Béru, en m'annonçant que ça se corsait...

Pour un tour de piste d'honneur, je vous le recommande !

Bon. S'agit de comprendre...

Pour entraver des trucs aussi compliqués, il vaut mieux s'installer dans un fauteuil avec un tube d'aspirine à portée de la main...

Je ressors après avoir recloqué le mort dans sa guitoune. Toujours le désert de Gobi dans l'hôtel... C'est une chance.

J'essuie la serrure pour ôter les empreintes du mec San-A. (l'homme qui remplace le beurre et les maris en voyage)... Inutile de m'enfoncer dans un circus à la noix en territoire étranger.

Ils auraient vite fait de me balancer au trou, les carabiniers... La valse dans l'ombre, très peu pour moi...

J'entre dans ma carrée, je referme... Il est midi passé, l'heure du pâtre...

Je décroche pour demander un double whisky avec de la glace, des olives et un plan de Barcelone.

CHAPITRE XII

Le whisky qu'on m'apporte est tout petit, mais il ne grandira pas bien qu'étant espagnol.

Le serviteur me l'apporte triomphalement sur un plateau d'argent qui servirait de terrain d'atterrissage à un bombardier lourd.

— *Momento !* fais-je, puisque c'est la locution qui se répercute le plus souvent dans les tympans des mecs d'ici.

Je chope le glass et le siffle. Le serveur me regarde engloutir l'alcool avec un œil dans lequel on lit de la réprobation, de l'incrédulité et un commencement de maladie de foie.

— Enlevez, c'est pesé, *hombre !*

Il fait demi-tour. Lorsqu'il a franchi ma porte, j'appuie sur le bouton rouge placé à la tête de mon lit et qui commande le verrouillage. Puis je m'allonge, les mains croisées sur le bide et je songe scientifiquement. C'est-à-dire que, comme chaque fois que mes enquêtes deviennent lourdes d'éléments nouveaux, je les récapitule afin d'y voir clair.

Un type qui se faisait appeler Lefranc vient dire à la maison pébroque qu'il a reconnu un fameux espion allemand sur une bande d'actualités.

Des vérifications sont faites et on admet le bien-fondé de la déposition.

L'image permet de constater que Luebig n'était pas seul au meeting. Une femme l'accompagnait. Cette femme, je le sais maintenant, s'appelle Werth (Léonora pour les intimes). Il y avait en outre aux côtés de Luebig un petit vieux mort quelques jours plus tard dans des circonstances que les journaleux, avec le manque absolu de style qui les caractérise, ont certainement qualifiées de tragiques.

Quelqu'un habitait chez le vieux et ce quelqu'un n'était autre que Lefranc, celui-là même qui déclencha tout le bidule.

Lefranc avait choisi comme faux nom le patronyme qui le caractérisait le moins : en effet, nul n'était moins franc que lui. Tiens ! j'ai l'astuce abondante ce matin !

Plusieurs indices nous amènent en Espagne. Nous descendons dans un palace où séjourne précisément Léonora Werth... Mon pote Bérurier lui file le train et ne donne plus signe de vie.

Je découvre fortuitement dans le Barrio Chino une blague à tabac rouleuse de cigarettes qui pourrait bien être à lui...

Je fouille la carrée de la môme Léonora et découvre dans un placard un très beau macchabée qui s'est fait appeler Lefranc antérieurement mais dont les papiers sont au nom de Werth...

Le gars a été buté d'une bastos dans le chignon... Il est vraisemblable que c'est la découverte du défunt qui a mis en fuite Léonora. Voilà... C'est un peu confus, un peu embrouillé, mais j'ai posé sur le tapis les faits saillants de l'enquête...

Maintenant reste à savoir quels liens unissaient Léonora Werth et Pierre Werth...

Surtout, il s'agit de remettre la main sur le gros Béru. Ou je me goure, ou cette enflure s'est embarquée dans le plus bath coup fourré de sa p... de carrière. Qui sait s'il ne s'est pas fait dessouder comme un naveton de première classe ? Je commence à être sérieusement inquiet. Mort pour la France, Béru, c'est pas le genre de sa maison... Il ne travaille pas pour les plaques de marbre, lui...

Je saute du lit, je me file un coup de râteau dans les crins et repars sur le sentier de la guerre. Je pense, en longeant le couloir où, maintenant, une soubrette opulente promène un aspirateur, qu'ils vont avoir une belle surprise, les gars de l'Arycasa, en faisant le ménage... Comme prime du jour ça se pose là. Sûr et certain que je vais être emmouscaillé par cette affaire après toutes les questions que j'ai posées aux employés. Ça m'étonnerait qu'il tienne sa menteuse, le gominé de la réception.

Il a une bouille à se foutre à table pour pas chérot. Une tarte dans le pif et il raconte sa vie avec celle de sa concierge en supplément au programme.

Le monde est plein de gens impressionnables, tous prêts à filer leurs contemporains dans la mouscaille, pour trente deniers ou une mandale bien appliquée... Pas seulement des faibles, mais des salauds...

Surtout croyez pas que je sois sceptique. Au contraire, je suis comme qui dirait un antisceptique... Mais j'ai le sens du positif, comme tous les poulets. Si vous croyez que je vous bourre le mou avec un appareil à cacheter les bouteilles d'eau minérale, comptez sur vos dix malheureux doigts le nombre d'amis sûrs que vous possédez... Des amis vrais, de ceux qui sont capables de vous emprunter dix sacs sans changer de trottoir après et sans clamer partout qu'il n'y a aucune différence entre vous et une poubelle de quartier pauvre ! Vous verrez que vous aurez du rab sur vos dix doigts. Il vous en restera de disponibles que vous pourrez vous introduire dans le nez, ou ailleurs, suivant vos préférences !

Ayant remué ces noires pensées, je débouche dans le hall. Le gominé fait des gestes de moulin à vent. Je m'approche.

— Je me suis renseigné, dit-il. Mme Werth n'a reçu aucun message téléphonique avant de sortir, cette nuit...

— Merci du renseignement...

Je sors d'une allure extrêmement touristique. Il ne me manque qu'un appareil photo en bandoulière. Mais j'ai autre chose dans un étui de cuir... Autre chose que j'estime nécessaire pour partir en expédition dans le Barrio Chino dont j'ai potassé les méandres sur le plan de Barcelona !

Maintenant faudrait passer aux choses sérieuses, et vite. Si le Gros est en mauvaise posture il doit commencer à se cailler le raisin, vilain !

Je n'ai aucun mal à retrouver l'endroit où gisait naguère (ce que je m'exprime bien tout de même !) la blague qu'impulsivement j'attribue à Bérurier... Mon sens de l'orientation est proverbial. Je n'ai qu'un regret, c'est que Christophe Colomb ait déjà découvert l'Amérique. En voilà un qui m'a coupé l'herbe sous le pied, y a pas ! Je n'y pense pas trop, car ça me déprimerait. C'est vrai, vous ne trouvez pas affligeante, vous, l'idée qu'on a tout découvert avant vous ? Nous autres, les mecs du vingtième siècle, nous n'avons plus qu'à nous amener à Orly et à grimper dans un Boeing... Quelques heures, et n'importe quel point du globe est à nous ! Moyennant du papier-monnaie, vous avez droit à la mer de Corail ou au Spitzberg. On est obligé de se tourner vers les astres pour se dégourdir un peu les guibolles... Je veux bien que depuis toujours les hommes se sont intéressés à la lune, mais tout de même !

Je stoppe à l'endroit précis où j'ai ramassé la blague écrasée et j'allume une cigarette.

Là où je me trouve s'ouvre une sorte d'estaminet puant et sombre. Au fond, un guitariste vérolé joue un flamenco désespérant.

L'endroit est folichon comme un enterrement sans curé. J'hésite à y pénétrer, mais l'inaction me pèse à un tel point que je fonce.

Le guitariste lève le nez et sa longue main crasseuse se paralyse sur le ventre de l'instrument.

Je le salue d'un doigt négligemment porté à un chapeau imaginaire.

Il a un vague hochement de tête. Ses doigts plaquent un accord. Il brame :

— Tejéro !

Je vois sortir par un rideau de perles un gros zig jeune et bouffi aux cheveux en broussaille. Il est en manches de chemise, d'une chemise qui devait être blanche à sa sortie de la fabrique, mais qui n'a jamais connu les bienfaits de Persil...

Il me regarde d'un air assez cordial en tirant sur les longs poils d'une verrue qui orne agréablement sa joue droite.

— *Vino tinto !* fais-je, soucieux d'étaler mes connaissances linguistiques.

Il approuve et me sert un verre de picrate noir épais comme du goudron.

Je goûte le breuvage et réprime une grimace afin de ne froisser personne. C'est douceâtre et écœurant.

Tejéro — puisque tel est son nom — m'observe avec la même

bienveillance. Je lui souris. Puis j'extrais cent pesetas de mon gousset et je me mets à jouer les hypnotiseurs avec la coupure... C'est magique... Le guitariste fait un pas en avant. Il a un œil de verre. Dans la crasse de sa frime, ça ne se voyait pas. Son lampion bidon étincelle comme l'autre devant le billet.

— Vous parlez français ? je demande à Tejéro.

Il a un hochement de tête improbable.

— Non beaucoup, ânonne-t-il.

Effectivement, ça paraît maigrichon au départ.

— Je cherche *amigo* à moi, fais-je, *capiste ? comprenata ?*

— *Si...*

Je lui décris Bérurier, ce qui est aisé pour un garçon doué comme je le suis pour la caricature. En douze coups de crayon j'ai campé Bérurier sur une feuille de carnet. C'est lui à hurler ! Mieux qu'une photo ! Harcourt vous arrange un lavedu et le transforme en Casanova à grand renfort d'ombres et d'éclairages biscornus. Pour s'en rendre compte y a qu'à visionner les bouilles d'acteurs qui tapissent les murs des cinés !

Le bistranche *looks* mon dessin et fait une moue négative...

— Pas connaître, affirme-t-il.

Le guitariste sale jette un regard amorphe et se remet à gratouiller son jambon. Désespéré par cette inertie autant que par la musique triste, je paie et m'éloigne...

La vie a une vilaine couleur vénéneuse, ce matin ! Je glandouille dans ces bas-fonds célèbres où gravite la plus pauvre population d'Europe.

Je me dis que si je n'ai pas de nouvelles du Gros d'ici ce soir je serai obligé d'aller déballer le pacsif aux poulardins du coin afin qu'ils opèrent une descente...

Peut-être a-t-on découvert la carcasse à Béru dans un égout. Comment le saurais-je, n'étant pas même capable de ligoter les baveux ?

Je reviens vers la rambla, sombre comme un bal nègre, lorsque je me sens tiré par la manche. Je me retourne pour me trouver nez à nez avec le guitariste de l'estaminet. Il a des marques de chtouille plein la vitrine et il est plus cradingue qu'un champ d'épandage. Franchement le jour ne l'avantage pas. Y a de l'humeur autour de son lampion bidon et il est aussi appétissant qu'un mur de chiottes.

— Oui ? fais-je histoire de manifester mon intérêt.

Il sourit et ses chailles sont blanches comme de l'anthracite belge.

— Je parle français, fait-il.

— Voyez-vous...

— J'ai habité dix ans Paris...

Il ajoute :

— Pigalle... Ah ! c'est une belle ville !

— Très belle, conviens-je.

Est-ce que ce vilain pas beau va pleurnicher ses souvenirs dans mon giron ?

Je le regarde.

— Ici, la vie est dure, dit-il. L'Espagne est un pays pauvre... Pas d'argent, pas de travail...

En ce qui le concerne, cette seconde chose ne doit pas l'affecter outre mesure...

— Si vous disposiez de deux cents pesetas, señor, murmure-t-il après un regard derrière lui, je pourrais vous dire des choses...

— L'avenir ?

— Plutôt le passé...

— Je le connais, merci...

— Vous connaissez le vôtre, pas celui de votre ami, le gros homme.

Là, il m'intéresse foncièrement, le borgne...

Il tient sa guitare sous le bras. Ses doigts aux ongles noirs battent une mélopée sur le dos de l'instrument... Ça fait comme un lointain tam-tam perdu dans une contrée inexplorable...

— Vraiment, je murmure. Vous pourriez me parler de mon ami ?

— Je le crois...

— Vous savez où il est ?

— Ma mémoire est un appareil à sous, señor... Ici la vie est tellement dure...

Son langage fleuri me botte. Je lui allonge les deux billets rouges. Il les enfouit prestement dans sa poche...

— Alors ?

Il sourit...

— Votre ami, fait-il, doit souffrir de la tête. Il doit se trouver dans un endroit sombre et certainement humide... Et il doit de plus maudire sa coupable curiosité...

Sur ce, le guitariste va pour se faire les adjas...

Je le chope par la guitare.

— Ecoute, trésor, pour deux cents points on a droit à de la précision... Moi, je vais te dire ton futur. Si tu n'ouvres pas les vannes en grand, tu vas te retrouver avec ta guitare autour du cou en guise de faux col...

— Ce serait ennuyeux pour votre santé, murmure-t-il.

Je le conçois sans peine, aussi jugé-je (le terme me plaît, laissez-moi le répéter), aussi jugé-je, dis-je (et le plus beau c'est que ça s'écrit comme ça se susurre), plus prudent de biaiser. J'ai toujours envie de biaiser !

— Sois franco (sans jeu de mots) et dis-moi où se trouve mon pote...

— Certainement dans un sous-sol, et non loin de l'endroit où vous l'avez cherché... Mais vous avez commis une imprudence en demandant après lui... Prenez bien garde à vous, señor, ici les journées sont chaudes mais les nuits sont fraîches...

— T'occupe pas, je ne sors jamais sans mon Rasurel...

Il hoche la tête et tapote sa guitare sur un rythme plus rapide. Cette marque d'impatience ne m'échappe pas.

— *Adios,* fait-il.

Il s'arrache à notre intimité et fonce dans le Barrio Chino comme dix kilos de vaseline sur une plaque de marbre inclinée.

Je me fous à siffloter allégrement... Enfin voilà du neuf et du raisonnable. Il est trop tôt pour me filer au turbin... Trois plombes dégoulinent des cadrans. L'heure sacrée de la jaffe !

J'entre au restaurant Solé, un endroit chic, et commande une *paella* à grand spectacle... On ne fait rien de bon le ventre vide !

CHAPITRE XIII

Je suis en train de grailler le meilleur raisin de ma vie gastronomique lorsque July Chevreuse, ma petite starlette de la nuictée, entre dans l'établissement, flanquée de deux mecs qui se sont affublés de blousons de daim et de casquettes à longue visière afin de bien prouver qu'ils sont dans le cinéma.

La cocotte m'adresse un grand signe en bramant un « hello » qui filerait la nausée à des Amerlocks. Puis, sans plus de cérémonie, elle s'installe à une table et se met à faire une terrible esbroufe, comme une vedette le doit à son public.

Souvent la bêtise des gerces me porte au bocal. Je me sens frémir de la coiffe dans ces cas-là ! Le plus dramatique, c'est qu'ayant des mœurs orthodoxes je suis obligé d'en passer par elles. Je me déguise en crème d'andouille toutes les fois que je le peux, c'est-à-dire très souvent. Le grand jeu, les mignardises, les envolées de voix, les prouesses du slip, oui, tout ça et le reste, je le regrette lorsque je me retrouve dans le civil près d'une bergère comme July de Mes-choses-en-salade !

Ulcéré, je douille mon orgie et mets le cap en direction de la lourde, profitant d'un moment d'inattention de la championne du zizi-panpan et de la caméra réunis !

Le soleil est accablant. Bien que je longe le port, aucune brise ne me parvient du large. La mer est inerte, le ciel est d'un bleu presque blanc... Les vieux bahuts roulent lentement dans le fracas de leur ferraille. Des gens harassés passent en traînant péniblement leurs ombres sur les trottoirs brûlants.

Je mijote les révélations du gitan de tout à l'heure, l'homme au lampion bidon et à la guitare nostalgique... Quel genre de pèlerin est-ce ? M'a-t-il fait ces confidences par simple avidité ? Il y a un mystère... Un grave...

Je suis triste à la pensée de cette *paella* que je viens de tortorer en suisse alors que le Gros bouffe peut-être avec les anges... Est-il vivant ou mort ? Faut se rencarder d'urgence...

Je prends les petites rues et finis par trouver ce que je cherchais : un marchand de fringues amerlocks... J'entre dans sa boutique pour m'offrir une combinaison avec une tinée de poches à soufflets, une chemise à carreaux, une bâche tricotée...

Il me fait un paquet, je ressors avec ça sous le bras... Dans une boutique voisine j'achète des lunettes de soleil — air connu — c'est simple mais efficace. Je ne peux pas me déguiser en pet de lapin, hein ? Alors il faut bien que je sacrifie aux bonnes traditions ancestrales de la maison Parapluie.

Tout va *bene*, les troupes sont fraîches et bien nourries. Le piment de la *paella* me picote un peu les parois, mais ça stimule...

Je fonce à mon hôtel... Mais au moment où je vais pour y pénétrer, une bagnole moins démodée que les autres stoppe tandis qu'une armada de poulardins espagos débarque en faisant des moulinets avec leurs longues matraques. Je me dis que ça n'est pas le moment de m'insérer dans ce tableau, car je risque fort de me faire poser des questions embarrassantes, notamment au sujet du revolver que je porte dans mon holster. Je leur dirais bien que c'est un scapulaire, étant donné leur croyance religieuse, mais je doute qu'ils acceptent l'explication...

Je fais demi-tour et j'entre dans un bar. Je bois un café très fort et très mauvais, je le paie et fais semblant de me tailler, mais, profitant d'une seconde d'inattention du barman, je pousse la lourde des gogues et je tire le verrou.

En un clin d'œil je change mes frusques contre celles dont je viens de faire l'emplette. Le papier me sert à envelopper mes vêtements à moi. Je retire le verrou, entrebâille la porte et coule un regard en vrille à l'intérieur du bar... Un couple est au comptoir, parlant avec le barman... Ça risque de s'éterniser. Je me colle les lunettes sur le naze et délibérément je m'avance vers le rade. Faut croire que mon aspect s'est modifié car le garçon ne sourcille presque pas.

— *Vino tinto !* lancé-je, car je suis certain de bien prononcer ces deux mots !

Le raton en veste blanche me sert un glass de rouquin, je file un ticket de cinq pesetas, j'empoche la mornifle du loufiat après lui avoir balancé son bouquet et me taille... Tout s'est bien passé. Seulement mon paquet de nippes m'embarrasse...

Je le laisserais bien dans un autre rade, mais je ne pense pas que ce soit prudent. Alors aux grands maux les grands remèdes... Je m'arrête devant une bagnole en stationnement, je promène la main sous l'essieu pour la ramener noire de cambouis. J'écarte les bords du paquet et fais (à contrecœur) une tache à mon veston et une autre au futal. Puis je replie le total et m'annonce dans une teinturerie en disant qu'il faut me nettoyer le costar pour le soir. La vieille m'explique qu'en express ça me coûtera un poil plus chérot. Je dis d'accord et je me casse, les mains libres, les nerfs tendus, bien décidé à retrouver le gros Béru, même s'il a été débité en tranches.

Il n'y a plus le guitariste dans le bistranche à Tejéro. Je pense que le gratteur de jambon s'est emmené en villégiature tandis que je faisais mon rodéo dans le quartier maudit. L'établissement — si je peux employer un terme aussi pompeux pour qualifier le bouge — est vide. Il doit pas faire un gros chiffre d'affaires, le zig à la verrue poilue ! Ici on se contente de peu...

Je baisse la visière de ma bâchouse avant de pénétrer dans l'allée située à gauche du bistrot. Je manque défaillir tellement ça chlingue ! On a l'impression de partir en voyage dans l'intestin d'un chacal... Le monde pourrissant ! Voilà l'image par laquelle je traduis ma sensation... Ça pue le pourri, le moisi, l'aigre, le rance... Ça pue tout court ! C'est le voyage au bout de la nuit...

Je prends ma petite lampe de poche ayant la forme d'un stylo et j'en promène le faisceau autour de moi.

J'avise un escalier branlant à gauche... Au-dessus il y a des gens qui hurlent en se foutant sur la gueule, ce qui explique leurs cris.

A droite, une porte de fer... Ça ne ressemble pas à une porte de cave... On dirait plutôt la lourde d'un transformateur électrique.

Je l'ausculte. Trouve la serrure. Alors vous l'avez deviné, c'est à sésame de jouer la romance des rossignols.

Mais ce petit dégourdi se laisse intimider pour une fois. Lui qui est si convaincant avec les clenches de toute nature, il balbutie avec celui-ci... J'ai beau titiller dans le trou, me forcer au calme, rien ! Zéro ! La lourde reste close, la serrure inerte...

Furax, au bout de cinq minutes je me penche et colle le pinceau lumineux de la lampe à l'orifice. Alors immédiatement je me fais inscrire au club des mous de la théière *because* je suis en train de « guignocher » non dans un trou de serrure, mais dans un trou produit par l'absence d'un rivet...

J'y passe le petit doigt, je tire. La porte s'ouvre sans faire d'histoire... Je remise mon sésame et considère d'un regard flottant le rectangle noir qui s'offre à mes investigations (comme disent mes confrères qui se prennent au sérieux). Les mots du guitariste me reviennent, comme dans un film les voix off. « Votre ami est certainement dans un sous-sol, et non loin de l'endroit où vous l'avez cherché... »

Qu'est-ce que ça signifie, au juste, non loin de l'endroit ? Bonté divine, si j'avais pu tenir le gratteur de cordes dans un endroit peinard, je lui aurais arraché des précisions... Son carreau de verre pour commencer, je le lui faisais sauter avec une fourchette à escargots... Ensuite il avait droit à la *Valse* de Sibélius...

Un coup de boule dans le placard, ça met les gnaces à la raison, et une série de mandales aident un bègue à parler couramment... Mais ce qui est fait est fait, suivant le principe de Félicie, ma brave femme de mère, qui se prétend fataliste mais qui sanglote lorsqu'elle a loupé une mayonnaise.

Je m'engage dans le rectangle noir, ramène la porte sur moi et me mets à descendre un escadrin aux marches extrêmement brèves.

Ce qu'il y a de curieux, c'est ce bruit qui soudain me parvient. Ça ressemble au grondement que produit la roue d'un moulin...

J'actionne la loupiote, mais je ne vois que des parois de pierre suintantes d'humidité...

Je descends l'escalier à pic entièrement et je débouche dans un couloir... Toujours ce bruit qui ne s'amplifie pas mais qui roule dans mes oreilles comme le zonzon d'un monstrueux insecte.

Enfin, me voici dans un long couloir voûté. Des portes s'offrent, à droite et à gauche... De méchantes portes de bois que j'ouvre les unes après les autres sans difficulté. Elles donnent toutes sur des caves encombrées de machin-chouettes hétéroclites... Ils ont des trucs rouillés en réserve, les habitants du Barrio Chino, mais comme picrate : néant !

Pourtant, l'une des lourdes est plus cadenassée que les autres. La cave qu'elle protège contient des tonneaux et des bouteilles dans des casiers. Je pige qu'il s'agit de celle à Tejéro, l'homme à la verrue poilue... Pas trace de Bérurier...

J'ai beau examiner le sol, les murs, les portes, les réduits : rien !

J'arrive au bout du couloir et je pige la nature du bruit. C'était la batterie d'un orchestre. Il vient de s'arrêter et un air cuivré lui succède... Je suis sous un dancing...

J'ouvre la dernière porte, c'est une porte de fer identique à la toute première, par contre celle-ci comporte une sacrée serrure. Je tombe sur un escalier et je le gravis avec mille précautions parce qu'au-dessus de ma hure, le bastringue bat son plein. Je vais faire une drôle de tronche, tout à l'heure si je débouche au milieu d'une piste de danse...

Cet escalier est en deux tronçons. Il s'arrête à une espèce de vaste plate-forme et continue son ascension.

Une porte très basse s'ouvre sur la plate-forme. Cadenassée

itou. Je l'ouvre... Décidément ça tourne au cauchemar, cette succession de lourdes à ouvrir. Si je me fais pincer, il va y avoir un vache cri dans le circus. Ils sont chiches de me lyncher, les bougres... Ils auront tous les droits pour leur pomme car il serait malaisé de justifier mon voyage dans ce sous-sol. Mais c'est peinard dans le secteur.

La nouvelle porte basse franchie, je me trouve dans un second couloir beaucoup plus humain que l'autre. Celui-ci est blanchi à la chaux... Encore des portes... Je suis le roi de la serrure décidément... On pourrait créer une espèce de course d'obstacles d'un genre nouveau...

Ces caves-ci sont bien garnies... Il y a de la charcutaille dans l'une... Avec des jambons plats, fumés, presque noirs... Gentil comme guirlande. Dans une autre du picrate... Et dans une troisième Bérurier... Un Bérurier en triste état. Une vraie loque... Il est étendu, inerte dans le salpêtre... Sous sa tête se trouve une flaque noire. Son visage est vert... Ses yeux clos... Il respire difficilement car il a le nez tout violet et enflaga...

Sa cravate, sa chemise sont en loques...

Il est là, le pauvre Gros, les bras en croix.

Je m'agenouille près de lui et je passe la main sur sa poitrine grasse. Son battant fonctionne toujours, un peu lent, mais ça boume. Je regarde la blessure qu'il porte au crâne... Il ne s'était pas mis le doigt dans son œil de verre, le guitariste, en affirmant que Béru devait avoir la migraine.

Une sale lope lui a filé un coup de tisonnier ou assimilé sur la coiffe et ça lui a ouvert le cuir sur cinq bons centimètres... Ce qu'il a perdu comme raisin, par cette plaie, c'est rien de le dire...

Le sol de la cave en est tout imbibé... Notez que son naturel sanguin n'a pu que se trouver bien de cette hémorragie, néanmoins (comme dirait Cléopâtre) cette façon de pratiquer une saignée est à déconseiller...

Je palpe la blessure. Dans son inconscience le Gros pousse un gémissement caverneux... Mais je suis rassuré, pas de fracture... Il a le bocal en fonte renforcée... Ça handicape pour les mots croisés mais, dans le cas où on prend votre boule pour une grosse caisse, ça aide puissamment.

Je me lève et vais dans la cave précédente, celle où j'ai avisé du pinard et des spiritueux... Je dégauchis une caisse de whisky... Pas de l'espagnol ! Du chouette, du Gilbey's pour ne rien vous cacher et tout vous dire.

Je reviens, serrant un précieux flacon sur mon sein paternel. Le déboucher est un jeu d'enfant, en boire une rasade, un plaisir capiteux... Le moche reste à faire... Je tire la chemise du Gros de son futal... C'est une limace en toile blanche. J'en arrache le pan, espérant que cette mutilation ne lui vaudra pas une scène de ménage... Puis je le soulève et lui tiens la calebasse contre mon genou — style Bayard expirant. Je fais couler le whisky sur la blessure pour la désinfecter. Le Gros sort des limbes à tombereau ouvert.

— Nom de Dieu ! éructe-t-il.

Il bat des paupières.

Je verse encore un peu de raide sur son cuir.

— Tonnerre de m... ! profère-t-il.

— T'es toujours aussi mal embouché, Gros, je soupire.

CHAPITRE XIV

Ravivée par la brûlure de l'alcool, la blessure se remet à saigner. Les cheveux du gros Bérurier prennent une curieuse teinte pourpre répugnante. Ça le transforme complètement.

— L'homme aux cheveux rouges, fais-je, épisode II ; le gros Bérurier chez le gros méchant loup... Que t'est-il arrivé, Mec ? T'as raté une bordure de trottoir ?

— Ferme un instant ta grande gueule et passe-moi le flacon, j'ai besoin d'élixir, affirme le blessé.

Il reste environ quarante centilitres de whisky dans la bouteille. Si je le laissais faire, il s'embourberait le solde et repartirait aux quetsches pour le bon motif. C'est pas le moment car, si on l'a foutu dans ce piège à rats, c'est qu'on voulait s'assurer de sa personne... Et on surveille étroitement les prisonniers...

— Figure-toi..., commence-t-il.

— Remise ta menteuse dans son écrin, gars, c'est pas le moment des résumés. Tu peux arquer ?

— Relève-moi, pour voir...

Je passe derrière sa gonfle et le cramponne à bras-le-corps.

Oh ! hisse ! Il est aussi souple qu'une vache crevée, Bérurier... Ah ! c'est pas demain qu'il servira de partenaire à Jacques Chazelle !

Comme il y met du sien, je finis par le mettre à la verticale. Il titube un instant, se passe la pogne devant les châsses et s'ébroue...

Puis il fait un pas en avant, appuie l'une de ses mains contre le mur et dégobille que c'en est une bénédiction...

— C'est tout ce que t'as à nous montrer ? lui demandé-je lorsqu'il a terminé.

— Charrie pas, Mec, murmure-t-il. Avec un parpaing commak sur le chignon, je devrais être déjà plein d'asticots !

Il fait de grandes embardées, mais réussit à marcher. Moi, je tiens mon feu d'une main, ma lampe de l'autre.

— Accroche-toi à mon épaule. Le premier gnace qui se la radine avec des intentions belliqueuses, je le plombe comme une bécasse !

Nous faisons en sens inverse le chemin que je viens de parcourir. Nous allons assez doucement à cause de mon pote qui se sent un peu pâlot des flûtes, mais l'essentiel est de se tirer de ce terrier aux cent lourdes.

Enfin voilà l'escadrin... On le gravit, le Gros en tête tandis que je lui file des coups de genou dans les miches pour le soutenir dans son ascension. Il gravirait l'Everest que ça ne serait pas pire !

Lorsqu'il débouche dans le couloir pestilentiel, il est en nage et tourne au vert intégral.

Il se tient la poitrine comme si cela pouvait aider sa respiration, la régulariser.

— Tu y es, bonhomme ?

— Attends...

— Dis, prends pas tes aises... Si l'immeuble te plaît, loue un pied-à-terre, seulement m'est avis qu'on risque de se faire brûler les plumes en s'attardant.

— Bon, suffoque-t-il. Tu veux ma mort, alors allons-y...

— Écoute voir, on va tourner à droite tout de suite en sortant, *because* à gauche il y a un troquet dont le loufiat ne me paraît pas catholique bien qu'il soit espago...

— Bien...

Il me suit docilement comme un bœuf qui suit son louchébem jusqu'aux abattoirs du chef-lieu ! Croquignolette, la promenade, je vous l'annonce.

Si vous mordiez la frime de Béru vous voudriez un cliché d'extrême urgence pour faire poirer vos relations. Il a pris un coup de grisou dans le pif et son naze déjà volumineux au départ a triplé de dimension. Il ressemble à l'aubergine primée lors du dernier comice agricole... Ses joues non rasées sont blêmes... Le raisin pisse partout sur sa bouille... Ses yeux se retournent sous l'effet de la faiblesse comme des parapluies un jour de grand vent !

Je le regarde en souriant. Il s'en aperçoit et questionne lugubrement :

— Tu me prends pour une attraction internationale ?

— Presque, je reconnais. Je veux pas te vexer, mais tes chances au titre de Miss Europe me paraissent compromises...

— Débloque pas, ballot, je suis mort...

— C'est pas une raison pour manquer de respect à tes supérieurs...

Alors, bien que faible à tomber, il réunit les ultimes forces éparses en lui et me débite des choses peu agréables sur la hiérarchie, la police, les enquêteurs, l'État, etc. Il conclut en déclarant que son rêve le plus cher serait de nous voir crever avec des fourmis rouges plein la g..., le Vieux et moi...

Cela étant dit, il s'adosse contre un mur. Des passants s'arrêtent de passer pour le contempler avec intérêt et même commisération.

Je reprends mon optimisme. Cette fois on s'est sortis du pétrin... C'est la fin du Barrio Chino. Nous marchons dans des voies tout ce qu'il y a de normales. Nous ne craignons plus rien.

— Bon, fais-je, c'est pas le tout, Gros, mais faut te faire recoudre le dôme pendant qu'il te reste encore un peu de raisin dans les veines...

Il fait un signe affirmatif. Je lui mets un bras par-dessus mon épaule et l'entraîne d'autor vers une *farmacia.* Le potard est une jolie nana brune comme un corback. Dans sa blouse blanche fermée sur l'épaule elle est à croquer. Notre venue dans sa boutique ne semble pas l'enthousiasmer. Il faut dire que nous avons une sacrée touche, moi, loqué en docker et le Gros déguisé en boxeur K.O....

Pourtant, sa profession l'emportant sur sa répulsion, elle fait asseoir Bérurier et s'occupe de lui.

C'est une fille énergique. Elle commence à désinfecter la plaie autrement qu'avec du whisky, ce qui fait bramer mon pote.

— Un peu de tenue, lui dis-je. Tu vas passer pour une femmelette.

— Et ta sœur, fesse de rat ?

Telle est la réponse pertinente qu'il me hurle entre deux gémissements.

— J'ai l'impression, poursuit-il, qu'on m'arrose le cerveau avec du vitriol !

— Comment t'arroserait-on le cerveau, tu n'en as pas !

La potarde lui posant deux agrafes, il abandonne.

Lorsque nous ressortons de l'officine, il est beau comme une momie de gala ! Quinze mètres de bande blanche autour de son périscope l'ont transformé en une sorte d'homme invisible assez surprenant...

— Si on te demande ce qui t'est arrivé, lui dis-je, tu n'as qu'à dire que tu vas à un bal masqué et que tu t'es déguisé en panaris.

Pour toute réponse, il me désigne une brasserie aux banquettes moelleuses...

En trombe qu'il y pénètre, mon copain. La banquette sélectionnée par lui gémit sous la charge.

— Qu'est-ce que ce sera ? lui demandé-je...

— Un kil de rouge et à bouffer ! Merde, j'ai rien dans la pipe depuis hier... Après m'être saigné comme un goret !

— Comment voudrais-tu t'être saigné ?...

Abattu, il ne répond pas. Je fais des gestes impérieux au garçon. Laborieusement je lui passe la commande.

Du *vino tinto* comme s'il en pleuvait, et une « terrific » assiette de charcutaille...

— Avec des cornichons, hein ? je demande à Bérurier, comme ça tu te sentiras moins dépaysé !

Il secoue sa tête douloureuse.

— Jamais de cornichons quand je suis avec toi, San-Antonio... Ça ferait double emploi.

— Bon, rigolé-je, t'as l'air de reprendre goût à la vie !

Bien que frémissant d'une rare impatience, je le laisse tortorer dans le silence. Il mastique difficilement parce que son clavier universel en a pris un coup aussi et que ses ratiches se déchaussent comme un facteur après sa tournée. Une grande pitié s'empare brusquement de moi. Pauvre gros Béru... Son corps malmené, tuméfié, ravaudé, me fait mal brusquement... Je regarde ce demi-siècle de loyaux services consommer du jambon et je songe avec tristesse que la vie est stupide... Il est là, dans un pays étranger, à se faire bourrer le pif tandis que sa bonne femme s'envoie au plafond avec le pommadin du coin... Au lieu de ligoter son journal peinard sous la lampe, il encaisse des coups de matraque...

Ses bons yeux de goret cordial rencontrent les miens. Il y lit mon désenchantement.

— Qu'est-ce que t'as, San-Antonio ?

— Nous faisons un métier de c...

Il rêvasse un instant, puis hausse les épaules.

— Que veux-tu, gars, c'est nous qui l'avons choisi, tant pis pour nos pieds !

Sa bonne patte s'avance vers moi, je la serre furtivement.

— T'as raison, Béru, c'est bien fait pour nous ; on n'avait qu'à se lancer dans la haute couture...

— Bon, c'est ainsi, nous n'avons plus que la ressource d'aller jusqu'au bout.

— Tu pourrais, en attendant, me narrer tes aventures...

Il vide son glass.

— Facile... Bon... Attends. Cette nuit... Ça y est... Figure-toi que j'entre dans ma chambre pour me zoner.

— Je sais...

— Commence pas à interrompre l'orateur, je t'en supplie !

Je me mords les baveuses.

— J'étais en train d'ôter mes pompes lorsque voilà que j'entends un cri terrible... Un cri de femme qui biche une traquette monumentale... Bérurier, me dis-je, il se passe quelque chose ! Certainement, me répondis-je ! N'écoutant que ce courage que tu me reconnais, je me suis précipité hors de ma piaule et qu'ai-je vu ?

— La dame qui était au meeting avec Luebig !

Je le foudroie... Il est sur le point de me cracher à la figure.

— Y a pas plus débecquetant que toi, assure-t-il. Faut toujours que tu nous fauches nos effets. Comment l'as-tu su ?

— A ton avis, pourquoi m'a-t-on nommé commissaire ?

— Excuse un peu, j'oubliais que t'étais le génie du siècle...

— Et toi celui de la Bastille, on est de la même race, va !

Il poursuit donc, du bout de ses dents branlantes :

— La dame était en combinaison, et ça n'avait rien de dégueulasse. S'étant orientée du côté de l'ascenseur, elle ne m'avait pas vu... Elle semblait littéralement folle... Je ne sais pas pourquoi...

— Toutes les femmes qui découvrent un macchabée dans leur penderie ont tendance à perdre le ciboulot...

— Un macchabée dans...

— Je t'affranchirai ensuite. Continue...

— Elle s'est arrêtée net et s'est aperçue de l'état dans lequel elle se trouvait, c'est-à-dire presque à poil. Elle est rentrée vivement dans sa chambre... Moi, je me suis précipité simultanément dans mes chaussures et au téléphone... Seulement Monsieur ne répondait pas... Monsieur se payait du lard, ou une pépée...

Ses yeux injectés de sang me regardent, je ne bronche pas.

— Là n'est pas la question, Gros, achève ton histoire...

— La femme est ressortie une minute plus tard en se fringuant. Elle a appuyé sur le bouton d'ascenseur... Celui-ci descendait, j'ai calculé que le temps qu'il arrive au rez-de-chaussée et remonte je pouvais arriver avant lui par l'escadrin en me bougeant le panier...

— Oui... T'as filé la pépée...

— Exactement...

— Ça s'est passé comment ?

— D'abord, elle a couru comme une paumée dans les rues. Puis, parvenue sur la place de Catalogne, elle s'est arrêtée et a cherché un taxi du regard. Comprenant son intention, moi j'ai sauté dans le premier qui s'offrait... en lui ordonnant de suivre la donzelle. Nous sommes allés ainsi jusqu'au Barrio Chino... Elle a claqué la portière et elle est entrée dans une boîte de nuit...

— Ah ?

Je pense aux flonflons de la batterie que j'entendais dans la cave, là-bas, et qui me faisait penser à la roue d'un moulin.

— Et puis, Gars ?

— Et puis rien... J'ai attendu une plombe, deux plombes... Tu sais que pour la planque, j'en connais une touffe et que je suis capable de toutes les patiences.

— Je sais...

— Tout de même, lorsque le jour a commencé à poindre je me suis dit que madame devait avoir jeté l'ancre dans la strass... D'autant que les clients de la taule se sont barrés les uns après les autres et tout s'est éteint...

— Et puis ?

— Attends, tu me les brises avec tes « et puis ? » J'ai hésité à rentrer... Je n'avais pas sommeil, une aubaine pareille, tu parles que ça m'avait excité.

— Tu parles ! D'autant que t'avais pioncé dans l'avion...

— Alors j'ai voulu pousser un peu mon avantage...

— Histoire de me doubler au poteau, hein, gros marle ? Tu voulais faire cavalier seul...

— Quand vos chefs ne répondent pas au téléphone, on doit prendre l'initiative, non ?

Objection valable !

— J'ai essayé de bricoler la lourde de la boîte mais macache. J'ai pensé qu'il existait sans doute une autre issue ! J'ai avisé une allée, j'y suis entré... Comme je frottais une allouf pour me repérer, j'ai reçu l'immeuble sur le crâne...

— Un mec t'a possédé d'un coup de goumi ?

— En tout cas, je peux te jurer qu'il ne m'a pas caressé avec un dos de cuillère. J'ai pris encore des coups de talon dans la bouille, je me suis évanoui... Je suis revenu à moi dans la cave où tu m'as trouvé... J'ai reperdu conscience, puis tu t'es radiné... Ah ! je m'en rappellerai !

— T'as vu personne ?

— Personne...

Je hoche la tête.

— Tu parles d'un pastis !

CHAPITRE XV

Il faudrait se magner le vase pour tenter l'abordage, *besause* les zigs qui ont joué un numéro de batteur sur le cassis du Gros ont dû s'apercevoir de sa disparition. Ça doit remuer un brin dans le circus ! Ils se bougent les articulations, les Lionel Hampton du cuir chevelu...

— A quoi tu gamberges ? demande le pauvre Bérurier.

— A la mort de Louis XVI, dis-je, avoue que c'est triste, à son âge...

Il pousse un grognement d'ours mal léché. Pas en forme pour la marrade, le Gros. Il est effeuillé comme la marguerite ornant la boutonnière d'un amoureux qui poireaute.

— Écoute, bonhomme... Je vais à l'assaut, c'est mon tour... Toi tu vas regagner l'hôtel et te zoner... Prends un coup d'aspiranche et oublie les basses réalités de ce monde.

Il opine.

On hèle une charrette. J'y fais grimper Béru dedans.

— Cramponne-toi au soutien-bras, recommandé-je, une balade dans ces machins-là, ça remplace une virée en soucoupe volante.

Il m'adresse un petit geste mélancolique avec la main. Son pif tourne au violet-jaune-jaspé. L'un de ses châsses en a pris un coup et ne laisse filtrer qu'un regard étroit et lamentable.

— Fais gaffe à tes os, San-Antonio, me dit-il. Cette histoire est à la c... comme un esquimau à la vanille !

Heureux de l'image, soulagé par sa boutade, il s'abandonne dans les « moelleurs » de sa banquette comme un homme ayant accompli sa tâche et laissé son message aux générations montantes.

D'un geste machinal, je palpe ma poitrine afin de vérifier la présence de mon ami Tu-Tues, la seringue à injecter de l'oubli !

Et puis je retourne au suif.

Le soleil luit toujours avec la même énergie, mais il paraît plus blanc... Une petite brise ravigotante souffle de la mer, apportant des remugles de flotte et de goudron.

Je respire un grand coup avant de replonger dans ce sacré Barrio Chino. Ça me fait une vilaine impression, comme si je descendais dans un égout. Au fond, sans vouloir tomber dans la littérature, l'image convient. Ces bas-fonds sont pareils à des égouts drainant la lie de l'humanité... Merde ! avec une comparaison pareille, je pourrais poser ma candidature à l'Académie française !

J'évite soigneusement le gourbi à Tejéro et vais visionner dans le fameux dancing dont m'a parlé Bérurier. Il se tient au bout de la ruelle. C'est un truc peint en bleu, avec des lampes versicolores autour de la lourde. Pour l'instant, elles sont éteintes évidemment.

Je file un coup de périscope autour de moi. La même faune lamentable, craspec et débraillée roule sa misère sur les trottoirs étroits.

Personne ne prête attention à moi... Personne du reste ne prête attention à personne. Ici les gens vivent leur pauvre vie comme ils peuvent. Ils sont attelés à leur destin comme des bourricots à leurs voiturettes... Hue ! Et c'est l'existence qui fouette !

Je prépare mon sésame. Je n'aurais jamais pensé qu'il me serait si utile outre-Pyrénées.

Tout en feignant de me protéger de la brise pour allumer une cigarette, je manœuvre l'ustensile. En vente dans toutes les bonnes quincailleries spécialisées dans le fric-frac...

La lourde est épaisse, mais le verrou de sûreté ne résiste pas à mon petit truc.

J'entre *pronto.* Je relourde de l'intérieur.

Il y a dans la cambuse une odeur de crasse populaire et de parfum non moins populaire qui irrite mes narines pourtant démocratiques.

J'actionne ma lampe-stylo pour situer ma longitude. Je constate alors que je suis dans une immense pièce blanchie à la chaux. Ici pas besoin du préambule d'un vestiaire et d'une entrée. Les mecs qui viennent gambiller se foutent dare-dare (si j'ose dire, et je me comprends !) au turbin. Ils retroussent leur bas de futal et je te connais bien. A moi le paso maison...

La salle de danse est parquetée. A peu près à hauteur d'homme, un balcon en fait le tour.

Tout en poussant devant moi la lumière conique de ma lampe, j'avance vers le fond de la pièce. Là se trouve un grand rade d'au moins dix mètres de long. C'est à ce zinc que les couples viennent s'humecter la gargante... Des étagères chargées de bouteilles me tendent les bras. Je m'entiflerais bien un coup de raide, mais je me le déconseille, me disant que la came servie laga ne doit pas être de *first quality...*

Au-delà du rade se trouvent deux portes, l'une à gauche, l'autre à droite par un louable souci d'harmonie. Je biche la première, elle conduit droit à une innommable cuisine où pendent les jambons à la noix du pays. Ici ça pue le rance. Dans la cuisine sont entreposés des caisses de spiritueux et un tonneau de picrate. Une petite porte donne sur le couloir de la cave où j'ai découvert la grosse trogne de Béru...

Je rabats et gagne la seconde lourde. Celle-ci conduit à un escadrin. A pic, le monsieur ! Je le gravis et parviens à un vaste appartement occupant toute la surface de la salle de danse.

Des lourdes, encore et toujours... Des lourdes à ouvrir, à fermer... et le regard éternellement tendu. Les gestes toujours réprimés... Le pétard qu'on sent palpiter sur sa peau !

Le jour où mon battant va prendre sa retraite, on pourra lui amener de la digitaline, je vous l'annonce ! Il l'aura mérité, le pauvre...

Je respire difficilement cet air âcre. Je n'aime pas l'odeur de ce bastringue. Elle est louche. Elle fait mal aux éponges...

Les piaules sont toutes des chambres pour la plupart. Un peu monacales de style : blanchies à la chaux et meublées de lits sommaires... Un lavabo, une chaise, deux portemanteaux et envoyez l'Aga Khan, son appartement est prêt !

Elles offrent au moins l'avantage d'être sans complication. D'un regard on les inventorie...

Je pénètre dans chacune d'elles. Je vois des fringues, tantôt d'hommes, tantôt de moukères, accrochées aux patères.

La maison prend des pensionnaires, à ce qu'il paraît.

Je réfléchis sec. Qu'est-ce que la femme qui se payait une piaule princière à l'Arycasa est venue ficher ici ?

La pièce du fond n'est pas une chambre, mais un bureau... Elle est plus vaste que les autres. Un grand meuble métallique en occupe le centre. Il y a aussi un classeur et des fauteuils pivotants.

Ce changement de style me surprend. Ça fait bureau d'homme d'affaires... Pour serrer les factures d'un infâme boui-boui c'est trop bath !

J'ouvre le tiroir central du burlingue... Il est vide... Ça, c'est troublant... Les autres tiroirs sont pleins de vide aussi, si l'on excepte quelques ramettes de papier à écrire et des morceaux de crayon...

Je donne un coup de sabord au classeur. Il n'a jamais rien classé du tout !

Ces meubles sont là au bidon... La pièce a l'air d'un bureau, mais c'est une simple pièce pour recevoir des gnaces.

Je m'apprête à virer de bord lorsque j'entends un bruit de pas dans l'escalier.

Un type arrive en fredonnant un vieux machin d'avant guerre qui a fait les beaux soirs de Tino Rossi !

CHAPITRE XVI

Mon premier mouvement consiste à sortir mon pétard, mais je me dis que c'est un peu prématuré. L'essentiel étant de l'avoir à portée de la main... Je jette un regard aussi rapide que désespéré autour de moi. J'avise un fauteuil pullman dans un angle de la pièce. Je peux me planquer derrière et voir venir...

Je me précipite ; le temps de m'acagnarder contre le mur à l'abri du meuble, j'entends une clé fourgonner dans la serrure.

Il était moins une, je vous l'annonce. L'arrivant donne la lumière. Une clarté crue éclate dans la carrée. Je m'aperçois alors que ce bureau ne comporte pas de fenêtre... C'est un endroit très secret...

Accroupi derrière le fauteuil je n'en mène pas large. C'est une position inconfortable pour voir venir l'existence... En cas de coup dur, on se fait repasser comme un futal de marié.

Le mec qui vient de s'annoncer dans le secteur décroche le bigophone, compose un numéro et se met à jacter à toute vibure. Sitôt qu'il a balanstiqué sa salive, il raccroche...

Je suis ses gestes grâce à son ombre qui se projette contre le mur. Je le vois s'agenouiller derrière son burlingue... Je me dis qu'il a découvert ma présence et que ça va tourner au caca avant longtemps... Je vous parie un extrait de naissance contre un extrait de café qu'il est en train de défourailler. Il va vaser de la praloche fourrée d'ici une paire de secondes. C'est emmouscaillant parce qu'un capitonnage de fauteuil intercepte la lumière mais pas les balles. Je me fais tout petit, tout petit, ce qui est un exploit difficile lorsqu'on pèse cent quatre-vingts livres...

Mais rien ne vient. Mon gnace demeure accroupi. J'entends un bruit curieux, pareil à celui que fait en se déplaçant une chose lourde montée sur un roulement à billes.

Mort de curiosité, je risque un petit coup de périscope de côté. Ce que je vois me sidère. Le type a fait glisser son classeur métallique sur le plancher, ce faisant, il a dégagé une large et profonde niche creusée dans le mur.

Là-dedans, se trouve un poste émetteur de radio... Du coup, je pige pourquoi cette pièce a l'aspect d'un honnête burlingue d'homme d'affaires. C'est uniquement pour masquer les apparences !

Le type, vu de dos, se présente comme un bonhomme grand et trapu. Il est brun, calamistré, loqué avec une élégance surannée.

Il coiffe un écouteur, tourne des boutons... Un léger zonzonnement se fait entendre. Il se met alors à manipuler le système émetteur avec une dextérité qui lui fait honneur et qui lui vaudrait un engagement immédiat dans la marine marchande.

Moi, je ne moufte toujours pas... J'attends... J'espère toutefois qu'il ne va pas raconter sa vie en morse... Ce serait dommage pour mes malheureux membres qui commencent à s'ankyloser vachement !

J'ai notamment la quille droite bouffée par les fourmis... C'est affreux...

Profitant de ce qu'il a les portugaises obstruées, je modifie un tantinet ma position. Un léger craquement, dû au fauteuil, se produit. Je retiens ma respiration, comme si un silence total pouvait compenser un bruit. Mais le sans-filiste n'a rien entendu.

Il continue de tapoter sur son émetteur...

Et puis, comme dirait le gros Béru : ça se corse (sous-préjecture Ajaccio, préciserait-il encore)... On cogne à la lourde. Le zig de la radio pose une question, on lui fournit une réponse, valable sans doute car il dit un seul mot et entre le fauteuil et le mur je vois entrer trois zigs dans la carrée. Ils relourdent et se dispersent dans les fauteuils tandis que l'autre achève son émission sur ondes courtes. Personne ne pipe mot. Un gros gorille s'est abattu dans le fauteuil qui me masque et a failli m'écraser contre le mur. Ce sagouin pue la brillantine de bazar... C'est une odeur huilée, pénible...

Enfin le technicien pose ses écouteurs, remise sa panoplie de petit sans-filiste. Il s'assied au bureau, écrit hâtivement sur l'une des feuilles de papier blanc garnissant un tiroir et se dresse. Il fait craquer ses articulations.

On parle ferme, avec animation, je vous en réponds. Ou je me cloque le *finger in the eye* ou il est question de Bérurier. Je n'entrave pas l'espago, mais à la façon dont ces braves gens bavochent le mot « francés », à tout bout de champ, je comprends que la disparition de mon pote est à l'ordre du jour...

Cette fois, j'ai l'impression que j'ai paumé ma flûte droite. On me l'a fait dissoudre dans de la soude caustique... C'est pas possible autrement ! Et pourtant non, elle est là, sous moi, mais je ne la sens plus. Quand je vais me relever, ça va être *joyce*, je vous le promets...

Pourvu que ces pieds nickelés ne tiennent pas un conseil de famille ! Supposons que leurs pourparlers durent autant qu'une conférence internationale, vous mordez d'ici le topo ? Le mec San-Antonio bouffé par les fourmis derrière un fauteuil ! Bath tableautin pour décorer les murs du Musée de l'homme !

Le gros pas beau qui occupe « mon » siège a la parole. Il sort soudain de sa fouille un larfouillet et le compulse. Voilà qu'un papier s'en échappe et tombe sur le parquet. Je zieute : c'est le permis de conduire de Bérurier. Une photo d'identité du Gros figure sur la carte rouge. Là-dessus, il a vingt berges de moins et il est presque désirable... pour une guenon en chaleur. Il me regarde d'un œil décoloré. Le type qui lui a chouravé son porte-lasagne se baisse pour ramasser la carte. Ses doigts boudinés sont maladroits. Au lieu de saisir le bout de carton, il le chasse sous le fauteuil. Alors c'est la grosse tuile creuse. Cet endoffé de première classe se lève et pousse le fauteuil afin de ramasser le carton. Il m'aperçoit. Ses yeux s'exorbitent comme s'il venait de découvrir un serpent à lunettes dans son futal.

Je ne lui laisse pas le temps de réaliser sa douleur. Bing ! Un coup de crosse sur la noix et il part à la renverse. Je me dresse, le feu en poigne. C'est la grosse crise dans la taule ! Les mecs poussent des exclamations sauvages et brandissent leurs pognes à qui mieux mieux, fortement intimidés par mon apparition, mon feu et mon comportement avec leur pote.

Seulement, au lieu d'exploiter la situation, je suis handicapé par mes flûtes ankylosées. Ma sacrée jambe droite est inerte, je bascule en avant. Cette embardée suffit pour rompre le charme. Le mec le plus près de moi s'élance. Je baisse ma seringue pour lui donner le bonjour de Tu-Tues, mais avant que je n'aie pressé sur le composteur, je bloque une baffe en pleine hure et illico il y a une éclipse totale de lune pour votre copain. La mandale est une réaction de petite fille, mais expédiée avec cette force on peut la considérer comme un acte défensif.

Je titube. Une abominable douleur me vrille soudain la quille. Le raisin en se remettant à circuler dans mes veines me cause une douleur effarante. Soudain une grêle de coups s'abat sur moi comme un orage. Il pleut du gnon. J'ai beau ruer dans les brancards, je ne puis me dégager. Le gros que j'ai cabossé revient à lui, et à moi par la même occasion. Il se dresse, fait reculer un de ses potes et me décerne un coup de latte en vache. Pas moyen d'esquiver. C'est le bouquet final.

Je m'affale sur le dossier du fauteuil, pantelant, en poussant des grondements de lionne en rut !

Comprenant que je suis *groggy*, ces messieurs suspendent la séance. Le gorille me tire en arrière. Je tombe assis dans le fauteuil. Tout m'indiffère, je ne suis plus qu'une immense nausée.

La douleur est tellement intense qu'elle dépasse mes possibilités.

Je sens une grosse vague noire me submerger.

Vlouff ! J'y vais de mon viron dans l'au-delà !

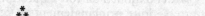

Une douche glacée me ramène aux réalités. J'ouvre un store et je vois le sans-filiste armé d'une bouteille d'eau minérale. Il m'en déverse le contenu sur la frime...

Il annonce à ses copains que je suis de retour... Je m'ébroue. Mon bas-ventre n'est plus qu'une boule de feu. Ça me brûle à bramer ! Je voudrais m'asseoir dans un baquet rempli de glace pilée... Je souffre, madame ! Je souffre terriblement.

Le zig qui manipulait le poste clandé a un grand visage allongé, basané, marqué de petite vérole. Il possède des yeux intenses et tendres, d'un noir scintillant dont l'éclat est insoutenable.

— Français ? demande-t-il.

— Non, d'origine arthritique... Mon père était bouledogue et ma mère lampe à souder avant de changer de sexe !

Il suit péniblement ces lumineuses explications. Puis il se visse la tempe d'un index mécontent. Ses compagnons hochent la tête avec scepticisme. Il y a le gorille déjà cité... Un petit d'un mètre vingt avec une tête de nain.

Un autre, plus âgé avec des fringues râpées et une paire de lunettes rafistolées avec du chatterton.

— Vous êtes un ami de l'homme ? demande le sans-filiste.

— Quel homme ?

— Le gros ?... Le Francés...

— Devinez...

Il sourit fort cordialement, puis il tire sur sa cigarette et, ayant ravivé l'incandescence de ladite, il me l'appuie sur la joue.

Je vais pour me dégager, mais le gorille m'immobilise les poignets.

Douleur sur douleur, ça donne un truc bath... Je manque retourner au pays du cirage noir.

Il retire sa cigarette, sans s'être departi une seule seconde de son air gentil, il se remet à la fumer...

— Vous devez parler, affirme-t-il. Nous trouverons un moyen, soyez certaine...

— Certain, rectifié-je, donnez-moi le genre masculin, je ne suis pas celle que vous pensez...

Une fois encore il se frappe la tempe.

— Vous jouez au fou ? questionne-t-il.

— Je joue principalement au poker...

Il se tourne vers ses potes et leur dit quelque chose... L'un d'eux, le petit nabot, sort... Les autres se tiennent en demi-cercle et me contemplent sans rien dire... On ne lit de l'animosité que sur la bouillote du gros que j'ai matraqué.

Enfin le nabot revient avec une corde dont on a dû se servir pour amarrer le *Normandie* au temps où il sillonnait les mers.

En un tournemain, je suis saucissonné.

— Vous préférez comme ça ? demande le grand gars.

— Modérément, fais-je, ça me gêne pour me gratter...

— Je gratterai pour vous...

— Merci...

Il tire sur la cigarette. Puis il l'approche de moi.

— A votre service, murmure-t-il.

CHAPITRE XVII

Et la belle.

Le coup de la cigarette on me l'a déjà fait, dans mon job à grand spectacle, vous pensez ! — soit dit entre nous et la colonne Moriss du boulevard Montmartre, c'est le genre de plaisanterie qui réussit toujours à impressionner les épidermes sensibles... Je serre les chailles pour ne pas y aller de ma beuglante. Je sens des larmes grimper dans mes lampions à toute vibure.

Afin de dominer ce petit malaise passager, je cesse de respirer. Il faut toujours compenser une douleur par une autre, plus grave. Cesser de respirer est un truc infaillible. Vos éponges bloquées réclament de la matière première ; ça vous occupe les sens. Lorsque, au bord de l'asphyxie, je m'octroie enfin une goulée d'oxygène, ça y est, la crise est passée. Je ne sens plus la brûlure.

Le grand mec pâle ôte sa cigarette de mon épiderme. Il y a une tache brun rosé sur ma main, surmontée d'un petit dôme grisâtre.

Les autres types ont l'air plus incommodés que moi par l'odeur de couenne grillée qui flotte dans la pièce sans fenêtre. L'un d'eux dit quelque chose. Le grand qui me torture va écraser son mégot dans un cendrier. Il revient vers moi, pensif comme Lamartine sur les bords du lac... A tout hasard, pour s'entretenir dans le bon climat, il me balance une prune à la pommette. Il cogne avec une sécheresse inouïe ! Je bloque son taquet sans broncher...

— Vous semblez à court d'imagination, fais-je. Je croyais pourtant qu'au pays qui vit fleurir l'Inquisition, on devait en connaître un brin dans ce genre de turbin ?

— Pourquoi ne voulez-vous pas parler ?

— Mais je parle...

— Répondez à mes questions, sinon vous serez repêché dans le port, demain... ou un autre jour...

— Posez-les...

— Que nous voulez-vous, vous et votre ami ?

— Prendre de vos nouvelles, c'est tout !

Cette fois il perd son visage aimable. Il tire un ya grand comme ça de sa pocket et l'ouvre d'une seule main. Il fait miroiter la lame à la lumière de la lampe électrique. C'est une sacrée lame, acérée et luisante... L'extrémité est pointue comme un passe-lacet.

Il me dit :

— Vu ?

— Très joli couteau, conviens-je. Vous le vendez combien ?

Pour une fois il a la réponse suave :

— Je ne le vends pas, je le donne...

Et d'approcher son lingue de ma gargante. La pointe se pose délicatement sous mon menton. Il appuie un tout petit peu. Je sens un léger trait de feu. Est-ce que ce niacouet va me cisailler la boule ? Comme dit l'autre : venez chez moi, nous ferons une petite décollation !

De quoi se marier !

Il retire sa lame et me la montre. Il y a une grosse perle de mon précieux raisin tout au bout. Le mec essuie la navaja après mes frusques.

— Cessons de plaisanter. Si vous choisissez le silence, vous l'aurez complet !

Belle tournure, hein, les mecs ?

Quand je pense que vous ligotez ma prose en peinards, bien calés contre votre oreiller, avec les roberts de votre nana à portée de la paluche pour des fois que vous auriez des besoins d'infini ! Oui, quand je pense à ça, ça me fout en renaud !

Cette fois le grand pâle va me suriner, vite fait sur le gaz ! Un coup trop appuyé et ma carotide se rompt comme un vieux lacet trop tendu.

D'un autre côté, faut pas que je me fasse de berlues. Si je l'ouvre, ce sera du kif. Ces foies blancs ne peuvent pas laisser sur ses fumerons un poulet qui a constaté chez eux la présence d'un poste émetteur et auquel ils ont fait le coup de la cigarette !

J'ai une idée !

— Je ne parlerai qu'à Luebig, dis-je.

Si je pensais les impressionner, c'est un peu raté sur les bords ! Je l'ai dans le sac.

Le type, sans la moindre hésitation, fronce les sourcils.

— A qui ? fait-il.

— Vous avez entendu...

— Répétez, je ne connais pas ce nom !

— A d'autres, cherchez pas à me vendre du film bon marché.

Il répète :

— Je ne connais pas le nom que vous venez de dire... Quel est-il ?

— Luebig !

Je renouche les frites des autres mecs. Toutes sont imperméables comme si elles sortaient de chez C.C.C.

Franchement ils ne connaissent pas Luebig. Du coup j'en ai le tracsir !

Où est-ce que j'ai porté mes grandes lattes ?

Pour en avoir le cœur net j'attaque :

— Bon, écoutez, je joue cartes sur table. Mon ami et moi nous faisons partie d'un gang de Paris et nous cherchons à mettre la main sur un certain Luebig... Ce zig vit en España. Il était avec une pépée qui s'appelle Léonora Werth, vous devez la connaître ?

Il hausse les épaules.

— Non plus...

— Là, vous charriez, elle a débarqué cette nuit dans votre crèche... C'est elle que mon pote suivait...

J'ajoute :

— Une rousse, assez belle.

Il sursaute, me regarde fixement.

— Lucia ? demande-t-il.

C'est à mon tour de faire « non » avec la calbombe...

Le grand attire ses aminches dans l'autre angle. On dirait une mêlée de rugby. Et ça jacte, et ça jacte...

Enfin, tout le monde sort, à l'exception du gorille qui se colle dans un fauteuil pivotant, les lattes sur le burlingue. Il prend son feu sur sa braguette et allume une cigarette. Le silence s'étale comme une onde amère.

CHAPITRE XVIII

Si quelque chose me tue, c'est bien l'inaction. Au bout de vingt minutes je commence à m'énerver vilain, ficelé comme un saucisson. Et puis ce gros type aux yeux sanguinolents n'est pas un vis-à-vis agréable. Je préférerais avoir la vue sur la mer...

Il fume deux cigarettes et se lève. Il se met à tourner en rond d'une façon qui montre assez que les séjours en cellule l'ont marqué. Ce naveton graisseux doit faire une virée au placard comme d'autres partent en vacances à La Baule.

Il fait sauter son feu dans ses mains et s'arrête de temps à autre afin de me contempler d'un air qu'il veut méditatif.

— Tu parles français, mec ? je lui demande.

Il hoche la tête en signe de dénégation.

— *English ?*

— *Yes...*

C'est pas que mon anglais soit fameux, mais il est suffisant pour me permettre de demander du thé à une barmaid. Seulement, comme dit chose, c'est duraille à caser dans une conversation. Comme j'ai horreur du thé, vous parlez d'un avantage !

— *I give you much money !* fais-je tout à coup.

Ça lui fait dresser les manettes au cher homme. Il a ses lampions qui s'illuminent comme des vitrines de Noël. Le fric, le blé, l'oseille, l'artiche ! Synonymes magiques ! Le pèze, la soudure, le carbi !

Il s'approche de moi.

— *I have much money in my pocket.*

Je n'espère pas négocier avec lui. C'est le genre grosse brute qui ne se laisserait pas amadouer. Mais ce que j'espère, c'est éveiller sa cupidité. Mon rêve serait qu'il se rue sur moi pour me fouiller. Vous allez comprendre pourquoi...

Il salive comme un boxer, ce tas de couenne. Le voilà à deux doigts de l'apoplexie... Il avance vers ma précieuse personne une monstrueuse main velue. Ses doigts boudinés frémissent. Il grelotte...

Je sens sa dextre s'insinuer entre mes liens pour arriver jusqu'à la poche intérieure de ma vestouse... Heureusement je suis ligoté serré, et re-heureusement sa patte est épaisse comme deux châteaubriants superposés.

Il ne peut la glisser comme il le souhaiterait entre les ficelles.

— Relâche les cordes, eh, patate ! fais-je.

Il pige à cause sans doute de l'intonation et des circonstances qui parlent...

Après une courte hésitation, il commence à tirer sur mes liens. Je prends l'attitude du pauvre gars mort de frousse. Ça l'excite. Les faibles excitent toujours les brutes. Ils leur donnent la réconfortante impression d'être des souverains à l'apogée de leur puissance.

La corde qui m'entrave le buste et les bras devient molle. Toujours amorphe, le gars San-A. Je retiens mes muscles mais je sens que j'ai une certaine liberté de mouvements.

« Viens-y, petit, dis-je mentalement au gorille. Cherche-le, mon beau pognozoff... Tu vas être marron. Marron, car j'espère bien pouvoir placer ma manchette auvergnate, et marron aussi si je ne la place pas, car je n'ai conservé sur moi qu'une somme insignifiante. »

Son mufle fait un bruit de soufflet de forge, à Zigomar. L'idée qu'il va peut-être alpaguer une pincée conséquente lui vrille la soupape.

Il avance sa main droite, seulement, pas crêpe, il garde la gauche en retrait avec le pétard plaqué contre la hanche. Ainsi organisé, il est chiche de me plomber au moindre geste insolite.

Je me demande si je dois essayer quelque chose ou voir venir. J'opte pour la première solution, comme toujours.

Vous savez, on ne se refait pas. Entre une cuterie et une chose sensée, je n'hésite jamais longtemps. C'est comme ça !

Sa grosse main écarte ma veste et plonge sur le compartiment intérieur. Prestement elle harponne mon larfouillet. Comme piqueur on ne fait pas mieux. Il n'a pas appris ça aux cours par correspondance de l'École Universelle, Toto la Ripette !

Il a alors un geste instinctif pour ouvrir le portefeuille. Il faut se gaffer de l'instinct. Il a quelquefois du bon, mais plus souvent encore du mauvais...

Le gorille emploie les deux mains. Un simple réflexe, je vous dis... Mais qui lui est fatal car moi qui n'attends qu'une faille à ses fortifications, j'y vais de grand cœur...

Ce crocheton au foie, c'est du nougat de Montélimar dans un écrin de velours ! Toute la sauce ! Vingt ans d'expérience... Médaille d'or de l'Exposition internationale de Bruxelles... Ploff !

Je l'entends se dégonfler. Il pousse un ahan de bûcheron prenant un chêne centenaire sur ses cors au pied. Il est penché en avant. J'y vais d'un coup de boule dans la pomme... Alors là, il commence à entendre la Neuvième de Beethoven... C'est le gros arrivage dans les clapoirs. Ses dents jouent aux dominos.

Il émet un nouveau grognement qui, s'il était enregistré, ferait bien dans une émission sur le zoo d'Anvers. Le hic (comme dirait Eisenhower) c'est que j'ai les pieds liés au fauteuil.

Si le gnace a suffisamment de lucidité pour reculer un brin, il pourra récupérer avant que je ne me sois libéré tout à fait. Alors son feu qu'il n'a toujours pas lâché fera de la musique de chambre, je vous l'annonce. On pourra afficher le retour de Kid-Pruneau en première vision mondiale.

Cette tante recule en effet, mais ça n'est pas un geste qui souscrit aux exigences de sa volonté, il recule parce qu'il perd l'équilibre. A terre, il gigote comme un rat pris au piège. Il ne me reste que la seule ressource de plonger en avant, avec le fauteuil comme carapace. Moi, j'aime jouer à la tortue, mais avec les dames seulement. Ici ça perd de son charme. Je cherche désespérément à choper la main du gorille pour lui arracher sa machine à éternuer du néant, mais il réagit. Son K.O. était de courte durée. Il essaie de diriger le canon de l'arme contre ma hanche. J'écarte son bras en le saisissant par en haut... Il tire ! Ça fait un gentil chabanais. Une brûlure fulgurante me scie le dos un peu plus haut que la ceinture et une généreuse odeur de poudre se propage dans mon pif. C'est plutôt la poudre d'escampette que je voudrais renifler... Celle-ci est mauvaise pour la santé...

Gêné par le fauteuil qui m'écrase et par ce tordu qui rue dans les brancards, je lui mords le bras un peu plus haut que le coude. C'est pourtant pas qu'il soit appétissant, ce Lustucru ! On le filerait à un banquet d'anthropophages, les convives refuseraient de régler l'addition. Il pousse sa bramante en si bémol majeur et lâche l'arme... Drôle de combat... Je dois avoir l'allure idéale, je vous le jure ! Comme tortue de mer je peux faire la pige à celle du Jardin d'acclimatation.

La mêlée est on ne peut plus confuse lorsque la lourde s'ouvre. Le coup de seringue a attiré l'attention et les copains radinent pour voir qui s'amuse à casser la cabane. Il y a là le nabot et le petit vioquart triste... Ce dernier ressemble à un violoniste sans emploi. On dirait un joueur de harpe égaré dans un orchestre de jazz...

Mais pour le doigté, il manque de souplesse. En moins de temps qu'il n'en faut à votre percepteur pour vous adresser du papier de couleur, il m'a relevé et alors, pardon ! Pas rouillé, le sexagénaire... Sa mère lui a coulé du ciment dans les fumerons !

Il commence par me couler un coup de tranchant à la gorge... Puis, le nabot redressant mon siège-carapace, il me file un de ces coups de talon dans le baquet, de quoi tuer une famille de rhinocéros. A mon tour, je pose deux et je ne retiens rien !

Je sens mes tripes qui affluent à la gorge... Je suffoque... Le nabot m'invective tout ce qu'il peut... Le vieux qui a pigé le topo en voyant mon portefeuille à terre enguirlande son pote le gorille avec un luxe d'épithètes que je regrette de ne pas piger... Bref, il y a réception chez la reine...

Un peu meurtri, je finis par reprendre mon souffle.

Le violoniste en chômage se tourne vers moi.

— Mauvais, me dit-il, sévèrement.

— Et ta sœur, dis, détritus ? Tu ne voudrais pas que ce paquet de lard me chourave mon fric sans que je renaude ? C'est la mode chez vous ?

Il hausse les épaules.

Le gorille est plus mauvais qu'un tigre du Bengale. Il se masse les maxillaires d'un mouvement lent. Puis le foie, et, enfin, il s'avance sur moi. Ses yeux lui pendent sur la poitrine, pareils à deux scapulaires... Préparez la tisane, les mecs !

J'attrape pour débuter un bourre-pif homologué ; ensuite il me fait une lotion à l'huile de coude. Ma bouille devient comme une poubelle. Des cloches sonnent le tocsin à toute volée. O mes aïeux ! Je craque de partout comme un rafiot dans la tempête... Y a du tangage dans l'entrepont ; du roulis dans la comprenette et d'une façon générale la voie d'eau s'aggrave. Sainte Apoplexie, priez pour moi...

Il est probable que je suis engagé à l'année pour le rôle muet du punching-ball de service ; on peut dactylographier le contrat, je suis partant ! La purée de marrons, j'aime ça ! Seulement la lourde s'ouvre et le grand maigre de la radio clandé entre, précédant une bergère dans les roux intenses... Je reconnais la dame, je l'ai déjà biglée sur les photos extraites du film. C'est à elle que mon Bérurier filait le train la noye dernière.

Je fais un effort pour rajuster mes esprits. Nos regards se croisent. Je pige illico que cette bergère est n'importe quoi sauf une âme sensible ! Ses yeux sont vifs comme de la braise... Sa bouche est dessinée au rouge béco, mais sous la peinture on la devine mince et cruelle. Beau petit lot à fourguer...

— C'est cet homme ? demande-t-elle.

Le grand pâlichon fait un signe affirmatif. Il se rencarde auprès de ses pieds nickelés pour savoir d'où provient l'agitation ambiante. Le vieux le cloque au parfum... A son tour il engueule le gorille.

— Que se passe-t-il ? demande la môme Werth.

— Une petite manifestation très parisienne, dis-je. Je viens de faire match nul avec le gorille que voici !

Ma faconde ne l'impressionne pas.
— Qui êtes-vous ?
— Un monsieur qui vous veut du bien...
— Police ?
— Quelle idée !
— Votre camarade appartenait à la police française.
In petto j'invective Bérurier. Ce sombre corniaud a été mal inspiré de s'amener en España avec des fafs prouvant sa profession. De la sorte mon roman-feuilleton de tout à l'heure, comme quoi nous appartenions à un gang, ne tient pas. Je l'ai dans le baigneur, proprement.
— Et si j'appartenais à la police, qu'est-ce que ça changerait à la situation ? questionné-je.
Elle a un mauvais sourire :
— Rien ! Évidemment.
Son « rien » me fait passer un frisson dans le dos.
— A quelle heure, l'enterrement ? demandé-je.
— Pardon ?
— L'enterrement de M. Werth dont le corps reposait dans une penderie de l'hôtel Arycasa.
Je l'ai à la surprise. Elle sourcille.
— J'ignore tout de ce que vous racontez !
— On dit ça... Notez que je m'en balance... Seulement je ne comprends pas pourquoi vous jouez les chochotes... Il y a des moments où les conventions doivent tomber comme des feuilles d'automne...
Elle me regarde.
— Vous avez raison, jouons cartes sur table. Que désiriez-vous en venant ici ?
Je bats mes brèmes...
— Dénicher Luebig...
Elle a un sourire léger.
— C'est moi que vous avez suivie pour arriver à cela ?
— Oui...
— Drôle d'idée...
— Pas si drôle que ça ! Vous étiez avec lui au fameux meeting du Bourget ?
Une lueur d'admiration passe dans son regard.
— Comment ?... fait-elle.
Puis elle la boucle, troublée par ma question.
— Lorsque Werth a dénoncé Luebig vous pensiez que nous

nous mettrions à ses trousses, hein ? Et que nous ne nous intéresserions pas aux gens qui l'escortaient ?...

Elle pince les lèvres.

— Dites-moi, ma bonne dame, je murmure, Werth, c'était votre frangin ou votre mari ?

— Mon mari...

— Qui l'a refroidi ? Luebig ?

Ses carreaux balancent à nouveau une portion d'éclairs pour grande personne.

— Cela ne vous regarde pas, fait-elle.

— Quel est le programme, maintenant ?

— Se dire adieu, murmure-t-elle.

Le grand maigre a suivi ces dernières répliques d'un air crispé. Il s'anime :

— On le supprime ? demande-t-il.

— Oui, fait-elle. Il n'y a pas d'autre solution...

— Eh là ! je sursaute, je trouve le point de vue assez hâtif. On pourrait creuser la question...

— C'est plutôt votre tombe qu'il conviendrait de creuser, fait Léonora (*alias* Lucia).

— La repartie est jolie, mais ne m'enthousiasme guère, belle dame. Je vous prie de considérer que mon ami connaît maintenant ce local... Il sait que vous y avez des attaches. Il sait que je m'y trouve... Il sait... le reste !

— Quel reste ?

Je prends mon air le plus finaud :

— Voyons : le reste ! Ça se passe de commentaires...

Elle se trouble légèrement.

— De toute manière vous êtes sciée. En branchant les Services secrets français sur Luebig vous vous les êtes collés au panier. En me butant, vous ne faites qu'aggraver votre cas !

Elle gamberge rapidos dans un silence quasi religieux.

Puis elle se tourne vers le grand maigre :

— Attendez la nuit et allez le jeter dans le port, dit-elle.

CHAPITRE XIX

Cette décision ne me séduit qu'à demi, vous le pensez bien. J'aime la flotte, mais les bains de nuit ne m'emballent qu'à moitié. D'autant plus qu'on ne me filera certainement pas à la sauce en slip de bain, le corps oint d'embrocation ! J'ai toutes les chances du monde (si l'on peut dire) de chausser des semelles de plomb...

La femme rousse est pour moi un mystère vivant. Je vous fais juge, comme disait le prévenu au commissaire de police de son quartier.

Voilà une nana qui était marida avec le faux Lefranc. Elle est à la tête d'un gang espagnol muni d'un poste clandestin... Elle descend à l'Arycasa et se sauve parce que son mec s'est fait coller un caramel dans le plafonnard. Elle découvre que je suis un archer de la grande cambuse, au lieu de mettre le cap sur une région plus clémente, elle ordonne tout culment à ses pieds nickelés de me filer à la baille... Tout le personnage n'est fait que de contradictions. Je veux bien, c'est le genre de pépées ; tout de même, il y a là une pointe manifeste d'abus !

— Vous n'oubliez pas mon bon petit camarade ? fais-je.

— Non, dit-elle, je ne l'oublie pas... Soyez sans crainte, il aura un sort identique au vôtre !

Je lui tire mentalement un grand coup de galure pour sa classe. Car, parole de poulardin, il y a une classe dans le crime comme dans la haute couture... Rien de plus écœurant que les minables de l'existence... Les gars qui ne paient pas leur tournée mais qui paient leurs impôts sans attendre le commandement ; ceux qui se font inscrire quelque part ; qui se lavent les pieds dans une bassine ; qui jouent des haricots à la belote ; qui écrivent des lettres pertinentes aux journaux, tous ceux-là me battent les pendeloques...

Je regarde la poulette avec des yeux empreints d'une inaltérable estime.

— Vous partez déjà ? fais-je en la voyant se diriger vers la lourde.

— Le temps vous dure de moi ?

— Je me languis... Quelle heure est-il ?

— Huit heures...

— Bigre ! le temps passe vite... Il fait nuit bientôt ?

— Vous voulez une idée du sursis ?

— Oui...

— Eh bien ! cher policier, dites-vous qu'à minuit vous aurez cessé d'exister. Vos collègues pourront se cotiser pour l'achat d'une couronne...

Elle sort, suivie de son grand escogriffe pâlot. Mais cette fois, comme on a vu que j'étais un client rétif on m'a laissé les trois autres gnaces comme gardes du corps...

Il se produit un méchant cinéma sous ma coiffe ! *Pronto,* la gamberge ! Je songe qu'il me reste au moins trois heures de tranquillité... Tel que je connais mon Bérurier, il ne va pas rester les deux lattes dans la même pantoufle... Ne me voyant pas revenir au crépuscule, il va faire sa kermesse héroïque des grandes occases, c'est-à-dire tuber au Vieux pour lui demander le mode d'emploi... Le Boss le branchera sur un correspondant de par là et nous aurons droit à la fiesta maison... Tout ce que je demande, c'est que les Espagos ne changent pas leurs batteries et qu'ils me laissent ici en attendant l'heure fatale.

Je souffre de tous les gnons encaissés... Je suis barbouillé comme si j'avais fait une java monstre...

— Vous auriez pas une lichette à boire ? je demande au vieux violoniste.

Il me dit :

— Quoi ?

— Boire... Un drink ! Un glass ! Un coup de rouille !

Il transmet mes desiderata au nabot qui s'éclipse pour revenir avec un coca...

Cela m'afflige d'autant plus que le breuvage n'est même pas frigo ainsi que le recommandent les disques rouges constellant le monde !

Enfin, nous vivons l'époque du coca, c'est ainsi... Il y a eu l'âge d'or, l'âge du fer... Il y a maintenant l'âge du coca-cola en attendant qu'il y ait l'âge de la poudre à éternuer...

Notre vie est gazéifiée... Elle doit être servie glacée, comme dans la salle de dissection de la fac de médecine...

Je vide le flacon que le nabot m'entonne dans le bec. Puis je me détends comme je peux dans mon fauteuil et j'attends.

Croyez-moi ou ne me croyez pas mais je me mets à dormir comme un bon zig qui revient du charbon sa journée finie... La souffrance, la fatigue sont de puissants sédatifs...

Lorsque j'ouvre mes lampions, j'ai un goût de sang dans la bouche et dans le crâne, des idées qui, pour être imprécises, n'en sont pas moins moroses.

La lumière, chose curieuse, me paraît plus faible ; sans doute doit-il y avoir des sautes de courant. Les copains qui me surveillent sont toujours là, jouant aux brèmes avec application. Le grand maigre est venu les rejoindre ; ces messieurs battent le carton en échangeant des monosyllabes...

J'ai l'impression d'être malade... Il y a dans cette pièce une atmosphère lourde et pénible.

Je bâille comme un lion, ce qui fait se retourner ces messieurs.

J'entends de la musique, comme j'avais entendu dans la cave... Le dancing, après une suspension de quelques heures, a remis la gomme et ça gambille vilain au-dessus. Le paso sévit comme une épidémie de rougeole dans une école maternelle.

— Quelle heure est-il ? demandé-je.

Le sans-filiste jette un regard à sa montre-bracelet de cuivre chromé.

— Onze heures, fait-il.

J'en ai un coup de vibrator dans les valseuses... Onze plombes et toujours pas de nouvelles du Gros ! J'ai dormi trois heures d'affilée, exactement comme si on préparait une partie de pêche ! Notez qu'il s'agit d'un truc commak, seulement c'est le gars bibi qui va interpréter le rôle du poissecaille... D'ici une paire de plombes j'ai toutes les chances de demander à un triton la nageoire d'une sirène.

Je sens un tracsir monumental m'envahir. Mes membres sont à nouveau engourdis et, malgré la chaleur oppressante, j'ai froid !

Les autres endoffés terminent leur partie, ceux qui ont gagné ramassent leur mise, puis tous se lèvent sur un mot du grand maigre.

Je me dis que le moment critique est arrivé. Je vais être humide d'ici peu.

Quoi faire ? Tenter l'impossible, comme d'ordinaire... C'est-à-dire, biller dans le paquet lorsqu'ils vont me délier du fauteuil pour m'emmener au bain turc... Oui, je ne vois pas d'autre moyen d'espérer... Ça m'a réussi souvent, ces sursauts de la dernière seconde...

Seulement le grand pâle n'est pas un enfant de chœur. En tout cas, s'il l'a été, il s'est instruit par correspondance sur l'art et la manière de manipuler un flic turbulent.

Au lieu de me détacher, il me lie solidement une pogne avec un filin d'acier... Ensuite il décrit un tour mort autour de mon cou avec le fil métallique, puis il attache l'autre bout à mon second poignet. Ce petit truc, je vous le recommande vivement pour les jours où vous voudrez vous débarrasser de votre belle-doche ! Pas moyen de broncher. Si vous tirez sur une main ça vous serre automatiquement le kiki et il faut radiner avec un ballon d'oxygène pour ranimer le mec ! Au poil, je vous dis ! Il n'a l'air de rien, ce grand bizarre, avec son air courtois et sa gueule de gars qui ignore les bienfaits des pilules laxatives du docteur Goguenod mais pour le turbin méticuleux on peut faire appel à lui. Il est de première.

Ainsi muni du filin je suis détaché. Les zigs me jettent une espèce de loque qui doit être une blouse grise sur le dos pour dissimuler mon service urbain, et en route...

Je marche péniblement... Au lieu de prendre à droite dans le couloir, on biche à gauche pour franchir la lourde d'une chambre. On tire le lit de la piaule, ce qui découvre une trappe. Un escalier raide comme la justice se présente.

— Descendez, ordonne le chef de l'escadre.

Je descends le premier, mais inutile d'espérer prendre mes jambes à mon cou : au bas de l'escadrin se tient le gars Tejéro avec un gentil pétard en pogne.

CHAPITRE XX

Comme quoi, les mecs, il ne faut pas se fier aux apparences. Ainsi, cet antre de rigolos que je croyais vachement hermétique communique avec l'extérieur par trois issues : la cave, le dancing et la carrée de Tejéro, le taulier à la loupe.

Il a le regard vitrifié, Tejéro. Il braque son arquebuse (Benedicta) sur moi, en me fixant à la hauteur de la cravate. Les autres se la radinent et nous prenons la direction de la rue *via* le troquet... Le guitariste borgne est là, de nouveau, grattant son jambon en fredonnant des airs qui foutraient le cafard à un banquet d'anciens légionnaires. Il ne me jette pas un coup d'œil. Je comprend sans tarder que je n'ai absolument rien à attendre de lui. C'est le genre de gars qui n'aime pas avoir une incidence trop marquante sur le destin de ses semblables.

Chanter des flamencos et griffer le pognon passant à sa portée constituent ses occupations essentielles.

Tejéro remise sa bombarde et le grand pâle sort devant moi. Il y a là une vieille Renault d'avant l'autre guerre, à la carrosserie ravagée. Le grand blême ouvre la lourde et m'y propulse. Je manque m'étrangler car j'ai eu un mouvement pour me cramponner. Enfin je rétablis un relâchement dans le filin et les pieds nickelés espagos s'installent à mes côtés. Le nabot et le gorille m'encadrent ; le vieux et le sans-filiste prennent place à l'avant.

Si vous voyiez cette guinde, non, je vous jure ! Les banquettes bavent le crin. Les lames de ressort sont cassées et le bolide penche dangereusement sur la droite. On a l'impression qu'il va se renverser...

Je renouche un bon coup, par les vitres sales, le paysage défilant sous mes yeux. Nous traversons le Barrio Chino et rattrapons une avenue qui fonce vers la mer...

Je suis coincé entre mes deux têtes de lard, dans l'impossibilité d'esquisser un geste. Au moindre cahot du véhicule — et Dieu sait qu'ils sont nombreux — le filin d'acier m'entre dans la chair.

Pour tout vous dire et ne rien vous cacher, mon moral a tendance à se mettre au variable... Cette fois, je trouve que l'aventure a fait plus que se corser, comme dirait cette immonde gonfle de Bérurier... Il doit en écraser, je parie, dans les moelleurs de l'Arycasa... Peinard, rêvant sans doute à sa Nana... Pendant ce temps, le petit camarade San-A. y va de sa dernière excursion. Barcelona *by night !* Vous parlez d'une virouse !

La nuit est constellée d'étoiles repeintes à neuf. Il fait doux et calme... Les gens se baguenaudent sur les trottoirs en cherchant on ne sait quoi avec une obstination qui est l'obstination même de la vie.

Je les considère avec tristesse et même, charriez pas, avec pitié ! C'est moi qu'on emmène au grand ramonage, et c'est eux qui me paraissent précaires. Ils vont, pareils à des fourmis effrayées, se cognant contre des murs ou contre eux-mêmes, avec une espèce de bonne volonté pitoyable...

Nous plongeons dans des quartiers obscurs, nous tournons dans une rue cahotique, bordée de hauts murs sinistres... Nous débouchons dans un univers de grues, de barlus, de fumaga... Le port !

La voiture se range devant les rails d'un chemin de fer Decauville... Il y a des lumières au loin... On ne perçoit que le floc de la mer et les grincements des chaînes... C'est assez lugubre comme chanson d'adieu. Le décor convient bien à une prise de congé définitive. Quand on voit ça, on a envie de faire sa valoche.

Le gorille et le nabot sont déjà sur les pavés inégaux du quai.

— Descendez ! ordonne le grand pâle.

J'obéis. Un froid âcre comme une fumée entre en moi. J'ai la trouille. Que celui qui ne l'a jamais eue me balance la première pierre.

— Quel est le programme ? je demande au grand.

Il me désigne l'eau noire hérissée de festons blanchâtres. La réponse, pour laconique qu'elle soit, est très éloquente.

Je fais la grimace.

— J'ai horreur de l'eau salée... Ça donne soif. Vous ne voudriez pas que je disparaisse sur une impression aussi désagréable. Et puis ça n'en finit plus... Ça vous ennuierait de me refiler une praline dans l'oreille ? C'est merveilleux pour déboucher les tympans !

Il me regarde ; à la vague clarté lunaire ses yeux paraissent complètement blancs.

— Courageux, fait-il.

C'est une qualité que les Espanches apprécient beaucoup. Ces mecs, vous savez, ils ont la réputation de ne pas avoir froid aux carreaux. Race de seigneurs, comme dit l'autre ! Et même de saigneurs, on s'en rend compte dans les corridas.

Pourtant il ne sort pas son pétard.

En toute tranquillité, il m'explique :

— Pas de bruits : carabiniers...

Vous le voyez, le turbin qui va se dérouler n'affecte en rien nos rapports...

En caravane, nous nous approchons de la flotte. Il faut enjamber des rails, contourner des grues... Alors il me vient une idée : la toute dernière ! Puisque j'ai les flûtes non entravées, pourquoi ne pas en profiter ?

Devant moi il y a le nabot, derrière le gorille, à ma droite le vieux et, un peu en recul le grand...

Nous voilà tout au bord de l'eau. Je fais le circus de la dernière chance. Unique représentation de gala ! Je fonce, bille en tête sur le pauvre nabot qui va faire un plongeon maison dans le jus d'huîtres.

Ça fait un grand plouff réconfortant et il brame à la garde... Le gorille a piqué en avant. J'esquisse un saut de côté qui me déchire la glotte et je rue en arrière dans les brancards. Mon pied rencontre du mou : c'est la bedaine du gorille. En voilà un qui n'a pas beaucoup de chance avec moi. Il est à genoux sur le sol, la gueule ravagée par la douleur, se massant le burlingue de ses dix doigts...

Je ne perds pas mon temps à le contempler. M'est avis que le temps c'est un peu plus que de l'argent en l'occurrence ! Je pique donc des deux, comme on dit dans Alexandre Dumas père, ou dans Gamiani, mais manque de bol, le vieux me coince. Il n'a pas la force, mais il a l'expérience. Au lieu de chercher à me bloquer en billant, il se contente de me tirer un bras. C'est un coup sec qui me cisaille la gargante ! Je manque d'air instantanément et je reste immobile, le regard sorti, la langue obstruante... Alors le grand s'annonce et me télégraphie un magistral coup de perlimpinpin sur la soudure... Illico mon chapiteau s'emplit de trucs multicolores... Je fléchis et m'écroule avec en arrière-fond, un poil de lucidité...

Dans cette sorte de brouillard confus, je perçois des bruits, des souffles rauques... On doit repêcher le nabot, puis on me prend par les pattes et par les épaules... Le filin se détend à nouveau, me rendant l'usage de mes éponges... Je suis faible comme une petite jeune fille qui descend l'escalier de l'hôtel.

On s'engage sur une sorte de jetée... Je reprends lentement conscience... C'est le grand qui tient mes épaules, le vieux s'étant chargé de mes cannes... Derrière, le gros arrive avec un morceau de fer énorme... Enfin une ombre s'éloigne en direction de la guinde. C'est le nabot qui va se faire sécher les loilpés...

J'ai essayé, ça a échoué... On ne peut gagner à tout coup. Il fallait bien que ça m'arrive un jour ou l'autre, non ? L'essentiel c'est d'avoir eu ce sursaut... Maintenant, d'accord, je suis bon pour le saut final...

On me dépose sur le ciment froid. On m'attache le morceau de ferraille aux nougats... Puis le gorille et le grand me soulèvent à nouveau... Ils impriment à mon corps un mouvement de balancier, comptant entre leurs dents :

— *Una, dos, tres...*

Et voilà le turbin : lâchez les amarres ! Les femmes et les mouflets d'abord !

Je pique un valdingue dans le néant. Ça dure d'une façon démesurée, comme quoi il n'était pas si gland que ça, le père Einstein !

La relativité du temps, je peux vous en parler !

Enfin j'amerris... Chose étrange, je sens la mollesse de l'eau avant d'en éprouver le mouillé. Puis je coule à pic dans du noir...

Je tente de ruer, de me dégager, je tire de-ci, de-là... Je tends mes muscles : rien à faire... J'y ai droit... Je retiens ma respiration mais pas longtemps... C'est l'explosion, une hideuse mort, un engloutissement terrible dans l'eau dont je ne perçois ni le goût ni le froid...

Je tire encore sur mes liens, mes gestes sont mous... J'ai la certitude que tout est fini... Tout à coup, je cesse d'étouffer, je ne sens plus l'asphyxie, ou plutôt elle me guérit brusquement de tous les maux...

Ma vie se met à repasser au triple galop dans ma mémoire, minutieuse, détaillée, somptueuse... Je revois Félicie, je revois mon premier cerceau, les filles que j'ai grimpées... Je revois les flics, mes potes, le Vieux, Pinuche... Les autres... Je revois des truands que j'ai mis en l'air... Drôle de fin, les aminches !

Puis c'est tout à coup comme si une pierre d'une tonne était déposée sur moi. Oui, cela ressemble à un écrasement monstrueux... Je perds conscience...

CHAPITRE XXI

Je ne sais pas à quoi ressemble le paradis, ou l'enfer, mais dans l'idée que mes pairs ont cherché à m'en donner, ils n'ont jamais mentionné la présence d'automobile dans l'au-delà...

C'est pourquoi je suis un tantinet surpris de me réveiller dans une confortable Mercedes-Benz.

D'autre part, on m'a appris également qu'une fois le Rubicon franchi on était imperméable à la souffrance physique...

Or je souffre drôlement. Un soufflet de forge — celui de ma respiration — attise dans ma poitrine un feu terrible qui me consume. J'ai mal un peu partout, des nausées me secouent. Je fais un effort pour évacuer un trop-plein turbulent et je crache impudemment sur la somptueuse banquette de cuir jaune un fameux paquet de flotte.

Du coup, ça gaze mieux. Je me dis que je dois être vivant ou bien qu'alors l'au-delà est tellement bien organisé qu'on y est mieux qu'à l'étage au-dessous !

Puis tout se rétablit, c'est-à-dire que mon corps se remet à fonctionner à peu près normalement. Pas d'erreur, je suis bien vivant... Alors ? Qu'est-ce que tout ça veut dire ?

Je cherche à canaliser mes forces et mes esprits dispersés.

Je suis dans une Mercedes... C'est idiot d'être à demi dans les vapes et d'identifier du premier coup la marque de la bagnole qui vous trimbale. A côté de moi, un type conduit, qui n'est pas Bérurier...

Nous bombons (glaçons, caramels) à fond sur une autoroute obscure... A gauche, la mer s'étale, miroitante, non plus noire comme dans le port, mais d'un gris-bleu épatant... Moi, je claque des ratiches parce que je suis plus mouillé qu'un pot-au-feu. J'essaie de voir le gars qui se trouve à mes côtés. Cela m'est difficile, car il porte une casquette marine à longue visière et il a relevé le col de sa veste, à cause de la fraîcheur sans doute...

Qui est cet homme ? Certainement pas un des foies blancs d'Espagos qui m'ont filé à la flotte...

Tout en grelottant et en surmontant mes nausées, je serre les meules... Je voudrais parler, mais ça m'est impossible...

Alors mieux vaut attendre la suite des événements... Les phares arrachent de la nuit des lauriers-roses...

Je lis sur une plaque « Casteldefels »... La bagnole vire à gauche, quittant l'autoroute pour s'engager dans un chemin sablonneux conduisant à la mer.

Les pneus patinent dans les ornières. Un nuage de sable fin

flotte autour de l'auto... Enfin, après avoir filé un coup de seconde directe, le conducteur arrache son véhicule et poursuit à travers des boqueteaux de pins...

Au-delà des pins s'étale une plage immense sous la lune. Nous allons lentement, au ras de la plage, sur l'espèce de piste aménagée... Des constructions défilent... Le conducteur braque soudain à droite et d'un seul coup, sans manœuvrer, en champion du volant, il franchit un portail qui a juste la largeur de la voiture...

Nous nous trouvons dans une espèce de patio dallé au fond duquel glougloute un maigre jet d'eau... Le mystérieux bonhomme arrête son tréteau pile devant un court perron. Il descend, va ouvrir la lourde, revient à la voiture, ouvre ma portière et me tire à lui. Il sent bon comme une gonzesse de luxe.

D'une main ferme il me traîne au bord du véhicule, il passe son autre bras sous mon aisselle et tire... Je me sens de plus en plus flasque. Le gars n'essaie même pas de me remettre sur mes pattes. Il me hisse contre lui, se baisse et d'un mouvement puissant, mais plein d'aisance, me charge sur ses épaules... Il n'est pas manchot, le frangin... Oh pardon ! Pour se charger quatre-vingt-dix kilos sur le râble, il ne faut pas avoir été élevé au jus de chique, je peux vous l'annoncer étant autorisé par mon conseil d'administration.

D'un pas sûr, il gravit les trois marches, pousse en grand le vantail d'un coup de genou et entre dans l'hacienda...

Il fait quelques pas dans une grande pièce mal éclairée par la lune, s'approche d'un vaste divan un peu moins grand que le carrefour Saint-Augustin et m'y jette dessus d'un coup d'épaule.

Il respire profondément et, s'étant approché d'un large lampadaire, il l'actionne.

Le nez dans du moelleux, je suffoque à nouveau... Toujours aussi raplapla, le gars San-Antonio. Une vraie lavasse...

Alors le type va ouvrir un placard mural et cramponne une bouteille. Il revient à moi. Pas besoin d'aller chercher un ciseau à froid pour m'ouvrir la bouche. L'instinct commande comme chez les nourrissons. J'ouvre le bec. Un filet d'alcool se met à ruisseler dans mon petit intérieur. Fameux, je vous avertis ! Du bourbon qui ne vient pas de chez Dubois-Durand... Ça me courtcircuite les centres nerveux. J'avale avec difficulté cette bonne marchandise.

Je sens que le feu qui me rongeait est tué par cet autre feu. Le mal par le mal ; on m'avait toujours affirmé que c'était le traitement de choc idéal... J'ai un mouvement de la bouche pour gober encore.

Bon zig, mon sauveur me recloque le goulotuche de la boutanche dans la bouche et j'aspire un grand coup de cet élixir de bonne vie et mœurs...

Que c'est chouette de vivre, de se sentir dorloter. La chaleur grimpe maintenant dans mon cerveau, l'enveloppant délicatement. Tout s'apaise, tout s'embellit... Je suis infiniment heureux et nanti de toutes les perfections possibles...

San-Antonio n'est pas mort, car il boit encore !

— Encore ! murmuré-je.

C'est mon premier mot.

Le zig se marre doucement. Il a un drôle de rire, un peu fluet, qui contraste avec la force qu'il vient de déployer.

Tout en buvant, je me détourne afin de lui voir le visage.

Alors, du coup, je m'arrête de biberonner.

Le type qui vient de me sauver la mise n'est autre que Luebig, le gars que je suis chargé de buter !

CHAPITRE XXII

Voyez, bande de cloches, ce sont des coups de théâtre de ce genre qui font l'intérêt de la vie. On se tortille le prose, on échafaude, on calcule, et le lièvre débuche par le côté où on ne l'attend pas.

Jusqu'ici, tout avait eu lieu en fonction de Luebig, mais on n'avait jamais « vu » celui-ci autrement que sur la bande d'actualités.

Et pourtant il est là, à vingt centimètres de moi, occupé à me verser dans le corps un solide coup de bourbon.

Comment a-t-il pu jaillir de la nuit, ce mystérieux personnage ? Et surtout pourquoi m'a-t-il sauvé la mise ? Maintenant que je commence à aller mieux, ces questions me font plus mal que ma noyade ratée et que les gnons emmagasinés au cours de cette sacrée journée !

Il me regarde et son regard est intense comme celui d'un reptile. Impossible d'y déceler quoi que ce soit de positif... Cet homme de taille moyenne, aux tempes grisonnantes, déconcerte...

— Déshabillez-vous, me dit-il.

Il quitte la pièce et je l'entends ouvrir une armoire à côté.

Lorsqu'il revient il tient sur son bras une robe de chambre beige ornée de peau de panthère au col.

Il me la tend.

— Si vous restez mouillé encore longtemps, vous prendrez sûrement une congestion pulmonaire.

Par pudeur il se dirige vers la lourde en déclarant :

— Je vais remiser la voiture...

Je fais un effort pour m'arracher aux voluptueux coussins du divan... Je pose mes hardes trempées et passe la robe de chambre. Elle est un peu juste pour moi, mais comme je ne veux pas faire de culture physique ça n'a aucune espèce d'importance. Je cramponne la boutanche de raide et m'allonge sur le fameux divan.

Avec un biberon pareil dans les mains, je me sens un autre type.

Par la large baie vitrée, je vois scintiller la mer à perte de vue sous le ciel étoilé. Au loin, très loin semble-t-il, les lumières des bateaux de pêche clignotent. On dirait qu'il y a une sorte de côte illuminée juste en face... C'est bath...

Un poste de radio minuscule est enchâssé dans une niche du divan. Machinalement je tourne un bouton, presque aussitôt une musique veloutée emplit la pièce... Je me sens flotter dans un univers de cinéma, loin de tout danger, loin des mesquines préoccupations de l'existence.

Luebig revient... Il s'approche d'une table basse, pêche une cigarette dans un coffret de laque, l'allume et vient s'asseoir dans un fauteuil-club près de moi.

Il relève sa casquette marine, baisse le col de sa veste et me regarde à travers la fumée de sa roulée.

Je sens que l'instant de la vérité, comme disent les toréadors, est arrivé. Il l'est...

— Qui êtes-vous ? me demande Luebig.

La question me prend un peu au dépourvu... J'hésite un

quart de poil de seconde avant de jouer franc jeu... A quoi bon lui bourrer le bol ? Il a droit à une grosse partie de la vérité.

— J'appartiens aux Services secrets français...

Il s'arrête de fumer un instant. Puis il aspire une grosse bouffée qui ressort de ses lèvres minces en un filet rectiligne.

— Vraiment ?

— Oui... J'étais à la poursuite d'un couple pas très catholique : les Werth... Vous connaissez ?

— Pourquoi les connaîtrais-je ? demande-t-il calmement.

— Pourquoi ne les connaîtriez-vous pas ? Je suppose que si vous m'avez repêché, tout à l'heure, c'est parce que vous vous trouviez à proximité... Si vous vous trouviez à proximité, c'est que vous suiviez les types qui m'emmenaient ; on ne fait pas de promenade idyllique à minuit parmi les grues, les rails et la fumée d'un port...

Il reste immuable.

Je souris et j'ajoute :

— Merci, du fond du cœur, n'est-ce pas ? Je suppose que vous m'avez sauvé de justesse ?

— D'extrême justesse. Je vous ai fait la respiration artificielle pendant plus d'un quart d'heure avant de vous ranimer...

— Re-merci ! Comment diantre avez-vous pu me repêcher avec la ferraille que j'avais aux pieds ?

— C'est justement elle qui m'a aidé... Pendant que ces imbéciles vous malmenaient j'ai eu le temps de m'emparer d'une vieille ancre rouillée qui traînait dans un coin du port et de l'attacher après la corde de dépannage de ma voiture... Lorsqu'ils sont partis en courant, j'ai jeté mon grappin improvisé... A la troisième tentative je vous ai repêché par la ferraille...

Il rit, se baisse pour écraser sa cigarette.

— Dites-moi, fais-je, pourquoi m'avez-vous tiré de la sauce ? Par simple bonté d'âme ?

— Je désirais avoir un entretien avec vous, monsieur le commissaire !

Alors là, j'en reste baba, les gnaces ! Exactement comme une paire de ronds de flan.

Je le regarde...

— Qui vous a dit que j'étais commissaire ?

— Je le savais...

— En ce cas, pourquoi m'avoir demandé qui j'étais ?

— Je désirais savoir dans quelle disposition d'esprit vous vous trouviez... Si vous entendiez jouer vrai ou faux...

Quel homme ! Un drôle de personnage... Je comprends qu'il ait été le champion du four crématoire en son temps... C'est une machine à calculer, il doit avoir un métronome à la place du cœur.

Il reprend une cigarette.

— Voulez-vous fumer ?

— Non, merci...

Je le regarde allumer cette nouvelle sèche. La petite flamme du briquet de salon éclaire le bas de son visage et fait danser des ombres sur sa figure.

— Ainsi vous désirez me parler ?

— Oui, dit-il, un homme comme moi a toujours intérêt à converser avec un homme comme vous !

— Alors je vous écoute...

Il croise ses jambes et s'allonge confortablement dans le profond fauteuil.

— Résumé des chapitres précédents, annonce-t-il. Vous me connaissez, je le sais. Je suis donc Luebig, un ex-haut fonctionnaire de la Gestapo... Depuis, beaucoup d'eau a coulé sous les ponts de Paris et d'ailleurs, n'est-ce pas ?

— Exact...

— On m'a cru mort en 44, en réalité j'avais préparé ma fuite pour l'Espagne. Je me suis réfugié ici avec quelques biens personnels.

— Vous avez bon goût, approuvé-je après un regard circulaire... C'est gentil...

— Merci. Je m'y suis donc retiré sous un nom d'emprunt. Je dois dire qu'après ces années de guerre, de misère, de sang, d'horreur, j'ai ressenti un certain bien-être...

— Je vous comprends, fais-je avec sincérité, tout en pensant qu'il a bonne mine de venir soupirer sur les atrocités de la petite dernière, ce pauvre chéri.

— Un certain temps, ajoute-t-il. Les années passant, j'ai commencé à m'ennuyer sérieusement, d'autant plus que, contrairement à ce que vous pouvez croire, je ne m'étais pas enfui avec une fortune fabuleuse : quelques millions tout au plus...

— De marks ? je demande.

— Oui, évidemment...

Je rafle le flacon.

— Faites.

En buvant, je calcule le cours du mark ; j'en déduis que Luebig a dû jeter l'oseille par les fenêtres car quelques millions de marks représentent un gentil paquet d'artiche.

Il poursuit :

— J'ai fait la connaissance de Léonora Werth à Barcelone.

— C'est une Allemande ?

— Du tout, elle est alsacienne... Son mari, lui, était tchèque... Nous nous sommes rencontrés dans un bar de la rambla Cataluña... De fil en aiguille...

— Bref, ils étaient dans le circuit ?

— Oui... Ils avaient installé un poste émetteur clandestin dans le Barrio Chino...

— Je connais...

— Ah ! bon... Ils servaient de postiers en quelque sorte pour le réseau d'agents secrets soviétiques travaillant en Afrique du Nord, en Espagne et en France...

— Charmant.

— Mais c'étaient de sales aventuriers, en réalité, pour qui tous les moyens de gagner de l'argent étaient bons. Des gens sans foi ni loi...

Venant de lui, l'expression conserve toute sa fraîcheur.

— Et puis ?

— Ils exploitaient les riches étrangers. Ils se faisaient passer pour frère et sœur, Werth poussait la conscience... professionnelle jusqu'à teindre ses cheveux de la couleur de ceux de la femme, laquelle faisait du charme...

— En France nous appelons ça du « rentre-dedans ».

— Si vous voulez... Lorsque les relations arrivaient à un certain point, le faux frère avouait sa véritable identité et faisait chanter...

— C'est ce qui s'est passé pour vous ?

— C'est ce qui se serait passé si je m'étais laissé manœuvrer, mais ça n'est pas mon genre... J'ai eu une conversation avec Werth... Je lui ai dit qui j'étais afin de lui faire comprendre qu'il s'était lancé sur une très mauvaise route... Bref, il m'a proposé de travailler avec eux et nous sommes devenus très amis...

— Charmante famille !

Il fronce les sourcils car, tout comme le Vieux, il a horreur des interruptions.

— Et alors, Luebig, vous avez changé votre fusil d'épaule ? Venant de l'hitlérisme intégral vous vous êtes lancé dans les chemins tortueux de Moscou ? On a vu pire...

Il fait claquer ses jointures et jette son mégot d'une pichenette dans le mortier servant de cendrier.

— Apparemment seulement ; j'avais mon plan... Vous dire lequel n'est pas mon intention...

Il poursuit âprement, sur un débit plus saccadé, comme s'il avait hâte d'en finir...

— J'ai fait semblant de jouer le jeu avec eux... Je leur ai rendu quelques services qui les ont mis en confiance... Et puis il s'est produit quelque chose... Je ne sais trop quoi. Sans doute ont-ils eu vent de certaines prises de contact que j'avais effectuées ailleurs... Ces crapules ont décidé de m'avoir... Mais comme ils craignaient des représailles, ils ont voulu m'avoir de façon détournée. Werth s'est rendu en France chez un ancien complice à lui.

— Schwob ?

Il me fait un petit salut militaire à titre d'hommage.

— Compliments, fait-il, vous ne perdez pas de temps à ce qu'on dirait. Oui, Schwob... Il a mijoté son coup. Il voulait me faire arrêter d'une manière officielle... Je devais le rejoindre, je ne vous précise pas non plus pourquoi... Des... des affaires à traiter à Paris... J'ai logé chez Schwob car j'avais peur d'être découvert en descendant dans un hôtel même sous ma fausse identité... Un dimanche, nous sommes allés en groupe à ce meeting du Bourget ; oui, je me suis toujours beaucoup intéressé à l'aviation.

Il se croise les bras. Son regard est d'une dureté terrifiante.

— Cette ordure a trouvé là l'occasion qu'il cherchait... Il m'a dénoncé à vos services en signalant la bande d'actualités comme preuve de ses dires...

— Alors ?

— Heureusement, je me trouvais au Havre où j'avais affaire personnellement... Je suis rentré une nuit... Je me rendais chez Schwob et quelqu'un s'y trouvait...

— Qui ?

— Vous !

Je me rappelle alors le furtif glissement perçu l'autre nuit dans la bicoque.

— Marrant, fais-je, la vie est pleine d'humour...

— Oui... Je me suis enfui. J'ai alors appris que, durant mon absence, Schwob était mort... tragiquement ! J'ai aussitôt regagné l'Espagne...

— Dites, l'accident de Schwob ?

— Werth parbleu !... Ayant lancé la police française sur ma trace il s'est dit qu'une fois arrêté, je parlerais de lui et de Schwob ; il se moquait de ce que moi je pourrais dire de lui, ayant pris ses précautions depuis longtemps. Mais il avait peur de ce que Schwob pourrait dire sur lui... Alors, la voie ferrée étant proche... Voilà toute l'histoire...

Je me lève et fais quelques mouvements d'assouplissement. Je suis en forme. J'ai même faim...

— Toute l'histoire ? fais-je en regardant Luebig. Comme vous y allez ! Et le reste ?...

— Quoi ?

— Par exemple, comment avez-vous su que j'étais à votre recherche ?

— J'ai... parlé à Werth... dernièrement.

Je pige tout !

— Vous permettez que je poursuive ?

Un petit geste sardonique m'accorde la permission sollicitée.

— De retour ici, vous vous êtes évidemment mis à la recherche des Werth, vous avez appris que sa femme était à l'Arycasa. Je suppose qu'elle jugeait plus prudent de demeurer à l'hôtel en attendant qu'on vous appréhende ?

— Je le suppose aussi.

— C'est elle qui appréhendait, fais-je, désireux de risquer un bon mot.

Mais Luebig n'a rien du plaisantin. Ce que ces gars peuvent être sérieux... Je vous jure que si je devais avoir l'âme d'un constipé, je préférerais m'engager dans les troupes aéroportées.

— Donc, poursuis-je, vous avez guetté Werth dans les environs de l'Arycasa... On nous a signalé que personne n'avait demandé Léonora, comment a-t-il pu pénétrer dans l'hôtel ?

— Par le garage du sous-sol... On entre en voiture, là il y a un ascenseur qui communique avec les étages de l'hôtel.

— Je comprends... Vous avez emprunté cette voie également ? Vous aviez le numéro de la chambre de Léonora... Vous êtes allé rejoindre Werth... Et les grandes explications ont eu lieu, n'est-ce pas ?

— Tout juste !

— Quand il vous eut mis au courant de tout ça, vous l'avez abattu ?

— J'ai fait justice...

— Ne jouons pas sur les mots... C'était, en effet, une sale blague à faire à Léonora... Il était bien, dans cette penderie... La môme a disparu, je suppose qu'elle est recherchée par la police ?

— Évidemment.

— Parfait... Elle est obligée de se terrer dans le Barrio...

— C'est pourquoi je surveillais les environs du dancing... J'ai surpris vos allées et venues... Vous me devez une fière chandelle, non ?

Dire que ce mec, avec le grisbi chouravé en Allemagne, pourrait se la couler douce... Mais non, il faut qu'il aille se coller dans les coups foireux les plus perfides ! Il a besoin de chanstiquer la vie des gens...

— Et maintenant, je demande, où en sommes-nous, Luebig ?

CHAPITRE XXIII

Il tarde à répondre. Enfin il se lève et passe dans une petite pièce que j'estime être la cuisine. J'entends ouvrir la porte d'un frigo. Il radine avec de la charcuterie de sanglier sur une assiette, des petits pains, des fruits et un kil de rouquin.

— Les émotions ne vous creusent pas, vous ? demande-t-il.

— Effectivement...

Il pioche dans l'assiette une tranche de jambon noir et la dépose entre deux tranches de pain de mie.

— Servez-vous...

Je ne me fais pas prier... Nous tortorons en silence, sans presque nous regarder, chacun faisant pensée à part.

Enfin il achève sa dernière bouchée et la pousse avec un demi-glass de vin rouge.

— Nous en sommes au point suivant, dit-il. Je suis un ancien « criminel de guerre », pour employer votre jargon de l'armistice. Depuis le temps, on peut considérer qu'il y a prescription. Je viens de sauver la vie à un important fonctionnaire français... Je suis capable de faire des révélations qui intéresseraient vos supérieurs... J'ai envie de travailler... Bref, autant d'éléments qui nous mènent tout droit à une entente cordiale, tous les deux, ne pensez-vous pas ?

— En ce qui me concerne, ma reconnaissance vous est acquise...

— Je compte sur vous pour plaider ma cause auprès des autorités compétentes...

— Je vais faire le nécessaire... Pour commencer, dites-moi, Luebig, vous n'auriez pas un fer à repasser ? J'aimerais bien sécher mes vêtements.

— Que comptez-vous faire ? Partir maintenant ?

— Oui...

— Vous n'y pensez pas ! Il est plus de trois heures, c'est-à-dire l'heure où les Espagnols se couchent. Tout sera fermé, vous ne pourrez rien faire... Vous avez besoin de repos, regardez-vous dans une glace, on dirait que vous allez tomber...

Est-ce la persuasion ? Toujours est-il que je me sens, en effet, ratiboisé pile. Les cannes en coton, comme si je venais de gagner les 10 000 mètres devant Mimoun.

— Vous n'avez pas tort, admets-je, seulement je voudrais passer un coup de tube à l'Arycasa où m'attend mon compagnon... Est-ce possible ?

— Très simple...

Il fait pirouetter la cave à liqueurs roulante, découvrant un appareil téléphonique blanc.

— Allez-y, je crois que c'est le 22-07-81.

— Ça vous ennuierait de me le demander, je ne parle pas espagnol.

— Vous, un commissaire ? s'étonne-t-il.

Ça le cloue.

— Je ne connais qu'une langue vivante, c'est l'argot de Belleville. Pendant que vous y serez, demandez à la réception qu'on vous passe M. Bérurier...

— Entendu...

Il baratine la postière et attend.

— Quelques minutes seulement d'attente, fait-il, comme si on avait un vase terrible de ne pas poireauter plus.

Il allume une cigarette, tire quelques bouffées à la paresseuse et s'écrie : *Oigo.* Puis le voilà parti dans la jactance façon Cervantès améliorée marquis de Cuevas.

Enfin il raccroche. Un étrange sourire crispe sa lèvre inférieure.

— Votre subordonné a été arrêté par la police espagnole, dit-il.

J'en suis asphyxié à la vapeur de nouille.

— Quoi ? croassé-je comme un corbeau sourd.

— Il serait mêlé à l'affaire du meurtre... d'après l'estimation de la même police espagnole.

Je réfléchis. Évidemment, quand les larbins ont découvert le cadavre, ç'a été le paveton dans la mare. Il y a eu aussitôt la méchante enquête, interrogatoire du personnel et tout le *cheese !* Le gominé que j'ai questionné et le petit groom se seront allongés. Ils auront dit que Bérurier suivait la femme occupant la chambre du cadavre... Alors les carabiniers ont cueilli le mec Béru à son retour. Dérouillé comme il était, il n'inspirait guère confiance... D'autre part, il n'avait plus de papelards sur lui... En outre, le Gros sachant que j'étais sur la brèche n'a pas mouffeté afin de me laisser le champ libre.

J'éclate de rire.

Y a de quoi. J'ai idée qu'il s'en souviendra, Béru, de son séjour en España. Il n'est pas près d'y revenir, au pays de la castagnette, mon pote !

Sans compter qu'après sa noye à la cave du Barrio et sa tabassée maison, il a remis le couvert aussi sec chez les pébroques d'ici ! De quoi se tordre...

Je gamberge un instant.

— Dites voir, Luebig, je peux téléphoner en France ?

— Pourquoi pas ?...

Alors, après une courte hésitation, je lui fais demander le numéro du Vieux. L'instant n'est plus aux feintes coulées. Il faut y aller carrément et vite. Car, dans le fond, je suis ici pour accomplir une mission ; cette mission consiste à buter l'homme qui m'a sauvé la vie. Depuis Corneille, on n'avait pas fait mieux dans le cornélien !

Trois plombes du mat, ça me paraît un peu chançard tout de même pour trouver un zig à son burlingue ! Je veux que le Vieux ne décramponne pas souvent, néanmoins je ne l'espère pas beaucoup... J'ai tort car sa voix sèche grommelle un bref « Allô ! » dans la passoire d'ébonite (comme disent les auteurs de romans policiers).

— San-Antonio.

— Ah !

Il y a de tout dans son « Ah ! » Du triomphe, du soulagement, de l'interrogation...

— Où en êtes-vous ?

Combien de fois m'aura-t-il posé cette question au cours de ma saloperie de carrière...

— Au terminus, chef, je me trouve en compagnie de Luebig... Ce dernier vient de me sauver la vie et...

Devant l'intéressé je lui raconte tout en reprenant au départ. C'est la première fois que je téléphone en présence du gars que je suis chargé de démolir... Luebig attend en buvant et rêvassant... Il est discret. Ses mains ne bronchent pas.

— Vous faites le nécessaire pour qu'on libère Bérurier ? je demande.

— Immédiatement, promet-il, ne vous occupez pas de ça...

— O.K... Alors que dois-je faire ?

— Dites à Luebig que je le rencontrerai quand il voudra... Vous pouvez le ramener à Paris s'il le désire...

Je fais signe à Luebig d'empoigner l'écouteur. Il le fait avec une certaine satisfaction.

— Je m'excuse, boss, dis-je, je n'ai pas entendu votre dernière phrase...

Le Boss répète et je vois un éclair de satisfaction trembler dans le regard de Luebig. Doucement il pose l'écouteur de complément et retourne s'asseoir.

— Et pour les autres, patron, ceux du poste clandé ?

— Ne vous en occupez pas...

— O.K.

— Vous regagnez l'Arycasa ?

— Non, je préfère me remettre de mes émotions chez Luebig. Si je retournais au palace j'aurais l'air du mouton à cinq pattes qui revient chez sa mère...

— C'est pour Bérurier...

— Nous nous retrouverons demain.

— Comme vous voudrez... A bientôt, San-Antonio... Et bravo !

— Merci, boss...

Je raccroche.

— Je trouve la vie crevante, dis-je à Luebig. Il y a de ces renversements de situation sensationnels !

Il hausse les épaules en souriant.

— Venez vous coucher, j'ai une petite chambre d'ami...

Je le regarde.

— Ce qui est une façon de parler, conclut-il, car je n'ai pas d'amis...

Je plonge dans le sommeil comme on s'élance sur la pente torturée d'un toboggan. Dès que je sombre dans le vague une affreuse sensation de péril m'envahit. Je crois toujours que je coule à pic et j'ai mal par tout le corps... Je sue abondamment.

Je ne suis pas près d'oublier cette séance... C'est à vous dégoûter à tout jamais de ce boulot. Dire qu'il y a de braves mecs d'épiciers qui se lèvent à cinq heures du mat pour aller acheter des balles de légumes aux Halles et qui les vendent dans le courant de la journée en lisant mes exploits entre deux clients...

Passer sa vie à fabriquer du fait divers, c'est une gageure...

Le temps passe... Un silence profond règne dans la carrée. J'entends la respiration régulière de Luebig dans la pièce voisine. Quand je raconterai cette histoire du gibier sauvant la mise au chasseur, j'en ferai marrer plus d'un !

Une pendulette à la voix grêle vient chanter quatre heures timidement. Je perçois son timbre fluet comme à travers une opacité incertaine. (Vous vous rendez compte de la richesse de mon style !)

Puis je m'endors... Et soudain je sursaute... Je suis brutalement éveillé par un signal d'alarme qui carillonne dans ma tête. Je suis en nage. Je tremble, j'ai froid et peur... Le goût sucré de la trouille, vous ne connaissez pas ça ? Non ? Eh bien ! tant mieux pour vos gueules.

C'est rudement moche. On ne peut pas s'en défendre : ça vous colle à la peau comme de la glu...

Je me mets sur mon séant et je pige ce qui m'a réveillé : c'est un crissement sur les dalles du patio. Je me lève et vais risquer un œil par la fenêtre... Tout de suite je ne vois rien, mais, mon regard s'habituant à l'obscurité, je décèle, dans la zone d'ombre de la maison, d'autres ombres qui se meuvent. Il y a des mecs qui se radinent sur la pointe des salsifis, ce qui prouverait l'impureté de leurs intentions... J'ai ce bon vieux geste machinal qui consiste à porter la main à mon aisselle. Mais je suis en robe de chambre et du reste je n'ai plus de pétard... Mon être devient plus calme. J'entends la respiration paisible de Luebig. Il en écrase comme un pape... S'agit de l'affranchir presto. Si je me branle les cloches plus longtemps on est chiche, le Chleuh et moi, d'hériter un caramel en plein chignon !

A quatre pattes pour éviter la croisée j'entre dans la chambre à côté. Le lit est là... Le dormeur ronflotte doucement. Je le secoue. Luebig sursaute. Je le vois plonger la main sous son oreiller.

— Déconnez pas, fais-je, ce n'est que moi. Je vous annonce des visites, à la nuit, comme dans le grand jeu... Seulement, ça m'étonnerait qu'il s'agisse du roi de trèfle... Tel que l'enfant se présente, ce serait plutôt des valets de pique...

Il est réveillé pour de bon. Un Lüger de fort calibre surmonte son poing droit.

Il saute du lit et va jusqu'à la croisée... Il regarde.

— Ce sont eux, annonce-t-il dans un souffle.

— Les Espagos de Léonora ?

— Oui...

— Vous n'auriez pas un pétard en rab, il y a longtemps que je n'ai pas fait de carton, ça me ferait plaisir de leur souhaiter le bonjour à ma façon...

Il va à un tiroir et me passe un feu à canon long que je ne perds pas de temps à identifier.

— Il y a du monde à l'intérieur ? je questionne.

— Neuf balles.

— Ça ira...

Je bigle par la fenêtre afin de voir où nous en sommes. Les ombres plaquées contre le mur se rapprochent. Elles arrivent au bord du mur d'enceinte, là où la lune tape en plein. Il va falloir qu'elles se montrent.

Hop !

C'est le grand maigre qui vient de traverser cette sorte d'écran blanc. Il est suivi du gorille et du nabot. Le vieux doit rester dans les horizons pour faire le vingt-deux... Voici une quatrième ombre pourtant ; je reconnais Léonora. Elle porte un pantalon fuseau et un pull à col roulé.

Elle fait partie de l'expédition punitive, cette chérie... Probable qu'elle aime la castagne. Décidément, elle liquide avant de disparaître.

— Mettez votre oreiller sous les couvertures pour faire croire que vous êtes au lit...

Souple comme un chat. Luebig obéit. Il tord l'oreiller et arrange le lit. On jurerait que quelqu'un repose...

Puis il vient s'accroupir à mes côtés derrière le dossier d'un canapé situé près de la porte...

Des secondes longues comme des heures s'écoulent. Enfin une ombre s'encastre dans le montant de la lourde. Elle reste immobile un instant, puis s'avance, une autre suit... Il y a là le nabot et le grand maigre... Tous deux s'approchent du lit. Le nabot tient une mitraillette à la main... Il la lève légèrement de façon qu'elle soit à la hauteur de la bosse figurant le corps de Luebig... Soudain il arrose en éventail... Une volée d'étincelles bleues illumine un fugace instant la chambre.

Le nabot a un cri sauvage... Le gorille et Léonora entrent en vitesse... La femme court au lit, arrache les couvrantes perforées et à son tour pousse un cri sauvage, mais qui n'est pas de triomphe, celui-là...

Ça doit exciter Luebig, car il choisit cet instant pour balanstiquer la purée. A la snobinarde, qu'il défouraille, le gestapien ! Comme le marquis du Glandard au tir au pigeon de Saint-Cloud ! Le grand maigre s'abat d'une masse, une olive en plein bol... Le nabot tourne sa seringue vers nous, mais à mon tour je dis bonjour à la dame ! Pff ! Je le plombe dans la poitrine. Il se met à gigoter sur la carpette comme une tortue à la renverse... Léonora et le gorille enjambent les dessoudés pour gagner la sortie. Ça presse un peu... Luebig jure, car son arme vient de s'enrayer et moi je rate le gorille d'un poil de chose !

Luebig se rue au tiroir de sa commode. Il doit avoir une drôle de collection de machines à secouer le paletot, je vous promets... Je me rue hors de la chambre à mon tour. Ça chlingue méchant la poudre et on marche dans le raisin !

Presto nous passons dans la grande pièce centrale, nous la traversons pour sortir, mais à cet instant, une volée de balles fait sauter des morcifs de plâtre à dix centimètres de nos frimes. Quand il vase de ces trucs-là, vaut mieux attendre que ça se passe, autrement on chipe une migraine qui ne vous lâche pas de l'éternité !

— A genoux ! me dit Luebig...

J'obéis. D'autres rafales passent... Les vaches ont l'air de vouloir tenir un siège... C'est moche... D'autant plus moche que dans les baraques environnantes ça va remuer... D'ici à ce qu'on ait les carabiniers sur le dos, y a pas le Sahara !

Je m'approche de la croisée et je situe l'une des ombres... C'est celle du gorille, sans doute, à son volume... Je vise approximativement et j'envoie quatre prunes par colis postal ! Un cri m'annonce que j'ai fait mouche. Le gros quitte la zone d'ombre en titubant pour se sauver... Luebig le stoppe d'une seule dragée bien placée...

Ces carnes remettent le couvert aussi sec. Le vieux a prêté main-forte à Léonora. Ils ont deux Thompson (comme les carnets du major et ils savent s'en servir...). Ils sont derrière le mur et ils tirent entre les tuiles qui le somment... pour les avoir, c'est midi un quart !

— Il n'y a pas une issue de secours ? je demande à Luebig.

— Si, fait-il, mais la porte donne à côté de l'endroit où ils sont...

Ça se présente mal... Je préférerais être sultan du Maroc que grand bignolon aux Services... bien que ça ne soit pas une gâche de tout repos !

— Qu'est-ce qu'on fait ?

Ma question ne provoque pas de réponse. Luebig réfléchit en mordillant sa lèvre inférieure. Soudain, il se retourne et crache une praline. Je constate alors avec un frémissement rétrospectif que le nabot avait rampé jusqu'à la porte de la chambre et qu'il s'apprêtait à me cisailler à bout portant.

— Deux fois dans la même nuit, c'est beaucoup, fais-je à l'Allemand, vous me direz ce que je vous dois...

Il ne répond pas.

— Il faudrait en finir, dit-il.

De temps en temps une courte rafale part du mur, nous éclaboussant de plâtre... Nous sommes condamnés à vivre à quatre pattes... Jusqu'à quand ? J'aimerais savoir... Visitez l'Espagne, les gars ! Pays de traditions !

Nous en sommes là de nos emmerdements lorsque ça se met à cracher, au loin... Les rafales de mitraillette s'arrêtent.

— Les carabiniers ? demandé-je à Luebig.

Il a une vilaine grimace affirmative...

On entend encore un coup sec... Puis plus rien... Nous sommes sur le qui-vive... Et voilà qu'un mouchoir blanc s'agite au-dessus du mur, non pas à droite, où se trouvaient nos deux mitrailleurs, mais à gauche, soit de l'autre côté de l'entrée. Or personne n'a traversé cet espace à découvert.

— T'es là mec ? hurle une voix de stentor...

Je balbutie :

— Bérurier...

» Ne tirez pas, fais-je à Luebig. C'est mon collègue...

» Annonce ta viande, enflé ! crié-je à plein chapeau.

Alors le Gros apparaît. Il tient un pétard fumant en main. Nous nous ruons sur lui.

— T'es tout seul, gars ? je lui demande.

— Oui... Pas besoin d'inviter du monde pour un turbin pareil... Alors on joue au *Chemin des Dames* sans attendre son petit camarade ?

Je le presse sur mon cœur.

— C'est le bon Dieu qui t'envoie...

— C'est pas le bon Dieu, c'est le Vieux... Tu parles d'une séance chez les Espagos... Polis, note bien... Mais inquisiteurs en diable ! Moi je ne souffrais pas, espérant que tu viendrais me tirer du trou, ton turf fini...

— Je l'ai fait par le Vieux, en lui tubant d'ici...

— Je sais, il me l'a dit...

— Comment, il te l'a dit ?

— Tu le connais ? Il a le bras long ! Je ne sais pas comment il s'y est pris, toujours est-il que les bignolons espagos m'ont brusquement fait le salut militaire en s'excusant de la méprise. C'est une méprise-*party*, tu vois...

— Toujours aussi c..., remarqué-je.

— Toujours, fait-il, puisque mon premier soin a été de radiner. Le Vieux m'a téléphoné à la police... Il m'a donné ton adresse en me disant que je ferais bien de te joindre au plus tôt !

— Mon adresse ! dis-je. Comment diantre est-ce possible ?

— Figure-toi qu'il a dû demander d'où venait l'appel, tu le connais.

Bien sûr que je le connais, ma question est idiote...

— On devrait se bouger, dit Bérurier, cette pistolade a réveillé les populations rurales...

Il regarde Luebig.

— Alors c'est vous ? dit-il.

— M. Bérurier, présenté-je.

L'Allemand a un claquement de talons.

— Très honoré...

— Y a de la viande froide dehors, annonce le Gros. Si vous voulez jeter un coup d'œil...

Nous allons au pied du mur. (C'est le cas de le dire.) Léonora et le petit vieux sont là, avec chacun une bastos dans le placard. Comme tireur d'élite, Béru se pose là ! Il pulvérise une noisette à dix pas... Seule la femme vit encore... Mais c'est du peu au jus... Un vilain gargouillement s'échappe de sa gorge et ses yeux se révulsent.

Je me penche sur elle.

Elle a un frémissement. Sans doute croit-elle voir un fantôme, déjà... Elle doit se dire que l'au-delà est bien mal famé !

Un hoquet, plus rien, je viens de la finir à la surprise...

— Fissa ! dis-je. Sortez votre bolide, Luebig...

— Sortez-le, dit-il, moi j'ai certains documents à prendre...

Il se rue dans la baraque tandis que je fonce au garage pour y cueillir la tire... Je suis toujours en robe de chambre avec les nougats dans des espadrilles.

— Va chercher mes fringues dans la salle, dis-je à Bérurier. Tu peux pas te gourer, ce sont les mouillées... Je me loquerai en cours de route !

Il obtempère.

Cette Mercedes, c'est un vrai bijou. Il n'est pas encore faucheman, Luebig, pour se payer des carrosses de cet acabit. Je tourne la clé de contact et le moteur vrombit. Il y a une explosion, puis il tourne rond... J'embraye et je sors dans le patio...

Béru sort de la maison en courant...

Il tient mes fringues sous le bras.

— Tu n'es pas venu en voiture ? je questionne.

— Si, mais ce sont les poulardins qui m'ont véhiculé ; ils sont repartis.

— Il arrive, Luebig ?

— Non, démarre...

— Qu'est-ce que tu débloques, on ne va pas le laisser ici...

Alors le Gros me regarde de son œil valide. Sa bonne bouille contusionnée semble infiniment triste.

— On n'a pas besoin de charrier un macchab, San-A. !

— Quoi ?

— Il est clamsé, je viens d'y filer une prune dans la coiffe !

La rage me noue la gorge. Je chope le Gros par sa veste :

— Fumier ! C'est pas vrai, t'as pas fait ça ! Dis, t'as pas fait ça ! Un mec qui m'a sauvé deux fois la vie dans la même nuit...

— C'était l'ordre, San-A. !

— L'ordre, sombre corniaud ! Mais cette nuit le Vieux m'a dit de le ramener à Pantruche !

— Il t'a dit ça pour ne pas te forcer à buter un mec à qui tu devais tes os... Il m'a téléphoné exprès chez les bourres de Barcelone pour me dire de refroidir Luebig avant de partir !

Je suis abasourdi... Des mecs en limace apparaissent, çà et là...

— Décarre, bon Dieu ! grogne Bérurier, j'ai pas envie de me faire emballer encore une fois... On passe à l'Arycasa cueillir nos bagages et on fonce à l'aéroport, l'avion décolle à sept heures du mat !

Avec des gestes mécaniques je démarre. Nous tanguons un peu sur le sentier sableux, puis nous arrivons à l'autoroute... Là-bas, sur la mer, l'aube se lève... Un magnifique rougeoiement !

Je sens ma vue brouillée par des larmes. Béru, sans me regarder, murmure :

— Tu ne vas pas chialer, non ?

— Le Vieux a eu tort : Luebig pouvait nous être utile... Il paraît qu'il avait des déclarations...

Le Gros m'interrompt.

— Le Vieux n'a jamais tort, tu le sais... Quand il décide quelque chose, surtout quelque chose de grave, c'est qu'il a tout pesé. Voilà pourquoi on peut lui obéir : il est comme le pape, ce mec, infaillible !

— Mes fesses !

— Si ! écoute ; les types comme Luebig ne sont jamais utiles, c'est pas vrai, Tonio, c'est pas vrai !

Je balbutie :

— Comment... comment as-tu fait ?

— Oh ! je ne lui ai pas joué Marthe Richard au service de la France ! Il était accroupi devant une commode ; je lui ai tiré une bastos dans la nuque... Il ne s'est pas encore aperçu qu'il est mort !

Sa grosse patte se pose sur moi.

— Que veux-tu, mec, on fait un métier idiot !
— C'est vrai...
Je regarde l'horizon. Le ciel est d'une pureté infinie, mais on dirait qu'il y a du sang sur la mer !

FIN

Achevé d'imprimer
le 8-11-1984
par Mohndruck Gütersloh
pour France Loisirs
N° d'éditeur 9703
Dépôt légal: Novembre 1984
Imprimé en R.F.A.
Photocomposition P.F.C. Dole